LE JEU DE RIPPER

DU MÊME AUTEUR

LE PLAN INFINI, Fayard, 1994.
LA MAISON AUX ESPRITS, Fayard, 1994.
EVA LUNA, Fayard, 1995.
PAULA, Fayard, 1997.
LES CONTES D'EVA LUNA, LGF, 1998.
D'AMOUR ET D'OMBRE, LGF, 1998.
FILLE DU DESTIN, Grasset, 2000.
PORTRAIT SÉPIA, Grasset, 2001.
APHRODITE, *Contes, recettes et autres aphrodisiaques*, Grasset, 2001.
LA CITÉ DES DIEUX SAUVAGES, Grasset, 2002.
MON PAYS RÉINVENTÉ, Grasset, 2003.
LE ROYAUME DU DRAGON D'OR, Grasset, 2004.
ZORRO, Grasset, 2005.
LA FORÊT DES PYGMÉES, Grasset, 2006.
INÈS DE MON ÂME, Grasset, 2008.
L'ILE SOUS LA MER, Grasset, 2011.
LA SOMME DES JOURS, Grasset, 2012.
LE CAHIER DE MAYA, Grasset, 2013.

ISABEL ALLENDE

LE JEU DE RIPPER

roman

Traduit de l'espagnol (Chili)
par
NELLY ET ALEX LHERMILLIER

BERNARD GRASSET
PARIS

L'édition originale de cet ouvrage a été publiée par
Penguin Random House Grupo Editorial, en janvier 2014, sous le titre :
EL JUEGO DE RIPPER

Couverture : © Reilika Landen/Arcangel Images.

ISBN : 978-2-246-81195-4

Pour William C. Gordon,
mon complice dans l'amour et dans le crime.

« Ma mère est toujours en vie, mais elle trouvera la mort le vendredi saint à minuit », annonça Amanda Martín à l'inspecteur-chef, et celui-ci ne mit pas sa parole en doute, car l'adolescente avait montré qu'elle en savait plus que lui et tous ses collègues de la Brigade criminelle réunis. La femme était retenue captive quelque part sur les dix-huit mille kilomètres carrés de la baie de San Francisco. Ils ne disposaient que de quelques heures pour la retrouver vivante, et il ne savait par où commencer les recherches.

Les adolescents appelèrent le premier assassinat : « le crime de la batte mal placée », afin de ne pas humilier la victime par une dénomination plus explicite. Ils étaient cinq, plus un homme d'un certain âge, à se connecter en réseau pour participer à *Ripper*, un jeu de rôle.

Le 13 octobre 2011, à huit heures et quart du matin, les élèves de CM1 de l'école publique Golden Hills, à San Francisco, entrèrent dans la salle de sport en trottant au rythme des coups de sifflet du professeur d'éducation physique qui les encourageait depuis la porte. Le gymnase, vaste, moderne et bien équipé, érigé grâce à la générosité d'un ancien élève qui avait fait fortune pendant la bulle immobilière avant qu'elle n'éclate, servait également pour les cérémonies de remise des prix, les spectacles de musique et de théâtre. La file d'enfants devait effectuer, pour s'échauffer, deux tours complets du terrain de basket, mais elle s'arrêta au centre en découvrant soudain un corps qui gisait plié en deux sur un cheval d'arçon, le pantalon baissé, le derrière à l'air et le manche d'une batte de base-ball enfoncé dans le rectum. Ébahis, les enfants se groupèrent autour, jusqu'à ce qu'un petit de neuf ans, plus hardi que les autres, se penche pour passer le doigt sur une tache brune étalée par terre et constate que si ce n'était pas du chocolat, ce devait être du sang séché, tandis qu'un autre gamin ramassait une cartouche vide et la glissait dans sa poche pour l'échanger à la récré contre une bande dessinée pornographique, et qu'une morveuse filmait le cadavre avec son téléphone portable. L'entraîneur, qui continuait à donner des coups de sifflet à chaque expiration, s'approcha par petits bonds du cercle compact d'élèves et, voyant ce spectacle qui n'avait rien d'une plaisanterie, piqua une crise de nerfs. Le tapage des élèves attira d'autres enseignants qui les firent sortir du gymnase à grands cris, tout en traînant le professeur à bras-le-corps ; ils arrachèrent ensuite la batte de base-ball, étendirent la victime sur le sol et constatèrent alors qu'elle avait un trou sanglant au milieu du front. Ils la couvrirent de deux ou trois sweat-shirts et fermèrent la porte en attendant l'arrivée de la police, exactement dix-neuf minutes plus tard. À ce moment, la scène du crime était tellement contaminée qu'il était impossible de dire avec précision ce qui avait pu se passer.

Un peu plus tard, lors de sa première conférence de presse, l'inspecteur-chef Bob Martín expliqua que le corps avait été identifié. Il s'agissait d'Ed Staton, âgé de quarante-neuf ans, le gardien de l'école. « Et la batte de base-ball ? » s'enquit très fort un journaliste inquisiteur ; l'inspecteur, embarrassé d'apprendre que ce détail déshonorant pour Ed Staton et compromettant pour l'établissement scolaire avait filtré, répondit que l'autopsie leur en apprendrait plus. « Il y a un suspect ? Le gardien était gay ? » Bob Martín ignora le bombardement de questions et déclara que la conférence était terminée, mais il assura que la Criminelle informerait la presse des avancées de l'enquête, qui avait immédiatement été ouverte et dont il était chargé.

La veille, dans la soirée, un groupe d'élèves de terminale était venu répéter dans le gymnase une comédie musicale d'outre-tombe pour Halloween, une histoire de zombies et de rock'n'roll, mais ils ne surent ce qui s'était passé que le lendemain. À l'heure où, d'après les estimations de la police, le crime avait été commis, vers minuit, il ne restait personne à l'intérieur de l'établissement, et seuls trois membres du groupe de rock chargeaient leurs instruments de musique dans une fourgonnette sur le parking. Ils étaient les derniers à avoir vu Ed Staton vivant ; ils affirmèrent que le gardien les avait salués de la main avant de s'éloigner dans une petite voiture aux alentours de minuit et demi. Ils se trouvaient à une certaine distance de Staton et l'endroit n'était pas éclairé, mais ils étaient certains d'avoir reconnu son uniforme à la clarté de la lune ; ils ne purent cependant s'accorder sur la couleur ou la marque du véhicule dans lequel il était parti, ni dire s'il y avait une autre personne à l'intérieur, mais la police déduisit que le véhicule n'appartenait pas à la victime, car son tout-terrain gris perle se trouvait à quelques mètres de la fourgonnette des musiciens. Les experts avancèrent l'hypothèse que Staton était parti avec quelqu'un qui l'attendait avant de revenir chercher sa voiture à l'école.

Lors d'une deuxième rencontre avec la presse, le patron de la Criminelle précisa que le gardien finissait sa garde à six heures du matin et qu'on ignorait pour quelle raison, cette nuit-là, il avait quitté l'école avant de revenir dans le gymnase où la mort l'attendait. Sa fille Amanda, qui vit l'interview à la télévision, l'appela au téléphone pour le corriger : ce n'était pas la mort qui attendait Ed Staton, c'était l'assassin.

Ce premier assassinat entraîna les joueurs de *Ripper* vers ce qui allait devenir une dangereuse obsession. Les cinq adolescents se posèrent les mêmes questions que la police : où le gardien était-il allé dans le court laps de temps écoulé entre le moment où les musiciens l'avaient vu et l'heure estimée de sa mort ? Comment était-il revenu ? Pourquoi le gardien ne s'était-il pas défendu avant qu'on lui tire une balle dans le front ? Pourquoi avait-il une batte de base-ball plantée dans le derrière ?

Peut-être Staton méritait-il sa fin, mais la morale de l'histoire n'intéressait pas les jeunes gens, qui s'en tenaient strictement aux faits. Jusqu'alors, le jeu de rôle s'était limité à des crimes fictifs du XIXe siècle, survenus dans un Londres enveloppé de brume, où les personnages affrontaient soit des bandits armés de haches ou de pics à glace, soit les habituels trublions de la paix citadine. Il prit toutefois une coloration plus réaliste lorsque les participants acceptèrent la proposition d'Amanda Martín d'enquêter sur ce qui se passait à San Francisco, ville tout aussi brumeuse. La célèbre astrologue Céleste Roko avait prédit un bain de sang et Amanda Martín saisit cette occasion unique de mettre l'art de la divination à l'épreuve. À cette fin, elle obtint le concours des joueurs de *Ripper* et de son meilleur ami, Blake Jackson, qui était en outre son grand-père, sans se douter que le jeu céderait la place à la violence et que sa mère, Indiana Jackson, ferait partie des victimes.

Les participants, un groupe choisi de *freaks* éparpillés de par le monde, communiquaient entre eux via Internet pour attraper et neutraliser le mystérieux Jack l'Éventreur, surmontant les obstacles et terrassant les ennemis qui se dressaient en travers de leur route. En tant que maîtresse du jeu, Amanda organisait les parties en fonction des compétences des personnages créés par chaque joueur pour être son alter ego.

En Nouvelle-Zélande, un garçon paraplégique condamné au fauteuil roulant à la suite d'un accident, mais dont l'esprit libre pouvait errer dans les mondes fantastiques et vivre aussi bien dans le passé que dans le futur, endossa le rôle d'Esmeralda, une gitane curieuse et rusée. Un adolescent solitaire et timide du New Jersey, qui vivait avec sa mère et qui au cours des deux dernières années n'avait accepté de sortir de sa chambre que pour aller aux toilettes, était Sir Edmond Paddington, colonel anglais à la retraite, machiste et arrogant, très utile dans le jeu car expert en armes et en stratégies militaires. À Montréal, une jeune fille de dix-neuf ans qui avait passé sa courte vie dans des cliniques en raison de troubles alimentaires inventa le personnage d'Abatha, un médium capable de lire dans les pensées, d'induire des souvenirs et de communiquer avec les fantômes. Un orphelin afro-américain de treize ans doté d'un coefficient intellectuel de 156, boursier dans une académie de Reno pour enfants surdoués, choisit le rôle de Sherlock Holmes, car la déduction était chez lui une seconde nature.

Amanda n'avait pas de personnage en propre. Son rôle consistait à diriger et à s'assurer que les règles étaient respectées, mais dans l'affaire du bain de sang elle se permit d'apporter de légers changements. Par exemple, elle transposa l'action, qui traditionnellement se situait à Londres en 1888, à San Francisco en 2012. En outre, enfreignant le règlement, elle s'attribua un sbire du nom de Kabel, un bossu à l'intelligence limitée, mais obéissant et loyal, chargé d'exécuter ses ordres, aussi extravagants fussent-ils. Il n'échappa pas à son grand-père que le nom du sbire était une anagramme de Blake. À soixante-quatre ans, Blake Jackson avait depuis longtemps dépassé l'âge des jeux de gamins. S'il participait à *Ripper*, c'était pour partager avec sa petite-fille autre chose que des films d'horreur, des parties d'échecs et les problèmes de logique par lesquels ils se défiaient mutuellement et qu'il gagnait parfois après avoir consulté deux ou trois amis, professeurs de philosophie et de mathématiques de l'université de Californie, à Berkeley.

JANVIER

Lundi, 2

À plat ventre sur la table, Ryan Miller somnolait, bercé par le massage d'Indiana Jackson, praticienne du premier degré de reiki, selon la technique développée par le bouddhiste japonais Mikao Usui en 1922. Parce qu'il avait lu une bonne soixantaine de pages à ce sujet, Miller savait qu'aucune preuve scientifique n'atteste l'efficacité du reiki, mais il se doutait qu'il devait avoir un mystérieux pouvoir, car lors de la conférence des évêques catholiques des États-Unis, en 2009, il avait été déclaré dangereux pour la santé spirituelle des chrétiens.

Indiana Jackson occupait le bureau numéro 8 au premier étage de la fameuse Clinique Holistique de North Beach, au cœur du quartier italien de San Francisco. Sa porte était peinte en indigo, la couleur de la spiritualité, et les murs en vert pâle, la couleur de la santé. Une plaque annonçait en lettres italiques : *Indiana, guérisseuse*, et, plus bas, ses méthodes : « Massage intuitif, reiki, aimants, cristaux, aromathérapie ». Sur le mur de la minuscule salle d'attente était accrochée une peinture aux couleurs criardes, achetée dans une boutique asiatique, représentant la déesse Shakti, une jeune femme sensuelle aux cheveux noirs, vêtue de rouge, couverte de bijoux en or, tenant une épée dans la main droite et une fleur dans la gauche. La déesse avait plusieurs bras qui portaient d'autres symboles de son pouvoir, entre autres un instrument de musique et quelque chose qui, à première vue, ressemblait à un téléphone portable. Indiana était tellement obnubilée par Shakti qu'elle avait failli adopter son prénom, mais son père, Blake Jackson, avait réussi à la convaincre que s'appeler comme une déesse hindoue n'était pas ce qui allait le mieux à une Américaine grande, opulente et blonde, à l'allure de poupée gonflable.

Malgré son caractère méfiant, dû à la nature de son travail et à sa formation militaire, Miller s'abandonnait aux soins d'Indiana avec une profonde reconnaissance et il ressortait de chaque séance léger et heureux, que ce soit dû à l'effet placebo et à l'enthousiasme amoureux, comme le croyait son ami Pedro Alarcón, ou à l'alignement de ses chakras, comme l'affirmait Indiana. Cette heure paisible était ce que sa vie solitaire avait de meilleur ; il trouvait plus d'intimité dans une séance de soins avec Indiana que dans ses ébats compliqués avec Jennifer Yang, la plus obstinée de ses maîtresses. C'était un homme grand et costaud, au cou et aux épaules de lutteur, aux bras aussi épais et aussi durs que des troncs, mais aux élégantes mains de pâtissier, aux cheveux châtains coupés en brosse et semés de fils blancs, aux dents trop blanches pour être naturelles, aux yeux clairs et au nez cassé, qui arborait treize cicatrices visibles, en comptant celle de son moignon. Indiana Jackson se doutait qu'il en cachait plusieurs autres, mais elle ne l'avait pas vu sans caleçon. Pas encore.

— Comment tu te sens ? lui demanda la guérisseuse.

— Merveilleusement bien. Cette odeur de dessert m'a ouvert l'appétit.

— C'est de l'huile essentielle d'orange. Si c'est pour te moquer, je me demande pourquoi tu viens, Ryan.

— Pour te voir, bien sûr, pour quoi d'autre.

— Alors ce n'est pas pour toi, répliqua-t-elle, fâchée.

— Tu sais bien que c'est une blague, Indi !

— L'orange est un parfum jeune et joyeux, deux qualités qui te font défaut, Ryan. Le reiki est si puissant que les praticiens du deuxième degré peuvent exercer à distance, sans voir le patient, mais moi il me faudrait étudier vingt ans au Japon pour y parvenir.

— N'essaie pas. Sans toi, ce commerce ferait faillite.

— Soigner n'est pas un commerce !

— Il faut bien vivre de quelque chose. Tu demandes moins que tes collègues de la Clinique Holistique. Sais-tu combien coûte une séance d'acupuncture chez Yumiko, par exemple ?

— Je n'en sais rien et ce n'est pas mon affaire.

— Près du double de ce que coûte une séance avec toi. Laisse-moi te payer davantage, insista Miller.

— Je préférerais que tu ne me donnes rien, parce que tu es mon ami, mais si tu ne me donnais rien, tu ne reviendrais sûrement pas. Tu ne veux pas te sentir redevable, l'orgueil est ton péché.

— Je te manquerais ?

— Non, parce qu'on continuerait à se voir en dehors, comme d'habitude, mais toi tu me regretterais. Avoue que mes soins te font du bien. Rappelle-toi comme tu souffrais la première fois que tu es venu. La semaine prochaine nous ferons une séance avec les aimants.

— Et aussi un massage, j'espère. Tu as des mains d'ange.

— Bon, aussi un massage. Et rhabille-toi maintenant, un autre patient attend.

— Tu ne trouves pas curieux que presque tous tes clients soient des hommes ? demanda Miller en descendant de la table.

— Ce ne sont pas tous des hommes, j'ai aussi des femmes, des enfants et un caniche qui souffre de rhumatismes.

Miller pensait que si les autres clients masculins d'Indiana étaient comme lui, ils payaient sûrement pour se trouver près d'elle, sans être nécessairement convaincus de l'efficacité de ses improbables méthodes. C'est pour cette seule raison qu'il était lui-même venu à la consultation la première fois, ce qu'il avoua à Indiana lors de la troisième séance, afin d'éviter tout malentendu et parce que l'attirance du début avait fait place à une sympathie respectueuse. Elle se mit à rire, elle y était plus ou moins habituée, et elle lui affirma que d'ici deux ou trois semaines, lorsqu'il constaterait les résultats, il changerait d'avis. Ryan lui paria un repas dans son restaurant préféré : « Si tu me guéris, c'est moi qui paie ; sinon, c'est toi », lui dit-il, espérant la voir dans un milieu plus propice à la conversation que dans ces deux réduits surveillés par l'omnisciente Shakti.

Ils s'étaient rencontrés en 2009, dans l'un des sinueux sentiers du parc national Samuel P. Taylor, au milieu d'arbres millénaires de cent mètres de haut. Indiana avait traversé la baie de San Francisco en ferry, avec son vélo à bord, et une fois dans le comté de Marin elle avait pédalé plusieurs kilomètres jusqu'à ce parc, en guise d'entraînement pour une course d'étapes à Los Angeles, qu'elle avait l'intention de faire quelques semaines plus tard. En principe, Indiana qualifiait le sport d'activité inutile et entretenir sa forme n'était pas sa priorité, mais il s'agissait cette fois d'une campagne contre le sida à laquelle sa fille Amanda avait décidé de participer, et elle ne pouvait pas l'autoriser à s'y rendre seule.

La femme s'était arrêtée un moment pour boire de l'eau, un pied à terre, sans descendre de sa bicyclette, lorsque Ryan passa en courant à côté d'elle, Attila attaché à sa laisse. Elle ne vit le chien qu'au dernier moment et, de frayeur, elle tomba, emmêlée dans son vélo. Miller l'aida à se relever en se confondant en excuses et tenta de redresser une roue tordue, tandis qu'elle ôtait la poussière de ses vêtements, plus intéressée par Attila que par ses propres contusions, car elle n'avait jamais vu un animal aussi laid : couvert de cicatrices, des plaques pelées sur la poitrine, un museau auquel manquaient plusieurs dents et où apparaissaient deux canines en métal de Dracula, et une oreille mutilée, comme coupée d'un coup de ciseaux. Elle lui gratta la tête avec pitié et voulut lui embrasser la truffe, mais Miller l'arrêta brusquement.

— Non, n'approche pas ton visage. Attila est un chien de guerre, la prévint-il.

— De quelle race est-il ?

— C'est un malinois belge avec pedigree. En bon état, il est plus fin et plus fort qu'un berger allemand, mais il a l'échine droite et ne souffre pas des hanches.

— Qu'est-il arrivé à ce pauvre animal ?

— Il a survécu à l'explosion d'une mine, l'informa Miller, tandis qu'il mouillait son mouchoir dans l'eau froide de la rivière où, la semaine précédente, il avait vu des saumons sauter à contre-courant dans leur courageux voyage pour aller frayer.

Miller le tendit à Indiana afin qu'elle nettoie les éraflures sur ses jambes. Lui portait un pantalon de survêtement, un sweat-shirt et un gilet qui paraissait blindé et, à ce qu'il expliqua, pesait vingt kilos et servait à l'entraînement ; lorsqu'il l'enlevait, pour la compétition, il avait l'impression de flotter. Ils s'assirent pour bavarder entre les grosses racines d'un arbre, sous l'œil attentif du chien qui suivait chaque geste de son maître, comme attendant un ordre, et approchait de temps en temps son nez de la femme pour la flairer discrètement. L'après-midi était tiède, parfumé de pin et d'humus, éclairé par les rayons de soleil qui, telles des lances, perçaient la cime des arbres ; on entendait des oiseaux, un murmure de moustiques, le bruit de l'eau bondissant sur les pierres et la brise dans les branches des arbres. La scène idéale pour une première rencontre dans un roman à l'eau de rose.

Miller avait été un *navy seal*, les forces spéciales qui exécutent les missions les plus secrètes et les plus dangereuses. Il avait appartenu au Seal Team 6, celui qui en mai 2011 allait attaquer la résidence d'Oussama Ben Laden au Pakistan. L'un de ses anciens camarades tuerait le chef d'Al-Qaida, mais Miller ne savait évidemment pas que cela aurait lieu deux ans plus tard et personne n'aurait pu le prédire, sauf Céleste Roko en étudiant les planètes. Il avait pris sa retraite en 2007, après avoir perdu une jambe au combat, ce qui ne l'empêchait pas de participer à des compétitions de triathlon. Elle, qui jusqu'alors l'avait moins regardé que le chien, remarqua que l'une de ses jambes se terminait dans une chaussure de tennis et l'autre en une palette courbe.

— Celle-ci est une Flex-Foot Cheetah, conçue pour reproduire la propulsion du guépard, lui dit-il en lui montrant la prothèse.

— Comment est-elle attachée ?

Il remonta la jambe de son pantalon et elle examina le mécanisme fixé au moignon.

— Elle est en fibre de carbone, légère et si parfaite qu'on a voulu empêcher Oscar Pistorius, un Sud-Africain amputé des deux jambes, de participer aux Jeux olympiques, parce qu'elles lui donnaient un avantage sur les autres athlètes. Ce modèle sert pour la course. J'en ai d'autres pour la marche et pour le vélo, dit l'ancien soldat, et il ajouta avec une certaine fierté que c'était le nec plus ultra de la technologie.

— Tu souffres ?

— Parfois, mais d'autres choses me font plus mal.

— Quoi, par exemple ?

— Des choses du passé. Mais j'en ai dit assez, parle-moi un peu de toi.

— Je n'ai rien d'aussi intéressant qu'une jambe bionique et je ne peux pas montrer mon unique cicatrice. Petite, je suis tombée le derrière sur du fil de fer barbelé, lui avoua Indiana.

Indiana et Ryan ne virent pas le temps passer, ils parlèrent de tout et de rien sous l'œil scrutateur d'Attila. Elle se présenta, moitié sérieusement et moitié en plaisantant, expliquant que le huit était son numéro porte-bonheur, le Poissons son signe astrologique, Neptune la planète qui la gouvernait, l'eau son élément ; la pierre de lune translucide – qui indique le chemin de l'intuition – et l'aigue-marine – qui guide les visions, ouvre l'esprit et entretient la bonté – étaient ses gemmes de naissance. Elle n'avait aucune intention de séduire Miller, car cela faisait quatre ans qu'elle était amoureuse d'un certain Alan Keller et avait opté pour la fidélité, mais si elle l'avait voulu, elle se serait arrangée pour évoquer Shakti, déesse de la beauté, du sexe et de la fertilité. La mention de ces attributs réduisait à néant la prudence de n'importe quel homme – il était hétérosexuel – au cas où son physique avantageux eût été insuffisant, mais Indiana passait sous silence les autres caractéristiques de Shakti, mère divine, énergie primordiale et pouvoir féminin sacré, car elles avaient un effet dissuasif sur les mâles.

La plupart du temps, Indiana ne donnait pas d'explications sur sa pratique de thérapeute, car elle était tombée sur plus d'un cynique qui l'écoutait parler de l'énergie cosmique d'un air condescendant, le regard plongé dans son décolleté. Cependant, comme le *navy seal* lui inspirait confiance, elle lui offrit une version résumée de ses méthodes, même si elles étaient moins convaincantes une fois mises en mots, y compris pour elle-même. Elles semblèrent à Miller plus proches du vaudou que de la médecine, mais il feignit un immense intérêt, vu que cette heureuse conjoncture lui donnait un bon prétexte pour la revoir. Il lui parla de ses crampes, qui le tourmentaient la nuit et le paralysaient parfois au milieu d'une course, et elle lui prescrivit une combinaison de massages thérapeutiques et de crèmes battues à la banane et au kiwi.

Ils étaient tellement absorbés dans leur conversation que le soleil commençait à se coucher lorsqu'elle s'aperçut qu'elle allait rater le ferry pour San Francisco. Elle se leva d'un bond et prit rapidement congé, mais il avait sa camionnette à l'entrée du parc et lui proposa de la ramener, puisqu'ils habitaient la même ville. Le véhicule avait un énorme moteur et de grosses roues de camion, une galerie sur le toit, un support pour vélos et un coussin en peluche rose orné de pompons pour le chien, que ni Miller ni Attila n'auraient jamais choisi ; Jennifer Yang, la maîtresse de Miller, le leur avait offert dans une démonstration d'humour chinois.

Trois jours plus tard, Miller se présenta à la Clinique Holistique juste pour voir la femme à la bicyclette, qu'il n'avait pas réussi à se sortir de la tête. Indiana ne ressemblait en rien à l'objet habituel de ses fantasmes érotiques : il préférait les femmes asiatiques, petites, comme Jennifer Yang, à qui pouvait être appliquée une série de clichés – une peau d'ivoire, des cheveux de soie, des petits pieds fragiles ; cadre dans une banque, elle était en outre ambitieuse. Indiana, au contraire, était le modèle de l'Américaine grande, saine et pleine de bonnes intentions, qui l'ennuyait d'ordinaire, mais qui, pour une raison inexpliquée, lui parut irrésistible. Il la décrivit à Pedro Alarcón comme « abondante et alléchante », adjectifs appropriés pour une nourriture contenant un taux élevé de cholestérol, comme le lui fit remarquer son ami. Peu après, lorsqu'il la lui présenta, Alarcón fut d'avis qu'Indiana possédait cette sensualité plutôt comique des maîtresses des gangsters de Chicago dans les films des années soixante, avec sa généreuse poitrine de soprano, sa crinière blonde et sa profusion de courbes et de cils, mais Miller ne se souvenait d'aucune de ces divas de l'écran antérieures à sa naissance.

La Clinique Holistique déconcerta Miller. Il s'attendait à quelque chose de vaguement bouddhiste et se retrouva devant un immeuble laid, de deux étages, peint d'une couleur guacamole. Il ne savait pas qu'il avait été construit en 1930 et qu'à l'époque de sa splendeur, son architecture Arts déco et ses vitraux inspirés de Klimt avaient attiré les touristes. Il avait perdu toute sa prestance lors du tremblement de terre de 1989 : deux des vitraux avaient alors été réduits en miettes et les deux rescapés, vendus aux enchères pour être adjugés au plus offrant. On mit aux fenêtres ces vitres granuleuses couleur caca d'oie utilisées en général dans les fabriques de boutons et les casernes, et à l'occasion d'une autre des nombreuses rénovations improvisées que subit le bâtiment, le sol de marbre aux dessins géométriques blancs et noirs fut remplacé par un matériau en plastique, plus facile à entretenir. Les colonnes décoratives de granit vert, importées d'Inde, ainsi que la double porte de laque noire furent vendues à un restaurant thaïlandais. Il ne restait que la rampe en fer forgé de l'escalier et deux lampes d'époque, qui si elles avaient été d'authentiques Lalique auraient sans doute connu le même sort que la porte et les colonnes. Dans le hall, vaste et bien éclairé à l'origine, on avait supprimé plusieurs mètres de profondeur et muré la loge du concierge pour ajouter des bureaux, ce qui l'avait transformé en une galerie plongée dans la pénombre. Mais Miller arriva au moment où le soleil tombait directement sur les vitres jaunâtres : pendant une demi-heure magique et fugace, l'espace prenait une couleur ambrée, les murs dégoulinaient de caramel liquide et le hall retrouvait un peu de son ancienne majesté.

L'homme monta au bureau numéro 8, prêt à se soumettre à n'importe quel traitement, aussi extravagant fût-il, s'attendant presque à voir Indiana habillée en prêtresse, mais elle le reçut vêtue d'une blouse de médecin, chaussée de sabots blancs et les cheveux attachés sur la nuque par un élastique. Pas une once de sorcellerie. Elle lui fit remplir un long formulaire, lui demanda de sortir dans le couloir pour le regarder marcher de face et de dos, puis elle l'emmena dans la salle de soins et lui ordonna de se déshabiller, en gardant son short, et de s'étendre sur la table. L'examen terminé, elle conclut qu'il avait une hanche plus haute que l'autre et la colonne vertébrale tordue, ce qui n'avait rien d'étonnant chez quelqu'un amputé d'une jambe. Elle dit aussi que son énergie était bloquée à la hauteur du diaphragme, qu'il avait des nœuds dans les épaules et le cou, tous les muscles tendus, la nuque rigide et les sens constamment en alerte. En bref, il était toujours un *navy seal*.

Indiana l'assura que ses méthodes pouvaient le soulager, mais s'il voulait qu'elles aient des résultats, il devait apprendre à se détendre. Elle lui recommanda des séances d'acupuncture avec Yumiko Sato, sa voisine, deux portes plus loin sur la gauche dans le couloir, et sans lui demander son avis saisit le téléphone et lui prit un rendez-vous avec un maître de qi gong à Chinatown, à cinq rues de la Clinique Holistique. Il obtempéra pour lui faire plaisir et eut deux agréables surprises.

Yumiko Sato était une personne d'âge et de genre indéfinis, qui arborait la même coupe de cheveux militaire que lui, avec de grosses lunettes, des doigts délicats de danseuse et un sérieux sépulcral, qui établit son diagnostic en lui prenant le pouls et arriva à la même conclusion qu'Indiana. Elle l'avertit ensuite que l'acupuncture est utilisée pour traiter les douleurs physiques, mais qu'elle ne soulage pas celles de la conscience. Miller sursauta, pensant avoir mal entendu. Cette phrase l'intrigua et quelques mois plus tard, lorsqu'ils furent en confiance, il osa lui demander ce qu'elle avait voulu dire ; Yumiko Sato répondit, impassible, que seuls les idiots n'ont pas de douleurs de conscience.

Le qi gong auprès de maître Xai, un vieillard du Laos qui avait une expression béate et une bedaine de bon vivant, fut une révélation pour Miller, la combinaison idéale d'équilibre, de respiration, de mouvement et de méditation, exactement ce dont son corps et son esprit avaient besoin, aussi l'ajouta-t-il à la liste de ses exercices quotidiens.

Les crampes de Miller ne guérirent pas en trois semaines, comme Indiana le lui avait promis, mais il lui mentit pour aller dîner avec elle et payer l'addition, car il ne doutait pas que sa situation économique frisait l'indigence. Le restaurant accueillant et bruyant et sa cuisine vietnamienne arrosée d'une bouteille de pinot noir Flowers de Californie créèrent un début d'amitié qui devint le trésor le plus précieux de Ryan. Il avait toujours vécu au milieu d'hommes, sa vraie famille étaient les quinze *navy seals* qui s'entraînaient avec lui à vingt ans et l'avaient accompagné dans l'effort physique, la terreur et l'exaltation du combat, mais aussi dans l'ennui des heures inertes. Il n'avait pas revu certains de ces camarades depuis plusieurs années, d'autres depuis quelques mois, mais il restait en contact avec tous ; ils seraient toujours ses frères.

Avant de perdre sa jambe, les relations de l'ancien soldat avec les femmes avaient été simples, charnelles, sporadiques et si brèves que les visages et les corps se fondaient en un seul, assez ressemblant à Jennifer Yang. Elles avaient été des femmes de passage et s'il était tombé amoureux de l'une d'elles, la relation avait peu duré, parce que son mode de vie, qui l'entraînait aux quatre coins du monde et lui faisait frôler la mort, ne se prêtait pas à des engagements émotionnels, encore moins à une vie de famille avec femme et enfants. Son histoire avait été la guerre contre des ennemis, certains réels et d'autres inventés, ainsi s'était enfuie sa jeunesse.

Dans la vie civile, Miller se sentait gauche et déplacé, il avait du mal à entretenir une conversation banale et ses longs silences choquaient ceux qui le connaissaient peu. À San Francisco, paradis gay, il y avait pléthore de femmes belles, indépendantes et pleines d'assurance, très différentes de celles qu'il rencontrait autrefois dans les bars ou autour des casernes. Miller pouvait passer pour un bel homme – cela dépendait de la lumière – et sa claudication, outre qu'elle lui donnait l'air résigné de celui qui s'est sacrifié pour la patrie, était une bonne excuse pour engager la conversation. Les occasions ne manquaient pas, mais lorsqu'il était avec des femmes intelligentes, celles qui l'intéressaient, il se souciait trop de l'impression qu'il leur faisait et finissait par les ennuyer. Aucune fille de Californie n'avait envie de passer son temps à écouter des histoires de soldats, aussi épiques soient-elles, au lieu d'aller danser, hormis Jennifer Yang, héritière de la patience légendaire de ses ancêtres du Céleste Empire et capable de feindre qu'elle écoutait tout en pensant à autre chose. Avec Indiana Jackson, pourtant, il se sentit à l'aise dès le premier instant dans cette forêt de séquoias, et quelques semaines plus tard, pendant le dîner au restaurant vietnamien, il n'eut pas à se creuser la cervelle pour trouver des sujets de conversation : un demi-verre de vin suffit à Indiana pour être loquace. Le temps passa à toute allure et lorsqu'ils regardèrent l'heure, il était plus de minuit ; dans la salle ne restaient que deux serveurs mexicains qui débarrassaient les tables, l'air fatigué de ceux qui ont fait leur boulot et voudraient rentrer chez eux. Ce soir-là, il y avait trois ans de cela, Miller et Indiana devinrent de grands amis.

Malgré son incrédulité du début, au bout de trois ou quatre mois le soldat dut admettre qu'Indiana n'était pas une autre de ces farfelues *new age*, mais qu'elle possédait vraiment le don de guérir. Ses soins le détendaient, il dormait beaucoup mieux et ses crampes avaient pratiquement disparu, mais le bienfait le plus précieux de ces séances était la paix qu'elles lui procuraient : ses mains lui transmettaient de l'affection et sa présence attentive faisait taire les voix du passé.

De son côté, Indiana s'habitua à cet ami fort et discret, qui prenait soin de sa santé en l'emmenant courir sur les innombrables sentiers des montagnes et forêts des alentours de San Francisco et qui la tirait de ses embarras financiers lorsqu'elle n'osait pas faire appel à son père. Ils s'entendaient bien et, même si le sujet n'était jamais abordé, dans l'air flottait le soupçon que cette amitié aurait pu se changer en passion si elle n'avait pas été attachée à Alan Keller, son amant revêche, et si lui ne s'était pas imposé d'expier ses péchés en rejetant l'amour.

L'été où sa mère fit la connaissance de Ryan Miller, Amanda Martín avait quatorze ans, mais elle en paraissait à peine dix. C'était une adolescente maigre et dégingandée, qui portait des lunettes et un appareil dentaire, cachait son visage avec ses cheveux ou la capuche de son sweat-shirt pour se protéger du bruit insupportable et de la lumière impitoyable du monde, si différente de son opulente mère qu'on lui demandait souvent si elle était adoptée. Miller la traita dès le début avec sérieux et distance, comme un adulte d'un autre pays, disons de Singapour. Il ne fit pas beaucoup d'efforts pour lui faciliter la tâche pendant la course en vélo jusqu'à Los Angeles, mais il l'aida à s'entraîner et à préparer le voyage, car il avait l'expérience du triathlon, grâce à quoi il gagna la confiance de la gamine.

Tous les trois, Indiana, Amanda et lui, sortirent de San Francisco à sept heures un vendredi matin, en même temps que deux mille autres participants courageux, le ruban rouge de la campagne contre le sida épinglé sur leur poitrine, accompagnés d'une procession de voitures et de camions de volontaires qui transportaient des tentes et toutes sortes de provisions. Ils arrivèrent à Los Angeles le vendredi suivant, les fesses endolories, les jambes engourdies et le cerveau vide de pensées, tels des nouveau-nés. Ils avaient pédalé sept jours sur routes et montagnes, traversé des paysages bucoliques et des zones de circulation démoniaque ; faciles pour Ryan Miller, pour qui quinze heures de vélo passaient à toute allure, mais semblaient au contraire un siècle d'effort soutenu pour la mère et la fille, qui n'arrivèrent au but que parce qu'il les fustigeait comme un sergent lorsqu'elles faiblissaient, et rechargeait leurs batteries avec des boissons électrolytiques et des biscuits énergétiques.

La nuit, les deux mille cyclistes tombaient sur les campements montés au bord de la route par les volontaires comme des bandes d'oiseaux migrateurs au dernier stade de l'épuisement, ils dévoraient cinq mille calories, révisaient leurs vélos, se douchaient dans des caravanes et frictionnaient leurs mollets et leurs cuisses de baume calmant. Avant de se coucher, Ryan Miller appliquait des compresses chaudes à Indiana et Amanda, et il les encourageait par un discours inspiré sur les bienfaits de l'exercice au grand air. « Qu'est-ce que tout ça a à voir avec le sida ? », lui demanda Indiana le troisième jour, alors qu'elle avait pédalé dix heures en pleurant de fatigue et au souvenir de tous les chagrins de son existence. « Je ne sais pas, demande à ta fille », répondit honnêtement Miller.

La course contribua peu à la lutte contre l'épidémie, mais elle consolida l'amitié naissante de Miller et Indiana, et Amanda gagna un ami, chose à peu près inconcevable pour elle. Cette adolescente ayant vocation d'ermite avait, en tout et pour tout, trois copains : son grand-père Blake, son futur fiancé Bradley et le *navy seal*, Ryan Miller. Les joueurs de *Ripper* n'entraient pas dans la même catégorie, car ils ne se connaissaient qu'à travers le jeu et entre eux leurs relations se limitaient aux confins du crime.

Mardi, 3

Céleste Roko, la célèbre astrologue de Californie, marraine d'Amanda, avait prédit le bain de sang à la télévision en septembre 2011. Son émission quotidienne d'horoscopes et de consultations astrologiques était transmise le matin de bonne heure, avant les prévisions météorologiques, et rediffusée après les infos du soir. Roko était une femme de cinquante et quelques années, fort bien conservée grâce à des retouches de chirurgie esthétique, charismatique à l'écran, mais râleuse dans la vie, qualifiée d'élégante et belle par ses admirateurs. Elle ressemblait à Eva Perón, avec quelques kilos en plus. Dans le studio de télévision se trouvait une photographie agrandie du pont du Golden Gate sur une fausse baie vitrée, ainsi qu'une carte du système solaire avec des planètes qui s'éclairaient et tournaient grâce à une télécommande.

Voyants, astrologues et autres praticiens d'arts occultes ont tendance à prédire l'avenir la veille du Nouvel An, mais Céleste ne pouvait attendre trois mois pour avertir la population de San Francisco de la catastrophe qui allait arriver. L'annonce était d'une telle importance qu'elle capta l'attention du public, circula comme un virus sur Internet, provoqua des commentaires ironiques dans la presse locale et des titres alarmistes dans les tabloïds, qui spéculèrent sur de futures mutineries à la prison de San Quentin, sur la guerre entre des bandes latines et noires, et sur un autre tremblement de terre apocalyptique dans la faille de San Andreas. Mais Céleste Roko, auquel son parcours de psychanalyste jungienne et son impressionnant palmarès de pronostics avérés conféraient une aura d'infaillibilité, affirma qu'il s'agissait d'homicides. Les adeptes de l'astrologie poussèrent un soupir de soulagement : c'était en effet la moins effrayante des fatalités que l'on pouvait craindre. Dans le nord de la Californie, la probabilité de mourir assassiné est de un sur vingt mille, et la plupart du temps elle frappe les autres, rarement soi-même.

Le jour où elle énonça la prophétie, Amanda Martín et son grand-père décidèrent de mettre Céleste Roko au défi. Ils en avaient assez de l'influence que la marraine exerçait sur la famille sous prétexte qu'elle connaissait l'avenir. C'était une femme impétueuse, qui possédait cette certitude inébranlable caractéristique de ceux qui reçoivent des messages venus de l'univers ou de Dieu. Elle n'avait jamais réussi à diriger le destin de Blake Jackson, immunisé contre l'astrologie, mais elle y parvenait assez bien avec Indiana, qui la consultait avant de prendre des décisions et se laissait guider par les injonctions de l'horoscope. À plusieurs reprises, les lectures astrales avaient interféré sur les plus beaux projets d'Amanda ; les planètes décidaient, par exemple, que ce n'était pas le moment propice de lui acheter une patinette, mais que ça l'était au contraire de l'inscrire à un cours de danse, et elle se retrouvait, pleurant d'humiliation, affublée d'un tutu rose.

À treize ans, Amanda découvrit que sa marraine n'était pas infaillible. Les planètes décidèrent qu'elle devait aller dans un collège public, mais son imposante grand-mère paternelle, doña Encarnación Martín, voulut absolument qu'elle soit inscrite dans une école catholique privée. Pour une fois, Amanda était du côté de sa marraine, car l'idée d'une école mixte était moins terrifiante que celle des religieuses, mais doña Encarnación signa le chèque d'inscription et eut raison de Céleste Roko, sans se douter que les sœurs étaient libérales et féministes, qu'elles portaient des pantalons, se querellaient avec le pape et qu'en cours de sciences elles expliquaient à l'aide d'une banane comment enfiler un préservatif.

Amanda, influencée par le scepticisme de son grand-père, qui osait rarement affronter Céleste en face, doutait qu'il y eût un rapport entre les étoiles du firmament et le sort des êtres humains ; l'astrologie était aussi improbable que la magie blanche de sa mère. La prophétie offrait au grand-père et à sa petite-fille l'occasion d'amoindrir le prestige des astres : c'est une chose de prédire que la semaine est propice à la correspondance épistolaire et une autre d'annoncer un bain de sang à San Francisco ; cela n'arrive pas tous les jours.

Lorsque Amanda, son grand-père et les copains de *Ripper* transformèrent le jeu en enquête criminelle, ils n'imaginaient pas qu'ils se fourraient dans un guêpier. Vingt jours après l'annonce de l'astrologue, Ed Staton trouva la mort. Cet homicide pouvait être attribué au hasard, mais comme il avait des caractéristiques inhabituelles – la batte à cet endroit –, Amanda décida d'ouvrir un fichier dans lequel elle rassembla les informations publiées dans la presse, celles qu'elle parvint à soutirer à son père, qui menait l'enquête à huis clos, et celle qu'obtint son grand-père par ses propres moyens.

Blake Jackson, pharmacien de profession, amateur de littérature et écrivain frustré qui attendait de pouvoir donner une forme de récit aux épisodes tumultueux annoncés par Céleste Roko, décrivit dans son livre sa petite-fille Amanda en ces termes : apparence extravagante, caractère timide et cerveau brillant, façon fleurie de s'exprimer qui le distinguait de ses collègues pharmaciens. La chronique de ces événements funestes finit par être plus longue qu'il ne l'avait prévue, bien qu'elle ne couvrît que quelques mois entrecoupés de *flash-back*, comme on les appelle. La critique se montra impitoyable envers l'auteur, l'accusant de réalisme magique, un style littéraire passé de mode, mais personne ne put prouver qu'il avait déformé les faits au nom de l'ésotérisme, tout le monde pouvant les vérifier auprès de la Brigade criminelle de San Francisco et dans la presse de cette période.

En janvier 2012, Amanda Martín avait dix-sept ans et elle était en terminale, ses parents, Indiana Jackson, thérapeute, et Bob Martín, inspecteur de police, étaient divorcés ; elle avait une grand-mère mexicaine, doña Encarnación, et un grand-père veuf, Blake Jackson, dont il a déjà été question. Dans le livre de Jackson figuraient également d'autres personnages qui apparaissaient et disparaissaient, disparaissaient surtout, au fur et à mesure que l'auteur avançait dans l'écriture. Amanda était fille unique et très gâtée, mais son grand-père pensait que dès qu'elle aurait son bac et serait précipitée dans le monde, sans préambule, ce problème se résoudrait de lui-même. Elle était végétarienne parce qu'elle ne faisait pas la cuisine ; quand elle devrait la faire, elle adopterait un régime moins compliqué. Lectrice vorace depuis son plus jeune âge, elle était exposée aux dangers inhérents à cette habitude. Les assassinats se seraient produits de toute façon, mais elle n'y aurait pas été mêlée si elle n'avait pas lu des polars scandinaves avec acharnement, ce qui lui avait fait développer une blâmable curiosité pour le mal en général et l'homicide prémédité en particulier. Son grand-père était loin d'approuver la censure, mais il s'inquiétait qu'elle lût ce genre d'ouvrages à quatorze ans. Amanda lui cloua le bec en arguant qu'il les lisait aussi ; Blake dut se contenter de la mettre en garde contre leur contenu épouvantable, le résultat prévisible étant que son intérêt redoubla et qu'elle en dévora deux fois plus. Le fait que le père d'Amanda, Bob Martín, soit le chef de la Brigade criminelle de San Francisco aviva le goût pernicieux de l'adolescente, car elle était au courant de tous les méfaits qui se produisaient dans la ville, un lieu idyllique qui n'invitait pas au crime, mais si celui-ci proliférait dans des pays aussi civilisés que la Suède ou la Norvège, on ne pouvait espérer que San Francisco, fondé par des aventuriers cupides, des prédicateurs polygames et des femmes à la vertu négociable, attirés pas la fièvre de l'or au milieu du XIXe siècle, en soit exempt.

L'adolescente était interne dans une école de filles, l'une des dernières dans un pays qui avait opté pour l'embrouillamini des genres, où elle s'arrangea pour survivre quatre ans en état d'invisibilité au milieu de ses compagnes, mais pas aux yeux des professeurs et des quelques religieuses encore présentes. Elle avait de bonnes notes, mais les sœurs, ces saintes femmes, ne la virent jamais étudier et elles savaient qu'elle passait une bonne partie de ses nuits d'insomniaque devant son ordinateur, occupée à de mystérieux jeux et lectures. Elles se gardaient bien de lui demander ce qu'elle lisait avec tant de délectation, car elles se doutaient que c'était ce qu'elles-mêmes savouraient en cachette. Cela expliquait sans doute la fascination morbide que l'adolescente éprouvait pour les armes, les drogues, les poisons, les autopsies, les différentes tortures et les façons de se débarrasser des cadavres.

Amanda Martín ferma les yeux, elle respira à pleins poumons l'air limpide de ce matin d'hiver ; le parfum piquant des pins lui indiqua que la voiture avançait dans l'avenue du parc, et l'odeur du crottin qu'ils passaient devant les écuries. Elle estima qu'il était huit heures et vingt-trois minutes. Deux ans plus tôt, elle avait renoncé à sa montre afin de s'exercer à deviner l'heure, de même qu'elle évaluait températures et distances, et avait en outre affiné son palais afin d'identifier des ingrédients suspects dans la nourriture. Elle cataloguait les personnes grâce à l'odorat : Blake, son grand-père, sentait la bonté, un mélange de gilet de laine et de camomille ; Bob, son père, la force : métal, tabac, lotion après-rasage ; Bradley, la sensualité, c'est-à-dire la sueur et le chlore ; Ryan Miller exhalait la confiance et la loyauté, une odeur de chien, la meilleure odeur au monde. Quant à Indiana, sa mère, imprégnée des fragrances de son métier, son parfum était celui de la magie.

Une fois que la Ford de 95 de son grand-père, avec les ronflements asthmatiques du moteur, eut laissé les écuries derrière elle, Amanda calcula trois minutes et dix-huit secondes et elle ouvrit les yeux devant la porte de l'école. « Nous y sommes », annonça Jackson, comme si elle ne le savait pas. Son grand-père, qui jouait au squash pour garder la forme, souleva le sac à dos rempli de livres et monta prestement au deuxième étage, tandis que sa petite-fille le suivait péniblement, son violon dans une main et un ordinateur portable dans l'autre. L'étage était désert, toutes les internes rentreraient à la tombée de la nuit pour reprendre les cours le lendemain, après les vacances de Noël. Amanda avait une autre manie : arriver partout la première pour faire une reconnaissance de terrain avant qu'apparaissent les ennemis potentiels. Ça l'ennuyait de partager sa chambre avec d'autres élèves – vêtements jetés à terre, raffut, odeur de shampooing, de vernis à ongles et de friandises rances, bavardage incessant, potins, récits de drames sentimentaux et de trahisons dont elle était exclue.

— Mon père pense que le meurtre d'Ed Staton est une vendetta entre homosexuels, dit Amanda à Blake avant de lui dire au revoir.

— Sur quoi fonde-t-il sa théorie ?

— Sur la batte de base-ball enfoncée... là où tu sais, lui rappela-t-elle en rougissant au souvenir de la vidéo qu'elle avait vue sur Internet.

— Ne tirons pas de conclusions, Amanda. Il y a encore trop d'inconnues en suspens.

— Exactement. Par exemple, comment l'assassin est-il entré ?

— Ed Staton devait fermer portes et fenêtres, et brancher l'alarme une fois l'école fermée. Comme aucune issue n'a été forcée, il faut supposer que le meurtrier s'est caché dans l'école avant que Staton la ferme, hasarda Blake Jackson.

— Si ç'avait été un homicide prémédité, l'assassin aurait tué Staton avant qu'il s'en aille, parce qu'il ne pouvait pas savoir qu'il allait revenir.

— Peut-être que ce n'était pas prémédité, Amanda. Quelqu'un est entré dans l'école pour commettre un vol et le gardien l'a pris sur le fait.

— Depuis qu'il est à la Criminelle, mon père a vu des délinquants prendre peur et réagir violemment, mais il n'a jamais eu affaire à un meurtrier qui reste sur la scène du crime pour s'acharner de cette façon sur sa victime.

— Qu'est-ce que Bob dit d'autre ?

— Tu sais comment est papa, je dois lui soutirer les informations par bribes. Il pense que ce n'est pas un sujet pour une fille de mon âge. C'est un troglodyte.

— Il n'a pas tout à fait tort : tout ça est plutôt sordide, Amanda.

— C'est de notoriété publique, c'est passé à la télé et si tu tiens le coup, tu peux voir sur Internet ce qu'une fille a filmé avec son portable lorsqu'ils ont découvert le corps.

— Eh bien ! Quelle présence d'esprit ! Les gamins d'aujourd'hui voient tellement de violence que plus rien ne les effraie. De mon temps…, commenta Blake Jackson dans un soupir.

— Ce temps-ci est le tien. Tu me soûles quand tu parles comme un vieux. Tu as vérifié l'histoire de la maison de redressement pour adolescents, Kabel ?

— Je dois travailler, je ne peux pas laisser tomber la pharmacie, mais je le ferai dès que j'aurai un moment.

— Dépêche-toi ou je devrai changer de sbire.

— Vas-y, on verra qui te supporte.

— Tu m'aimes, grand-père ?

— Non.

— Moi non plus, dit-elle, et elle se jeta à son cou.

Blake Jackson plongea le nez dans les cheveux de sa petite-fille, respirant son odeur de salade – elle s'était mise à les laver avec du vinaigre – et il pensa que d'ici quelques mois elle partirait à l'université et qu'il ne serait pas auprès d'elle pour la protéger ; elle n'était pas encore partie, et déjà elle lui manquait. Dans un déroulement vertigineux, il se souvint des étapes de cette courte vie, de la fillette farouche et méfiante, enfermée pendant des heures sous une tente improvisée avec des draps, où n'entraient que l'ami invisible qui l'avait accompagnée pendant plusieurs années, nommé Sauvez-le-Thon, sa chatte Gina et lui-même, quand il avait la chance d'être invité à prendre le thé pour de rire dans de minuscules tasses en plastique. « De qui peut bien tenir cette morveuse ? » avait demandé Blake Jackson quand Amanda l'avait battu aux échecs à six ans. Sûrement pas d'Indiana, qui flottait dans la stratosphère en prêchant la paix et l'amour un demi-siècle après les hippies, et encore moins de Bob Martín, qui à cette époque n'avait toujours pas lu un livre en entier. « Ne t'inquiète pas, mon ami, beaucoup de gosses sont géniaux dans l'enfance et ensuite ils s'abêtissent. Ta petite-fille redescendra au niveau de l'idiotie générale quand ses hormones exploseront », lui affirma Céleste Roko, qui se présentait chez lui à n'importe quelle heure sans s'annoncer et que Blake craignait comme Satan.

Pour une fois l'astrologue se trompa, car à l'adolescence Amanda ne s'abêtit pas et le seul changement notable que provoquèrent les hormones fut dans son apparence. À quinze ans, elle grandit tout d'un coup pour atteindre une taille normale, on lui mit des lentilles de contact, on lui enleva son appareil dentaire, elle apprit à dompter les boucles de sa crinière, et alors apparut une jeune fille mince aux traits délicats, avec les cheveux sombres de son père et la peau diaphane de sa mère, qui n'avait pas la moindre conscience d'être jolie. À dix-sept ans, elle traînait encore les pieds, se rongeait les ongles et s'habillait de vêtements dénichés dans des boutiques de fripes, qu'elle modifiait selon l'inspiration du moment.

Après que son grand-père l'eut laissée, Amanda se sentit propriétaire de l'espace pour quelques heures. Dans trois mois elle aurait son bac et quitterait cette école où elle avait été heureuse – abstraction faite du remue-ménage de la chambre – pour partir dans le Massachusetts, au MIT, où Bradley, son fiancé virtuel, faisait ses études et lui avait parlé du Media Lab, paradis de l'imagination et de la créativité, exactement ce qu'elle désirait. C'était l'homme parfait : un drôle d'oiseau comme elle, ayant le sens de l'humour et plutôt beau gosse, qui devait à la natation ses larges épaules et son bronzage, et aux produits chimiques des piscines ses cheveux vert citron. Il pouvait passer pour un Australien. Amanda avait décidé de se marier avec lui dans un futur lointain, mais elle ne le lui avait pas encore annoncé. Pour le moment, ils communiquaient par Internet pour jouer au go, parler de sujets hermétiques et commenter des livres.

Bradley était un fan de science-fiction, alors que ce genre littéraire déprimait Amanda, car la plupart du temps la planète se couvrait de cendres et les machines contrôlaient l'humanité. Elle qui avait lu beaucoup de ces romans entre huit et onze ans préférait la littérature fantastique qui se déroulait à des époques imaginaires où la technologie était minimale et la distinction entre héros et méchants parfaitement claire, un genre que Bradley considérait comme puéril et infantilisant. Lui penchait pour le pessimisme accablant. Amanda n'osait pas lui avouer qu'elle avait dévoré les quatre tomes de *Crépuscule* et les trois de *Millénium*, car lui ne perdait son temps ni avec des vampires ni avec des psychopathes.

Les deux jeunes gens échangeaient des courriels romantiques, émaillés d'ironie pour éviter le ridicule, et des baisers virtuels, rien de trop osé. En décembre, les sœurs avaient renvoyé de l'école une élève qui avait mis sur Internet une vidéo la montrant en train de se masturber, nue et jambes écartées ; cela n'attira absolument pas l'attention de Bradley, car deux petites amies de copains à lui avaient fait circuler des scènes semblables. Amanda s'étonna de ce que sa camarade de classe soit complètement épilée et qu'elle n'eût pas pris la précaution de couvrir son visage, mais elle fut encore plus étonnée par la réaction drastique des bonnes sœurs, qui avaient la réputation d'être très tolérantes.

Pour passer le temps avant de tchater avec Bradley, Amanda entreprit de classer les informations amassées par son grand-père sur « le crime de la batte mal placée » et d'autres faits divers sanglants, qu'elle compilait depuis que sa marraine avait donné l'alerte à la télévision. Les joueurs de *Ripper* continuaient à tourner et retourner diverses hypothèses au sujet d'Ed Staton, mais elle projetait déjà un autre thème pour le prochain jeu : les assassinats de Doris et Michael Constante.

Matheus Pereira, peintre d'origine brésilienne, était un autre des amoureux d'Indiana Jackson, mais dans son cas il s'agissait d'un amour platonique, car l'art le consumait jusqu'aux os. Il affirmait que la créativité se nourrissait d'énergie sexuelle et que, sommé de choisir entre la peinture et séduire Indiana – qui ne semblait pas disposée à se lancer dans l'aventure –, il avait choisi la première. De plus, la marijuana le maintenait dans un état de placidité permanente qui se prêtait peu à des initiatives galantes. Ils étaient bons amis, se voyaient presque chaque jour et se protégeaient mutuellement en cas de besoin. La police cherchait souvent des noises à Matheus et quelques clients un peu trop entreprenants embêtaient Indiana, ou même l'inspecteur Martín, qui se croyait en droit de se mêler des affaires de son ex-femme.

— Amanda m'inquiète ; la voilà maintenant obsédée par les crimes, confia Indiana à l'artiste tandis qu'elle le massait avec de l'essence d'eucalyptus pour soulager sa sciatique.

— Elle s'est lassée des vampires ? lui demanda Matheus.

— Ça, c'était l'an passé. Cette année, c'est plus grave, il s'agit de vrais crimes.

— La petite tient de son père.

— Je ne sais pas ce qu'elle fait, Matheus. C'est le problème avec Internet. N'importe quel pervers pourrait entrer en contact avec ma fille et je n'en saurais rien.

— Mais non, Indi. Ce sont des gamins qui s'amusent. Samedi, j'ai vu Amanda au Café Rossini, elle déjeunait avec ton ex-mari. Ce type a une dent contre moi, Indiana.

— Mais non ! Bob t'a plus d'une fois évité la prison.

— Parce que tu le lui as demandé. Je te parlais d'Amanda. Nous avons un peu bavardé et elle m'a expliqué en quoi consiste ce jeu, il paraît qu'il s'appelle *Ripper*, ou quelque chose comme ça. Tu savais qu'on avait retrouvé un des morts avec une batte de base-ball enfoncée dans… ?

— Oui, Matheus, je sais ! l'interrompit Indiana. C'est justement de ça que je veux parler. L'intérêt d'Amanda pour une chose aussi macabre te paraît normal ? Les filles de son âge s'intéressent aux acteurs de cinéma.

Pereira vivait sur la terrasse de la Clinique Holistique, dans une partie ajoutée sans l'autorisation de la municipalité, et à des fins pratiques il était l'administrateur de l'immeuble. Le dernier étage, qu'il appelait son studio, recevait une lumière idéale pour peindre et cultiver, dans un but non lucratif, des plants de marijuana destinés à sa consommation personnelle (qui était importante) et à celle de ses amis.

À la fin des années quatre-vingt-dix, après être passé entre plusieurs mains, l'immeuble avait été acheté par un investisseur chinois avisé, qui avait eu l'idée de créer un centre de santé et de sérénité, comme tant d'autres qui prospèrent en Californie, terre d'optimistes. Il peignit l'extérieur et mit le panneau Clinique Holistique sur la façade, pour le distinguer des poissonneries de Chinatown ; le reste fut fait par les locataires, qui occupèrent les appartements du premier et du second étage, tous des adeptes des arts et des sciences curatives. Les locaux du rez-de-chaussée, qui donnaient sur la rue, étaient respectivement un studio de yoga et une galerie d'art. Le rez-de-chaussée proposait également des cours de danse tantrique, très courus, et le premier étage, sous le nom inexplicable de Chenille Velue, exposait des œuvres d'artistes locaux. Les vendredis et samedis soir, la galerie s'animait grâce à des musiciens amateurs et du vin âpre, servi gratuitement dans des gobelets en carton. Toute personne à la recherche de drogues illégales pouvait en trouver à la Chenille Velue, à un prix défiant toute concurrence, au nez et à la barbe de la police, qui tolérait ce trafic de fourmi tant qu'il restait discret. Les deux étages supérieurs étaient occupés par des petits cabinets de consultation composés d'une salle d'attente, où tenaient à peine une table d'écolier et deux chaises, et d'une autre pièce destinée aux soins. L'accès aux cabinets de consultation du premier et du second étage était limité en raison de l'absence d'ascenseur, grave inconvénient pour certains patients, mais qui avait l'avantage d'exclure les plus mal en point, qui de toute façon n'auraient pas tiré grand avantage de la médecine alternative.

Cela faisait trente ans que le peintre vivait dans cet immeuble sans qu'aucun des propriétaires successifs fût parvenu à le déloger. L'investisseur chinois n'avait même pas essayé, car il lui convenait que quelqu'un reste après les heures de bureau. Au lieu de se battre avec Matheus Pereira, il le nomma surintendant, lui remit un double des clés de tous les bureaux, et lui offrit un salaire symbolique afin qu'il ferme la porte principale le soir, éteigne les lumières, serve de contact avec les locataires et l'appelle en cas de dégâts ou d'urgences.

Les tableaux du Brésilien, inspirés de l'expressionnisme allemand, étaient de temps en temps exposés à la Chenille Velue, sans succès car il n'en vendait aucun, et ils décoraient le hall d'entrée de l'immeuble. Ces angoissantes silhouettes déformées, faites à coups de pinceau colériques, contrastaient avec les vestiges Arts déco et avec la mission de la Clinique Holistique, qui était d'offrir un bien-être physique et psychique aux clients ; mais personne n'osait proposer qu'on les enlève par crainte de blesser l'artiste.

— C'est la faute de ton ex-mari, Indi. D'où crois-tu qu'Amanda tire cette obsession pour le crime ? dit Matheus en prenant congé.

— Bob est aussi préoccupé que moi par cette nouvelle lubie d'Amanda.

— Ce serait bien pire si elle se droguait...

— Voyez qui dit ça ! s'exclama-t-elle dans un éclat de rire.

— Exact. Je suis une autorité en la matière.

— Demain, entre deux clients, je peux te faire un massage de dix minutes, lui proposa-t-elle.

— Tu me soignes gratuitement depuis des années. Je vais t'offrir un de mes tableaux.

— Non, Matheus ! Je ne peux vraiment pas accepter. Je suis sûre qu'un jour tes tableaux vaudront très cher, dit Indiana en essayant de dissimuler la panique dans sa voix.

Mercredi, 4

À dix heures du soir, ayant terminé de lire son roman, Blake Jackson alla à la cuisine se préparer une crème d'avoine, qui lui rappelait des souvenirs d'enfance et le consolait lorsqu'il se sentait accablé par la bêtise humaine. Certains romans l'affectaient de cette manière. Les mercredis soir étaient réservés à sa partie de squash, mais cette semaine l'ami avec qui il jouait était en voyage. Il s'installa devant son assiette, humant la délicate odeur de miel et de cannelle, puis il appela Amanda sur son portable, sans craindre de la réveiller, car à cette heure elle devait être en train de lire. La chambre d'Indiana était éloignée, elle ne pouvait entendre la conversation, mais il chuchotait, par excès de précaution. Il valait mieux que sa fille ignorât de quoi il parlait avec sa petite-fille.

— Amanda ? C'est Kabel.

— Je sais. Mets-toi à table.

— C'est au sujet d'Ed Staton. J'ai profité de l'agréable température de cette belle journée, il a fait 22 °C, comme en été…

— Va droit au but, Kabel, j'ai pas toute la nuit pour le réchauffement climatique.

— Je suis allé prendre une bière avec ton père et j'ai vérifié certaines choses qui peuvent t'intéresser.

— Quelles choses ?

— La maison de correction où travaillait Staton avant de venir à San Francisco s'appelle Boys Camp et elle se trouve en plein désert d'Arizona. Staton y est resté plusieurs années, jusqu'à ce qu'on le renvoie en août 2010, à la suite d'un scandale causé par la mort d'un garçon de quinze ans. Ce n'est pas le premier cas, Amanda, trois gamins sont morts au cours des huit dernières années, mais la maison de correction fonctionne toujours. Chaque fois, le juge s'est contenté de suspendre temporairement sa licence, pendant qu'on menait l'enquête.

— Comment sont morts ces garçons ?

— À cause de la discipline militaire confiée à des mains inexpertes ou sadiques. Négligence, abus, torture. On frappe les enfants, on les oblige à faire des exercices jusqu'à ce qu'ils perdent connaissance, on leur rationne la nourriture et les heures de sommeil. Le gamin qui est mort avait une pneumonie, il brûlait de fièvre et s'évanouissait, mais ils l'ont obligé à courir avec les autres en plein soleil, dans la chaleur torride de l'Arizona, et quand il s'est écroulé à terre, ils l'ont roué de coups de pied. Il a été malade deux semaines avant de mourir. On a ensuite découvert qu'il avait deux litres de pus dans les poumons.

— Et Ed Staton faisait partie des sadiques, en déduisit Amanda.

— Il avait un long palmarès au Boys Camp. Son nom apparaît dans plusieurs rapports contre le camp de redressement pour abus sur des internes, mais ils ne l'ont renvoyé qu'en 2010. Apparemment, personne ne se soucie du sort de ces pauvres gosses. Ça ressemble à un roman de Charles Dickens.

— *Oliver Twist.* Continue, tourne pas autour du pot.

— Ils ont essayé de congédier Ed Staton discrètement, mais ç'a été impossible, parce que la mort du garçon a fait du bruit. Malgré ça, il a été embauché à l'école Golden Hills de San Francisco. Étrange, tu ne trouves pas ? Ils connaissaient forcément ses antécédents !

— Il avait sans doute de bonnes relations.

— Personne n'a pris la peine de vérifier son passé. Le directeur de Golden Hills en était satisfait parce qu'il savait imposer la discipline, mais des élèves et des instituteurs le décrivent comme une brute, un de ces lâches qui s'aplatissent devant l'autorité, mais se montrent cruels dès qu'ils ont un peu de pouvoir. Par malheur, le monde est plein de gens de cet acabit. Pour éviter les problèmes, le directeur a fini par lui assigner un poste de nuit. Ed Staton commençait sa garde à huit heures du soir et il s'en allait à six heures du matin.

— L'assassin est peut-être l'un des gamins du camp de redressement, victime des mauvais traitements de Staton.

— Ton père examine cette piste, mais il continue de privilégier la rixe entre homosexuels. Staton était amateur de pornographie gay et il utilisait les services d'escortes.

— Quoi ?

— Des escortes, c'est ainsi qu'on appelle les hommes qui se prostituent. Les escortes habituels de Staton étaient deux jeunes Portoricains, ton père les a interrogés, mais ils ont de bons alibis. Et en ce qui concerne l'alarme de l'école, dis aux joueurs de *Ripper* qu'Ed Staton la branchait le soir, mais que cette fois il ne l'a pas fait. Il est peut-être parti précipitamment, en pensant qu'il la mettrait en revenant.

— Je sais que tu gardes le meilleur pour la fin, dit sa petite-fille.

— Moi ?

— Qu'est-ce que c'est, Kabel ?

— Quelque chose d'assez curieux, qui intrigue aussi ton père, dit Blake Jackson. Dans le gymnase il y a des ballons, des gants et des battes de base-ball, mais la batte utilisée n'appartenait pas à l'école.

— Je sais ce que tu vas me dire ! La batte provient d'une équipe de l'Arizona !

— Les Diables de l'Arizona, par exemple ? Dans ce cas, le lien avec le Boys Camp serait évident, Amanda, mais elle ne l'est pas.

— D'où vient-elle ?

— Elle porte un tampon de l'université d'État de l'Arkansas.

D'après Céleste Roko, qui avait étudié la carte astrale de tous ses parents et amis, le caractère d'Indiana Jackson correspondait à son signe astrologique, Poissons. C'est sans doute ce qui expliquait son penchant pour l'ésotérisme et son besoin incoercible de secourir tous les êtres malheureux qu'elle croisait sur son chemin, y compris ceux qui ne lui demandaient rien ni ne l'en remerciaient. Carol Underwater était la cible idéale pour la compassion erratique d'Indiana.

Elles s'étaient connues un matin de décembre 2011 ; Indiana était dans la rue en train d'enchaîner sa bicyclette lorsque, du coin de l'œil, elle vit une femme appuyée contre un arbre proche, qui semblait sur le point de s'évanouir. Elle courut l'aider, la soutint, la porta à petits pas jusqu'à la Clinique Holistique et l'aida à monter l'escalier jusqu'au bureau numéro 8 où l'inconnue, épuisée, se laissa tomber sur l'une des deux chaises de la réception. Lorsqu'elle retrouva son souffle, elle lui dit son nom et lui expliqua qu'elle était atteinte d'un cancer agressif, et que la chimiothérapie était pire que la maladie. Émue, Indiana lui offrit sa table de massage pour s'y allonger un moment, mais l'autre répondit d'une voix hésitante que la chaise était suffisante et que, si cela ne la dérangeait pas trop, une boisson chaude lui ferait du bien. Indiana la laissa seule et partit en courant acheter une tisane, regrettant de ne pas avoir de réchaud dans son minuscule cabinet pour faire bouillir de l'eau. À son retour, elle trouva la femme plutôt remise, elle avait même essayé de s'arranger un peu et de se mettre du rouge à lèvres ; la bouche couleur brique donnait un air grotesque à ce visage verdâtre et crispé par la maladie, où les yeux sombres ressortaient comme des boutons sur le visage d'une poupée. Elle avait trente-six ans, à ce qu'elle dit, mais sa perruque aux boucles fossilisées lui en donnait dix de plus.

Ainsi débuta une relation fondée sur le malheur de l'une et la vocation samaritaine de l'autre. À plusieurs reprises Indiana lui proposa ses méthodes destinées à fortifier le système immunitaire, mais Carol s'ingéniait à les remettre à plus tard. Au début, Indiana pensa qu'elle ne pouvait peut-être pas la payer et elle s'apprêta à la recevoir gratuitement, comme elle le faisait pour d'autres patients dans la gêne, mais devant les excuses répétées de Carol elle cessa d'insister ; elle était consciente que beaucoup de gens se méfiaient encore de la médecine alternative. Toutes deux partageaient le même goût pour les sushis, les promenades dans le parc et les films romantiques, de même que le respect des animaux, ce qui chez Carol Underwater – comme chez Amanda – se traduisait par le végétarisme, mais elle faisait une exception pour les sushis, alors qu'Indiana se contentait de protester contre la souffrance des poulets d'élevage et des rats de laboratoire, et de militer contre l'usage des peaux dans l'industrie de la mode. L'une des organisations qu'elle préférait était l'Association pour le traitement éthique des animaux, qui l'année précédente avait adressé une pétition au maire de San Francisco pour changer le nom de Tenderloin, car il était inadmissible qu'un quartier de la ville portât le nom de l'aloyau d'un bovin maltraité, et mieux vaudrait lui donner le nom d'un végétal. Le maire n'avait pas répondu.

Malgré leurs idéaux communs, c'était une amitié forcée : Indiana essayait de garder une certaine distance, car Carol restait collée à elle. Cette femme se sentait impotente et désemparée, sa vie était une somme d'abandons et de tromperies, elle se croyait ennuyeuse, sans attraits, sans talent ni habileté sociale, et elle soupçonnait son mari de l'avoir épousée pour obtenir le visa américain. Indiana lui avait suggéré de revoir ce scénario de victime et d'en changer, car le premier pas pour guérir consiste à se détacher de l'énergie négative et du ressentiment; elle avait besoin d'une histoire positive qui la relierait à la totalité de l'univers et à la lumière divine, mais Carol s'accrochait à son malheur. Indiana craignait d'être absorbée par le vide insondable de cette femme, qui se plaignait au téléphone à des heures indues, s'installait dans son cabinet pour l'attendre pendant des heures et lui offrait des confiseries qui devaient lui coûter un pourcentage significatif de son chèque de la Sécurité sociale; Indiana les consommait en comptant les calories et sans plaisir véritable, parce qu'elle préférait le chocolat noir au piment, comme celui qu'elle partageait avec son amoureux, Alan Keller.

Carol n'avait ni enfants ni parents, mais elle disait avoir deux amies, qu'Indiana ne connaissait pas, qui l'accompagnaient à la chimiothérapie. Ses sujets obsessionnels étaient son mari, un Colombien expulsé pour trafic de drogue, qu'elle essayait de ramener à ses côtés, et son cancer. Pour le moment, la maladie ne lui causait aucune douleur, mais le poison injecté dans ses veines la tuait à petit feu. Elle avait un teint de cendre, peu d'énergie et une voix éteinte, toutefois Indiana gardait l'espoir que sa santé s'améliorerait, parce que son odeur était différente de celle des cancéreux qu'elle avait soignés dans son cabinet. En outre, elle qui était si sensible pour capter les maladies d'autrui ne percevait rien chez Carol, ce qui lui semblait être un bon signe.

Un jour qu'elles bavardaient de tout et de rien au Café Rossini, Carol avoua sa terreur de mourir et son espoir qu'Indiana la guiderait, une responsabilité que celle-ci ne se sentait pas d'assumer.

— Tu es une personne très spirituelle, Indi, lui dit Carol.

— Ne me fais pas peur ! Les gens que je connais considérés comme spirituels sont bigots et volent des livres ésotériques dans les bibliothèques, se moqua Indiana.

— Tu crois en la réincarnation ? lui demanda Carol.

— Je crois en l'immortalité de l'âme.

— Si la réincarnation existe, cela signifie que j'ai gaspillé cette vie et que je vais me réincarner sous forme de cafard.

Indiana lui prêta ses livres de chevet, un mélange éclectique de soufisme, de platonisme, de bouddhisme et de psychologie moderne, mais elle s'abstint de lui dire que cela faisait neuf ans qu'elle-même les étudiait, et qu'elle commençait à peine à faire ses premiers pas sur le chemin infini du dépassement, il lui faudrait des éternités avant de faire l'expérience de la plénitude de l'Être et libérer son âme du conflit et de la souffrance. Elle espérait que son instinct de guérisseuse ne se trompait pas, que Carol guérirait de son cancer et qu'elle aurait assez de temps en ce monde pour connaître l'état d'éveil auquel elle aspirait.

Ce mercredi de janvier, Carol et Indiana étaient convenues de se retrouver au Café Rossini à cinq heures de l'après-midi, profitant de ce qu'un client avait annulé sa séance de reiki et d'aromathérapie. Le rendez-vous fut proposé par Carol, qui annonça à son amie, au téléphone, qu'elle avait commencé la radiothérapie, après les deux semaines de répit qui avaient suivi la chimiothérapie. Elle arriva la première, vêtue de son habituelle tenue ethnique qui dissimulait à peine son corps dégingandé : un pantalon et une tunique en coton de style vaguement marocain, des chaussures de tennis, un collier et des bracelets de graines africains. Danny D'Angelo, l'un des serveurs, qui s'était déjà occupé d'elle plusieurs fois, la reçut avec l'exubérance que certains clients avaient appris à craindre. L'homme se vantait d'être l'ami de la moitié de North Beach, en particulier des habitués du Café Rossini, où il servait depuis tant d'années que plus personne ne se souvenait de l'époque où il n'y travaillait pas.

— Écoute, chérie, ce turban te va beaucoup mieux que la perruque. La dernière fois que tu es venue je me suis dit : Danny, tu dois absolument conseiller à cette dame d'enlever cet affreux renard mort de sa tête, mais la vérité c'est que je n'ai pas osé.

— J'ai un cancer, l'informa-t-elle, vexée.

— Bien sûr, ma belle, tout le monde s'en rend compte. Mais tu serais très bien, chauve. Ça se fait maintenant. Qu'est-ce que je te sers ?

— Une camomille et une biscotte, mais je vais attendre Indiana.

— Indiana, c'est un peu notre Mère Teresa, non ? Moi, je lui dois la vie, dit Danny, prêt à s'asseoir à sa table pour lui raconter quelques anecdotes sur sa chère Indiana Jackson, mais le local était plein et le patron lui faisait signe de se dépêcher de servir les autres tables.

Par les fenêtres, Danny aperçut Indiana qui traversait l'avenue Columbus en direction du Café et il s'empressa de lui préparer un cappuccino double couronné de crème, comme elle l'aimait, pour la recevoir à la porte, la tasse à la main. « Plébéiens, saluez la reine ! » annonça-t-il à tue-tête, comme il le faisait toujours, et les clients, habitués à ce rituel, obéirent. Indiana l'embrassa sur la joue et porta son cappuccino à la table de Carol.

— J'ai à nouveau des nausées, je n'ai de forces pour rien, Indi. Je ne sais pas quoi faire, tout ce que je voudrais, c'est me jeter du pont, soupira Carol.

— De quel pont ? demanda Danny D'Angelo qui passait, chargé d'un plateau pour une autre table.

— C'est une façon de parler, Danny, le réprimanda Indiana.

— Je te le demande, chérie, parce que si tu as l'intention de sauter du Golden Gate, je ne te le recommande pas. Ils ont mis un grillage et des caméras de surveillance pour décourager les suicides. Les bipolaires et les dépressifs viennent du monde entier se jeter de ce foutu pont, c'est une attraction touristique. Et ils sautent tous du même côté, celui de la baie. Ils ne se jettent pas du côté de la mer, car ils ont peur des requins.

— Danny! s'exclama Indiana, tendant une serviette en papier à Carol pour qu'elle se mouche.

Le serveur continua avec son plateau, mais deux minutes plus tard il était de retour, attentif à la conversation, pendant qu'Indiana essayait de consoler sa pauvre amie. Elle lui donna un médaillon en céramique pour le mettre à son cou et trois flacons sombres contenant de l'essence de niaouli, de lavande et de menthe ; elle lui expliqua que les huiles essentielles sont des remèdes naturels, et qu'elles sont absorbées par la peau en quelques minutes, idéales pour ceux qui ne peuvent supporter un médicament par voie orale. Elle devait mettre deux gouttes de niaouli sur le médaillon et le porter chaque jour contre les nausées, quelques gouttes de lavande sur l'oreiller et frotter la menthe sur la plante des pieds pour se redonner du courage. Savait-elle qu'on met de la menthe sur les testicules des vieux taureaux pour… ?

— Indi ! l'interrompit Carol. Je ne veux même pas penser à ce que ce doit être ! Pauvres bêtes !

À ce moment la porte en bois et en verre biseauté s'ouvrit, vieille et déglinguée comme presque tout ce qui se trouvait dans le Café Rossini, pour laisser passer Lulu Gardner, qui commençait sa ronde habituelle dans le quartier. Tous, sauf Carol Underwater, connaissaient cette minuscule vieille édentée, aussi ridée qu'une pomme sèche, la pointe de son nez collée au menton, avec un bonnet et une cape de Petit Chaperon rouge, qui existait depuis l'époque oubliée des *beatniks* et se proclamait photographe officielle de la vie à North Beach. La petite vieille pittoresque affirmait qu'elle avait tiré le portrait des anciens habitants du quartier au début du XXe siècle, lorsqu'il avait commencé à se peupler d'immigrés italiens après le tremblement de terre de 1906 et, bien sûr, de quelques personnages inoubliables, comme Jack Kerouac, qui d'après elle écrivait très bien à la machine ; Allen Ginsberg, son poète et activiste préféré ; Joe DiMaggio, le légendaire joueur de base-ball qui y vécut dans les années cinquante avec son épouse, Marilyn Monroe ; les danseuses de strip-tease du Condor Club, qui formèrent une coopérative dans les années soixante ; enfin, des vertueux et des pécheurs, tous protégés par saint François d'Assise, patron de la ville, depuis sa chapelle de la rue Vallejo. Lulu marchait en s'appuyant sur un bâton aussi haut qu'elle, serrant sous son bras un grand album et l'un de ces appareils photo Polaroïd que plus personne n'utilise.

Toutes sortes de rumeurs circulaient sur Lulu, qu'elle ne démentait jamais : on disait qu'elle avait l'air d'une mendiante, mais qu'elle possédait des millions cachés quelque part, qu'elle avait survécu dans un camp de concentration et perdu son mari à Pearl Harbor. Tout ce qu'on savait avec certitude, c'est qu'elle était juive pratiquante, mais qu'elle fêtait Noël. L'année précédente, Lulu avait mystérieusement disparu ; au bout de trois semaines que personne ne l'avait vue dans les rues du quartier, les voisins la donnèrent pour morte et décidèrent de lui rendre un hommage posthume. Sur un lieu en hauteur du parc Washington, ils mirent une photographie agrandie de la centenaire Lulu Gardner, et les gens déposèrent autour des fleurs, des poupées en peluche, des reproductions de photos qu'elle avait prises, des poèmes émouvants et des messages. Le dimanche en fin d'après-midi, alors que des douzaines de personnes s'étaient spontanément réunies avec des bougies allumées pour lui adresser un dernier et respectueux adieu, Lulu Gardner arriva dans le parc et demanda qui était mort, prête à photographier les proches. Se sentant trompés, plusieurs voisins ne lui pardonnèrent pas d'être encore en vie.

La photographe avança à petits pas dansants, au rythme lent des blues que diffusait le haut-parleur, fredonnant et proposant ses services de table en table. Elle s'approcha d'Indiana et de Carol, les observant de ses petits yeux larmoyants ; avant qu'elles aient le temps de refuser, Danny D'Angelo se plaça entre les deux femmes, accroupi pour être à leur hauteur, et Lulu Gardner appuya sur l'obturateur. Carol Underwater, surprise par l'éclair du flash, se leva avec une telle violence qu'elle fit tomber sa chaise. « Je ne veux pas de tes foutues photos, vieille sorcière ! » cria-t-elle en essayant de lui arracher l'appareil photo. Lulu recula, terrifiée, et Danny D'Angelo s'interposa pour arrêter Carol. Indiana tenta de calmer son amie, étonnée de cette réaction tellement exagérée, tandis que s'élevait un murmure de désapprobation parmi les habitués, même ceux que l'histoire de la résurrection avait offensés. Carol, honteuse, se laissa tomber sur sa chaise, le visage dans les mains. « J'ai les nerfs à vif », sanglota-t-elle.

Jeudi, 5

Amanda attendit que ses compagnes de chambrée se fatiguent de commenter le possible divorce de Tom Cruise et s'endorment pour appeler son grand-père.

— Il est deux heures du matin, Amanda. Tu m'as réveillé. À quelle heure t'endors-tu, fillette ?

— Je dors en classe. Tu as des nouvelles ?

— Je suis allé parler à Henriette Post, bâilla le grand-père.

— La voisine qui a trouvé les corps des Constante ? demanda la gamine.

— Celle-là même.

— Et qu'est-ce que tu attendais pour m'appeler ? lui reprocha sa petite-fille.

— Que le jour se lève.

— Plusieurs semaines ont passé depuis l'assassinat. C'était pas en novembre ?

— Oui, Amanda, mais je n'ai pas pu y aller avant. Ne t'inquiète pas, la femme se souvient de tout. La frayeur a failli l'expédier dans l'autre monde, mais elle ne l'a pas empêchée de graver dans sa mémoire le moindre détail de ce qu'elle a vu ce jour-là, la chose la plus épouvantable de sa vie, à ce qu'elle m'a dit.

— Raconte-moi tout, Kabel.

— Je ne peux pas. Il est très tard et ta mère va arriver d'un moment à l'autre.

— C'est jeudi, maman est avec Keller.

— Elle ne reste pas toujours toute la nuit avec lui. En plus, je dois dormir. Mais je vais t'envoyer les notes de ma conversation avec Henriette Post et de ce que j'ai soutiré à ton père.

— Tu l'as écrit ?

— Un de ces jours j'écrirai un livre, lui expliqua le sbire. J'écris ce qui me paraît intéressant, on ne sait jamais ce qui pourra me servir.

— Écris tes Mémoires, tous les vieux font ça, lui suggéra sa petite-fille.

— Ce serait rasoir, il ne m'est rien arrivé qui soit digne d'être raconté, je suis le veuf le plus ennuyeux du monde.

— C'est sûr. Envoie-moi les notes sur les Constante. Bonne nuit, sbire. Tu m'aimes ?

— Non.

— Moi non plus.

Quelques minutes plus tard, Amanda avait dans son courrier le récit de la visite de Blake Jackson au premier témoin du crime des Constante.

Le 11 novembre vers dix heures quinze du matin, Henriette Post, qui habitait dans la même rue, promenait son chien lorsqu'elle remarqua que la porte de la maison des Constante était grande ouverte, chose inhabituelle dans ce quartier où sévissent bandes de délinquants et trafiquants de drogue. Henriette Post sonna pour avertir les Constante, qu'elle connaissait bien, et comme personne ne venait, elle entra en les appelant. Elle parcourut le salon, où le téléviseur était allumé, la salle à manger et la cuisine, puis elle monta l'escalier, avec difficulté car elle a soixante-dix-huit ans et souffre du cœur. Le silence de cette maison l'inquiéta, car elle est toujours pleine de vie ; plus d'une fois, elle-même s'était plainte du tapage.

Elle ne trouva personne dans les chambres des enfants, et avança dans le couloir vers la chambre principale, appelant les propriétaires de la maison avec le peu de souffle qui lui restait. Elle frappa trois fois à la porte avant d'oser l'ouvrir et passer la tête. Elle dit que la pièce était dans la pénombre, avec les persiennes et les rideaux fermés, froide et l'air vicié, comme si on ne l'avait pas aérée depuis plusieurs jours. Elle fit deux pas à l'intérieur de la pièce, ajusta sa vision, et recula aussitôt en murmurant des excuses quand elle vit le couple allongé dans le lit conjugal.

La voisine allait se retirer discrètement, mais son instinct l'avertit qu'il y avait quelque chose d'anormal dans le calme de cette maison, dans le fait que les Constante ne répondent pas à ses appels et dorment encore au milieu de la matinée un jour de semaine. De nouveau elle entra dans la pièce, tâta le mur à la recherche de l'interrupteur et alluma. Doris et Michael Constante étaient couchés sur le dos, cachés jusqu'au cou par le dessus-de-lit, rigides et les yeux ouverts. La femme poussa un cri étouffé, elle sentit un coup dans sa poitrine et pensa que son cœur avait explosé. Elle ne parvint à réagir que lorsqu'elle entendit les aboiements de son chien, alors elle revint sur ses pas dans le couloir, descendit l'escalier en titubant et avança en se tenant aux meubles jusqu'au téléphone de la cuisine.

Elle appela le 911 exactement à dix heures vingt-neuf du matin, répétant à plusieurs reprises que ses voisins étaient morts, jusqu'à ce que l'opératrice l'interrompe pour lui poser trois ou quatre questions pertinentes et lui indique de rester où elle était et de ne toucher à rien, des secours allaient venir tout de suite. Sept minutes plus tard arrivèrent deux patrouilleurs qui se trouvaient dans le quartier et, peu après, une ambulance ainsi que des renforts de police. Les secouristes ne purent rien faire pour les Constante, mais ils emmenèrent Henriette Post à l'hôpital, car elle souffrait de tachycardie et sa tension était très haute.

L'inspecteur-chef Bob Martín se présenta vers onze heures, alors que la rue était déjà barrée, accompagné du médecin légiste, Ingrid Dunn, et d'un photographe de la Criminelle. Martín enfila des gants de latex et monta avec le médecin dans la chambre des Constante. Lorsqu'il vit le couple dans le lit, sa première impression fut qu'il s'agissait d'un double suicide, mais il devait attendre le verdict du docteur Dunn, qui observa méticuleusement les parties visibles des Constante, sans les déplacer. Martín laissa le photographe faire son travail, tandis qu'arrivait le reste de l'équipe scientifique ; le médecin ordonna ensuite que l'on monte les brancards et qu'on emporte le couple à la morgue. La scène appartenait à la police, mais les corps étaient à elle.

Doris et Michael, très respectés dans la communauté, étaient des membres actifs de l'Église méthodiste, et chez eux se tenaient souvent des réunions des Alcooliques Anonymes. Une semaine avant la nuit fatale, Michael avait célébré avec des amis ses quatorze années de sobriété par une fête dans son jardin, avec des hamburgers et des saucisses arrosés de punch aux fruits. Il semble qu'il y avait eu une dispute entre Michael et l'un des assistants, mais rien de sérieux.

Les Constante, qui n'avaient pas d'enfants, avaient obtenu en 1991 une licence pour être les parents provisoires d'enfants orphelins à haut risque, que les tribunaux leur confiaient. Trois enfants d'âges différents vivaient avec eux, mais la nuit du 10 novembre, lorsque le crime avait eu lieu, ils étaient seuls, parce que le Service de Protection de l'Enfance les avait emmenés en excursion pour quatre jours au lac Tahoe. La maison était en désordre, sale, et la présence des enfants évidente à en juger par les piles de vêtements à laver, les chaussures et les jouets éparpillés, les lits défaits. Dans le réfrigérateur, il y avait des pizzas et des hamburgers congelés, des boissons gazeuses, du lait, des œufs, ainsi qu'une bouteille fermée d'un alcool inconnu.

L'autopsie révéla que Doris, quarante-sept ans, et Michael, quarante-huit ans, étaient morts d'une overdose d'héroïne injectée dans une veine du cou, et qu'après leur mort ils avaient été marqués au fer rouge sur les fesses.

Le téléphone réveilla de nouveau Blake Jackson dix minutes plus tard.

— Sbire, j'ai une question, dit sa petite-fille.

— Amanda, j'en ai assez de toi ! Je renonce à être ton sbire ! s'exclama le grand-père.

Un silence funèbre suivit ces paroles.

— Amanda ? s'enquit le grand-père au bout de quelques secondes.

— Oui ! répondit-elle d'une voix tremblante.

— Je plaisantais, quelle est ta question ?

— Explique-moi cette histoire de brûlures sur les fesses.

— On les a découvertes à la morgue, quand on les a déshabillés, dit le grand-père. J'ai oublié de mentionner dans mes notes que dans la salle de bains ont été trouvés deux seringues utilisées, avec des traces d'héroïne, et un petit chalumeau au butane. On n'a relevé aucune empreinte digitale.

— Tu dis que tu as oublié de le mentionner ? Mais c'est essentiel !

— Je pensais l'ajouter, mais j'ai été distrait. Il me semble que ces objets ont été laissés exprès, comme un canular, distinctement posés sur un plateau et couverts d'une serviette blanche.

— Merci, Kabel.

— Bonne nuit, maîtresse.
— Bonne nuit. Je t'appellerai plus. Dors bien.

C'était l'une de ces nuits avec Alan Keller qu'Indiana attendait avec l'impatience d'une jeune mariée, bien qu'ils aient depuis longtemps établi une routine dénuée de surprises et fassent l'amour au rythme d'un vieux couple. Quatre ans ensemble : ils étaient déjà un vieux couple. Ils se connaissaient bien, s'aimaient sans hâte et prenaient le temps de rire, de dîner, de bavarder. D'après Keller, ils faisaient l'amour sans soubresauts, comme deux bisaïeuls ; d'après Indiana, ils étaient des bisaïeuls dépravés. Ils n'avaient pas de quoi se plaindre, car après avoir essayé quelques acrobaties dignes de films pornographiques, qui les avaient laissés lui avec un lumbago et elle de mauvaise humeur, et exploré presque tout ce qu'une imagination saine pouvait offrir sans inclure de tierces personnes ou d'animaux, ils avaient peu à peu réduit le répertoire à quatre options conventionnelles, avec quelques variantes, mais peu nombreuses, qu'ils menaient à bien à l'hôtel Fairmont une ou deux fois par semaine, selon les exigence du corps.

Pendant qu'ils attendaient les huîtres et le saumon fumé commandés au service des chambres, Indiana raconta à Alan Keller la tragédie de Carol Underwater et les commentaires maladroits de Danny D'Angelo. Keller le connaissait, parce qu'il attendait parfois Indiana au Café Rossini et que, l'année précédente, Danny avait abondamment vomi dans sa Lexus neuve alors qu'il le transportait – à la demande d'Indiana – au service des urgences de l'hôpital. Il avait dû faire laver la voiture plusieurs fois pour enlever les taches et dissiper l'odeur fétide.

Au cours du défilé annuel des gays, en juin, Danny s'était perdu, il n'était pas venu travailler et l'on n'avait entendu parler de lui que six jours plus tard, lorsqu'un appel anonyme à l'accent hispanique avait annoncé à Indiana que son ami était en piteux état, malade et seul dans sa chambre, et qu'il vaudrait mieux qu'elle aille le secourir si elle ne voulait pas le voir mort. Danny vivait dans un immeuble misérable de Tenderloin, un quartier craignos où la police elle-même hésitait à se rendre la nuit. Il avait depuis toujours attiré les vagabonds et les délinquants, et était envahi par l'alcool, les drogues, les bordels et les clubs de mauvaise réputation. C'était le cœur du péché, comme l'appelait Danny avec une certaine arrogance, comme si vivre là méritait la médaille du courage. L'édifice, construit dans les années quarante, avait été destiné à des marins mais, le temps passant, il s'était dégradé pour devenir le refuge des laissés-pour-compte, des malades et des drogués. Indiana s'y était rendue plus d'une fois pour apporter de la nourriture et des médicaments à son ami, qui après les excès d'une fête nocive se retrouvait en général comme une loque.

Dès qu'elle reçut l'appel anonyme, Indiana alla une fois de plus secourir Danny. Elle monta les cinq étages à pied par un escalier barbouillé de gros mots et de dessins obscènes, passant près de plusieurs portes entrouvertes, taudis d'ivrognes dévorés par la misère, de vieillards déments et de gamins qui se prostituaient en échange de drogues. La chambre de Danny, sombre, empestant le vomi et le patchouli bon marché, comportait un lit dans un coin, une penderie, une table à repasser, une coquette coiffeuse couverte de satin, avec un miroir brisé et une collection de pots de crème. Il y avait une douzaine de chaussures à talons hauts alignées et deux portemanteaux sur lesquels pendaient, tels de gros oiseaux endormis, ses robes à plumes de chanteuse de cabaret. La lumière naturelle n'entrait pas, l'unique fenêtre étant obstruée par vingt ans de crasse collée sur les vitres.

Indiana trouva Danny étalé sur le lit, à moitié vêtu du déguisement de servante française qu'il avait porté pendant le défilé gay, immonde, brûlant de fièvre et déshydraté, souffrant d'une pneumonie et d'une forte intoxication à l'alcool et aux drogues. Dans l'immeuble, il n'y avait qu'un W.-C. par étage, qu'utilisaient vingt locataires, et le malade était trop faible pour se traîner jusque-là. Il ne répondit pas lorsque Indiana essaya de le redresser pour lui donner de l'eau et le laver, tâche impossible pour elle seule. C'est pourquoi elle avait appelé Alan Keller.

Bien malgré lui, Keller pressentit qu'Indiana avait fait appel à lui parce que la voiture de son père était en réparation et que Ryan Miller, cet enfoiré, était sûrement en voyage. L'accord tacite de limiter sa relation avec Indiana à des rencontres agréables lui convenait parfaitement, mais cela le contrariait de constater qu'elle avait organisé son existence sans lui. Indiana était toujours à court d'argent, même si elle n'en parlait jamais, mais s'il voulait l'aider, elle refusait sur le ton de la plaisanterie ; en revanche, elle faisait appel à son père et, bien que Keller n'en eût aucune preuve, il aurait juré qu'elle acceptait de Ryan Miller ce qu'elle lui refusait à lui. « Je suis ton amante, pas ta poule », lui répondait Indiana lorsqu'il lui proposait de payer le loyer du cabinet ou la facture du dentiste pour Amanda. Pour son anniversaire, il voulut lui acheter une Coccinelle Volkswagen jaune poussin ou rouge vernis à ongles, couleurs qu'elle adorait, mais Indiana refusa tout net, sous prétexte que les transports collectifs et le vélo lui allaient très bien et étaient plus écologiques. Elle ne le laissa pas non plus lui offrir une carte de crédit ou lui ouvrir un compte en banque, et elle n'aimait pas qu'il lui achète des vêtements, parce qu'elle croyait – non sans raison – qu'il voulait la rendre plus élégante. Indiana trouvait ridicule la coûteuse lingerie en soie et dentelle qu'il lui offrait, mais elle la portait pour lui faire plaisir pendant leurs jeux érotiques. Keller savait que dès qu'il avait le dos tourné elle en faisait cadeau à Danny, qui l'appréciait sans doute à sa juste valeur.

Keller admirait l'intégrité d'Indiana, mais il était irrité qu'elle n'eût pas besoin de lui, il se sentait diminué et mesquin devant cette femme plus disposée à donner qu'à recevoir. Depuis le temps qu'ils étaient ensemble, elle lui avait rarement demandé de l'aide, raison pour laquelle il répondit sur-le-champ lorsqu'elle l'appela de la chambre de Danny D'Angelo.

Le quartier de Tenderloin était infesté de gangs philippins, chinois et vietnamiens, et cambriolages, attaques et crimes étaient monnaie courante. Keller y avait rarement mis les pieds, bien qu'il fût situé dans le centre de San Francisco, à quelques rues des banques, bureaux, sociétés, boutiques et restaurants chics qu'il fréquentait. Son idée de Tenderloin était plutôt surannée et romantique : 1920, salles de jeu clandestin, championnats de boxe et bars illégaux, bordels, vie dissolue. Il se souvenait que c'était le cadre de l'un des romans de Dashiell Hammett, sans doute *Le Faucon maltais*. Il ne savait pas qu'après la guerre du Vietnam il s'était empli de réfugiés asiatiques, du fait des faibles loyers et de la proximité de Chinatown, et que dans les appartements destinés à un seul occupant vivaient jusqu'à dix personnes. En voyant les mendiants allongés par terre avec leurs sacs de couchage et leurs caddies pleins de paquets, des hommes à la mine étrange guettant aux coins des rues, des femmes échevelées et édentées qui parlaient seules, il comprit qu'il valait mieux ne pas laisser sa voiture dans la rue et chercha un stationnement payant.

Il eut un peu de mal à trouver l'immeuble de Danny, car les numéros avaient été effacés par les intempéries et l'usure, et il n'osa pas demander. Il finit par découvrir l'endroit, qui s'avéra être plus sale et plus misérable qu'il ne s'y attendait. En montant au cinquième étage, il croisa des ivrognes, des vagabonds et des types à la mine de délinquants sur le seuil de leurs repaires ou déambulant dans les couloirs, et il eut peur qu'ils l'attaquent ou qu'un pou lui tombe dessus. Il se dépêcha de passer entre eux, sans les regarder, surmontant l'envie de se boucher le nez, conscient de l'incongruité de ses chaussures italiennes en cuir et de son blouson anglais en gabardine. Le trajet jusqu'à la chambre de Danny lui parut dangereux, et lorsqu'il y arriva, la puanteur l'arrêta net à la porte.

À la lumière de l'unique ampoule qui pendait du plafond, il vit Indiana penchée au-dessus du lit, lavant le visage de l'autre avec un chiffon mouillé. « Nous devons l'emmener à l'hôpital, Alan. Il faut lui mettre une chemise et un pantalon », lui ordonna-t-elle. La bouche de Keller s'emplit de salive et il fut secoué d'un haut-le-cœur, mais il n'était pas question de faiblir comme un lâche. Évitant de se tacher, il aida Indiana à laver et habiller cet homme délirant. Danny était mince, mais, dans l'état où il se trouvait, il pesait aussi lourd qu'un mouton mort. À eux deux ils le soulevèrent et l'emmenèrent, moitié à bout de bras et moitié le traînant, dans le long couloir et dans l'escalier, marche après marche, jusqu'au rez-de-chaussée, devant les regards moqueurs des locataires. À la porte de l'immeuble, ils assirent Danny sur le trottoir, contre les poubelles, sous la surveillance d'Indiana, tandis qu'il courait récupérer sa voiture à deux rues de là. Quand le malade vomit un jet de bile sur le siège de sa Lexus dorée, Keller pensa qu'ils auraient pu appeler une ambulance, mais cette solution n'était pas venue à l'esprit d'Indiana, car cela aurait coûté mille dollars et Danny n'avait pas d'assurance.

D'Angelo fut hospitalisé une semaine, le temps que l'on jugule sa pneumonie, son infection intestinale et sa tension, et il passa une autre semaine chez le père d'Indiana, à qui revint le rôle d'infirmier réticent jusqu'à ce que Danny puisse se débrouiller seul et retourner dans son taudis et à son travail. À cette époque, Blake Jackson le connaissait à peine, mais il accepta d'aller le chercher à l'hôpital lorsqu'on le laissa sortir, parce que sa fille le lui demanda et, pour la même raison, l'hébergea et s'en occupa.

La première chose qui attira Alan Keller chez Indiana, ce fut son magnifique aspect de sirène, puis il s'éprit de son caractère optimiste ; en bref, elle lui plaisait parce qu'elle était le contraire des femmes maigres et égoïstes qu'il fréquentait d'ordinaire. Il n'aurait jamais admis qu'il était amoureux, quel mauvais goût, il n'y avait nul besoin de mettre un nom sur ce sentiment. Il lui suffisait de savourer le temps qu'il passait avec elle, toujours décidé à l'avance, surtout pas d'imprévus. Lors des séances hebdomadaires chez son psychiatre, un juif de New York qui pratiquait le bouddhisme zen, comme presque tous les psychiatres de Californie, Keller avait découvert qu'il l'aimait beaucoup, ce qui n'était pas peu dire, car il se vantait d'être à l'abri de la passion, qu'il n'appréciait qu'à l'Opéra, où cette pulsion changeait le cours du destin du ténor et de la soprano. La beauté d'Indiana faisait naître en lui un plaisir esthétique plus persistant que le désir charnel, sa fraîcheur l'émouvait et l'admiration qu'elle lui portait était devenue une drogue dont il aurait eu du mal à se passer. Mais il était conscient de l'abîme qui les séparait : elle appartenait à un milieu inférieur. Son corps opulent et sa sensualité débordante, qui lui plaisaient tant en privé, le faisaient rougir en public. Indiana mangeait avec gourmandise, elle trempait son pain dans la sauce, se léchait les doigts et reprenait du dessert, à l'étonnement de Keller habitué aux femmes de sa classe, pour qui l'anorexie était une vertu et la mort préférable à l'affreuse calamité de l'obésité. Aux riches on voit les os. Indiana était loin d'être plantureuse, mais les amies de Keller n'apprécieraient ni sa beauté troublante de laitière flamande ni sa simplicité, qui frisait parfois la vulgarité. C'est pourquoi il évitait de l'emmener dans des endroits où ils auraient pu rencontrer une connaissance, et dans les rares occasions où il le faisait, par exemple à un concert ou au théâtre, il lui achetait une tenue adéquate et lui demandait de coiffer ses cheveux en chignon. Indiana accédait à son désir avec l'attitude joueuse de qui se déguise, mais bientôt la discrète robe noire commençait à lui serrer le corps et à lui blesser l'âme.

L'un des plus beaux cadeaux de Keller fut de l'abonner à une composition florale par semaine pour son cabinet, un élégant ikebana d'un fleuriste de Japantown, ponctuellement livré à la Clinique Holistique par un jeune allergique au pollen, qui portait des gants blancs et un masque de chirurgien. Autre présent raffiné qu'il lui fit : une chaîne en or ornée d'une pomme couverte de petits diamants pour remplacer le collier de chien qu'elle portait le plus souvent. Indiana attendait avec impatience l'ikebana du lundi : la disposition frugale d'une tige tordue, de deux feuilles et d'une fleur solitaire l'enchantait, mais elle ne porta la pomme qu'une ou deux fois pour faire plaisir à Keller, puis elle la rangea dans son écrin de velours au fond de sa commode, car dans la volumineuse géographie de son décolleté on aurait dit une bestiole égarée. De plus, elle avait vu un documentaire sur les diamants de sang dans les terribles mines d'Afrique. Au début, Keller voulut renouveler toute sa garde-robe, cultiver en elle un style acceptable et lui apprendre les bonnes manières, mais Indiana se cabra avec l'argument irréfutable que changer pour faire plaisir à un homme était une tâche énorme ; il serait plus pratique pour lui de chercher une femme à son goût.

Avec sa vaste culture et ses allures d'aristocrate anglais, Alan Keller était très prisé en société, le célibataire le plus désirable de San Francisco, comme le cataloguaient ses amies, parce que, outre le charme, on lui attribuait la fortune. Le montant de ses avoirs était un mystère, mais il vivait très bien, encore que sans excès, invitait peu et portait les mêmes vêtements usagés pendant des années, refusant de suivre la mode ou de porter la marque du créateur en vue, comme les nouveaux riches. L'argent l'ennuyait, parce qu'il en avait toujours eu, et il occupait sa situation sociale par inertie, grâce à l'appui de sa famille, sans s'inquiéter de l'avenir. Il lui manquait la rudesse patronale de son grand-père, qui avait fait fortune à l'époque de la Prohibition, la flexibilité morale de son père, qui l'avait augmentée grâce à des négoces louches en Asie, ou la cupidité visionnaire de son frère et de sa sœur, qui l'entretenaient par des spéculations boursières.

Dans la suite de l'hôtel Fairmont, avec ses rideaux de satin couleur biscuit, ses meubles classiques aux pieds galbés, ses lampes de cristal et d'élégantes gravures françaises sur les murs, Alan Keller se souvint du désagréable épisode avec Danny D'Angelo, qui corroborait une fois de plus sa conviction qu'il lui serait impossible de vivre avec Indiana.

Il manquait de tolérance envers les personnes exubérantes, comme D'Angelo, envers la laideur et la pauvreté, de même qu'envers la bonté sans discrimination d'Indiana, qui, de loin, pouvait passer pour une vertu, mais se révélait être une corvée lorsqu'elle vous touchait de près. Ce soir-là, Keller était assis dans un fauteuil, encore habillé, un verre de vin blanc à la main, du sauvignon que produisaient dans leurs vignobles, uniquement pour lui, ses amis et trois restaurants huppés de San Francisco, attendant qu'arrive le repas, tandis qu'Indiana trempait dans le jacuzzi.

Depuis son fauteuil, il l'observait nue dans l'eau, avec sa crinière indomptée de boucles blondes retenues par un crayon au sommet de sa tête, quelques mèches encadrant son visage, la peau rougie, les joues embrasées, les yeux brillants de plaisir, avec l'expression ravie d'une petite fille sur un manège. La première chose qu'elle faisait lorsqu'ils se donnaient rendez-vous à l'hôtel, c'était de préparer le jacuzzi, qui selon elle était le comble de la décadence et du luxe. Il ne l'accompagnait pas dans l'eau, parce que la chaleur augmentait sa tension artérielle – il devait éviter un infarctus – et qu'il préférait l'observer depuis le confort de son fauteuil. Indiana lui racontait quelque chose à propos de Danny D'Angelo et d'une certaine Carol, une femme atteinte d'un cancer qui était apparue dans le paysage de ses amitiés étranges, mais le bruit des tourbillons d'eau ne lui permettait pas de bien l'entendre. Le sujet ne l'intéressait d'ailleurs pas du tout, il voulait seulement admirer son reflet dans le grand miroir biseauté derrière la baignoire, anticipant le moment où arriveraient les huîtres et le saumon, où il déboucherait une deuxième bouteille de son sauvignon blanc et où elle sortirait de l'eau, telle Vénus de la mer. Il la couvrirait alors d'une serviette-éponge, l'envelopperait de ses bras, et embrasserait cette peau jeune, humide et chaude ; puis ils commenceraient les jeux de l'amour, cette lente danse connue. C'était là le meilleur de ce que la vie avait à offrir : l'anticipation du plaisir.

Les joueurs de *Ripper*, y compris Kabel, étaient convenus de se réunir sur Skype et à l'heure dite ils se retrouvèrent devant leurs écrans, les dés et cartes réglementaires entre les mains de la maîtresse. Il était vingt heures pour Amanda et Kabel à San Francisco ainsi que pour Sherlock Holmes à Reno, vingt-trois heures pour Sir Edmond Paddington dans le New Jersey et Abatha à Montréal, mais cinq heures de l'après-midi du lendemain pour Esmeralda, qui vivait dans le futur, en Nouvelle-Zélande. Au début ils ne communiquaient qu'à travers un tchat privé sur Internet, mais lorsqu'ils commencèrent à enquêter sur les crimes proposés par Amanda Martín, ils optèrent pour la vidéoconférence. Ils étaient tellement familiarisés avec les personnages créés par chacun d'eux qu'au moment où ils voyaient leurs visages, avant de commencer, il se produisait en général une pause de surprise. Il était difficile de reconnaître la tumultueuse gitane Esmeralda dans ce garçon en fauteuil roulant, le célèbre détective de Conan Doyle dans l'enfant noir coiffé d'une casquette de base-ball, et le colonel des anciennes colonies anglaises dans le chétif adolescent boutonneux et agoraphobe enfermé dans sa chambre. Seule l'adolescente anorexique de Montréal ressemblait à Abatha la visionnaire, un être squelettique plus esprit que matière. Les jeunes saluèrent à tour de rôle la maîtresse du jeu et ils lui exposèrent leurs inquiétudes à propos de la séance précédente, au cours de laquelle ils avaient très peu progressé sur le cas d'Ed Staton.

— Voyons ce qu'il y a de nouveau sur « le crime de la batte mal placée » avant de parler des Constante, proposa Amanda. D'après mon père, Ed Staton ne s'est pas défendu, le cadavre n'a révélé ni traces de lutte ni hématomes.

— Cela peut indiquer qu'il connaissait l'assassin, dit Sherlock Holmes.

— Mais ça n'explique pas pourquoi Staton était à genoux ou assis lorsqu'on lui a logé une balle dans la tête, dit la maîtresse.

— Comment le sait-on ? demanda Esmeralda.

— À cause de l'angle d'entrée de la balle. On lui a tiré dessus de très près, une quarantaine de centimètres; la balle est restée dans le crâne, il n'y a pas d'orifice de sortie. L'arme était un petit revolver semi-automatique.

— Il est très commun, compact, facile à dissimuler dans une poche ou un sac à main de femme; ce n'est pas une arme sérieuse. Un criminel aguerri utilise normalement des armes plus létales, intervint le colonel Paddington.

— Peut-être, mais elle lui a servi à éliminer Staton. L'assassin l'a ensuite placé en travers du cheval d'arçon... et nous savons ce qu'il a fait avec la batte de base-ball.

— Ça n'a pas dû être facile de baisser son pantalon et de mettre le corps sur le cheval. Staton était grand et lourd. Pourquoi a-t-il fait ça? demanda Esmeralda.

— C'est un message, un code, un avertissement, murmura Abatha.

— La batte est une arme courante. D'après les statistiques, elle est fréquemment utilisée dans les cas de violence domestique, nota le colonel Paddington avec son prétentieux accent britannique.

— Pourquoi l'assassin a-t-il apporté une batte au lieu d'en utiliser une de l'école? insista Esmeralda.

— Il ne savait pas qu'il y avait des battes dans le gymnase et il a apporté celle qu'il avait chez lui, suggéra Abatha.

— Cela indiquerait qu'il y a un lien entre l'assassin et l'Arkansas, ou alors il s'agit d'une batte spéciale, intervint Sherlock.

— Puis-je prendre la parole? demanda Kabel.

— Vas-y, dit la maîtresse du jeu.

— C'était une batte ordinaire en aluminium, de quatre-vingts centimètres de long, le genre qu'utilisent les élèves de secondaire entre quatorze et seize ans. Légère, forte et résistante.

— Le mystère de la batte de base-ball..., murmura Abatha. Je suppose que l'assassin l'a choisie pour des raisons sentimentales.

— Ah ! Notre homme est donc un sentimental ! se moqua Edmond Paddington.

— Personne ne pratique la sodomie pour des raisons sentimentales, dit Sherlock Holmes, le seul qui évitait les euphémismes.

— Qu'en sais-tu ? l'interrogea Esmeralda.

— Ça dépend du sentiment, intervint Abatha.

Ils passèrent le quart d'heure suivant à évoquer diverses possibilités, jusqu'à ce que la maîtresse considère qu'ils avaient assez parlé d'Ed Staton ; ils devaient enquêter sur « le double crime du chalumeau », comme elle l'avait baptisé, survenu le 10 novembre de l'année précédente. Elle ordonna aussitôt à son sbire d'exposer les faits. Kabel leur lut ses notes et ajouta les fioritures destinées à enrichir le récit, comme tout bon aspirant écrivain.

Les jeunes commencèrent à jouer sur ce scénario. Tous tombèrent d'accord sur le fait que *Ripper* était devenu beaucoup plus intéressant que le jeu original maintenant qu'ils n'étaient plus limités par les décisions des dés et des cartes, qui auparavant déterminaient les mouvements. Ils décidèrent de résoudre les affaires au moyen de la simple logique, sauf Abatha, qui fut autorisée à utiliser des méthodes psychiques. Trois des joueurs se consacreraient à l'analyse des homicides, Abatha ferait appel aux esprits, Kabel enquêterait ; quant à Amanda, elle se chargerait de coordonner les efforts des autres et de planifier l'action.

À la différence de sa petite-fille, qui ne voyait pas Alan Keller d'un bon œil, Blake Jackson l'appréciait et il avait l'espoir que son aventure amoureuse avec Indiana se terminerait par un mariage. Un peu de stabilité ferait du bien à sa fille, pensait-il, elle avait besoin d'un homme prudent qui prenne soin d'elle et la protège ; bref, d'un autre père, car lui-même ne vivrait pas éternellement. Keller n'avait que neuf ans de moins que lui et sans doute avait-il quelques manies qui s'accentueraient avec l'âge, comme cela ne manque pas d'arriver, mais comparé à d'autres anciens amants d'Indiana, il pouvait être qualifié de prince bleu. Déjà, c'était le seul avec qui il pouvait avoir une conversation suivie sur des livres ou tout autre sujet culturel, les précédents avaient tous été du genre athlétique, muscles de taureau et cerveau de bovin, à commencer par Bob Martín. Sa fille n'était pas du goût des intellectuels ; il fallait remercier le ciel de l'opportune apparition de Keller.

Toute petite, Amanda posait des questions à Blake à propos de ses parents, car elle était trop futée pour avaler la version sirupeuse de sa grand-mère Encarnación. La petite n'avait pas trois ans quand Indiana et Bob s'étaient séparés, elle ne se souvenait pas de l'époque où elle vivait avec eux sous le même toit et elle avait du mal à les imaginer ensemble, malgré l'éloquence de doña Encarnación. Cela faisait quinze ans que cette grand-mère, catholique pratiquante qui récitait chaque jour son chapelet, souffrait du divorce de son fils, et qu'elle se rendait régulièrement au sanctuaire de saint Jude Thaddée, le patron de l'espoir dans les cas difficiles, afin de brûler des cierges et de prier pour la réconciliation du couple.

Blake aimait Bob Martín comme le fils qu'il n'avait jamais eu. Il n'y pouvait rien, son ancien gendre l'émouvait avec ses gestes spontanés d'affection, son amour absolu pour Amanda et la loyale amitié qu'il portait à Indiana ; malgré ça, il n'espérait aucun miracle de saint Jude Thaddée. Ils n'avaient rien en commun à part leur fille ; séparés, ils s'entendaient comme frère et sœur, ensemble ils finiraient par en venir aux mains. Ils s'étaient connus au lycée, elle avait quinze ans et lui vingt. Bob avait largement l'âge d'être bachelier et tout autre élève aurait été expulsé à dix-huit ans, mais il était le capitaine de l'équipe de football américain, le chouchou de son entraîneur et le cauchemar de ses professeurs, qui le supportaient parce qu'il était le meilleur athlète que l'école avait eu depuis sa fondation, en 1956. Bob Martín, beau et vaniteux, suscitait des amours violentes chez les filles, qui le harcelaient de propositions passionnées et de menaces de suicide, et un mélange de crainte et d'admiration chez les garçons, qui célébraient ses prouesses et ses grosses blagues, mais se tenaient à distance prudente, car s'il changeait brusquement d'humeur, Bob pouvait les faire tomber d'une chiquenaude. La popularité d'Indiana égalait celle du capitaine de l'équipe de football, avec son caractère d'ange, son corps de femme formée et cette vertu irrésistible qu'elle possédait d'avancer dans la vie avec le cœur sur la main. Elle était un modèle d'innocence et lui avait une réputation de démon. Il semblait inévitable qu'ils tombent amoureux, mais ceux qui espéraient qu'elle exerce une bonne influence sur lui furent déçus, car c'est le contraire qui arriva : Bob resta le barbare qu'il était et elle se perdit dans l'amour, l'alcool et la marijuana.

Blake Jackson remarqua bientôt que les vêtements de sa fille la serraient et qu'elle n'arrêtait pas de pleurnicher. Il l'interrogea sans pitié jusqu'à ce qu'elle avoue qu'elle n'avait pas eu ses règles depuis trois ou quatre mois, peut-être cinq, elle n'en était pas sûre, ses cycles étaient irréguliers et elle n'avait jamais tenu le compte. Jackson se prit la tête entre les mains, désespéré ; sa seule excuse pour avoir ignoré les symptômes évidents de la grossesse d'Indiana, et pour avoir fermé les yeux lorsqu'elle rentrait en titubant à cause de l'alcool ou flottant dans un nuage de marijuana, c'était la grave maladie de Marianne, sa femme, qui accaparait toute son attention. Il prit sa fille par un bras et la traîna d'abord chez un gynécologue, qui confirma que la grossesse était avancée et qu'on ne pouvait plus envisager un avortement, puis chez le directeur de l'école et enfin chez le séducteur pour une confrontation.

La maison des Martín, dans le quartier de la Mission, surprit Blake Jackson, car il s'attendait à quelque chose de beaucoup plus modeste. Sa fille lui avait seulement dit que la mère de Bob faisait des tortillas et il s'était préparé à affronter une famille d'émigrants aux faibles ressources. En apprenant qu'Indiana viendrait avec son père, Bob avait disparu sans laisser de traces et il revint à sa mère de prendre sa défense. Blake se retrouva devant une femme d'âge mûr, belle, tout de noir vêtue, mais les ongles et les lèvres peints en rouge vif, qui se présenta comme Encarnación, veuve Martín. L'intérieur de la maison était accueillant, avec des meubles solides, des tapis usés, des jouets qui traînaient par terre, des photos de famille, une étagère chargée de trophées sportifs et deux gros chats vautrés sur le divan tapissé de tissu vert. Sur un siège présidentiel au dossier haut et aux pieds de lion était installée la grand-mère de Bob, une dame droite comme un I, tout en noir, comme sa fille, ses cheveux gris pris dans un chignon tellement serré que de face on l'aurait crue tondue. Elle les regarda de haut en bas sans répondre à leur salut.

— Je suis désolée de ce qu'a fait mon fils, monsieur Jackson. J'ai échoué en tant que mère, je n'ai pas su inculquer à Bob le sens des responsabilités. À quoi servent ces trophées si on n'a pas de décence ?, je me le demande, dit rhétoriquement la veuve en montrant l'étagère chargée de coupes de football.

Le père accepta la petite tasse de café très noir qu'une employée apporta de la cuisine et il s'assit sur le divan couvert de poils de chat. Sa fille resta debout, les joues rouges, honteuse, tenant sa blouse à deux mains pour cacher son ventre, tandis que doña Encarnación avait entrepris de leur faire un résumé de l'histoire familiale.

— Ma mère ici présente, que Dieu la garde, était institutrice au Mexique, et mon père, que Dieu lui pardonne, un irresponsable qui l'a abandonnée peu après leur mariage pour tenter fortune aux États-Unis. Elle n'a reçu que deux ou trois lettres, puis des mois ont passé sans nouvelles et entretemps je suis née, moi, Encarnación, à votre service. Ma mère a vendu le peu qu'elle avait et elle a entrepris de partir sur les traces de mon père, avec moi dans ses bras. Elle a parcouru la Californie en logeant chez des familles mexicaines qui avaient pitié de nous, jusqu'à ce qu'elle arrive à San Francisco, où elle a appris que son mari était incarcéré parce qu'il avait tué un homme lors d'une bagarre. Elle est allée lui rendre visite à la prison et lui a demandé de prendre soin de lui, puis elle a retroussé ses manches et s'est mise à travailler. Ici, comme institutrice, elle n'avait aucun avenir, mais elle savait faire la cuisine.

Jackson pensa que la grand-mère du fauteuil solennel ne comprenait pas l'anglais, car sa fille parlait d'elle sur le ton de la légende, comme si elle était morte. Doña Encarnación poursuivit, en expliquant qu'elle avait grandi accrochée aux jupes de sa mère, et qu'elle travaillait depuis qu'elle était toute petite. Quinze ans plus tard, quand le père, ayant purgé sa peine, sortit de prison prématurément vieilli, malade et couvert de tatouages, il fut expulsé, comme l'exigeait la loi, mais sa femme ne retourna pas au Mexique avec lui, car alors son amour s'était asséché et elle avait une affaire florissante de vente de tacos et autres plats populaires au cœur du quartier latino de la Mission. Peu après, la jeune Encarnación avait rencontré José Manuel Martín, Mexicain de la deuxième génération, qui avait une voix de rossignol, un groupe de mariachis et la citoyenneté américaine. Ils se marièrent et il intégra le commerce de nourriture de sa belle-mère. Les Martín avaient cinq enfants, trois restaurants et une fabrique de tortillas avant que le père ne meure subitement.

— La mort a frappé José Manuel, que Dieu le garde en son sein, alors qu'il chantait des *rancheras*, conclut la veuve, et elle ajouta que ses filles dirigeaient les commerces des Martín, que ses deux autres fils avaient chacun un métier, et que tous étaient de bons chrétiens, attachés à la famille. Bob, son plus jeune fils, était le seul à lui avoir causé des soucis, parce qu'il n'avait que deux ans lorsqu'elle s'était retrouvée veuve et que la main ferme de son père avait manqué à ce garçon.

— Pardonnez-moi, madame, soupira Blake Jackson. En réalité je ne sais pas pourquoi nous sommes venus, car il n'y a plus rien à faire, la grossesse de ma fille est très avancée.

— Comment ça, plus rien à faire, monsieur Jackson ? Bob doit assumer ses responsabilités ! Dans notre famille, personne ne sème de bâtards. Pardonnez ce mot, mais il n'y en a pas d'autre et mieux vaut s'entendre clairement. Bob devra se marier.

— Se marier? Mais ma fille n'a que quinze ans! s'exclama Jackson en se levant d'un bond.

— En mars, je vais avoir seize ans, précisa Indiana dans un murmure.

— Toi, tu te tais! lui cria son père, qui n'avait jamais élevé la voix sur elle.

— Ma mère a six arrière-petits-enfants qui sont aussi mes petits-enfants, dit la veuve. Toutes les deux, nous avons aidé à les élever, comme nous le ferons pour le bébé qui est en route, avec la grâce de Dieu.

Au cours de la pause qui suivit cette déclaration, l'arrière-grand-mère se leva de son trône, elle s'avança vers Indiana d'un pas décidé, l'examina d'un air sévère et lui demanda dans un bon anglais :

— Comment t'appelles-tu, ma fille?

— Indi. Indiana Jackson.

— Je n'ai jamais entendu ce prénom. Il y a une sainte indienne?

— Je ne sais pas. On m'a donné ce nom parce que ma mère est née dans l'État d'Indiana.

— Ah! s'exclama la femme, perplexe. (Elle s'approcha et lui palpa doucement le ventre.) C'est une fille que tu portes. Donne-lui un nom catholique.

Le lendemain, Bob Martín se présenta dans la vieille maison des Jackson à Potrero Hill, vêtu d'un costume sombre, portant une cravate d'enterrement et un petit bouquet de fleurs moribondes, accompagné de sa mère et d'un de ses frères qui lui tenait le bras avec une serre de geôlier. Indiana n'apparut pas, parce qu'elle avait pleuré toute la nuit et se trouvait dans un état pitoyable. À ce moment, Blake Jackson s'était résigné à l'idée du mariage, car il n'avait pu convaincre sa fille qu'il existait des solutions moins définitives. Il avait exposé tous les arguments d'usage courant, évitant la mesquine menace d'envoyer Bob Martín en prison pour viol sur mineure. Le couple se maria discrètement à la mairie, après avoir promis à doña Encarnación qu'il le ferait à l'église dès qu'Indiana, élevée par des parents agnostiques, serait baptisée.

Quatre mois plus tard, le 30 mai 1994, naquit une petite fille, comme l'avait deviné la grand-mère de Bob. Après plusieurs heures d'efforts laborieux, le bébé émergea du ventre de sa mère pour tomber dans les mains de Blake Jackson, qui coupa le cordon ombilical avec les ciseaux que lui tendit le médecin de garde. Puis il porta sa petite-fille, enveloppée dans une couverture rose et coiffée d'un bonnet enfoncé jusqu'aux sourcils, pour la présenter aux Martín et aux camarades de classe, qui étaient venus en masse avec des doudous en peluche et des ballons de baudruche. Doña Encarnación se mit à pleurer comme s'il s'agissait d'un enterrement : c'était sa seule petite-fille ; les six autres étaient des garçons et comptaient peu. Elle s'était préparée pendant des mois, avait un berceau aux voiles amidonnés, deux valises de vêtements délicats et une paire de boucles d'oreilles en perles pour mettre à la petite dès que sa mère aurait le dos tourné. Cela faisait des heures que les deux frères de Bob le cherchaient pour qu'il se présente à la naissance de sa fille, mais c'était dimanche, le nouveau père fêtait une victoire de l'équipe de football et ils ne le trouvèrent qu'au petit matin.

Dès qu'Indiana sortit de la salle d'accouchement et qu'elle put s'asseoir dans un fauteuil roulant, son père l'emmena avec le nouveau-né au quatrième étage, où l'autre grand-mère agonisait.

— Comment va-t-elle s'appeler ? demanda Marianne d'une voix presque inaudible.

— Amanda. Ça veut dire « celle qui doit être aimée ».

— Très joli. Dans quelle langue ?

— En sanscrit, mais les Martín croient que c'est un prénom catholique, lui expliqua sa fille, qui rêvait de l'Inde depuis qu'elle était petite.

Marianne ne vit sa petite-fille que de rares fois avant de mourir. Entre deux soupirs, elle donna à Indiana son dernier conseil. « Tu vas avoir besoin de beaucoup d'aide pour élever la petite, Indi. Tu peux compter sur ton papa et sur la famille Martín, mais ne laisse pas Bob s'en laver les mains. Amanda a besoin d'un père et Bob est un bon garçon, il faut juste qu'il mûrisse. » Elle avait raison.

Dimanche, 8

Heureusement qu'Internet existe, pensa Amanda Martín tandis qu'elle se préparait pour la fête, car si elle avait demandé à d'autres filles du lycée elle serait passée pour une idiote. Elle avait entendu parler des *raves*, réunions délirantes et clandestines de jeunes, mais elle n'aurait pu les imaginer avant de les voir sur la toile, où elle vérifia même la tenue de rigueur. Elle trouva ce qu'il fallait dans ses vêtements, il lui suffit d'enlever les manches d'un tee-shirt, de raccourcir une jupe à grands coups de ciseaux et d'acheter un tube de peinture fluorescente. L'idée de demander à son père la permission de se rendre à la fête était tellement saugrenue qu'elle ne lui était pas venue à l'esprit : jamais il ne la lui accorderait et, s'il venait à l'apprendre, il débarquerait avec un escadron de police et gâcherait la soirée. Elle lui dit qu'elle n'avait pas besoin qu'il la conduise, elle irait au lycée avec une amie, et le fait qu'elle rentre à l'internat avec un costume de carnaval n'attira pas son attention, vu que c'était l'allure habituelle de sa fille.

Amanda prit un taxi qui la laissa à dix-huit heures à Union Square, où elle se prépara à attendre un long moment. À cette heure, elle aurait déjà dû être à l'internat, mais elle avait pris la précaution d'avertir qu'elle n'arriverait que le lundi matin, afin d'éviter qu'on appelle ses parents. Elle avait laissé son violon dans la chambre, mais n'avait pu se débarrasser du lourd sac à dos. Elle passa un quart d'heure à observer l'attraction du moment sur la place : un jeune homme couvert de peinture dorée des chaussures aux cheveux, aussi immobile qu'une statue, auprès de qui les touristes posaient pour se faire prendre en photo. Puis elle alla faire un tour au Macy's, entra dans les toilettes et, avec la peinture, se dessina des rayures sur les bras. Dehors il faisait déjà nuit. Pour passer le temps, elle alla dans une baraque où l'on servait de la nourriture chinoise et à neuf heures retourna sur la place ; il n'y avait plus grand monde, juste quelques touristes qui traînaient et des mendiants saisonniers qui arrivaient de régions plus froides pour passer l'hiver en Californie, s'installant pour la nuit dans leurs sacs de couchage.

Elle s'assit sous un réverbère pour jouer aux échecs sur son téléphone portable, enveloppée dans le cardigan de son grand-père, qui avait le don de lui calmer les nerfs. Elle regardait l'heure toutes les cinq minutes, se demandant avec anxiété si on passerait la prendre, comme le lui avait promis Cynthia, une camarade de classe qui l'avait martyrisée pendant plus de trois ans et qui brusquement, sans explication, l'avait invitée à la fête et lui avait en plus offert le transport à Tiburon, à quarante minutes de San Francisco. Incrédule, car c'était la première fois qu'on l'invitait, Amanda avait aussitôt accepté.

Si au moins Bradley, son ami d'enfance et futur mari, était auprès d'elle, pensait-elle, elle se sentirait plus sûre d'elle. Elle l'avait eu deux fois au téléphone dans la journée, mais elle ne lui avait pas parlé de ses projets de peur qu'il tente de la dissuader. À Bradley, comme à son père, mieux valait raconter les faits après le désastre. Elle regrettait l'enfant que Bradley avait été, plus affectueux et plus drôle que le mec pédant qu'il était devenu quand il avait commencé à se raser. Enfants, ils jouaient à être mariés, prétexte pour satisfaire une insatiable curiosité, mais dès qu'il était entré dans l'adolescence, deux ans avant elle, cette formidable amitié avait pris un mauvais virage. Au lycée, Bradley s'était fait remarquer comme champion de natation, il avait trouvé des filles à l'anatomie plus intéressante et s'était mis à la traiter comme sa petite sœur ; mais Amanda avait bonne mémoire, elle n'avait pas oublié les jeux secrets au fond du jardin et attendait d'aller au MIT, en septembre, pour les rappeler à Bradley. D'ici là, elle évitait de l'inquiéter avec des détails comme cette fête.

Dans le réfrigérateur de sa mère, elle trouvait des bonbons et des biscuits magiques, cadeaux du peintre Matheus Pereira, qu'Indiana oubliait pendant des mois, jusqu'à ce qu'ils soient couverts de poils verts et atterrissent dans la poubelle. Amanda y avait goûté pour se mettre au diapason des gens de sa génération, mais elle ne voyait pas l'intérêt d'avoir l'esprit vide, c'étaient des heures perdues qui seraient mieux employées à jouer à *Ripper* ; mais ce dimanche soir, accroupie dans le vieux cardigan de son grand-père sous le réverbère de la place, elle pensait avec nostalgie aux biscuits de Pereira, qui l'auraient aidée à surmonter sa panique.

À dix heures et demie, Amanda était sur le point de se mettre à pleurer, sûre que Cynthia l'avait trompée par pure méchanceté. Quand courrait le bruit humiliant du lapin qu'on lui avait posé, elle serait la risée de l'école. Je ne pleurerai pas, je ne pleurerai pas. À l'instant où elle prenait son portable pour appeler son grand-père et lui demander de venir la chercher, une fourgonnette s'arrêta au coin des rues Geary et Powell, quelqu'un passa la moitié du corps par la vitre en lui faisant des signes.

Le cœur battant la chamade, Amanda courut vers la camionnette. À l'intérieur, il y avait trois garçons enveloppés dans un nuage de fumée, allumés comme des comètes, y compris celui qui conduisait. L'un d'eux libéra le siège de devant et lui fit signe de prendre place près du chauffeur, un jeune aux cheveux noirs, très beau dans son style gothique. « Salut, je suis Clive, le frère de Cynthia », se présenta-t-il en appuyant à fond sur l'accélérateur avant qu'elle ait eu le temps de fermer la portière. Amanda se souvint que Cynthia le lui avait présenté au concert de Noël que l'orchestre du lycée offrait aux familles des élèves. Clive était venu avec ses parents, en costume bleu, chemise blanche et souliers cirés, très différent du fou aux cernes violets et à la pâleur sépulcrale qui se trouvait près d'elle à cet instant. Après le concert, Clive l'avait félicitée pour son solo de violon d'un ton exagérément formel, moqueur. « J'espère te revoir », lui avait-il dit avec un clin d'œil en prenant congé, et elle pensa qu'elle avait mal entendu parce que jusqu'alors, à sa connaissance, aucun garçon ne l'avait regardée deux fois. Elle en déduisit qu'il devait être la cause de l'étrange invitation de Cynthia. Cette nouvelle version spectrale de Clive et sa conduite erratique l'inquiétèrent, mais au moins s'agissait-il de quelqu'un qu'elle connaissait, à qui elle pourrait demander de la déposer à temps au lycée le lendemain.

Clive poussait des hurlements de dément et buvait à une bouteille qui passait de main en main, mais il parvint à traverser le Golden Gate et à continuer par l'autoroute 101 sans mettre le véhicule en pièces ni attirer l'attention de la police. À Sausalito, Cynthia et une autre fille montèrent dans la voiture, elles s'installèrent sur leurs sièges et commencèrent à boire à la même bouteille, sans jeter un regard à Amanda ni répondre à son salut. Clive passa l'alcool à Amanda d'un geste péremptoire et elle n'osa pas refuser. Espérant se détendre un peu, elle avala une gorgée du liquide, qui lui embrasa la gorge et emplit ses yeux de larmes ; elle se sentait maladroite et pas à sa place, comme cela lui arrivait toujours au milieu d'un groupe, et en plus ridicule, car aucune des autres filles n'était déguisée comme elle. Il était trop tard pour couvrir ses bras peinturlurés, car avant de monter dans la voiture elle avait mis le cardigan de son grand-père dans son sac à dos. Elle essaya d'ignorer les chuchotements sarcastiques qui venaient des sièges arrière. Clive prit la sortie de Tiburon et il conduisit en zigzaguant sur la route qui longeait la rive de la baie, puis il gravit une colline et commença à tourner en rond à la recherche de l'adresse. Lorsque enfin ils arrivèrent, Amanda constata qu'il s'agissait d'une résidence privée, isolée des maisons voisines par un mur d'aspect impénétrable, et qu'il y avait des douzaines de voitures et de motos dans la rue. Elle descendit de la fourgonnette les genoux tremblants et suivit Clive à travers un jardin plongé dans la pénombre. Elle cacha son sac à dos sous un arbuste, au pied des marches qui menaient à la porte, mais elle s'accrocha à son portable comme à une bouée de sauvetage.

À l'intérieur se trouvaient plusieurs douzaines de jeunes : certains s'agitaient au son d'une musique stridente, d'autres buvaient et quelques-uns étaient couchés dans l'escalier, au milieu de canettes de bière et de bouteilles qui roulaient à terre. Pas de lumières laser ni de couleurs psychédéliques, seulement une maison nue, sans aucune sorte de meubles, avec quelques caisses d'emballage dans le salon ; l'air était aussi épais que du tapioca, irrespirable à cause de la fumée, et il flottait une odeur répugnante, mélange de peinture, de marijuana et d'ordure. Amanda s'arrêta, incapable de bouger, atterrée, mais Clive la pressa contre lui et se mit à frémir au rythme frénétique de la musique, l'entraînant vers la salle où chacun dansait, perdu dans son propre monde. Quelqu'un lui tendit un gobelet en carton avec une boisson d'ananas et d'alcool, qu'elle liquida en trois gorgées, la bouche sèche. Elle commença à étouffer de peur et de claustrophobie, comme cela lui arrivait dans son enfance, lorsqu'elle se cachait dans sa tente improvisée pour échapper aux immenses dangers du monde, à la présence accablante des humains, aux odeurs oppressantes et aux sons assourdissants.

Clive l'embrassa dans le cou, cherchant sa bouche, et elle lui répondit par un coup de portable sur le visage qui lui cassa presque le nez ; mais cela ne le découragea pas. Désespérée, Amanda poussa ses mains qui fouillaient dans le décolleté de son tee-shirt et sous sa jupe courte, et elle essaya de se frayer un passage parmi les danseurs. Elle qui n'acceptait de contact physique qu'avec ses proches et quelques animaux se vit traînée, envahie, écrasée par d'autres corps et elle se mit à crier et crier, mais la musique à plein volume engloutit ses hurlements. Elle était au fond de la mer, sans air et sans voix, en train de mourir.

Amanda, qui se vantait de connaître l'heure sans avoir besoin de montre, fut incapable d'estimer le temps qu'elle avait passé dans cette maison. Elle ne savait pas non plus si elle avait revu Cynthia et Clive cette nuit-là, ni comment elle avait réussi à traverser la foule et à se retrancher entre plusieurs caisses d'emballage, sur lesquelles avait été installé le matériel hi-fi. Elle resta là une éternité, pelotonnée dans l'une des caisses, pliée en huit, telle une acrobate, grelottant de façon incontrôlée, les paupières serrées et les mains sur les oreilles. Elle n'eut pas l'idée de s'enfuir au-dehors, de demander l'aide de son grand-père ou d'appeler ses parents.

À un moment, la police arriva dans un vacarme de sirènes, elle entoura la propriété et fit irruption dans la maison, mais Amanda était alors dans un tel état d'abattement que plusieurs minutes s'écoulèrent avant qu'elle prenne conscience que le tapage des jeunes et de la musique avait fait place à des ordres, des coups de sifflet et des cris. Elle osa ouvrir les yeux et regarder un peu entre les planches de sa cachette, alors elle vit les rayons de lumière des torches et les jambes des fêtards poussés par les hommes en uniforme. Quelques-uns tentèrent de s'enfuir, mais la majorité obtempéra quand on leur ordonna de sortir et de s'aligner dans la rue, où on les fouilla à la recherche d'armes ou de drogue tout en commençant à les interroger, après avoir séparé les mineurs. Tous racontèrent la même histoire : ils avaient reçu une invitation via un texto ou le Facebook d'un ami, ils ne savaient pas à qui appartenait la maison ni qu'elle était inhabitée et en vente, ils ne purent pas davantage expliquer comment elle avait été ouverte.

La jeune fille resta muette dans sa cachette et personne ne vint fouiller au milieu des caisses, bien que deux ou trois policiers aient parcouru la maison de haut en bas, ouvrant les portes et examinant tous les recoins pour s'assurer qu'il ne restait personne. Peu à peu, le calme revint à l'intérieur, les voix et le bruit arrivaient du dehors, alors Amanda put réfléchir. En silence et sans la présence menaçante des gens, elle eut l'impression que les murs reculaient et qu'elle pouvait à nouveau respirer. Elle décida d'attendre que tous soient partis pour sortir de sa cachette, mais à ce moment elle entendit la voix autoritaire d'un officier donner l'ordre de fermer la maison et de monter la garde jusqu'à l'arrivée d'un technicien qui rebrancherait l'alarme.

Une heure et demie plus tard, la police avait arrêté ceux qui étaient encore entre deux eaux, relevé l'identité des autres avant de les disperser, et embarqué les mineurs au commissariat, où ils devraient attendre leurs parents. Pendant ce temps, un employé de la compagnie de sécurité barricadait portes et fenêtres et reconnectait l'alarme et le détecteur de mouvement. Amanda se retrouva enfermée dans cette grande maison vide et sombre, où l'odeur nauséabonde de la fête persistait, sans pouvoir ni se déplacer ni essayer d'ouvrir l'une des fenêtres sous peine de déclencher l'alarme. Avec l'intervention de la police, sa situation semblait insoluble : elle ne pouvait faire appel à sa mère, qui n'avait pas de voiture pour venir la chercher, ni à son père, qui aurait honte de faire face à ses collègues à cause de la stupidité de sa fille, et encore moins à son grand-père, qui ne lui pardonnerait jamais d'être venue là sans l'en avertir. Un seul nom lui vint à l'esprit, la seule personne qui l'aiderait sans poser de questions. Elle composa le numéro à plusieurs reprises, jusqu'à ce que son portable soit déchargé, sans obtenir d'autre réponse que celle du répondeur automatique. Viens me chercher, viens me chercher, viens me chercher. Elle retourna ensuite se blottir dans sa caisse, frigorifiée, attendant que le jour se lève et priant que quelqu'un vienne la libérer.

Entre deux heures et trois heures du matin, le téléphone portable de Ryan Miller, mis en charge loin de son lit, vibra à plusieurs reprises. Il faisait un froid polaire dans son loft, un appartement spacieux aménagé dans une ancienne imprimerie, avec des murs de brique, un sol de ciment et un réseau de tubes métalliques au plafond, meublé de façon sommaire, sans rideaux, sans tapis ni chauffage. Miller dormait en caleçon, sous une couverture électrique et un oreiller sur la tête.

À cinq heures, Attila, qui trouvait les nuits d'hiver interminables, sauta sur le lit pour l'avertir qu'il était l'heure de commencer la journée.

L'homme, habitué à la vie militaire, se leva de façon automatique, encore étourdi par les images d'un rêve inquiétant, et il tâta le sol à la recherche de sa prothèse, qu'il mit dans l'obscurité. Attila aboya joyeusement en le poussant du museau, et il répondit à son salut en lui donnant deux tapes sur le dos, puis il alluma la pièce, enfila un sweat-shirt, de grosses chaussettes et se rendit dans la salle de bains. En sortant il trouva Attila qui l'attendait, feignant l'indifférence, mais trahi par le mouvement incontrôlable de sa queue, une routine qui se répétait tous les matins à l'identique. « J'arrive, camarade, patience », lui dit Miller en s'essuyant la figure avec une serviette-éponge. Il mesura la nourriture d'Attila et la versa dans sa gamelle, tandis que l'animal, abandonnant toute simulation, commençait la chorégraphie exagérée avec laquelle il recevait son déjeuner, mais sans s'approcher du bol avant que Miller l'y eût autorisé d'un geste.

Avant de commencer les lents exercices de qi gong, sa demi-heure quotidienne de méditation en mouvement, Miller jeta un coup d'œil au téléphone, et c'est alors qu'il vit les appels d'Amanda, si nombreux qu'il n'essaya pas de les compter. Viens me chercher, je suis cachée, la police est venue, je ne peux pas sortir, je suis enfermée, viens me chercher, ne dis rien à ma mère, viens me chercher… En composant le numéro de la petite et constatant qu'il n'y avait pas de signal, son cœur fit un bond dans sa poitrine avant que ne l'envahisse le calme connu, le calme appris à l'entraînement militaire le plus dur au monde. Il en conclut que la fille d'Indiana était dans le pétrin, mais rien de mortel : elle n'avait pas été enlevée et ne se trouvait pas vraiment en danger, mais elle devait être très effrayée si elle était incapable d'expliquer ce qui se passait et où elle se trouvait.

Il s'habilla en quelques secondes et s'installa devant son ordinateur. Il disposait des machines et des programmes les plus sophistiqués, les mêmes que ceux du Pentagone, qui lui permettaient de travailler à distance, où qu'il se trouve. Situer l'aire d'un portable qui avait sonné dix-huit fois fut chose aisée. Il appela le bureau de police de Tiburon, s'identifia, demanda à parler au chef et lui demanda s'il y avait eu un problème dans la nuit. Pensant qu'il cherchait l'un des jeunes détenus, l'officier le mit au courant de la fête et indiqua l'adresse, minimisant l'importance, car ce n'était pas la première fois qu'une chose pareille arrivait, et il n'y avait pas eu de vandalisme. Tout était en ordre, dit-il, ils avaient rebranché l'alarme et averti l'agence immobilière chargée de la vente de la maison, afin qu'elle envoie un service de nettoyage. Il n'y aurait certainement pas de plainte contre les adolescents, mais cette décision n'incombait pas à la police. Miller le remercia et un instant plus tard il avait sur son écran une vue aérienne de la maison et la carte pour s'y rendre. « Allons-y, Attila ! » dit-il au chien, qui ne pouvait l'entendre ; mais il comprit à l'attitude de son maître qu'il ne s'agissait pas d'aller trotter dans le quartier : c'était un appel à l'action.

Tandis qu'il se pressait en direction de sa camionnette, il appela Pedro Alarcón, qui à cette heure préparait probablement ses cours en buvant son maté. Son ami gardait intactes certaines coutumes de l'Uruguay, son pays d'origine, tel ce breuvage vert et amer que Miller trouvait infect. Il était pointilleux sur les détails : il n'utilisait que le maté et la pipette d'argent hérités de son père, de l'herbe importée de Montevideo et de l'eau filtrée à une température précise.

— Habille-toi, je passe te prendre dans onze minutes, et apporte ce qu'il faut pour désactiver une alarme, lui annonça Miller.

— Si tôt ? De quoi s'agit-il ?

— Entrée illégale, répondit Miller.

— Quelle sorte d'alarme ?

— D'une maison, ça ne doit pas être compliqué.

— Au moins, nous n'allons pas braquer une banque, soupira Alarcón.

Il faisait sombre et la circulation du lundi n'avait pas commencé lorsque Ryan Miller, Pedro Alarcón et Attila traversèrent le pont du Golden Gate. Les lumières jaunâtres éclairaient la structure en fer rouge, qui paraissait suspendue dans le vide, et de loin parvenait la plainte profonde de la corne du phare guidant les embarcations dans la brume. Un peu plus tard, lorsqu'ils arrivèrent dans la zone résidentielle de Tiburon, le ciel commençait à s'éclaircir, quelques voitures circulaient déjà et les sportifs matinaux partaient courir. Pensant que dans ce quartier élégant les voisins se méfiaient des étrangers, le *navy seal* gara la camionnette à une rue de distance et il fit celui qui promenait son chien, tout en surveillant.

Pedro Alarcón s'approcha de la maison d'un pas ferme, comme si le propriétaire l'avait envoyé, il manipula le cadenas du portail avec une tige métallique, travail d'enfant pour cet Houdini capable de forcer un coffre-fort les yeux fermés, et il l'ouvrit en moins d'une minute. La sécurité était la spécialité de Ryan Miller, il travaillait pour des agences militaires et gouvernementales qui faisaient appel à ses services pour protéger leurs données. Sa tâche consistait à s'introduire dans l'esprit de quelqu'un qui voudrait s'emparer de ce matériel, à penser comme l'ennemi, à imaginer les multiples façons de s'y prendre, puis à concevoir la manière de l'en empêcher. En voyant Alarcón avec sa tige en métal, il pensa que n'importe qui doué d'un peu d'adresse et de détermination pouvait briser les codes de sécurité les plus compliqués, là était le danger du terrorisme : l'astuce d'un seul individu camouflé dans la foule, contre la force titanesque de la nation la plus puissante au monde.

Pedro Alarcón avait cinquante-neuf ans. Il avait quitté l'Uruguay pour l'exil en 1976, pendant une dictature militaire sanglante. À dix-huit ans il avait rejoint les Tupamaros, des guérilleros de gauche qui menaient une lutte armée contre le gouvernement de l'Uruguay, convaincus que seule la violence permettrait de changer le système d'abus, de corruption et d'injustice en vigueur. Entre autres formes de lutte, ils posaient des bombes, braquaient des banques et séquestraient des personnes, jusqu'à ce qu'ils soient écrasés par les militaires. Beaucoup périrent en combattant, d'autres furent exécutés ou finirent prisonniers et torturés, le reste quitta le pays. Alarcón, qui s'était initié à la vie adulte auprès des Tupamaros, en fabriquant des bombes artisanales et fracturant des serrures, avait encadré une vieille affiche des années soixante-dix, jaunie par le temps, avec une photographie de lui et de trois autres camarades pour la capture desquels les militaires avaient offert une récompense. Sur la photo, il apparaissait comme un garçon pâle à la barbe et aux cheveux longs, avec une expression de surprise, très différent de l'homme aux cheveux gris que connaissait Miller, petit et sec, fait de nerfs et d'os, sage et imperturbable, qui possédait l'habileté manuelle d'un illusionniste.

L'Uruguayen était professeur d'intelligence artificielle à l'université de Stanford et il participait à des compétitions de triathlon avec Ryan Miller, de vingt ans son cadet. En dehors de leur intérêt pour la technologie et les sports, tous deux parlaient peu, raison pour laquelle ils s'entendaient bien. Ils vivaient frugalement, étaient célibataires et si quelqu'un leur posait la question, ils se disaient trop tannés pour croire aux beautés de l'amour et s'attacher à une seule femme, alors qu'il y en avait tant de bonne volonté en ce monde, mais au fond ils se doutaient qu'ils étaient seuls par simple malchance. D'après Indiana Jackson, vieillir sans compagnon équivalait à mourir de chagrin et ils étaient d'accord avec elle, mais ne l'auraient jamais admis.

En quelques minutes Pedro Alarcón ouvrit la serrure de la porte principale, il trouva comment désactiver l'alarme et tous deux entrèrent dans la maison. Miller alluma la lumière du portable et attacha la laisse d'Attila qui tirait, haletant, montrant les crocs, un grognement sec coincé dans la gorge, prêt au combat.

En un éclair, comme tous ceux qui le frappaient dans les moments les moins opportuns, Ryan Miller se retrouva en Afghanistan. Une partie de son cerveau pouvait traiter ce qui lui arrivait : syndrome post-traumatique, avec sa séquelle d'images rétrospectives, de terreurs nocturnes, de dépression, de crises de larmes ou de colère. Il avait réussi à surmonter la tentation du suicide, l'alcoolisme et les drogues qui l'avaient presque détruit quelques années plus tôt, mais il savait que les symptômes pouvaient revenir n'importe quand, il ne devait jamais avoir un moment d'inattention, ces derniers étaient à présent ses ennemis.

Il entendit la voix de son père : aucun homme digne de porter l'uniforme ne pleurniche pour avoir obéi aux ordres ni n'accuse l'armée des cauchemars qui l'assaillent, la guerre est pour les forts et les braves, si tu ne supportes pas la vue du sang, cherche un autre boulot. Une partie de son cerveau se remémora les chiffres qu'il connaissait par cœur : 2,3 millions de combattants américains en Irak et en Afghanistan au cours des dix dernières années, 6 179 morts et 47 000 blessés, la plupart grièvement atteints, 210 000 vétérans sous médicaments pour le syndrome dont il souffrait lui-même, bien que ce nombre ne reflétât pas l'épidémie qui ravageait les Forces armées ; on estimait à 700 000 les soldats souffrant de troubles mentaux ou d'un traumatisme cérébral. Mais une autre partie de l'esprit de Ryan Miller, la partie qu'il ne pouvait contrôler, était prisonnière de cette nuit en particulier, de cette nuit en Afghanistan.

Le groupe de *navy seals* avance dans une contrée désertique, s'approchant d'un village au pied des montagnes. Les ordres sont de déblayer le terrain maison par maison, de démanteler un groupe terroriste supposé opérer dans la région et de faire des prisonniers pour les interroger. L'objectif final est le fantôme hargneux d'Oussama Ben Laden. C'est une mission nocturne visant à surprendre l'ennemi tout en minimisant les dommages collatéraux : la nuit, pas de femmes sur le marché, pas d'enfants en train de jouer dans la poussière. C'est aussi une mission secrète, qui exige rapidité et discrétion, la spécialité de son groupe entraîné pour intervenir dans la chaleur insupportable du désert, le froid arctique, les courants sous-marins, les sommets les plus abrupts, la pestilence de la forêt. La lune brille et la nuit est claire, Miller peut percevoir à distance le profil du village et en s'approchant il distingue une douzaine de maisons en terre, un puits et des enclos d'animaux. Il sursaute au bêlement d'une chèvre dans le silence spectral de la nuit, il a des fourmis dans les mains et dans la nuque, sent le courant d'adrénaline dans ses artères, la tension de chaque muscle, la présence des autres hommes qui avancent avec lui et font partie de lui : seize camarades et un seul cœur. C'est ce que leur a rabâché l'instructeur lors du premier entraînement, pendant la semaine infernale, la fameuse *hell week*, au cours de laquelle ils durent dépasser les limites de l'effort humain, l'épreuve définitive à laquelle seuls quinze pour cent des hommes résistèrent ; ce sont les invincibles.

— Hé, Ryan, qu'est-ce qui t'arrive, mec ?

La voix venait de loin et elle répéta deux fois son nom avant qu'il puisse revenir de cette bourgade d'Afghanistan à la maison inoccupée du village de Tiburon, en Californie. C'était Pedro Alarcón, qui le secouait. Ryan Miller sortit de sa transe, il avala une bouffée d'air, essayant de chasser les souvenirs et de se concentrer sur le présent. Il entendit Pedro appeler Amanda deux ou trois fois sans élever la voix, pour ne pas l'effrayer, et alors il se rendit compte qu'il avait lâché Attila. Il le chercha avec le faisceau de lumière et le vit courir d'un côté et de l'autre, le museau collé au sol, confondu par le mélange d'odeurs. Il était entraîné pour découvrir des explosifs et des corps humains, morts ou vifs, mais par deux petits coups sur l'encolure il lui avait indiqué qu'il s'agissait de chercher une personne. Miller ne l'appela pas, parce que le chien était sourd, mais il courut ramasser la laisse et sous la secousse Attila s'arrêta, en alerte, l'interrogeant de ses yeux intelligents. L'homme lui fit signe de rester tranquille et attendit qu'il se calme avant de lui permettre de continuer à chercher. Il le suivit de près, le retenant avec force, car l'animal gardait une attitude agressive d'attente, dans la cuisine, la buanderie et enfin le salon, tandis qu'Alarcón attendait à la porte principale. Attila le conduisit rapidement vers les caisses d'emballage, flairant entre les planches, les babines retroussées.

Miller éclaira l'intérieur de l'une des caisses, qu'Attila griffait, et au fond il vit une forme pelotonnée qui le projeta de nouveau dans le passé ; l'espace d'un instant, ce furent deux enfants blottis dans un trou, grelottant, une fillette de quatre ou cinq ans, avec un fichu noué sur la tête et une expression de terreur dans ses immenses yeux verts, serrant un bébé dans ses bras. Le grognement d'Attila et la secousse de la laisse le ramenèrent à la réalité de ce moment, en cet endroit.

Épuisée par les pleurs, Amanda s'était endormie à l'intérieur de la caisse, recroquevillée comme un chat pour se donner un peu de chaleur. Attila identifia immédiatement l'odeur connue de l'adolescente et s'assit sur son arrière-train, attendant des instructions, tandis que Miller la réveillait. Elle se redressa maladroitement, pleine de crampes et éblouie par la lumière sur son visage, sans savoir où elle était, et elle mit quelques secondes à se remémorer sa situation. « C'est Ryan, tout va bien », lui chuchota Miller en l'aidant à se déplier et à sortir. Lorsqu'elle le reconnut, elle lui jeta les bras autour du cou et se pressa contre la large poitrine de l'homme, qui lui donnait des petites tapes de consolation dans le dos, lui murmurant un chapelet de paroles affectueuses qu'il n'avait jamais dites à personne, ému jusqu'à l'âme, comme si ce n'était pas cette gamine privilégiée qui le mouillait de ses larmes, mais l'autre fillette, celle aux yeux verts, et son petit frère, les enfants qu'il avait dû sortir du trou avec délicatesse et porter dans ses bras, pour qu'ils ne voient rien de ce qui s'était passé. Il enveloppa Amanda dans son blouson de cuir et, la soutenant, ils traversèrent le jardin, ramassèrent le sac à dos qu'elle avait laissé dans les buissons et arrivèrent à la camionnette, où ils attendirent que Pedro Alarcón ait fermé la maison. Amanda, congestionnée par les pleurs, avait attrapé un rhume deux jours plus tôt, qui se déchaîna furieusement cette nuit-là. Miller et Alarcón considérèrent qu'elle n'était pas en état d'aller au lycée, mais comme elle insistait, ils s'arrêtèrent dans une pharmacie pour lui acheter un médicament, ainsi que de l'alcool pour enlever la peinture fluorescente sur ses bras ; ils allèrent ensuite déjeuner à la seule cafétéria qu'ils trouvèrent ouverte – sol de linoléum, tables et chaises en plastique – où il y avait un bon chauffage et une délicieuse odeur de lard frit. Les seuls autres clients étaient quatre hommes en bleus de travail coiffés de casques de chantier. Une fille aux cheveux hérissés de gel, semblable à un porc-épic, aux ongles bleus et à l'expression somnolente, qui semblait avoir passé là toute la nuit, vint prendre leur commande.

Pendant qu'ils attendaient leur petit déjeuner, Amanda fit promettre à ses sauveteurs qu'ils ne souffleraient mot, à qui que ce soit, de ce qui s'était passé. Elle, la maîtresse de *Ripper*, capable de venir à bout des assassins et de planifier des entreprises risquées, avait passé la nuit dans une caisse, barbouillée de larmes et de morve. Avec deux aspirines, un bol de chocolat chaud et des crêpes au miel devant elle, l'aventure qu'elle leur raconta précipitamment paraissait pathétique ; mais Miller et Alarcón ne se moquèrent pas d'elle. Le premier attaqua méthodiquement ses œufs accompagnés de saucisses et le second plongea le nez dans sa tasse de café, pauvre substitut du maté, pour dissimuler son sourire.

— D'où tu es ? demanda Amanda à Alarcón.

— D'ici.

— Tu as un accent d'ailleurs.

— Il est originaire d'Uruguay, intervint Miller.

— C'est un petit pays d'Amérique du Sud, ajouta Alarcón.

— Ce semestre, je dois faire un exposé sur un pays de mon choix pour le cours de justice sociale. Ça t'embête si je choisis le tien ?

— Ce serait un honneur, mais il vaut mieux que tu en cherches un en Afrique ou en Asie, en Uruguay il ne se passe jamais rien.

— C'est très bien, comme ça ce sera facile. Une partie de la présentation est un entretien avec une personne de ce pays, c'est possible en vidéo. Tu peux le faire ?

Ils échangèrent leurs téléphones et leurs adresses électroniques, et convinrent de s'appeler fin février ou début mars pour filmer l'entretien. À sept heures et demie de cette aube mouvementée, les deux hommes déposèrent la jeune fille devant la porte de l'internat. En les quittant, elle planta un baiser timide sur la joue de chacun, mit le sac sur son dos et partit tête basse, en traînant les pieds.

Lundi, 9

Le secret le mieux gardé d'Alan Keller était les problèmes d'érection dont il souffrait depuis sa jeunesse, une humiliation constante qui lui avait fait éviter toute intimité avec les femmes qui l'attiraient, par peur d'un échec, et avec des prostituées, parce qu'il ressortait toujours déprimé et irrité. Avec son psychiatre, il avait pendant des années examiné le complexe d'Œdipe dans le détail, jusqu'à ce qu'ils en aient tous deux assez de parler de la même chose et abordent d'autres sujets. Pour compenser, il décida d'étudier à fond la sensualité féminine et d'apprendre ce qu'on aurait dû lui enseigner à l'école, si le système éducatif s'occupait moins de la reproduction des mouches et davantage de celle des humains, comme il disait. Il apprit des manières de faire l'amour sans compter sur une érection, suppléant avec dextérité à ce qui lui manquait en puissance. Plus tard, alors qu'il avait déjà une réputation de séducteur, le Viagra devint populaire et ce problème cessa de le tourmenter. Il allait avoir cinquante et un ans lorsque Indiana apparut dans sa vie telle une bourrasque printanière, disposée à balayer tout arrière-goût de défiance. Pendant plusieurs semaines, il sortit avec elle sans aller au-delà de longs baisers, préparant le terrain avec une patience digne d'éloge, jusqu'au jour où, lasse de préambules, elle le prit par la main sans avertissement et l'emmena avec détermination jusqu'à son lit, un sommier monté sur quatre pieds sous un absurde vélum en soie orné de clochettes.

Indiana habitait un appartement au-dessus du garage de la maison de son père, dans un quartier de Potrero Hill qui n'avait jamais réussi à être à la mode, près de la pharmacie où Blake Jackson gagnait sa vie depuis vingt-neuf ans. Elle pouvait se rendre en bicyclette à son travail par un terrain presque plat – il n'y avait qu'une butte entre les deux –, un avantage à San Francisco, ville de collines. À pied, d'un bon pas, il lui fallait une heure ; à vélo, pas plus de vingt minutes. Son appartement avait deux entrées : un escalier en colimaçon qui communiquait avec la maison de Blake, et une porte qui donnait sur la rue, à laquelle on accédait par un escalier extérieur très raide fait de vieilles planches, glissantes en hiver, que son père se proposait chaque année de remplacer. Il consistait en deux pièces assez vastes, un balcon, une petite salle de bains et une minuscule cuisine intégrée. Plus qu'une demeure, c'était un atelier que la famille appelait la grotte de la sorcière où, à part le lit, les toilettes et la petite cuisine, tout l'espace était dédié à l'art et à l'aromathérapie. Le jour où elle emmena Keller dans son lit, ils étaient seuls : Amanda se trouvait à l'internat et Blake Jackson jouait au squash, comme tous les mercredis soir ; il n'y avait aucun danger qu'il revînt de bonne heure, car après le jeu il allait faire la noce avec ses copains, manger une potée de chou et boire de la bière dans un troquet allemand, avant qu'on ne les mît dehors au lever du jour.

Au bout de cinq minutes, Keller, qui n'avait pas sur lui la pilule magique, se sentit nauséeux à cause du mélange d'essences aromatiques et il ne lui fut plus possible de penser. Il s'abandonna aux mains de cette jeune femme heureuse qui opéra le prodige de l'exciter sans drogues, simplement avec du rire et des polissonneries. Il n'eut pas le loisir de douter ou d'avoir peur, il la suivit fasciné là où elle voulut l'emmener, et à la fin de la promenade revint plein de reconnaissance à la réalité. Et elle, qui avait eu plusieurs amants et pouvait comparer, fut également reconnaissante, parce qu'il était le premier qui s'intéressait plus à la satisfaire qu'à prendre du plaisir. Dès lors, c'était Indiana qui allait chercher Keller; elle l'appelait au téléphone pour l'aiguillonner de son désir et de son humour, lui donnait rendez-vous au Fairmont, s'en réjouissait et le flattait.

Keller n'avait jamais décelé en elle la moindre trace de fausseté ou de manipulation. Indiana avait une attitude franche, elle paraissait follement éprise, émerveillée, joyeuse. Il lui était facile de l'aimer, mais il évitait de s'attacher à elle ; il se considérait comme un promeneur en ce monde, un voyageur de passage qui ne s'attardait pas à approfondir quoi que ce soit en dehors de l'art, qui lui offrait la permanence. Il avait eu des conquêtes, mais aucun amour sérieux avant de rencontrer Indiana, la seule femme qui l'eût retenu. Il était convaincu que cet amour durait parce que chacun le tenait à l'écart du reste de son existence. Indiana se contentait de peu et, quant à lui, ce détachement lui convenait, bien qu'il lui parût suspect ; il voyait les relations humaines comme des échanges dans lesquels sort gagnant le plus malin. Cela faisait quatre ans qu'ils étaient ensemble, mais ils n'avaient jamais évoqué l'avenir, et bien qu'il n'eût pas l'intention de se marier, il était blessé qu'elle n'en parlât pas non plus, car il estimait être un bon parti, en particulier pour une femme sans ressources comme l'était Indiana. Leur différence d'âge posait problème, mais il connaissait plusieurs quinquagénaires qui avaient des compagnes de vingt ans leurs cadettes. La seule chose qu'Indiana exigea de lui dès le début, en cette première nuit inoubliable sous le vélum de l'Inde, ce fut la loyauté.

— Tu me rends très heureux, Indi, lui dit-il dans un élan de sincérité peu fréquent, ébloui par ce qu'il venait de vivre sans avoir recours à des pilules. J'espère que nous resterons ensemble.

— En tant que couple ? lui demanda-t-elle.

— En tant qu'amoureux.

— Donc, une relation exclusive.

— Tu veux dire monogame ? dit-il en riant.

C'était un animal sociable, il prenait plaisir à la compagnie de personnes intéressantes et raffinées, en particulier celle des femmes, qui gravitaient naturellement autour de lui parce qu'il savait les apprécier. On ne manquait jamais de l'inviter aux fêtes relatées dans les pages mondaines, il connaissait tout le monde, était au courant des potins, des scandales, des célébrités. Il jouait les Casanova pour provoquer l'attente chez les femmes et l'envie chez les hommes, mais les aventures sexuelles lui compliquaient l'existence et lui procuraient moins de plaisir qu'une conversation spirituelle ou un bon spectacle. Indiana Jackson venait de lui démontrer qu'il y avait des exceptions.

— Mettons-nous d'accord, Alan. Il faut que ce soit réciproque, ainsi aucun des deux ne se sentira trompé, lui proposa-t-elle avec un sérieux inattendu. J'ai beaucoup souffert des amourettes et des mensonges de mon ex-mari et je ne veux pas revivre ça.

Il opta sans hésiter pour la monogamie parce qu'il n'allait pas commettre la maladresse de lui annoncer que c'était la dernière de ses priorités. Elle partagea cet avis, mais l'avertit que s'il la trompait tout serait fini entre eux.

— Et tu peux être tranquille à mon sujet, car lorsque je suis amoureuse, la fidélité m'est naturelle, ajouta-t-elle.

— Dans ce cas, je vais devoir entretenir ta flamme, répondit-il.

Dans la pénombre de la chambre, à peine éclairée par des bougies, Indiana, assise sur le lit, nue, les jambes repliées et les cheveux ébouriffés, était une œuvre d'art que Keller observait avec des yeux d'expert. Il pensa à *L'Enlèvement des filles de Leucippe*, de Rubens, qui se trouvait à la Pinacothèque de Munich – les seins ronds aux mamelons clairs, les hanches lourdes, des fossettes enfantines aux coudes et aux genoux –, mais cette femme avait les lèvres gonflées de baisers et l'expression non équivoque du désir satisfait. Voluptueuse, décida-t-il, surpris de la réaction de son propre corps, qui répondait avec une promptitude et une fermeté qu'il ne se rappelait pas avoir connues auparavant.

Un mois plus tard il se mit à l'espionner, car il ne pouvait croire que cette belle jeune femme, dans l'atmosphère libertine de San Francisco, lui soit fidèle simplement parce qu'elle lui avait donné sa parole. La jalousie le tortura au point qu'il engagea un détective privé, un certain Samuel Hamilton Jr, auquel il enjoignit de surveiller Indiana et de tenir le compte des hommes qui tournaient autour d'elle, y compris les patients de son cabinet. Hamilton était un petit homme ayant l'aspect inoffensif d'un vendeur d'appareils électroménagers, mais il possédait le nez de fin limier qui avait rendu son père célèbre, un journaliste qui résolut plusieurs crimes à San Francisco dans les années soixante et fut immortalisé par les romans policiers de l'écrivain William C. Gordon. Le fils était une réplique quasi identique du père, râblé, roux, à moitié chauve, observateur, tenace et patient dans la lutte contre la pègre, mais comme il vivait dans l'ombre de la légende de son père, il n'avait pas pu développer son potentiel et gagnait sa vie comme il pouvait. Hamilton suivit Indiana un mois durant sans rien obtenir d'intéressant et Keller fut un temps rasséréné, mais sa tranquillité ne dura pas et il fit bientôt de nouveau appel au même détective ; le cycle des soupçons se répétait ainsi avec une régularité honteuse. Par chance pour lui, Indiana ne suspectait rien de ces machinations, mais elle rencontrait si souvent Samuel Hamilton dans les endroits les plus inattendus qu'ils se saluaient en passant.

Mardi, 10

L'inspecteur principal Bob Martín arriva à la résidence des Ashton, dans Pacific Heights, à neuf heures du matin. À trente-sept ans, il était très jeune pour diriger la Brigade criminelle, mais personne ne mettait ses compétences en doute. Il avait difficilement terminé ses études secondaires, ne se distinguant que dans le sport, et cela faisait une semaine qu'il fêtait son bac avec ses copains, ayant oublié qu'il venait de se marier et que sa femme avait donné le jour à une petite fille, quand sa mère et sa grand-mère le mirent à la plonge dans l'un des restaurants de la famille, coude à coude avec les plus pauvres émigrés mexicains, la moitié d'entre eux clandestins, afin qu'il apprenne ce que c'était que gagner sa vie sans un diplôme ou un métier. Quatre mois sous la tyrannie de ces deux matriarches suffirent à secouer sa paresse ; il fit deux années d'études supérieures et entra à l'Académie de Police. Il était né pour porter l'uniforme, manier les armes et exercer l'autorité, il apprit à se discipliner ; incorruptible, courageux et obstiné, il avait un physique capable d'intimider n'importe quel délinquant et une loyauté à toute épreuve vis-à-vis de la Brigade et de ses compagnons.

De la voiture, il appela Petra Horr, son infaillible assistante, qui lui donna les renseignements de base sur la victime. Richard Ashton était un psychiatre connu grâce à deux livres qu'il avait publiés dans les années quatre-vingt-dix : *Désordres sexuels dans la préadolescence* et *Traitement de la sociopathie juvénile*, et, plus récemment, en raison de sa participation à une conférence au cours de laquelle il exposa les avantages de l'hypnose pour soigner les enfants autistes. La conférence circula comme un virus sur Internet, car elle coïncida avec l'information selon laquelle l'autisme avait augmenté de façon alarmante au cours des dernières années, et parce que Ashton y fit une démonstration digne de Svengali : pour faire taire les murmures sceptiques dans l'assistance et prouver combien nous sommes sensibles à l'hypnose, il demanda aux participants de croiser leurs mains derrière leur tête ; quelques instants plus tard, les deux tiers de l'assistance eurent beau tirer et se tortiller, ils furent incapables de détacher leurs mains avant qu'Ashton mît fin à la transe hypnotique. Bob Martín ne se rappelait pas avoir entendu le nom de cet homme et encore moins les titres de ses livres. Petra Horr lui expliqua que les admirateurs d'Ashton le considéraient comme une éminence dans la psychiatrie des enfants et des adolescents, alors que ses détracteurs l'accusaient d'être un néonazi, de dénaturer les faits pour prouver ses théories et d'utiliser des méthodes illégales sur des patients handicapés et mineurs. Elle ajouta que l'homme faisait régulièrement les gros titres des médias, toujours à propos de sujets polémiques, et elle lui envoya une vidéo que l'inspecteur regarda sur son portable.

— Jetez-y un coup d'œil, chef, si vous voulez voir sa femme. En troisièmes noces, Ashton a épousé Ayani, dit Petra.

— Qui c'est celle-là ?

— Ah, patron ! Ne me dites pas que vous ne savez pas qui est Ayani ! C'est l'un des mannequins les plus célèbres du monde. Elle est née en Éthiopie. C'est elle qui a dénoncé la pratique de la mutilation génitale des femmes.

Sur le petit écran de son téléphone, Bob Martín reconnut cette femme exquise aux pommettes hautes, aux yeux langoureux et au long cou qu'il avait vue sur les couvertures des magazines, et un sifflement d'admiration lui échappa.

— Dommage que je ne l'aie pas connue avant ! s'exclama-t-il.

— Maintenant qu'elle est veuve, vous pouvez essayer. À bien y regarder, vous êtes plutôt beau gosse. Si vous rasiez votre moustache de narcotrafiquant, vous ne seriez pas mal.

— Vous me faites du gringue, mademoiselle Horr ?

— N'ayez pas peur, chef, vous n'êtes pas mon genre.

L'inspecteur se gara devant la résidence d'Ashton et raccrocha le téléphone. La maison était invisible derrière un haut mur blanc au-dessus duquel dépassaient les cimes des arbres du jardin. De l'extérieur, la résidence n'avait rien de spectaculaire, mais l'adresse dans Pacific Heights indiquait clairement que ses propriétaires étaient des gens aisés. Le double portail en fer des voitures était fermé, toutefois la porte des piétons restait grande ouverte. Dans la rue, Bob Martín vit le véhicule des urgences et il maudit entre ses dents l'efficacité de ces services publics, qui étaient souvent les premiers arrivés et entraient précipitamment pour porter les premiers secours sans attendre la police. L'un des officiers le guida à travers un jardin touffu et mal entretenu jusqu'à la maison, une monstruosité de cubes en béton et verre superposés de manière irrégulière, comme déplacés par un tremblement de terre.

Dans le jardin se trouvaient plusieurs policiers qui attendaient des instructions, mais l'inspecteur n'eut d'yeux que pour la silhouette fantastique d'une fée brune qui s'avançait dans sa direction en lévitant au milieu de voiles bleus, la femme qu'il venait de voir sur son téléphone. Ayani était presque aussi grande que lui, tout en elle évoquait la verticalité ; elle avait la peau de la couleur du bois de cerisier, la posture élancée d'une tige de bambou et les mouvements ondulants d'une girafe, trois métaphores qui vinrent immédiatement à l'esprit de Martín, un homme peu enclin aux tournures poétiques. Tandis qu'il la regardait ébahi, remarquant qu'elle était nu-pieds et vêtue d'une tunique en soie couleur eau et ciel, elle lui tendit une main fine aux ongles sans vernis.

— Madame Ashton, je suppose… Je suis l'inspecteur-chef Bob Martín, de la Brigade criminelle.

— Vous pouvez m'appeler Ayani, inspecteur. C'est moi qui ai appelé la police, dit le mannequin, admirablement calme étant donné les circonstances.

— Racontez-moi ce qui s'est passé, Ayani.

— Richard n'a pas dormi à la maison cette nuit. Ce matin je suis allée de bonne heure au studio pour lui apporter du café et…

— À quelle heure ?

— Il devait être entre huit heures quinze et huit heures vingt-cinq.

— Pourquoi votre mari n'a-t-il pas dormi à la maison ?

— Richard restait souvent la nuit dans son studio pour travailler ou lire. Il était noctambule, je ne m'inquiétais pas s'il ne rentrait pas, parfois je ne m'en rendais pas compte, car nous faisons chambre à part. Aujourd'hui nous fêtions notre premier anniversaire de mariage, et j'ai voulu lui faire une surprise, c'est pourquoi je lui ai apporté son café à la place de Galang.

— Qui est Galang ?

— Le domestique. Galang vit ici, il est philippin. Nous avons aussi une cuisinière et une assistante qui viennent quelques heures par jour.

— Je dois leur parler à tous les trois. Continuez, je vous en prie.

— Il faisait sombre, les rideaux étaient tirés. J'ai allumé la lumière et alors je l'ai vu…, balbutia la belle femme et, l'espace d'un instant, son maintien de reine vacilla, mais elle se ressaisit très vite et fit signe à Martín de la suivre.

L'inspecteur ordonna aux patrouilleurs de demander des renforts et d'entourer la maison d'un cordon afin d'interdire le passage aux curieux et à la presse, qui n'allait sans doute pas tarder à arriver étant donné le renom de la victime. Il suivit le mannequin, qui l'emmena par un sentier latéral vers une construction adjacente à la demeure principale, dans le même style ultramoderne. Ayani lui expliqua que son mari recevait là les patients de sa consultation privée ; le studio avait une entrée séparée et il n'existait pas de communication intérieure avec la maison.

— Vous allez prendre froid, Ayani, allez vous couvrir un peu et mettez des chaussures, lui dit Bob Martín.

— J'ai grandi pieds nus, j'ai l'habitude.

— Alors attendez dehors, s'il vous plaît. Vous n'êtes pas obligée de revoir cela.

— Merci, inspecteur.

Martín la regarda s'éloigner en flottant dans le jardin et arrangea son pantalon, honteux de sa réaction inopportune, fort peu professionnelle, qui malheureusement lui arrivait souvent. Il vida sa tête des images provoquées par la déesse africaine et entra dans le studio, composé de deux grandes pièces. Dans la première, les murs étaient couverts d'étagères de livres et les fenêtres protégées par d'épais rideaux en lin, il y avait un fauteuil, un divan en cuir couleur chocolat et une vieille table en bois taillé. Sur la moquette beige qui couvrait le sol d'un mur à l'autre, il vit deux tapis persans usés, dont la qualité était évidente, même pour quelqu'un d'aussi peu expert que lui en décoration. Il fit un inventaire mental de l'édredon et de l'oreiller sur le divan, pensant que le psychiatre dormait là, et il se gratta la tête sans comprendre pourquoi Ashton préférait ce studio au lit d'Ayani. « Si c'était moi... », spécula-t-il un instant, mais il tourna aussitôt son attention vers son devoir de policier.

Sur la table il vit un plateau avec une cafetière et une tasse propre, et en déduisit que lorsque Ayani l'avait laissé là elle n'avait pas encore vu son mari. Il passa dans l'autre pièce, occupée par un grand bureau d'acajou. Soulagé, il constata que les pompiers s'étaient abstenus d'envahir le studio ; il leur avait suffi d'un regard pour évaluer la situation et ils avaient reculé, respectant la scène du crime. Il disposait de quelques minutes avant l'arrivée de son équipe scientifique. Il enfila des gants en latex et commença sa première inspection.

Le corps de Richard Ashton était couché par terre sur le dos, près de son bureau, menotté et bâillonné avec du ruban adhésif d'emballage. Il était déchaussé, vêtu d'un pantalon gris, d'une chemise bleue, d'un cardigan déboutonné en cachemire bleu. Les yeux exorbités montraient une expression de terreur absolue, mais il n'y avait aucun signe qu'il eût lutté pour sa vie, tout était en ordre, à l'exception d'un verre d'eau renversé sur le bureau. Quelques papiers et un livre étaient mouillés, l'encre des documents un peu diluée, et Bob Martín les déplaça soigneusement pour faire glisser l'eau. Il observa le corps sans le toucher ; il devait être photographié et examiné par Ingrid Dunn avant qu'il puisse y porter la main. Il ne trouva ni blessures visibles ni sang. Il jeta un regard alentour à la recherche d'une arme, mais comme il ne connaissait pas encore la cause de la mort, il se contenta d'un examen sommaire.

La singulière aptitude qu'avait Indiana pour soigner par sa présence et somatiser les maux d'autrui s'était manifestée dès l'enfance et elle avait dû la supporter comme une croix avant de pouvoir l'utiliser de façon pratique. Elle apprit les fondements de l'anatomie, obtint un diplôme de physiothérapeute et, quatre ans plus tard, ouvrit son cabinet à la Clinique Holistique, avec l'aide de son père et de son ex-mari qui financèrent le loyer dans les premiers temps, jusqu'à ce qu'elle se soit constitué une clientèle. D'après son père, elle possédait un sonar de chauve-souris pour deviner les yeux fermés la localisation et l'intensité du malaise de ses patients. Grâce à ce sonar, elle établissait un diagnostic, décidait du traitement et vérifiait les résultats ; mais pour guérir, son bon cœur et son bon sens lui étaient plus utiles.

Sa façon de somatiser était capricieuse, elle se manifestait de diverses manières, se produisant parfois et d'autres fois non, mais en son absence elle avait recours à son intuition, qui ne lui faisait jamais défaut lorsqu'il s'agissait de la santé d'autrui. Il lui suffisait d'une ou deux séances pour déterminer si le patient allait mieux et, dans le cas contraire, elle l'envoyait à un collègue de la Clinique Holistique spécialisé en acupuncture, homéopathie, phytothérapie, visualisation, réflexologie, hypnose, musicothérapie et danse, alimentation naturelle, yoga, ou dans une autre discipline parmi toutes celles qui existent en Californie. En de très rares occasions elle avait envoyé quelqu'un à un médecin, car ceux qui arrivaient chez elle avaient déjà essayé presque toutes les ressources de la médecine classique.

Indiana commençait par écouter l'histoire du nouveau client, lui donnant ainsi la possibilité de s'épancher ; parfois, cela suffisait : une oreille attentive opère des prodiges. Ensuite elle leur imposait les mains, parce qu'elle croyait que les gens ont besoin d'être touchés ; elle avait guéri des malades de solitude, de chagrin ou de remords par de simples massages. Si le mal n'est pas mortel, disait-elle, le corps se soigne presque toujours tout seul. Son rôle consistait à donner du temps au corps et à faciliter le processus ; sa médecine n'était pas faite pour des gens impatients. Elle employait une combinaison de pratiques qu'elle appelait guérison intégrale et que son père, Blake Jackson, qualifiait de sorcellerie, terme qui pouvait effrayer les patients, même dans une ville aussi tolérante que San Francisco. Indiana soulageait les symptômes, elle négociait avec la douleur, essayait d'éliminer l'énergie négative et de fortifier le patient.

C'est ce qu'elle faisait à cet instant avec Gary Brunswick, allongé sur la table, couvert d'un drap, une demi-douzaine de puissants aimants posés sur son torse et ses yeux fermés. Il s'était assoupi sous l'effet du parfum au vétiver, qui invitait au repos, et du son presque inaudible d'un enregistrement d'eau, de brise et de chants d'oiseaux. Il sentait la pression des paumes d'Indiana sur son crâne et pensait avec regret qu'ils arrivaient à la fin de la séance. Ce jour-là, il avait plus que jamais besoin de l'influence de cette femme. La nuit précédente avait été épuisante, il s'était réveillé avec la gueule de bois, comme s'il avait pris une cuite, alors qu'il ne buvait pas d'alcool, et il était arrivé au cabinet d'Indiana avec une migraine insupportable, qu'elle avait réussi à soulager grâce à ses méthodes magiques. Pendant une heure, elle avait visualisé une cascade de poussière sidérale qui descendait d'un point lointain du cosmos et passait à travers ses mains pour recouvrir le patient.

Depuis le mois de novembre de l'année précédente, quand Brunswick était arrivé à sa consultation pour la première fois, Indiana avait utilisé plusieurs méthodes avec si peu de résultats qu'elle commençait à se décourager. Lui insistait sur le fait que ses traitements le soulageaient, mais elle pouvait capter son mal-être avec la certitude d'une radiographie. Elle croyait que la santé dépend de l'équilibre harmonieux entre le corps et le mental, et comme elle ne détectait rien d'anormal dans le physique de Brunswick, elle attribuait ses symptômes à son esprit tourmenté et à son âme prisonnière. L'homme lui avait affirmé qu'il avait eu une enfance heureuse et une jeunesse normale, de sorte que ce pouvait être quelque chose qu'il traînait de ses vies antérieures. Indiana attendait l'occasion de lui expliquer délicatement la nécessité de nettoyer son karma. Elle connaissait un Tibétain très expert en la matière.

C'était un type compliqué. Indiana le sut dès le début, avant qu'il n'ouvre la bouche lors de la première séance, parce qu'elle sentit une couronne de fer lui comprimer le crâne et un sac de pierres sur le dos : ce pauvre homme portait sur lui une charge monumentale. Migraine chronique, détermina-t-elle, et lui, surpris par ce qui ressemblait à de la voyance, lui expliqua que ses maux de tête s'étaient tellement aggravés au cours de la dernière année qu'ils l'empêchaient de faire son travail de géologue. Cette profession exigeait une bonne santé, dit-il, car il devait ramper dans des cavernes, gravir des montagnes et camper à l'air libre. Il avait vingt-neuf ans, un visage agréable, un corps insignifiant, les cheveux très courts pour dissimuler une calvitie précoce et des yeux gris derrière des lunettes à monture noire, qui ne l'avantageaient pas. Il venait au cabinet numéro 8 le mardi, avec une rigoureuse ponctualité, et s'il en avait besoin sollicitait un second rendez-vous dans la semaine.

Il apportait souvent des cadeaux discrets à Indiana, comme des fleurs ou des recueils de poèmes ; il pensait que les femmes apprécient la poésie rimée ayant pour thème la nature – oiseaux, nuages, ruisseaux – et tel était le cas d'Indiana avant de rencontrer Alan Keller, qui en matière d'art et de littérature se montrait impitoyable. Son amant l'avait initiée à la tradition japonaise du haïku et au gendai moderne, mais en secret elle appréciait aussi les poèmes sucrés.

Brunswick portait un jean, des bottes à l'épaisse semelle de caoutchouc et une veste en cuir ornée de rivets en métal, une tenue qui contrastait avec sa vulnérabilité de lapin. Comme elle le faisait avec tous ses clients, Indiana avait tenté de le connaître à fond pour découvrir l'origine de son mal-être, mais l'homme était une page blanche. Elle ne savait presque rien de lui et oubliait le peu qu'elle avait constaté dès qu'il s'en allait.

À la fin de la séance de ce mardi, Indiana lui donna un petit flacon d'essence de géranium, afin qu'il se souvienne de ses rêves.

— Je ne rêve pas, mais j'aimerais rêver de toi, dit Brunswick du ton taciturne qui lui était habituel.

— Nous rêvons tous, mais peu de gens y prêtent attention, répliqua-t-elle en faisant abstraction de son insinuation. Il y a des personnes, comme les Aborigènes australiens, pour qui la vie rêvée est aussi réelle que la vie éveillée. As-tu vu les peintures des Aborigènes ? Ils peignent leurs rêves, ce sont des tableaux incroyables. J'ai un carnet sur ma table de chevet et je note mes rêves les plus significatifs dès que je me réveille.

— Pour quoi faire ?

— Pour m'en souvenir, parce qu'ils me montrent le chemin, ils m'aident dans mon travail et éclairent mes doutes, lui expliqua-t-elle.

— Tu as rêvé de moi ?

— Je rêve de tous mes patients. Je te conseille d'écrire tes rêves, Gary, et de méditer, dit-elle, feignant à nouveau de ne pas avoir entendu.

Au début, Indiana avait consacré deux séances complètes à instruire Brunswick sur les bénéfices de la méditation : vider l'esprit de ses pensées, inspirer à fond, amener l'air jusqu'à la dernière cellule du corps, et exhaler en relâchant la tension. Elle lui avait recommandé, lorsqu'il aurait une crise de migraine, de chercher un endroit tranquille et de méditer pendant quinze minutes pour se détendre, en observant ses symptômes avec curiosité, au lieu de leur opposer une résistance.

« La douleur, comme toutes les sensations, est une porte pour pénétrer l'âme, lui dit-elle. Demande-toi ce que tu sens et ce que tu refuses de sentir. Prête attention à ton corps. Si tu te concentres sur cela, tu verras que la douleur change et que quelque chose s'ouvre en toi, mais je t'avertis que le mental ne te laissera pas de répit, il essaiera de te distraire avec des idées, des images et des souvenirs, parce qu'il est à l'aise dans sa névrose, Gary. Il est important que tu te donnes du temps pour te connaître, pour être en tête à tête avec toi-même et en silence, sans télévision, sans portable, sans ordinateur. Promets-moi que tu le feras, ne serait-ce que cinq minutes par jour. » Mais Brunswick avait beau respirer aussi profondément et méditer aussi intensément qu'il le pouvait, il était toujours un paquet de nerfs.

Indiana dit au revoir à l'homme, elle entendit ses bottes s'éloigner dans le couloir en direction de l'escalier et s'écroula sur sa chaise avec un soupir, exténuée par l'énergie négative que transmettait ce pauvre homme et par ses insinuations romantiques, qui commençaient sérieusement à la fatiguer. Dans son métier, la compassion était indispensable, mais il y avait des patients auxquels elle aurait aimé tordre le cou.

Mercredi, 11

Le téléphone de Blake Jackson enregistra une demi-douzaine d'appels de sa petite-fille tandis qu'il courait comme un fou derrière une balle de squash. Lorsqu'il eut terminé la dernière partie, il reprit son souffle, se doucha et s'habilla. Il était déjà neuf heures du soir et son copain rêvait de leur habituelle choucroute arrosée de bière.

— Amanda ? C'est toi ?

— Qui d'autre ? Tu appelles sur mon portable, répliqua sa petite-fille.

— Tu as cherché à me joindre ?

— Évidemment, grand-père, c'est pour ça que tu me rappelles.

— Bon, d'accord ! Qu'est-ce que tu veux encore, morveuse ? explosa Blake.

— Je veux savoir toute l'histoire du psychiatre.

— Le psychiatre ? Ah, celui qu'on a tué aujourd'hui.

— Ils en parlent seulement maintenant aux infos, mais il a été tué avant-hier soir ou hier matin. Vérifie tout ce que tu pourras.

— Comment ?

— Parle à mon père.

— Pourquoi tu ne le lui demandes pas toi-même ?

— Je le ferai dès que je le verrai, mais d'ici là tu peux faire avancer l'enquête. Appelle-moi demain, quand tu auras des détails.

— Je dois travailler et je ne peux pas déranger ton père à tout bout de champ.

— Tu veux continuer à jouer à *Ripper* ou tu veux pas ?

— Nous y voilà !

L'homme était loin d'être superstitieux, mais il soupçonnait l'esprit de sa femme de s'être débrouillé pour lui confier Amanda. Avant de mourir, Marianne lui avait promis de toujours veiller sur lui et de l'aider à trouver une consolation dans sa solitude. Il avait cru qu'elle parlait d'une éventuelle épouse, mais il s'agissait d'Amanda. En fait, il n'avait pas eu le temps de pleurer la femme qu'il avait tant aimée ; il n'avait pas vu passer les premiers mois de son veuvage tant il était occupé à nourrir sa petite-fille, à l'endormir, changer ses couches, lui donner son bain, la bercer. Même la nuit la chaleur de Marianne dans le lit ne lui manquait pas, car la petite souffrait de coliques et hurlait à pleins poumons. Ses cris désespérés effrayaient Indiana qui finissait par pleurer elle aussi tandis qu'il se promenait en pyjama, le bébé dans les bras, en récitant des équivalences chimiques qu'il avait mémorisées à l'École de Pharmacie. À l'époque, Indiana était une gamine de seize ans, sans expérience dans son nouveau métier de mère et déprimée parce qu'elle était grosse comme un baleineau et que son mari ne servait pas à grand-chose. Lorsque enfin Amanda n'eut plus de coliques, il y eut les premières dents, puis la varicelle, qui la laissa brûlante de fièvre et la couvrit d'éruptions cutanées jusque sur les paupières.

Ce grand-père raisonnable se surprenait à demander à voix haute au fantôme de sa femme ce qu'il pouvait faire avec ce bébé impossible et la réponse lui vint incarnée en la personne d'Elsa Domínguez, une immigrée guatémaltèque que lui envoya la belle-mère de sa fille, doña Encarnación. Elsa était accablée de travail, mais elle eut pitié de Jackson avec sa maison transformée en porcherie, une fille inutile, un gendre absent et une petite-fille pleurnicheuse et mal élevée ; c'est pourquoi elle abandonna d'autres clients pour s'occuper de cette famille. Elle se présentait dans sa vieille voiture du lundi au vendredi, vêtue d'un jogging et chaussée d'espadrilles, pendant les heures où Blake Jackson était à la pharmacie et Indiana au lycée ; elle mit de l'ordre et réussit à faire de l'être colérique qu'était Amanda une enfant à peu près normale. Elle lui parlait en espagnol, l'obligeait à manger tout le contenu de son assiette ; elle lui apprit à faire ses premiers pas, puis à chanter, à danser, plus tard à passer l'aspirateur et à mettre la table. Lorsque Amanda eut trois ans et que ses parents se séparèrent, elle lui offrit une chatte tigrée pour lui tenir compagnie et fortifier sa santé. Dans son village, les enfants étaient élevés avec des animaux et de l'eau sale, dit-elle, raison pour laquelle ils ne tombaient pas malades comme les Américains, qui succombaient à la première bactérie croisée sur leur chemin. Sa théorie s'avéra juste : Gina, la chatte, guérit l'asthme et les coliques d'Amanda.

Vendredi, 13

Indiana termina avec son dernier patient de la semaine, un caniche souffrant de rhumatismes qui lui brisait le cœur et qu'elle soignait gratuitement, car il appartenait à l'une des enseignantes du lycée de sa fille, éternellement endettée à cause d'un mari accro au jeu, et à six heures et demie elle ferma le cabinet numéro 8. Elle s'achemina vers le Café Rossini, où l'attendaient son père et sa fille.

Blake Jackson était allé chercher sa petite-fille à l'école, comme chaque vendredi. Toute la semaine il attendait ce moment où Amanda serait captive dans sa voiture, et il essayait de le prolonger en empruntant l'itinéraire le plus embouteillé par la circulation. Grand-père et petite-fille étaient des complices, des acolytes, des associés dans le crime, comme ils aimaient à dire. Pendant les cinq jours où l'adolescente se trouvait à l'internat, ils communiquaient presque quotidiennement et profitaient des moments disponibles pour jouer aux échecs ou à *Ripper*. Ils commentaient au téléphone les nouvelles qu'il sélectionnait pour elle, avec une préférence pour les curiosités : le zèbre à deux têtes qui était né au jardin zoologique de Pékin, l'obèse de l'Oklahoma mort asphyxié par ses propres pets, les handicapés mentaux qui avaient été enfermés plusieurs années dans une cave, tandis que leurs ravisseurs touchaient leurs pensions d'invalidité. Ces derniers mois, ils ne commentaient que les crimes de la ville.

Lorsqu'elle entra dans la cafétéria, Indiana constata avec une grimace de dégoût que Blake et Amanda étaient assis avec Gary Brunswick, qu'elle ne s'attendait pas à trouver avec les siens. À North Beach, où les chaînes commerciales étaient interdites afin d'empêcher la mort lente des petits commerces qui donnaient tant de cachet au quartier italien, on pouvait boire un excellent café dans une douzaine de vieux bistrots. Les résidents choisissaient le leur et lui restaient fidèles ; la cafétéria définissait qui était qui. Brunswick ne vivait pas à North Beach, mais il avait tellement fréquenté le Café Rossini au cours des derniers mois qu'il était déjà considéré comme un habitué. Il passait quelques moments oisifs à une table près de la fenêtre, plongé dans son ordinateur, sans parler à personne, sauf à Danny D'Angelo qui flirtait avec lui sans pudeur, juste pour se délecter de son expression de terreur, comme il l'avait avoué à Indiana. Ça l'amusait de voir le type se recroqueviller de honte sur sa chaise quand il approchait ses lèvres de son oreille et lui demandait dans des chuchotements indécents ce qu'il voulait boire.

Danny avait remarqué que si le géologue se trouvait à la cafétéria, Indiana buvait son cappuccino debout au comptoir et prenait rapidement congé, elle ne voulait pas offenser son patient en s'asseyant à une autre table et n'avait pas toujours le temps de s'installer pour bavarder avec lui. En réalité, ce n'était pas des conversations, cela ressemblait plutôt à des interrogatoires au cours desquels il posait des questions banales, auxquelles elle répondait en ayant l'esprit ailleurs : qu'en mars elle aurait trente-quatre ans, qu'elle était divorcée depuis l'âge de dix-neuf ans et que son ex-mari était policier, qu'une fois elle était allée à Istanbul et qu'elle avait toujours rêvé de faire un voyage en Inde, que sa fille Amanda jouait du violon et voulait adopter une chatte, parce que la sienne était morte. L'homme l'écoutait avec un intérêt inhabituel et elle bâillait avec dissimulation, imaginant que ce petit homme existait derrière un voile, que c'était une image diffuse dans une aquarelle délavée. Et voilà qu'elle le trouvait dans une aimable réunion avec sa famille, jouant aux échecs avec Amanda, sans plateau ni pièces.

D'Angelo les avait présentés : d'un côté le père et la fille d'Indiana, de l'autre l'un de ses patients. Gary calcula que le grand-père et la petite-fille devraient attendre au moins une heure que la consultation d'Indiana se termine avec le caniche, et comme il savait qu'Amanda aimait les jeux de table, car sa mère le lui avait dit, il la défia à une partie d'échecs. Ils s'assirent devant l'écran, tandis que Blake chronométrait le temps sur la pendule à deux faces qu'il glissait toujours dans sa poche lorsqu'il sortait avec Amanda. « Cette gamine est capable de jouer simultanément avec plusieurs adversaires », l'avait averti Blake. « Moi aussi », avait répliqué Brunswick. Et en fait il s'avéra être un joueur bien plus rusé et agressif que ne le laissait supposer son aspect timoré.

Bras croisés, impatiente, Indiana chercha une autre table où s'asseoir, mais elles étaient toutes occupées. Dans un coin, elle vit un homme qu'il lui parut connaître, bien qu'elle ne pût l'identifier, plongé dans un livre de poche, et elle lui demanda si elle pouvait partager sa table. Distrait, le type se leva si brusquement que son livre tomba à terre ; elle le ramassa, c'était un roman policier d'un certain William C. Gordon, qu'elle avait vu parmi les nombreux livres, bons et mauvais, que son père accumulait. L'homme, qui avait pris cette teinte aubergine des rouquins gênés, lui indiqua l'autre chaise.

— Nous nous sommes déjà vus, n'est-ce pas ? dit Indiana.

— Je n'ai pas eu le plaisir d'être présenté, mais nous nous sommes croisés plusieurs fois. Je suis Samuel Hamilton Jr, à votre service, répondit-il formellement.

— Indiana Jackson. Pardon, je ne veux pas interrompre votre lecture.

— Vous ne m'interrompez pas du tout, mademoiselle.

— Vous êtes sûr que nous ne nous connaissons pas ? insista-t-elle.

— Certain.

— Vous travaillez par ici ?

— Ça m'arrive.

Et ils continuèrent ainsi à parler de tout et de rien, tandis qu'elle buvait son café et attendait que son père et sa fille aient terminé, ce qui ne prit pas plus de dix minutes, car Amanda jouait avec Brunswick contre la montre. Lorsque la partie prit fin, Indiana eut la surprise d'apprendre que ce pou avait gagné contre sa fille. « Tu me dois la revanche », dit Amanda à Gary Brunswick en prenant congé, vexée, car elle avait l'habitude de gagner.

L'ancien restaurant Cuore d'Italia, inauguré en 1886, devait sa célébrité à l'authenticité de sa cuisine et au fait qu'il avait été le cadre d'un massacre de gangsters en 1926. La mafia italienne s'était réunie dans la grande salle à manger pour savourer les meilleures pâtes de la ville, boire un bon vin de contrebande et se partager le territoire de la Californie dans une atmosphère de cordialité, quand un groupe avait sorti des mitraillettes et éliminé ses rivaux. En quelques minutes, plus de vingt patrons du crime organisé s'étaient retrouvés étendus à terre dans le local changé en scène d'horreur. De ce désagréable incident seul demeurait le souvenir, mais cela suffisait pour attirer les touristes, qui venaient avec une curiosité morbide goûter les pâtes et photographier le lieu du crime, jusqu'à ce que le local brûle et que le restaurant s'installe ailleurs. Une rumeur persistante circulait à North Beach, selon laquelle la femme du propriétaire l'avait arrosé d'essence et y avait mis le feu pour embêter son mari infidèle, mais la compagnie d'assurance n'avait pu le prouver. Le nouveau Cuore d'Italia avait un mobilier flambant neuf et conservait son ambiance originelle grâce à d'immenses tableaux de paysages idéalisés de la Toscane, des vases de faïence peinte et des fleurs en plastique.

Quand Blake, Indiana et Amanda arrivèrent, Ryan Miller et Pedro Alarcón les attendaient déjà. Le premier les avait invités pour fêter un contrat de son entreprise, excellent prétexte pour retrouver Indiana, qu'il n'avait pas vue depuis plusieurs jours. Il s'était rendu à Washington DC pour des réunions de travail avec le secrétaire à la Défense et les patrons de la CIA, afin de discuter des programmes de sécurité qu'il développait avec l'aide de Pedro Alarcón, dont il évitait de mentionner le nom, car il avait été guérillero trente-cinq ans plus tôt et pour certains, qui avaient encore la mentalité de la guerre froide, guérillero était synonyme de communiste, alors que pour d'autres, davantage au fait de l'histoire contemporaine, guérillero équivalait à terroriste.

En voyant Indiana avec ses bottes extravagantes, son jean usé aux genoux, son blouson ordinaire et un chemisier étroit qui contenait à peine sa poitrine, Miller sentit ce mélange de désir et de tendresse qu'elle provoquait toujours en lui. Elle arrivait de son travail, fatiguée, les cheveux attachés en queue-de-cheval et sans maquillage, mais sa joie de vivre et d'habiter son corps était telle qu'à d'autres tables plusieurs hommes se retournèrent instinctivement pour l'admirer. C'était sa façon séduisante de marcher, il n'y a qu'en Afrique que les femmes bougent avec cette insolence, décida Miller, irrité de constater qu'elle suscitait ce genre de réaction masculine primitive. Il se demanda à nouveau, comme tant de fois auparavant, combien d'hommes de par le monde étaient troublés par son souvenir et l'aimaient en secret, combien avaient soif de son affection ou espéraient être rachetés de leurs fautes et de leurs souffrances par ses sortilèges de sorcière généreuse.

Incapable de continuer à porter seul l'incertitude, l'abattement et les brusques accès d'espoir de cet amour secret, Miller avait fini par confesser à Pedro Alarcón qu'il était amoureux. Son ami avait reçu la nouvelle avec une expression amusée et il lui avait demandé ce qu'il attendait pour le dire à l'unique personne que pouvait intéresser une telle niaiserie. Ce n'était pas une niaiserie, cette fois la chose était sérieuse ; il n'avait jamais rien éprouvé d'aussi intense pour personne, lui affirma Miller. N'étaient-ils pas d'accord sur le fait que l'amour était un risque inutile ? insista Alarcón. Oui, et voilà pourquoi il luttait depuis trois ans pour tenir sous contrôle l'attirance qu'il éprouvait pour Indiana, mais la flèche de l'amour causait parfois une blessure inguérissable. Pedro Alarcón fut secoué d'un long frisson en entendant cette déclaration prononcée sur un ton si solennel. Il ôta ses lunettes et les nettoya lentement avec le bord de son tee-shirt.

— Tu as couché avec elle ? lui demanda-t-il.

— Non !

— Voilà le problème.

— Tu n'y comprends rien, Pedro. On ne parle pas de sexe, le sexe, on le trouve n'importe où, mais de véritable amour. Indiana a un amant, un certain Keller, ils sont ensemble depuis plusieurs années.

— Et alors ?

— Si j'essayais de la conquérir, je la perdrais comme amie. Je sais que pour elle la fidélité est très importante, nous en avons parlé. Ce n'est pas le genre de femme qui est avec un homme et flirte avec d'autres, c'est l'une de ses vertus.

— Arrête avec ces conneries, Miller. Tant qu'elle est célibataire tu as un permis de chasse. La vie, c'est ça. Toi, par exemple, tu n'as aucun droit de propriété sur Jennifer Yang. À la première inattention un type plus dégourdi peut arriver et te l'enlever. Tu peux faire la même chose à Keller.

Il ne parut pas opportun à Ryan de lui dire que sa relation avec Jennifer Yang était terminée, du moins l'espérait-il, car elle était encore capable de lui jouer un mauvais tour. C'était une femme vindicative, seul défaut qu'on pût lui reprocher, mais pour tout le reste, à coup sûr, la meilleure des conquêtes du *navy seal* : jolie, intelligente, moderne, sans le moindre désir de se marier ou d'avoir des enfants, ayant un bon salaire et l'obsession érotique d'être esclave. Inexplicablement, l'obéissance, la dégradation et la punition excitaient cette jeune cadre de la banque Wells Fargo. Jennifer était le rêve de tout homme raisonnable, mais Miller, un homme aux goûts simples, avait eu tant de mal à s'adapter aux règles du jeu qu'elle lui avait offert un livre récemment publié afin qu'il s'informe. Il s'agissait d'un roman dont le titre évoquait la couleur beige, ou peut-être grise, il ne se rappelait plus bien, très populaire chez les femmes ; l'intrigue romantique, des plus traditionnelles avec, en plus, une dose de pornographie soft, portait sur la relation sadomasochiste qu'une vierge innocente aux lèvres turgescentes entretenait avec un beau multimillionnaire autoritaire. Jennifer avait souligné dans le texte le contrat qui précisait les différentes formes de mauvais traitement que la vierge – une fois qu'elle avait cessé de l'être – devait supporter : fouet, garrot, bâton, viol et toute autre forme de pénitence dont son maître pourrait avoir l'idée, à condition que cela ne laisse pas de cicatrices ni ne salisse trop les murs. Miller ne comprit pas très bien en échange de quoi la protagoniste se soumettait à ces extrémités de violence domestique, mais Jennifer lui expliqua ce qui était évident : en souffrant, l'ancienne vierge atteignait le paroxysme du plaisir sans éprouver un sentiment de culpabilité.

Entre Miller et Yang, les choses ne marchèrent pas aussi bien que dans le roman : il ne prit jamais son rôle au sérieux et elle ne pouvait parvenir à l'orgasme lorsque, pris de fou rire, il la frappait avec un journal roulé. Sa frustration était certes compréhensible, mais beaucoup moins le fait qu'elle s'accrochât à Ryan Miller avec le désespoir d'un naufragé. Une semaine plus tôt, lorsqu'il lui avait demandé qu'ils cessent de se voir pendant un certain temps, euphémisme universellement employé pour renvoyer un amant, Jennifer fit une scène si dramatique que Miller regretta de le lui avoir annoncé dans un élégant salon de thé où tout le monde entendit, y compris le pâtissier, qui vint voir ce qui se passait. Pour une fois, l'entraînement de *navy seal* ne lui fut d'aucune utilité. Il paya précipitamment l'addition et sortit Jennifer du salon sans aucune habileté, en la poussant et la pinçant tandis qu'elle se débattait, secouée de gros sanglots. « Sadique ! » lui cria une femme d'une table voisine, et Jennifer, qui malgré la gravité de son état émotionnel gardait une certaine lucidité, lui répondit par-dessus son épaule : « Si au moins il l'était, madame ! »

Ryan Miller réussit à mettre Jennifer dans un taxi et, avant de partir en courant en sens inverse, il put l'entendre crier par la fenêtre un chapelet de malédictions et de menaces parmi lesquelles il crut distinguer le nom d'Indiana Jackson. Restait à savoir comment Jennifer avait appris l'existence d'Indiana ; c'était sûrement grâce à l'horoscope chinois, car il ne lui en avait jamais parlé.

Attila attendait les invités aux côtés de Miller et d'Alarcón à la porte de Cuore d'Italia, avec sa cape de service qui lui permettait d'entrer partout. Miller l'avait obtenue en tant que blessé de guerre, bien qu'il n'eût aucun besoin des services du chien, mais simplement de sa compagnie. Indiana trouva étrange que sa fille, toujours rétive au contact physique avec toute personne en dehors de sa famille immédiate, salue le *navy seal* et l'Uruguayen d'un baiser sur la joue et qu'elle prenne place entre eux à table. Attila huma avec plaisir l'odeur de fleurs d'Indiana, mais il se plaça entre la chaise de Miller et celle d'Amanda, qui grattait distraitement ses cicatrices tout en étudiant le menu. Elle était l'une des rares personnes que les canines en titane et l'aspect de loup battu d'Attila n'impressionnaient pas.

Indiana, qui n'avait jamais retrouvé sa silhouette de célibataire, mais ne se souciait pas de quelques kilos en plus ou en moins, commanda une salade césar, des *gnocchi* pour accompagner un *osso buco* et des poires caramélisées ; Blake se limita à des *linguine* aux fruits de mer ; Ryan Miller, qui surveillait son poids, choisit une sole grillée, et Pedro Alarcón le plus gros bifteck du menu, qui ne serait jamais aussi bon que ceux de son pays, tandis qu'Amanda, pour qui n'importe quelle viande était un morceau d'animal mort et que les légumes ennuyaient, commandait trois desserts, un Coca-Cola et d'autres serviettes en papier pour se moucher, car elle avait un gros rhume.

— Tu as vérifié ce que je t'ai demandé, Kabel ?

— Plus ou moins, Amanda, mais pourquoi ne dînons-nous pas avant de parler de cadavres ?

— On parlera pas la bouche pleine, mais tu peux me raconter entre deux plats.

— De quoi s'agit-il ? interrompit Indiana.

— De l'assassinat des Constante, maman, dit Amanda en donnant un morceau de pain au chien sous la table.

— De qui ?

— Je te l'ai raconté mille fois, mais tu n'écoutes pas.

— Ne donne pas de pain à Attila, Amanda. Il ne mange que ce que je lui donne, pour éviter qu'on l'empoisonne, l'avertit Miller.

— Qui va l'empoisonner ? Fais pas ton parano.

— Écoute-moi. Le gouvernement a dépensé vingt-six mille dollars pour entraîner Attila, ne viens pas tout gâcher. Qu'est-ce que ces assassinats ont à voir avec toi ?

— C'est ce que je me demande. Je ne vois pas pourquoi cette gamine s'intéresse tellement à des morts qu'on ne connaît même pas, soupira Indiana.

— Kabel et moi nous enquêtons pour notre compte sur l'affaire Ed Staton, un type à qui on a enfoncé une batte de base-ball dans le derrière...

— Amanda ! la coupa sa mère.

— Quoi ? C'est sorti sur Internet, c'est pas un secret ! Ça s'est passé en octobre. On a aussi les Constante, un couple assassiné un mois après Staton.

— Et un psychiatre tué mardi, ajouta Blake.

— Bon sang, papa ! Pourquoi est-ce que tu la confortes dans ses lubies ? Cette manie est dangereuse ! s'exclama Indiana.

— Ça n'a rien de dangereux, c'est une expérience. Ta fille prétend, à elle seule, mettre à l'épreuve l'efficacité de l'astrologie, lui expliqua son père.

— Je suis pas seule, il y a aussi toi, Esmeralda, sir Edmond Paddington, Abatha et Sherlock, le corrigea sa petite-fille.

— C'est qui ceux-là ? demanda Alarcón, qui jusqu'alors mâchait son bœuf avec application, étranger au bavardage de la table.

— Les joueurs de *Ripper*. Moi, je suis Kabel, le serviteur de la maîtresse du jeu, l'informa Blake.

— Tu n'es pas mon serviteur, tu es mon sbire. Tu obéis à mes ordres.

— C'est ça un serviteur, Amanda, précisa son grand-père.

— En comptant l'homicide d'Ed Staton en octobre, celui des Constante en novembre et le psychiatre de mardi, on a seulement quatre morts intéressants depuis que ma marraine a fait son annonce. Statistiquement, c'est pas un bain de sang. Il nous faut des assassinats en plus, ajouta Amanda.

— Combien à peu près ? demanda Alarcón.

— Je dirais au moins quatre ou cinq.

— On ne peut pas prendre l'astrologie au pied de la lettre, Amanda, il faut interpréter les messages, dit Indiana.

— Je suppose que pour Céleste Roko l'astrologie est un instrument de l'intuition, comme peut l'être le pendule pour un hypnotiseur, suggéra Alarcón.

— Pour ma marraine, ça n'a rien d'un pendule, c'est une science exacte. Mais dans ce cas, les personnes nées en même temps au même endroit, disons un hôpital public de New York ou Calcutta, où peuvent naître plusieurs enfants simultanément, ces personnes auraient le même destin.

— Il y a des mystères dans le monde, ma fille. Comment pouvons-nous nier tout ce que nous ne pouvons expliquer ou contrôler ? lui rétorqua Indiana en trempant son pain dans l'huile d'olive.

— Tu es trop crédule, maman. Tu crois à l'aromathérapie, à tes aimants, et même à l'homéopathie de ton ami ventriloque.

— Vétérinaire, pas ventriloque, la corrigea sa mère.

— Bon, peu importe. L'homéopathie équivaut à dissoudre une aspirine dans l'océan Pacifique et à en prescrire quinze gouttes au patient. Kabel, raconte-moi les faits. Qu'est-ce qu'on sait du psychiatre ?

— Très peu de choses pour l'instant, je m'occupe des Constante.

Tandis qu'Indiana et Ryan Miller chuchotaient entre eux, Amanda interrogea son grand-père devant Pedro Alarcón qui prêtait une oreille attentive, apparemment fasciné par le jeu qu'Amanda décrivait. Enthousiasmé, Blake Jackson sortit de sa sacoche les notes qu'il avait prises et il les posa sur la table en s'excusant de n'avoir pas avancé comme il aurait dû sur le cas du psychiatre ; le sbire avait beaucoup de travail à la pharmacie, la grippe était arrivée, mais il avait rassemblé pratiquement tout ce qui était paru à ce jour dans les médias sur les Constante, et obtenu de Bob Martín – qui l'appelait encore beau-père et ne pouvait rien lui refuser – l'autorisation de consulter les archives de la Brigade criminelle, y compris les documents qui n'étaient pas à la disposition du public. Il tendit à Amanda deux feuilles contenant la synthèse du rapport du médecin légiste, et une autre qu'il avait soutirée aux deux détectives assignés à cette affaire, qu'il connaissait depuis des années, car c'étaient des collègues de son ancien gendre.

— Ni Staton ni les Constante ne se sont défendus, dit-il à sa petite-fille.

— Et le psychiatre ?

— Il semblerait que lui non plus. Quand on leur a injecté l'héroïne, les Constante étaient drogués au Xanax. C'est un médicament utilisé contre l'anxiété et, selon la dose, il provoque le sommeil, la léthargie ou l'amnésie, expliqua le grand-père.

— Ça veut dire qu'ils dormaient ? lui demanda Amanda.

— C'est ce que croit ton père, répliqua son grand-père.

— Si l'assassin avait accès au Xanax, ce pourrait être un médecin, un infirmier ou même un pharmacien comme toi, dit la gamine.

— Pas forcément. N'importe qui peut obtenir une ordonnance ou l'acheter au marché noir. Chaque fois qu'on a attaqué ma pharmacie, c'était pour voler ce genre de médicament. En plus, on le trouve sur Internet. Si on peut acheter une arme semi-automatique ou de quoi fabriquer une bombe et recevoir ces matériaux par courrier, il ne fait aucun doute qu'on peut se procurer du Xanax.

— Il y a un suspect ? demanda l'Uruguayen.

— Michael Constante avait très mauvais caractère. Une semaine avant de mourir, il a eu une altercation qui s'est terminée en bagarre avec Brian Turner, un électricien qui fait partie du groupe des Alcooliques Anonymes. La police garde Turner dans son viseur, à cause de son passé trouble : plusieurs délits mineurs, une accusation de trahison, trois ans de prison. Il a trente-deux ans et il est au chômage, l'informa Blake.

— Violent ?

— Il paraît que non. Mais il a agressé Michael Constante avec une bouteille de limonade. D'autres personnes ont réussi à le maîtriser.

— On connaît la cause de la dispute ?

— Michael a accusé Turner de tourner autour de sa femme, Doris. Mais c'est difficile à croire ; Doris avait quatorze ans de plus que lui et elle était vraiment moche.

— Il en faut pour tous les goûts…, insinua Alarcón.

— Ils ont été marqués au fer rouge après leur mort, dit Amanda à l'Uruguayen.

— Comment a-t-on établi que c'était après leur mort ?

— À la couleur de la peau, le tissu vivant réagit de manière différente. On suppose que les marques ont été faites par le chalumeau qu'on a trouvé dans la salle de bains, lui expliqua Blake Jackson.

— À quoi servent ces chalumeaux ? demanda Amanda en plongeant la cuillère dans son troisième dessert.

— On les utilise en cuisine, pour la *crème brûlée* que tu es en train de manger, par exemple. Ça sert à caraméliser le sucre à la surface. On les trouve dans les magasins d'articles ménagers et ils coûtent entre vingt-cinq et quarante dollars. Moi, je n'en ai jamais utilisé, mais il est vrai que je n'y connais pas grand-chose, commenta le grand-père. Il me paraît étrange que les Constante aient eu chez eux quelque chose de ce genre ; dans leur cuisine, il n'y avait que de la nourriture dégueulasse, je ne les imagine pas en train de préparer de la *crème brûlée*. Le chalumeau était presque neuf.

— Comment tu le sais ? lui demanda sa petite-fille.

— La capsule de butane était pratiquement vide, mais le métal du chalumeau paraissait neuf. Je ne crois pas qu'il appartenait aux Constante.

— L'assassin a pu l'apporter, de même qu'il a apporté les seringues. Tu as dit qu'il y avait une bouteille d'alcool dans le frigo ? demanda Amanda.

— Oui. On a dû en faire cadeau aux Constante, mais il faut être fou pour offrir ça à un alcoolique réhabilité, dit Blake.

— Quel genre d'alcool ?

— Une sorte de vodka ou d'eau-de-vie de Serbie. On n'en vend pas ici, j'ai demandé dans plusieurs endroits et personne ne le connaît.

En entendant mentionner la Serbie, Ryan Miller s'intéressa à la conversation et il leur raconta qu'il était allé dans les Balkans avec son groupe de *navy seals* et pouvait leur assurer que cet alcool était sûrement plus toxique que la térébenthine.

— C'était quelle marque ? demanda-t-il.

— Le rapport ne le dit pas. Quelle importance a la marque ?

— Tout est important, Kabel ! Vérifie, lui ordonna Amanda.

— Dans ce cas, je suppose que tu as également besoin de la marque des seringues et du chalumeau. Et tant que nous y sommes, de celle du papier toilette, dit Blake.

— C'est exact, sbire. Ne te distrais pas.

Dimanche, 15

Alan Keller appartenait à une famille influente depuis plus d'un siècle à San Francisco, d'abord en raison de sa fortune, ensuite de son ancienneté et de ses fréquentations. Traditionnellement, à chaque élection les Keller faisaient don de sommes importantes au Parti démocrate, aussi bien par idéal politique que pour élargir le réseau de leurs relations, sans lesquelles il serait bien difficile d'être quelqu'un dans cette ville. Alan était le plus jeune des trois enfants de Philip et Flora Keller, un couple de nonagénaires qu'on voyait régulièrement dans les pages people des magazines, deux momies un peu toquées ayant décidé de vivre éternellement. Leurs descendants, Mark et Lucille, géraient les biens de la famille en excluant le plus jeune, qu'ils considéraient comme l'artiste du lot, car il était le seul capable d'apprécier la peinture abstraite et la musique atonale.

Alan n'avait pas travaillé un seul jour de sa vie, mais il avait étudié l'histoire de l'art, publié des articles savants dans des revues spécialisées et, de temps en temps, il conseillait des conservateurs de musées ou des collectionneurs. Il avait eu des amours brèves, ne s'était jamais marié, l'idée de se reproduire et de contribuer à l'excès de population de la planète ne le préoccupait pas, car le nombre de ses spermatozoïdes était si faible qu'il pouvait être considéré comme insignifiant. Il n'avait aucun besoin d'une vasectomie. Au lieu d'élever des enfants il préférait élever des chevaux, mais il ne le faisait pas parce que c'était un passe-temps très onéreux, comme il en informa Indiana peu après leur rencontre, et il ajouta que l'Orchestre symphonique bénéficierait de son héritage, s'il restait quelque chose après sa mort, car il avait l'intention de profiter de la vie sans regarder à la dépense. C'était inexact : il était obligé de contrôler ses dépenses, qui dépassaient toujours ses revenus, comme le lui rabâchaient son frère et sa sœur à longueur de temps.

Son peu de talent pour les affaires prêtait aux plaisanteries de ses amis et aux reproches de sa famille. Il se risquait dans des aventures commerciales ambitieuses, entre autres un vignoble à Napa, acquis par caprice après avoir survolé les vignobles de Bourgogne en ballon. Il s'y connaissait en vins et la viticulture était à la mode, mais il en ignorait le plus élémentaire, si bien que sa modeste production se distinguait à peine dans le petit monde compétitif de cette industrie, d'autant qu'elle dépendait d'administrateurs peu fiables.

Il était fier de sa propriété entourée de roses, avec une maison dans le style des haciendas mexicaines, où il exposait sa collection d'œuvres d'art d'Amérique latine : depuis des statuettes incaïques en argile et en pierre, acquises en contrebande au Pérou, à deux ou trois peintures de Botero de format moyen. Le reste se trouvait dans sa maison de Woodside. C'était un collectionneur persévérant, capable de traverser le monde pour obtenir une pièce unique de porcelaine française ou de jade chinois, mais il avait rarement besoin de le faire, car il comptait pour cela sur plusieurs fournisseurs.

Il vivait dans une demeure champêtre construite par son grand-père à l'époque où Woodside était une zone rurale, plusieurs décennies avant qu'elle ne devienne le refuge de millionnaires de la Silicon Valley, dans les années quatre-vingt-dix. La grande bâtisse, impressionnante de l'extérieur, était décrépite à l'intérieur, personne ne s'étant occupé de lui donner une couche de peinture ou de remplacer les tuyauteries au cours des quarante dernières années. Alan Keller voulait la vendre, car le terrain valait très cher, mais ses parents, propriétaires légitimes, s'accrochaient à cette propriété pour des raisons inexplicables, vu qu'ils ne s'y rendaient jamais en visite. Alan leur souhaitait longue vie, mais il ne pouvait s'empêcher de calculer combien sa situation s'améliorerait si Philip et Flora Keller décidaient de reposer en paix. Lorsque la maison serait vendue et qu'il recevrait sa part, ou lorsqu'il hériterait, il pensait acheter un duplex moderne à San Francisco, convenant mieux à un célibataire mondain comme lui que cette vieille demeure rurale où il ne pouvait même pas donner un cocktail de crainte qu'un rat se faufilât entre les pieds des invités.

Indiana ne connaissait ni cette résidence ni le vignoble de Napa, parce qu'il ne les lui avait pas montrés et que sa pudeur l'empêchait de le lui suggérer. Elle supposait qu'il en prendrait l'initiative au moment opportun. Quand le sujet était abordé, Amanda disait que Keller avait honte de sa mère et que la perspective d'avoir cet homme pour beau-père ne lui plaisait pas du tout. Indiana ne l'écoutait pas, sa fille était trop jeune et trop jalouse pour apprécier les qualités d'Alan Keller : son sens de l'humour, sa culture, son raffinement. Elle n'avait pas de raisons de lui dire que c'était en outre un amant expert; Amanda croyait encore que ses parents étaient asexués, comme les bactéries. La petite admettait que Keller, malgré son âge avancé, était agréable à regarder; il ressemblait à cet acteur anglais à la belle chevelure et de belle prestance, qui avait été surpris à Los Angeles en train de folâtrer dans une voiture avec une prostituée; elle oubliait toujours son nom car il ne jouait pas dans des films de vampires.

Grâce à son amant, Indiana avait connu Istanbul et elle apprenait à apprécier la bonne cuisine, l'art, la musique, les vieux films en noir et blanc ou étrangers, qu'il devait lui expliquer parce qu'elle n'arrivait pas à lire les sous-titres. Keller était un compagnon amusant, qui ne se fâchait pas lorsqu'on le prenait pour son père et de plus lui laissait liberté, temps et espace pour se consacrer à sa famille et à son travail, qui lui ouvrait des horizons, était un ami exquis dans les détails, soucieux de la flatter et de lui donner du plaisir. Une autre femme se serait demandé pourquoi il l'excluait de son cercle social et ne l'avait présentée à aucun membre du clan Keller, mais Indiana, totalement dénuée de malice, l'attribuait aux vingt-deux ans de différence d'âge qui les séparaient. Elle pensait qu'Alan, si pondéré, voulait lui éviter l'ennui de rencontrer des gens plus âgés et que lui-même, de son côté, ne se sentait pas à sa place dans le milieu juvénile qu'elle fréquentait. « Quand tu auras soixante ans, Keller sera un vieux de quatre-vingt-deux ans qui aura un stimulateur cardiaque et la maladie d'Alzheimer », lui avait fait remarquer Amanda, mais Indiana faisait confiance à l'avenir : il pourrait se faire qu'il soit encore un bel homme et que ce soit elle qui souffre du cœur et de démence sénile. La vie est pleine d'ironies, il vaut mieux jouir de ce qu'on a dans le présent, sans penser à un lendemain hypothétique, pensait-elle.

L'amour d'Alan Keller et d'Indiana, à l'écart des désagréments quotidiens et protégé de la curiosité d'autrui, s'était écoulé sans grandes tribulations, mais au cours de ces derniers mois la situation financière de Keller s'était compliquée et sa santé se détériorait, ce qui interférait avec la routine de son existence et la placidité de ses relations avec Indiana. Son incompétence dans la gestion de l'argent lui procurait une certaine fierté, parce qu'elle le différenciait du reste de sa famille, mais il ne pouvait continuer à ignorer ses investissements désastreux, les pertes de son vignoble, la chute de ses actions et le fait que son capital en œuvres d'art était inférieur à ce qu'il imaginait. Il venait de découvrir que sa collection de jades n'était pas aussi ancienne ni aussi précieuse qu'on le lui avait fait croire. De plus, lors de son bilan médical annuel, on lui détecta un possible cancer de la prostate, qui le plongea dans un état de terreur pendant cinq jours, jusqu'à ce que son urologue le sauve de cette agonie grâce à de nouvelles analyses de sang. Le laboratoire dut admettre que les résultats précédents avaient été confondus avec ceux d'un autre patient. À cinquante-cinq ans, les doutes de Keller au sujet de sa santé et de sa virilité, endormis depuis qu'il avait rencontré Indiana et s'était senti rajeunir, revenaient l'inquiéter. Il était déprimé. Dans son passé manquait quelque chose qui pourrait figurer sur son épitaphe. Il avait parcouru les deux tiers de la trajectoire de sa vie, il comptait les années qui lui restaient pour devenir une réplique de son père, redoutait la dégénérescence physique et mentale.

Il avait accumulé les dettes et il était inutile de recourir à son frère et à sa sœur, qui administraient les fonds familiaux comme s'ils en étaient les seuls propriétaires et limitaient son accès à sa part sous prétexte qu'il ne produisait que des dépenses. Il les avait suppliés de vendre la propriété de Woodside, ce dinosaure impossible à entretenir ; pour toute réponse, ils l'avaient prié de ne pas être ingrat, vu qu'il disposait gratuitement de la maison. Son frère aîné avait offert de lui racheter le vignoble de Napa pour l'aider à se remettre à flot, comme il disait, mais Alan savait que ses mobiles étaient loin d'être altruistes : il voulait s'emparer de la propriété à un prix défiant toute concurrence. Avec les banques, ça allait encore plus mal : son crédit était épuisé et il ne suffisait plus, comme avant la crise, de jouer au golf avec un gérant pour résoudre le problème de façon amicale. Brusquement son existence, enviable peu de temps auparavant, s'était compliquée et il se sentait pris au piège, telle une mouche dans une toile d'araignée.

Son psychiatre lui diagnostiqua une crise existentielle passagère, fréquente chez les hommes de son âge, et il lui prescrivit de la testostérone ainsi que d'autres pilules contre l'anxiété. Avec tant de préoccupations, il avait négligé Indiana et la jalousie ne cessait à présent de le tarauder, ne lui laissant aucun répit, ce qui était également normal d'après le psychiatre, à qui il n'avait pas avoué qu'il avait de nouveau fait appel aux services de Samuel Hamilton Jr, le détective privé.

Il ne voulait pas perdre Indiana. L'idée de se retrouver seul ou de repartir de zéro avec une autre femme le décourageait, il n'avait plus l'âge des rendez-vous romantiques, des stratégies de conquête, des escarmouches et des concessions en matière sexuelle, un véritable ennui. Sa relation avec elle était commode, il avait même la chance d'être détesté d'Amanda, cette gamine mal élevée, ce qui l'exemptait de toutes responsabilités envers elle. Bientôt Amanda irait à l'université et sa mère pourrait lui consacrer plus de temps, mais Indiana était distraite et distante, elle ne prenait plus l'initiative des rendez-vous amoureux ni n'était disponible lorsqu'il en avait envie, elle ne montrait plus l'admiration d'autrefois, le contredisait et prenait n'importe quelle excuse pour discuter. Keller ne voulait pas d'une femme soumise, cela l'aurait mortellement ennuyé, mais il ne pouvait pas davantage marcher constamment sur des œufs pour éviter une confrontation avec sa maîtresse : les bagarres, il en avait suffisamment avec ses employés et ses parents.

Le changement d'attitude d'Indiana était la faute de Ryan Miller, il n'y avait pas d'autre explication, bien que son enquêteur privé l'eût assuré qu'il n'existait aucune raison concrète pour une telle accusation. Il suffisait de voir Miller, avec son nez cassé et son allure de brute, pour deviner qu'il était dangereux. Il imaginait ce gladiateur au lit avec Indiana et cela lui donnait la nausée. Le moignon de la jambe était-il un handicap ? Qui sait, ce pouvait être au contraire un capital en sa faveur : les femmes sont curieuses, les choses les plus étranges les excitent. Il ne pouvait exposer ses soupçons à Indiana, la jalousie était humiliante, indigne d'un homme comme lui, et il pouvait rarement en parler avec son psychiatre. D'après Indiana, le soldat était son meilleur ami, ce qui en soi était intolérable, car ce rôle lui revenait de droit, mais il avait la certitude qu'une amitié platonique entre un homme comme Miller et une femme comme elle était impossible. Il avait besoin de savoir ce qui se passait lorsqu'ils étaient seuls dans le cabinet numéro 8, lors de leurs fréquentes promenades en forêt, ou dans le loft de Miller, où elle n'avait aucune raison de se rendre.

Les rapports de Samuel Hamilton Jr étaient trop vagues. Il n'avait plus confiance en cet homme, peut-être protégeait-il Indiana ? Hamilton avait eu le culot de lui donner des conseils, en lui disant qu'au lieu d'espionner Indiana il ferait mieux d'essayer de la reconquérir ; comme s'il n'en avait pas eu l'idée ! Mais comment faire avec Ryan Miller entre eux ? Il lui fallait trouver le moyen de l'éloigner ou de l'éliminer. Dans un moment de faiblesse, il l'avait suggéré au détective : sans doute avait-il des contacts et, en y mettant le prix, pouvait-il trouver une bonne gâchette, l'un de ces hommes de main coréens, par exemple, mais Hamilton fut catégorique : « Ne comptez pas sur moi. Si vous voulez un tueur à gages, trouvez-le vous-même ! » Résoudre l'affaire à coups de revolver n'était qu'une fantaisie, rien de plus éloigné de sa manière d'être et en plus, s'agissant d'armes à feu, il fallait se méfier de Miller. Que ferait-il s'il avait la preuve irréfutable de l'infidélité d'Indiana ? La question était semblable à un frelon bourdonnant à son oreille, elle ne le laissait pas en paix.

Il devait reconquérir Indiana, comme l'avait dit le détective. Ce terme lui donnait la chair de poule, la « reconquérir », comme dans les séries télévisées, mais enfin, il devait faire quelque chose, il ne pouvait rester les bras croisés. Il assura à son psychiatre qu'il pouvait la séduire, comme il l'avait fait au début de leur relation, il avait beaucoup plus à lui offrir que cet amputé, il la connaissait mieux que personne et savait la rendre heureuse, il n'avait pas en vain passé quatre ans à affiner ses sens et à lui donner le plaisir qu'aucun autre homme ne saurait lui donner, encore moins Miller, ce soldat rustre. Le psychanalyste l'écoutait sans opiner et ses propres arguments, répétés à chaque séance, semblaient de plus en plus creux à Keller.

Le dimanche à dix-huit heures, au lieu d'attendre Indiana dans une suite de l'hôtel Fairmont pour dîner en privé, regarder un film et faire l'amour, comme ils en avaient l'habitude, Keller décida de la surprendre par une innovation. Il passa la prendre chez son père et l'emmena voir « Maîtres de Venise », au musée De Young, cinquante tableaux prêtés par un musée de Vienne. Il ne voulut pas voir l'exposition au milieu d'une foule et, grâce à son amitié avec le directeur de l'établissement, obtint une visite guidée après la fermeture du musée. Silencieux et sans visiteurs, le bâtiment moderne ressemblait à un temple futuriste de verre, d'acier et de marbre, avec de grands espaces géométriques pleins de lumière.

Le guide qu'on leur avait assigné était un garçon au visage couvert d'acné, qui avait appris son texte par cœur et que Keller fit taire aussitôt avec son autorité d'historien de l'art. Indiana portait une robe bleue, étroite et courte, qui révélait plus qu'elle ne couvrait, son éternelle vareuse couleur sable, qu'elle enleva dans le musée, et ses vieilles bottes en imitation peau de reptile que Keller avait en vain essayé de remplacer par quelque chose de plus présentable, mais qu'elle préférait à d'autres chaussures parce qu'elles étaient confortables. Le guide resta bouche bée lorsqu'il la salua et il ne put s'en remettre de toute la visite. Aux questions d'Indiana, il balbutiait des réponses peu convaincantes, perdu dans les yeux bleus de cette femme qui lui parut éblouissante, étourdi par son parfum capiteux de musc et de fleurs, excité par ses boucles dorées, aussi échevelées que si elle venait de sortir du lit, et par le balancement provocant de son corps.

S'il n'avait pas traversé une dépression émotionnelle, Keller aurait été amusé par une telle réaction, à laquelle il lui avait souvent été donné d'assister par le passé. En temps normal, il aimait être accompagné d'une femme que d'autres désiraient, mais cette fois il n'était pas d'humeur aux distractions, car il se proposait de regagner l'admiration d'Indiana. Agacé, il s'interposa entre elle et le guide et, la prenant par le bras avec plus de fermeté qu'il n'était nécessaire, la conduisit de tableau en tableau, lui décrivant l'époque du Cinquecento et l'importance de Venise, une république indépendante qui avait déjà mille ans d'existence en tant que centre commercial et culturel lorsque ces maîtres avaient peint leurs œuvres ; il lui expliqua, en signalant les détails sur les tableaux, comment l'invention de l'huile avait révolutionné la technique de la peinture. C'était une élève appliquée, prête à absorber tout ce qu'il voudrait lui apprendre, depuis le *Kâma Sûtra* jusqu'à la façon de manger un artichaut, et à plus forte raison en matière d'art.

Une heure plus tard, ils se retrouvèrent dans la dernière salle devant une immense toile que Keller tenait à montrer à Indiana : *Suzanne et les vieillards*, du Tintoret. Le tableau était exposé seul sur un mur et il y avait un siège où ils purent s'installer pour l'observer tranquillement, tandis qu'il lui racontait que le thème de Suzanne avait été interprété par plusieurs peintres de la Renaissance et du Baroque. C'était la pornographie de l'époque : elle servait à montrer le nu féminin et la luxure masculine. Les hommes riches commandaient les tableaux pour les accrocher dans leur chambre et, contre une récompense, le peintre donnait à Suzanne le visage de la maîtresse du mécène.

— Selon la légende, Suzanne était une femme mariée vertueuse, qui fut surprise par deux vieillards libidineux alors qu'elle prenait son bain près d'un arbre, dans son jardin. Comme elle refusait leurs avances, les vieillards l'accusèrent d'avoir des amours avec un jeune homme. La peine pour adultère féminin était la mort, dit Keller.

— Féminin uniquement ? lui demanda Indiana.

— Bien sûr. C'est une histoire biblique, donc machiste, relatée dans le livre de Daniel de la version grecque de la Bible.

— Et alors, que s'est-il passé ?

— Le juge interrogea séparément les vieillards, qui ne purent s'accorder sur l'espèce de l'arbre sous lequel se trouvait la belle. L'un dit qu'il s'agissait d'un mélèze, l'autre d'un chêne, ou quelque chose comme ça. Il était évident qu'ils mentaient et ainsi fut rétablie la réputation de la noble Suzanne.

— J'espère que les cancaniers ont été punis, observa Indiana.

— D'après une version de l'histoire, ils furent exécutés, mais dans une autre version ils ne reçurent qu'une réprimande. Laquelle préfères-tu, Indiana ?

— Ni l'une ni l'autre, Alan. Je n'approuve pas la peine de mort, mais il faut faire justice. Que penses-tu de la prison, d'une amende et qu'ils demandent publiquement pardon à Suzanne et à son mari ?

— Tu es très indulgente. Suzanne aurait été exécutée si elle n'avait pu prouver son innocence. Le plus juste serait que ces deux vieillards en rut reçoivent un châtiment équivalent, argua Keller pour la contredire, car il n'était pas non plus partisan de la peine de mort, sauf dans des cas très particuliers.

— Œil pour œil, dent pour dent… Selon ce critère, nous serions tous borgnes et affublés de dentiers, répliqua-t-elle de bonne humeur.

— Enfin, le sort des menteurs n'est pas ce qui importe, n'est-ce pas ? dit Keller en s'adressant pour la première fois au guide, qui acquiesça, muet. Les vieillards libidineux sont à peu près insignifiants, ils se trouvent dans la partie sombre de la toile. Le centre d'intérêt, c'est Suzanne, elle seule. Observez la peau de cette jeune femme, chaude, douce, éclairée par le soleil de l'après-midi. Remarquez son corps délicat et sa posture langoureuse. Il ne s'agit pas d'une demoiselle, nous savons qu'elle est mariée, qu'elle a été initiée aux mystères de la sexualité. Le Tintoret a trouvé le juste équilibre entre la demoiselle innocente et la femme sensuelle, toutes deux coexistent en Suzanne à ce moment fugace, avant que le temps n'imprime sa marque sur elle. Cet instant est magique. Regardez-la, ne vous semble-t-il pas que la lascivité des vieillards se justifie ?

— Oui, monsieur ...

— Suzanne est sûre de son charme, elle aime son corps, elle a la perfection d'une pêche qu'on vient de cueillir sur la branche, toute fragrance, couleur et saveur. La belle n'imagine pas que déjà a commencé l'inéluctable processus de la maturation, du vieillissement et de la mort. Remarquez les tons de la chevelure, or et cuivre, la grâce des mains et du cou, l'expression abandonnée de son visage. Il est évident qu'elle vient de faire l'amour et, satisfaite, en garde le souvenir. Ses mouvements sont lents, elle désire prolonger le plaisir du bain, de l'eau fraîche et de la brise tiède du jardin, elle se caresse, sent le léger tremblement de ses cuisses, de la fente humide et palpitante entre ses jambes. Vous vous rendez compte de ce que je dis ?

— Oui, monsieur...

— Voyons, Indiana, dis-moi, à qui te fait penser la Suzanne du tableau ?

— Je n'en ai pas la moindre idée, répliqua-t-elle, étonnée par le comportement de son amant.

— Et vous, jeune homme ? demanda Keller au guide, avec une expression d'innocence qui contrastait avec son ton sarcastique.

Les cicatrices d'acné du guide s'enflammèrent comme des cratères sur son visage d'adolescent pris en faute et il fixa le sol des yeux, mais Keller n'avait pas l'intention de lâcher prise.

— Allons, mon garçon, ne soyez pas timide. Examinez le tableau et dites-moi à qui ressemble la belle Suzanne.

— En réalité, monsieur, je ne saurais vous dire, balbutia le pauvre garçon, prêt à s'enfuir en courant.

— Vous ne savez pas ou vous n'osez pas le dire ? Suzanne ressemble beaucoup à mon amie Indiana, ici présente. Regardez-la. Vous devriez la voir dans le bain, nue comme

Suzanne…, dit Keller en posant un bras possessif sur les épaules de sa maîtresse.

— Alan ! s'exclama-t-elle et, l'écartant d'un geste brusque, elle sortit de la salle à pas rapides, suivie de près par le guide tremblant.

Keller rattrapa Indiana à la porte de l'édifice et l'emmena vers sa voiture, entre prières et excuses, aussi déconcerté qu'elle par ce qu'il venait de faire. Ce fut une impulsion absurde et il s'en repentit à peine eut-elle franchi ses lèvres. Il fut incapable d'expliquer ce qui lui était arrivé, un coup de folie ; jamais, en son sain jugement, il n'aurait commis une telle vulgarité si étrangère à son caractère, lui dit-il.

Le tableau, c'est la faute du tableau, pensa-t-il. Le contraste entre la jeunesse, la beauté de Suzanne et l'aspect répugnant des hommes qui l'épiaient lui avait donné des frissons. Il s'était vu lui-même comme l'un de ces vieillards lascifs, fou de désir pour une femme inaccessible qu'il ne méritait pas, et avait senti dans sa gorge le goût amer de la bile. La peinture ne l'avait pas surpris, il l'avait vue à Vienne et reproduite dans ses livres d'art, mais dans la lumière et le silence du musée elle l'avait frappé comme s'il avait regardé sa propre tête de mort dans le miroir. Le Tintoret lui révélait, près de cinq cents ans après l'exécution du tableau, ses terreurs les plus obscures : la décadence et la mort.

Ils restèrent à discuter sur le parking, vide à cette heure, jusqu'à ce que Keller convainque Indiana de dîner avec lui pour parler tranquillement. Ils passèrent la soirée à une discrète table en coin dans l'un de leurs endroits préférés, un petit restaurant caché dans un passage de la rue Sacramento, qui proposait un menu italien original et une excellente carte des vins. Après le premier verre d'un *dolcetto* piémontais, l'âme apaisée, elle lui dit combien elle s'était sentie humiliée dans le musée, exposée comme une prostituée aux yeux du guide.

— Je ne te croyais pas capable de tant de cruauté, Alan. Depuis le temps que nous sommes ensemble tu ne m'avais jamais montré cet aspect de toi. Je me suis sentie punie et je crois que ce pauvre garçon aussi.

— Ne le prends pas comme ça, Indi. Pourquoi voudrais-je te punir ? Au contraire, je ne sais comment te remercier de tout ce que tu me donnes. Je pensais que la comparaison avec la belle Suzanne te flatterait.

— Cette grosse ?

Keller se mit à rire, le rire la gagna aussi et la scène déplaisante du musée perdit tout à coup de sa gravité. Keller avait réservé pour le dessert la surprise qu'il lui avait préparée : un voyage de deux semaines en Inde, un sacrifice qu'il était disposé à faire par amour, malgré ses récentes difficultés économiques et la frayeur que lui causait la misère millénaire de l'Inde. Ils pourraient loger dans l'un des palaces des maharajas transformés en hôtels de luxe, avec des lits de plume et de soie, des serviteurs privés, ou dormir par terre dans un ashram au milieu des scorpions, c'était à elle de choisir, lui dit-il. La joie spontanée d'Indiana dissipa sa crainte que la contrariété du musée n'ait ruiné la surprise : elle l'embrassa avec effusion, sous le regard amusé du serveur. « Es-tu en train d'essayer de te faire pardonner quelque chose ? », lui demanda Indiana, radieuse, sans se douter combien ce commentaire se révélerait prophétique.

Lundi, 16

Les joueurs de *Ripper* suspendirent leur enquête pendant plusieurs jours, parce que Abatha avait été hospitalisée, attachée sur un lit, alimentée par un tube relié à l'estomac. Sa maladie progressait et chaque gramme de poids qu'elle perdait la faisait avancer d'un pas vers le monde des esprits, où elle souhaitait habiter. La seule chose qui parvenait à la distraire de son envie d'en finir était le jeu de *Ripper* et le projet d'élucider les crimes de San Francisco. Dès qu'elle sortit du Service des soins intensifs et fut installée dans une chambre privée, surveillée jour et nuit, elle réclama son ordinateur portable et appela ses seuls amis, quatre adolescents et un aïeul qu'elle ne connaissait pas en personne. Ce soir-là six écrans, dans différents coins du monde, se mirent en contact pour la nouvelle énigme, que la maîtresse avait intitulée « le crime de l'électrocuté ».

Amanda commença par leur donner les résultats de l'autopsie, qu'elle avait trouvés sous enveloppe dans l'appartement de son père et avait photographiés avec son téléphone portable.

— Ingrid Dunn a jeté un premier coup d'œil au corps de Richard Ashton à neuf heures dix du matin et elle a estimé que la mort remontait à huit ou dix heures, ce qui signifie qu'elle a dû avoir lieu le lundi vers minuit, bien que quelques minutes de plus ou de moins n'aient pas d'importance à ce stade de l'enquête. Il n'existe encore aucune piste sur l'auteur ou le mobile du crime. Mon père a mis plusieurs détectives sur cette affaire.

— Récapitulons ce qu'on a, proposa le colonel Paddington.

— Tu peux parler, Kabel. Raconte ce nous savons, ordonna Amanda à son grand-père.

— Richard Ashton est mort électrocuté par un *taser*. L'autopsie a révélé des marques de ponction autour desquelles la peau était irritée, rougie.

— C'est quoi un *taser* ? demanda Esmeralda.

— Une arme qu'utilise la police pour dissuader ou maîtriser des personnes agressives, ou encore disperser des émeutes. Ça a la taille d'un gros pistolet et ça envoie des décharges électriques au moyen d'électrodes reliées à des fils conducteurs, expliqua le colonel Paddington, expert en armes.

— On peut tuer avec ça ?

— Tout dépend de la manière dont on l'utilise. On connaît plusieurs cas où la personne est morte, mais ce n'est pas fréquent. Le *taser* attaque le système nerveux central avec une puissante décharge électrique qui paralyse les muscles et met la victime K.-O., même à plusieurs mètres de distance. Imaginez l'effet de plusieurs décharges.

— Ça dépend aussi de la victime. Le *taser* peut tuer quelqu'un qui souffre d'insuffisance cardiaque, mais ce n'était pas le cas d'Ashton, ajouta Amanda.

— Disons que le premier coup d'électricité a immobilisé Ashton ; alors l'assassin a attaché ses mains et l'a bâillonné avec du ruban adhésif, ensuite il lui a envoyé des décharges jusqu'à ce que mort s'ensuive, spécula Sherlock Holmes.

— Le *taser* peut envoyer plus d'une décharge ? demanda Esmeralda.

— Il faut le recharger, ce qui prend environ vingt secondes, précisa Paddington.

— Alors il en a utilisé deux, dit Abatha.

— C'est ça, Abatha ! L'assassin avait plus d'un *taser* et il a appliqué plusieurs décharges à la suite à Ashton, sans lui laisser le temps de récupérer, jusqu'à ce que son cœur lâche, dit Sherlock Holmes.

— Électrocuté… une exécution, comme la chaise électrique, ajouta Abatha.

— Comment se procure-t-on un *taser*? demanda Esmeralda.

— À part celui qu'utilise la police, il existe un modèle d'usage civil, pour l'autodéfense : mais il n'est pas donné, il coûte dans les cinq cents dollars, expliqua Paddington.

— D'après les notes de mon père, le psychiatre était déchaussé. Ils ont trouvé ses chaussures sous le bureau, mais pas ses chaussettes, dit Amanda.

— Il ne portait pas de chaussettes en hiver ? remarqua Esmeralda.

— Ayani, sa femme, marche nu-pieds. Mon père dit…, l'inspecteur Martín dit qu'Ayani a des pieds de princesse. Bon, cela ne nous intéresse pas. La moquette du studio d'Ashton était humide à un endroit, probablement de l'eau d'un verre qui s'est renversé, mais la tache ne se trouvait pas tout près du bureau.

— Élémentaire, mes amis. L'eau est un bon conducteur d'électricité. L'assassin a enlevé les chaussures de la victime et il a mouillé ses chaussettes pour l'électrocuter, en déduisit Sherlock.

— J'ai vu quelque chose comme ça dans un film. On n'avait pas mouillé le condamné à mort avant de l'exécuter sur la chaise électrique et il a pratiquement grillé, dit Amanda.

— Tu ne devrais pas regarder ce genre de films ! s'exclama Kabel.

— Il n'était pas interdit aux mineurs, il n'y avait pas de scène de sexe.

— À mon avis, ce n'était pas indispensable de mouiller les pieds d'Ashton, mais l'assassin ne le savait peut-être pas. Ensuite il a emporté les chaussettes pour brouiller les pistes, embrouiller la police et gagner du temps. Bonne stratégie, dit le colonel Paddington.

— Il n'avait pas besoin de s'embêter avec ça, expliqua Amanda. La police va perdre beaucoup de temps à explorer des tas de pistes. Le studio d'Ashton était rempli de meubles, de tapis, de rideaux, de livres, etc., et il n'était nettoyé qu'une fois par semaine. La femme de ménage avait l'ordre de ne toucher à aucun de ses papiers. Il y avait une telle profusion d'empreintes, de cheveux, de squames, d'effilochures qu'il sera pratiquement impossible de déterminer lesquels sont dignes d'intérêt.

— Nous verrons bien ce que disent les tests ADN, dit Abatha.

— J'ai interrogé mon père à ce sujet, intervint Amanda. Il dit qu'on examine l'ADN dans moins d'un cas sur cent, parce que c'est un procédé coûteux, compliqué, et que les ressources de la Criminelle sont limitées. Parfois, s'il y a une bonne raison de le faire, c'est une compagnie d'assurance ou les héritiers qui financent.

— Qui hérite d'Ashton ? demanda Esmeralda.

— Sa femme, Ayani.

— Il ne faut pas creuser beaucoup pour trouver le mobile d'un homicide, c'est presque toujours l'argent, dit Sherlock Holmes.

— Autorisation de parler ? demanda Kabel.

— Accordée.

— Même s'ils prennent des échantillons, ils ne serviront certainement pas s'il n'y a rien à quoi les comparer. Je veux dire qu'il faut trouver des traces qui correspondent à l'ADN de quelqu'un qui a été arrêté et dont l'ADN est enregistré. De toute façon, la police enquête sur toutes les personnes qui ont été dans le studio depuis qu'il a été nettoyé pour la dernière fois avant la mort d'Ashton.

— La tâche que nous avons pour la semaine prochaine sera de proposer des théories sur cette affaire, vous savez bien, la routine habituelle : mobile, opportunité, suspects, méthodes. Et n'oubliez pas tout ce qui nous reste à vérifier sur Ed Staton et les Constante, les instruisit la maîtresse du jeu en prenant congé.

— Entendu, répliquèrent les autres joueurs à l'unisson.

Galang entra dans le salon avec le café. Sur le plateau, tel un maître parfumeur, il portait un pichet à long manche en cuivre ouvragé, deux tasses minuscules et un petit flacon en cristal. Il laissa le plateau sur la table et se retira.

— De l'eau de rose ? demanda Ayani en versant dans les tasses un café aussi épais que du pétrole.

Bob Martín, qui n'avait jamais entendu parler d'eau de rose et était habitué à des pichets d'un demi-litre de café allongé, ne sut que répondre. Ayani versa quelques gouttes du flacon dans la tasse et la lui tendit, lui expliquant que Galang avait appris à faire le café turc comme elle l'aimait : il faisait bouillir trois fois le café avec du sucre et des graines de cardamome dans le pichet en cuivre et attendait que le marc soit déposé au fond avant de le servir. Martín goûta ce breuvage doux et épais en pensant à la dose de caféine qu'il expédiait dans son corps alors qu'il était cinq heures de l'après-midi et à la mauvaise nuit qu'il allait passer. Mme Ashton portait un cafetan noir brodé de fils dorés qui la couvrait jusqu'aux pieds, ne laissant voir que ses mains élégantes, son cou de gazelle et ce visage célèbre qui troublait son imagination depuis l'instant où il l'avait rencontrée. Ses cheveux étaient attachés sur la nuque avec deux baguettes, elle portait de grands anneaux d'or aux oreilles et un bracelet d'os au poignet.

— Pardonnez-moi de vous déranger à nouveau, Ayani.

— Au contraire, inspecteur, c'est un plaisir de converser avec vous, dit-elle en prenant place dans l'un des fauteuils, sa tasse à la main.

De nouveau Bob Martín admira ses pieds fins, ornés d'anneaux d'argent sur plusieurs orteils, parfaits malgré son habitude de marcher nu-pieds, qu'il avait remarquée la première fois qu'il l'avait vue dans le jardin, ce mardi où le corps d'Ashton avait été découvert, lorsqu'elle était entrée dans sa vie. Entrer n'était pas le verbe approprié, car ce n'était pas encore le cas ; Ayani était un mirage.

— Je vous remercie de venir chez moi. Je vous avoue que je me suis sentie harcelée au commissariat, mais je suppose que c'est la même chose pour tout le monde. Je suis étonnée que vous travailliez aujourd'hui, n'est-ce pas férié ?

— C'est le jour de Martin Luther King, mais pour moi il n'y a pas de jours fériés. Si cela ne vous ennuie pas, nous allons revoir certains points de votre déposition, lui proposa Bob Martín.

— Vous pensez que j'ai tué Richard.

— Je n'ai pas dit ça. Nous venons de commencer l'enquête, il serait prématuré de faire des conjectures.

— Soyez franc, inspecteur, il est inutile d'y aller par quatre chemins. Les soupçons retombent toujours sur le conjoint, à plus forte raison dans mon cas. Je suppose que vous savez que je suis l'unique héritière de Richard.

Bob Martín le savait. Petra Horr, son assistante, pour qui il n'avait pas de secrets, lui avait donné bon nombre de renseignements sur les Ashton.

Ayani allait avoir quarante ans, bien qu'elle en parût vingt-cinq, et sa carrière de mannequin, qui avait débuté très jeune, était terminée. Les couturiers et les photographes se lassent d'un même visage, mais elle avait duré plus que d'autres parce que le public l'identifiait : elle était noire dans une profession de Blanches, exotique, différente. Bob pensait que cette femme serait encore la plus belle au monde à soixante ans. Pendant un certain temps, Ayani avait été l'un des mannequins les mieux payés, la favorite du monde de la mode, mais elle avait cessé de l'être cinq ou six ans plus tôt. Ses revenus avaient fondu et elle n'avait pas un sou de côté, parce qu'elle dépensait sans compter et avait aidé sa famille étendue dans un village d'Éthiopie. Avant d'épouser Ashton, elle jonglait avec cartes de crédit et prêts d'amis ou de banques pour maintenir les apparences et être vue. Elle devait s'habiller comme autrefois, à l'époque où les couturiers lui offraient des vêtements, et apparaître dans les discothèques et les fêtes de la jet-set. Elle se déplaçait dans des limousines où elle pouvait être photographiée, mais elle vivait modestement dans un appartement d'une seule pièce dans la partie la moins enviable de Greenwich Village. Elle avait connu Richard Ashton lors d'un gala destiné à rassembler des fonds pour la campagne contre l'excision, au cours duquel elle avait prononcé le discours inaugural ; c'était un sujet qui lui tenait à cœur et elle profitait de toutes les occasions pour exposer les horreurs de cette pratique, dont elle avait été victime dans son enfance. Ashton, comme toute l'assistance, fut ému par la beauté de cette femme et la franchise avec laquelle elle raconta son expérience.

Bob Martín était curieux de savoir ce qui l'avait attirée chez Richard Ashton, un homme rude, arrogant, aux jambes courtes, bedonnant, aux yeux exorbités de crapaud. Le psychiatre avait un certain succès dans le petit monde de sa profession, mais cela n'avait pu impressionner cette femme qui côtoyait de vraies célébrités. Petra Horr était d'avis qu'il ne fallait pas chercher midi à quatorze heures, la raison était claire : Richard Ashton était aussi riche que laid.

— Je crois comprendre que vous et votre mari vous êtes connus à New York en décembre 2010, et que vous vous êtes mariés un mois plus tard. Pour lui, il s'agissait d'un troisième mariage, mais pour vous c'était le premier. Qu'est-ce qui vous a poussée à franchir le pas avec un homme que vous connaissiez à peine ? lui demanda Bob Martín.

— Son cerveau. C'était un homme brillant, inspecteur, tout le monde vous le dira. Il m'a invitée à déjeuner le lendemain de notre rencontre et nous avons passé quatre heures absorbés dans la conversation. Il a proposé que nous écrivions un livre ensemble.

— Quel genre de livre ?

— Sur l'excision ; ma partie consisterait à raconter mon histoire et à réaliser une série d'interviews de victimes, surtout en Afrique. Sa partie à lui serait l'analyse des conséquences physiques et psychologiques de cette pratique, qui affecte cent quarante millions de femmes dans le monde et laisse des séquelles pour toute la vie.

— L'avez-vous écrit ?

— Non. Nous en étions à la phase de planification du livre et du rassemblement du matériel quand… quand Richard est mort, dit Ayani.

— Je comprends. En dehors du livre, d'autres aspects du docteur Ashton ont dû vous faire tomber amoureuse, suggéra Bob Martín.

— Tomber amoureuse, moi ? Soyons réalistes, inspecteur, je ne suis pas le genre de femme qui se laisse emporter par les émotions. Le romantisme et la passion adviennent au cinéma, pas dans la vie d'une personne comme moi. Je suis née dans un village de huttes en terre, j'ai passé mon enfance à transporter de l'eau et à surveiller des chèvres. À huit ans, une vieille immonde m'a mutilée et j'ai failli mourir des suites de l'hémorragie et de l'infection. À dix ans mon père a commencé à me chercher un mari parmi des hommes de son âge. Je me suis libérée d'une vie de travail et de misère, comme celle de mes sœurs, parce qu'un photographe américain m'a remarquée et a payé mon père pour qu'il me permette de venir aux États-Unis. Je suis une personne pragmatique, je ne me fais pas d'illusions sur le monde, l'humanité ou mon propre destin, et encore moins sur l'amour. J'ai épousé Richard pour son argent.

La déclaration frappa Bob Martín en pleine poitrine comme un jet de pierre. Il ne voulait pas donner raison à Petra Horr.

— Je vous le répète, inspecteur, j'ai épousé Richard pour ce qu'il pouvait m'offrir : une vie confortable et une certaine sécurité.

— Quand le docteur Ashton a-t-il fait son testament?

— La veille de notre mariage. Sur le conseil de mon avocat, j'ai exigé cette condition. Le contrat stipule qu'à sa mort j'hérite de tous ses biens, mais de seulement cinquante mille dollars en cas de divorce, ce qui pour Richard équivalait à un pourboire.

L'inspecteur avait dans sa poche la liste des biens de Richard Ashton, que Petra lui avait remise : la demeure de Pacific Heights, un appartement à Paris, un chalet de cinq pièces dans une station de ski du Colorado, trois voitures, un yacht de dix-sept mètres de long, des placements pour plusieurs millions de dollars et les droits de ses livres, qui lui rapportaient un revenu modeste, mais continu, parce que c'était une littérature obligée en psychiatrie. Il y avait en outre une assurance-vie d'un million de dollars au nom d'Ayani. Les enfants des précédents mariages de Richard Ashton recevraient un montant nominal de mille dollars chacun, et s'ils discutaient les dispositions du testament ils n'auraient rien du tout. Logiquement, cette clause perdait toute validité s'ils parvenaient à prouver qu'Ayani était responsable de la mort de leur père.

— En quelques mots, inspecteur, ce qui pouvait m'arriver de mieux était de me retrouver veuve, mais je n'ai pas tué mon mari. Comme vous le savez, je ne peux pas toucher un seul dollar de l'héritage qui me revient tant que vous n'aurez pas trouvé l'assassin, conclut Ayani.

Blake Jackson avait organisé son emploi du temps à la pharmacie de manière à être libre les vendredis après-midi pour aller chercher sa petite-fille à l'internat à trois heures, heure à laquelle les cours finissaient. Il l'emmenait chez lui ou chez Bob Martín, selon le planning des gardes, et comme cette fin de semaine c'était son tour, ils disposaient de deux jours complets de loisirs et de camaraderie, de temps à consacrer à *Ripper*. Il la vit sortir du lycée parmi la foule d'élèves, traînant ses paquets, les cheveux en bataille, le cherchant avec cette expression anxieuse qui l'émouvait toujours. Lorsque Amanda était petite, il se cachait pour voir l'immense sourire de soulagement de sa petite-fille à l'instant où elle le trouvait. Il ne voulait pas penser à ce qu'allait être sa vie quand elle quitterait le nid. Amanda lui donna un baiser et à eux deux ils jetèrent le sac à dos, le sac de linge sale, les livres et le violon dans le coffre.

— J'ai une idée pour ton livre, dit la petite-fille.

— Laquelle ?

— Un roman policier. Choisis n'importe lequel des crimes sur lesquels nous enquêtons, tu l'exagères un peu, tu le rends bien sanglant, tu y ajoutes un peu de sexe, beaucoup de torture et de poursuites en voiture. Je t'aiderai.

— Il faut un héros. Qui sera le détective ?

— Moi, dit Amanda.

À la maison se trouvaient déjà Elsa Domínguez, qui était arrivée avec un poulet à la casserole, et Indiana qui lavait les serviettes et les draps de son cabinet dans la vieille machine de son père, au lieu de le faire à la laverie automatique du sous-sol de la Clinique Holistique, comme tous les locataires des autres cabinets. Quatre ans plus tôt, quand Amanda était entrée à l'internat, Elsa avait décidé de réduire ses heures de travail et elle ne venait que deux fois par mois faire le ménage, mais elle rendait fréquemment visite à Blake Jackson. Avec discrétion, cette femme bienveillante laissait dans le réfrigérateur des récipients en plastique qui contenaient ses plats préférés, elle l'appelait au téléphone pour lui rappeler qu'il devait se faire couper les cheveux, sortir la poubelle et changer ses draps, détails auxquels Indiana et Amanda ne pensaient pas.

Si Céleste Roko lui rendait visite, Blake Jackson s'enfermait dans les toilettes et il appelait Elsa au secours, effrayé à l'idée de rester seul avec la pythonisse, car peu après la mort de sa femme elle lui avait notifié que leurs cartes astrales étaient particulièrement compatibles et que, tous deux étant seuls et libres, ce ne serait pas une mauvaise idée qu'ils se marient. Ces jours-là, Elsa arrivait en toute hâte, elle servait le thé et s'installait dans le salon pour tenir compagnie à Blake, jusqu'à ce que Céleste s'avoue vaincue et se retire en claquant la porte.

Elsa avait quarante-six ans, mais elle en paraissait soixante; elle souffrait de douleurs chroniques du dos, d'arthrite et de varices, mais elle était toujours de bonne humeur et fredonnait constamment des hymnes religieux. Personne ne l'avait vue sans chemisier ou tee-shirt à manches longues, parce qu'elle avait honte des cicatrices des coups de machette qu'elle avait reçus quand les soldats avaient tué son mari et deux de ses frères. Elle était arrivée seule en Californie à vingt-trois ans, en laissant quatre jeunes enfants chez des parents dans un village frontalier du Guatemala; elle avait travaillé du lever au coucher du soleil pour les entretenir, puis elle les avait ramenés un à un avec elle, montant de nuit sur les toits des trains, traversant le Mexique dans des camions et risquant sa vie pour passer la frontière par des sentiers clandestins, convaincue que si l'existence en tant qu'immigrant illégal était dure, c'était sûrement pire dans son pays. L'aîné de ses enfants s'était engagé dans l'armée, espérant faire carrière et obtenir la citoyenneté américaine, c'était la troisième fois qu'il allait en Irak et en Afghanistan, et il n'avait pas vu sa famille depuis deux ans, mais lors de ses brèves communications téléphoniques il se disait très satisfait. Ses deux filles, Alicia et Noémie, avaient une vocation d'entrepreneuses et elles s'étaient débrouillées pour obtenir des permis de travail ; Elsa était sûre qu'elles feraient leur chemin et que, s'il y avait un jour une amnistie pour les immigrés clandestins, elles obtiendraient un visa de résident. Les deux jeunes femmes dirigeaient un groupe de Latino-Américaines sans papiers, en uniforme rose, qui faisaient des ménages. Elles les transportaient à leur travail dans des camionnettes également roses avec, peint sur la carrosserie, le curieux nom de « Cendrillons Atomiques ».

Amanda déchargea ses affaires dans le vestibule, elle embrassa sa mère et Elsa, qui l'appelait « mon ange » et l'avait choyée comme elle n'avait pu choyer ses propres enfants lorsqu'ils étaient petits. Tandis qu'Indiana et Elsa pliaient les vêtements sortis du sèche-linge, elle entama une partie d'échecs en aveugle, depuis la cuisine, avec son grand-père qui se trouvait devant l'échiquier, dans le salon.

— Une chemise de nuit, des soutiens-gorge et des culottes ont disparu de mon armoire, annonça Indiana.

— Me regarde pas comme ça, maman, je porte du 2 et toi tu entres à peine dans la taille 10. En plus, même morte je porterais pas un truc avec de la dentelle, ça pique trop, répliqua Amanda.

— Je ne t'accuse pas, mais quelqu'un m'a pris des sous-vêtements.

— Tu les as peut-être perdus…, suggéra Elsa.

— Où, Elsa ? Je n'enlève mes culottes que chez moi, lui répondit Indiana. (C'était inexact, mais si elle les avait laissées dans une chambre du Fairmont elle s'en serait aperçue avant d'arriver à l'ascenseur.) Il me manque un soutien-gorge rose et un noir, deux culottes roses et ma chemise de nuit fine, je ne l'ai pas portée une seule fois, je la gardais pour une occasion spéciale.

— C'est étrange, fillette ! Ton appartement est toujours fermé.

— Quelqu'un est entré, j'en suis sûre. Cette personne a aussi touché à mes flacons d'aromathérapie, mais je crois qu'elle n'en a emporté aucun.

— Elle te les a pas mis dans l'ordre ? lui demanda Amanda, subitement intéressée.

— Elle les a alignés par ordre alphabétique, et maintenant je ne peux plus rien retrouver. J'ai mon ordre à moi.

— Autrement dit, cette personne a eu tout le temps de fouiller dans tes tiroirs, d'en sortir les vêtements qui lui plaisaient et de mettre de l'ordre dans tes flacons. Elle a emporté autre chose ? Tu as regardé la serrure de la porte, maman ?

— Je crois qu'elle n'a rien emporté d'autre. La serrure est intacte.

— Qui a la clef de ta porte ?

— Plusieurs personnes : Elsa, mon père et toi, répliqua Indiana.

— Et Alan Keller, mais lui n'irait sûrement pas te voler la lingerie ridicule qu'il t'a offerte, marmotta Amanda.

— Alan ? Il n'a pas la clef, il ne vient jamais ici.

Dans le salon, Blake Jackson déplaça un cavalier, il le signala à grands cris à sa petite-fille et elle lui répondit de la même manière qu'elle allait le faire échec et mat en trois coups.

— Mon père aussi a la clef de ton appartement, rappela sa fille à Indiana.

— Bob ? Pourquoi l'aurait-il, je n'ai pas la clef du sien !

— Tu la lui as donnée pour qu'il t'installe le téléviseur, quand tu es partie en Turquie avec Keller.

— Mon Dieu, Amanda, comment peux-tu soupçonner ton père ? Ton papa n'est pas un voleur, c'est un policier, intervint Elsa Domínguez, déconcertée.

En principe, Indiana était d'accord avec elle, mais elle commençait à avoir des doutes, car Bob Martín était imprévisible. Il la contrariait souvent, surtout parce qu'il ne respectait pas les accords qu'ils avaient établis concernant Amanda, mais en général il la traitait avec la considération et l'affection d'un grand frère. Il lui faisait aussi des surprises touchantes, comme pour son dernier anniversaire, lorsqu'il lui avait fait livrer un gâteau à son cabinet. Ses collègues de la Clinique Holistique, Matheus Pereira en tête, étaient venus avec du champagne et des gobelets en carton pour trinquer avec elle et partager le gâteau. En le divisant à l'aide d'un coupe-papier, Indiana avait découvert à l'intérieur une petite bourse en plastique contenant cinq billets de cent dollars, somme qui n'avait rien de négligeable pour son ex-mari, dont le seul revenu était son salaire de policier, et qui pour elle était fabuleuse. Mais ce même homme était aussi parfaitement capable de s'introduire chez elle sans autorisation.

Pendant les trois années de leur mariage et de leur cohabitation sous le toit de Blake Jackson, Bob la contrôlait comme un maniaque, et après le divorce il s'était passé un bon bout de temps avant qu'il se résigne à garder une certaine distance et à respecter sa vie privée. Il avait mûri, mais il avait toujours le caractère dominateur et agressif du capitaine d'équipe qu'il avait été, et qui l'avait tellement aidé dans sa carrière à la Brigade criminelle. Étant jeune, il était sujet à des crises de colère et détruisait alors tout ce qui lui tombait sous la main ; pendant ces crises, Indiana attrapait sa fille dans ses bras et courait se réfugier chez un voisin jusqu'à l'arrivée de son père, qu'elle avait appelé de toute urgence à la pharmacie. En présence de son beau-père, Bob se calmait immédiatement, preuve qu'en réalité il ne perdait pas complètement la tête. Le lien entre les deux hommes était devenu très solide et il resta intact lorsque Bob et Indiana divorcèrent. Blake continua à le traiter avec l'autorité d'un père bienveillant et Bob, à son tour, se montrait serviable comme un bon fils. Ils allaient ensemble à des matchs de football, voir des films d'action et boire quelques verres au Camelot, leur bar préféré à tous deux.

Avant de connaître Ryan Miller, son ex-mari était la deuxième personne, après son père, à qui Indiana faisait appel en cas de besoin, certaine qu'il résoudrait le problème, même si au passage il l'assommait de conseils et de reproches. Elle admirait ses qualités et l'aimait beaucoup, mais Bob était bien capable de lui faire cette mauvaise blague : il avait pu prendre ses dessous pour lui montrer combien il était facile de la voler. Cela faisait longtemps qu'il insistait sur la nécessité de nouvelles serrures et d'une alarme.

— Tu te rappelles que tu m'as promis une chatte ? demanda Amanda à sa mère, interrompant ses réflexions.

— À la fin du mois d'août tu t'en iras à l'université, qui prendra soin de la chatte quand tu partiras ?

— Grand-père, nous en avons déjà parlé et il est d'accord.

— Ça fera du bien à mister Jackson d'avoir un petit animal. Il va être bien seul sans sa petite-fille, soupira Elsa.

Dimanche, 22

L'appartement de Bob Martín se trouvait au quinzième étage de l'un des immeubles qui avaient poussé comme des champignons ces dernières années au sud de Market Street. Quelques années plus tôt, c'était une zone portuaire insalubre, avec des entrepôts et des docks ; elle s'étendait à présent le long de l'embarcadère et était l'un des quartiers de la ville qui avait pris le plus de valeur, avec des restaurants, des galeries d'art, des boîtes de nuit, des hôtels de luxe et des immeubles résidentiels, à quelques rues du secteur financier et d'Union Square. L'inspecteur avait acheté son appartement alors que le projet en était au stade de la planification, avant que les prix ne s'envolent, avec une hypothèque qui l'endettait jusqu'à la fin de ses jours. L'immeuble était une tour impressionnante et, d'après Céleste Roko, un mauvais investissement, car elle s'écroulerait au prochain tremblement de terre. Cependant, les planètes n'avaient pu préciser quand il aurait lieu. De la grande fenêtre du salon, on pouvait admirer la baie constellée de voiliers et le Bay Bridge.

Amanda, des plumes piquées dans les cheveux, affublée de bas à rayures jaunes et de l'éternel cardigan de son grand-père troué aux coudes, déjeunait avec son père sur de hauts tabourets face à la console en granit noir de la cuisine. L'une des ex-petites amies de Bob Martín, une paysagiste, avait décoré son appartement de meubles ultramodernes inconfortables et d'une forêt de plantes qui moururent de mélancolie dès qu'elle fut partie. Sans les plantes, l'ambiance était aussi inhospitalière qu'un sanatorium, sauf la chambre d'Amanda, pleine de babioles et dont les murs étaient tapissés d'affiches de groupes musicaux et de ses héros, Tchaïkovski, Stephen Hawking et Brian Greene.

— Elle vient, aujourd'hui, la Polonaise ? demanda l'adolescente.

Elle avait l'habitude des tocades amoureuses de son père, qui duraient peu et ne laissaient pas de traces, hormis ce désastre de plantes mortes.

— Elle a un nom, elle s'appelle Karla, tu le sais très bien. Elle ne viendra pas aujourd'hui, on lui a arraché ses dents de sagesse.

— Tant mieux. Je parle pas de ses dents. Qu'est-ce qu'elle te veut cette femme, papa ? Un visa américain ?

Bob Martín donna un coup de poing sur le granit de la console et se lança dans une harangue sur le respect filial, tout en pétrissant sa main meurtrie. Amanda continua à manger, imperturbable.

— Tu déclares toujours la guerre à mes amies !

— N'exagère pas, papa... La plupart du temps, je les supporte parfaitement bien, mais celle-là me donne la chair de poule, elle a un rire de hyène et un cœur d'acier. Mais bon, on va pas se disputer pour ça. Depuis combien de temps tu es avec elle ? Un mois et demi, non ? Dans deux semaines la Polonaise se sera volatilisée et je serai plus tranquille. Je veux pas que cette femme t'exploite, déclara Amanda.

Bob Martín ne put éviter un sourire, il aimait sa fille plus que tout au monde, plus que sa propre vie. Il ébouriffa de la main ses plumes d'Indien et se prépara à lui servir le dessert. Il fallait admettre que le jugement d'Amanda en matière de fiancées éphémères s'était révélé plus fiable que le sien. Il n'avait aucune intention de le lui dire, mais son aventure avec Karla en resterait là. Il sortit la glace à la noix de coco du réfrigérateur et la servit dans des coupes en verre noir, choisies par la paysagiste, tandis que sa fille rinçait les deux assiettes de la pizza.

— J'attends, papa.

— Quoi ?

— Fais pas celui qui comprend pas. Je veux des détails sur le crime du psychiatre, exigea Amanda en noyant sa glace dans de la sauce au chocolat.

— Richard Ashton. Il a eu lieu le mardi 10.

— Tu en es sûr ?

— Évidemment que j'en suis sûr. J'ai les rapports dans mon bureau, Amanda.

— Mais on peut pas déterminer l'heure exacte de la mort, il y a une marge de plusieurs heures, d'après ce que j'ai lu dans un livre sur les cadavres. Tu devrais le lire, il s'appelle *Raide*, ou quelque chose comme ça.

— Tu lis de ces choses !

— Des choses pires que celles que tu imagines, papa. Le psychiatre doit être important, vu que tu te réserves les meilleures affaires, tu perds pas de temps avec des morts de pacotille.

— Si à dix-sept ans tu es cynique à ce point, je préfère ne pas imaginer comment tu seras à trente ans, commenta l'inspecteur avec un long soupir.

— Froide et calculatrice, comme la Polonaise. Raconte-moi la suite.

Résigné, Bob Martín l'emmena devant son ordinateur, il lui montra des photographies de la scène et du corps, puis lui fit lire ses notes sur le détail des vêtements de la victime et le rapport médical, qu'elle avait déjà photocopié sur son téléphone portable lors de sa précédente visite.

— Sa femme l'a découvert au matin. J'aimerais que tu la voies, Amanda, elle est incroyable, la plus belle femme que j'aie vue de ma vie.

— Ayani, le mannequin. On l'a vue plus que la victime aux informations. Sa photo est partout, elle porte le deuil comme ces veuves antiques, c'est d'un ridicule ! commenta Amanda.

— Ce n'est pas ridicule du tout. C'est peut-être la coutume de son pays.

— À sa place, je serais contente d'être veuve de cet affreux mari, et riche en plus. Quelle impression elle t'a faite ? Je veux parler de sa personnalité.

— En dehors du fait qu'elle est magnifique, elle contrôle très bien ses émotions. Elle était plutôt calme le jour du meurtre.

— Calme ou soulagée ? Où était-elle à l'heure où son mari a été tué ? lui demanda Amanda en pensant aux renseignements qu'exigeraient d'elle les joueurs de *Ripper*.

— Ingrid Dunn estime que la mort d'Ashton remontait à huit ou dix heures, à peu près, on n'a pas encore les résultats définitifs de l'autopsie. Sa femme dormait dans la maison.

— Comme c'est pratique...

— Le domestique, Galang, m'a dit qu'elle prend des somnifères et des tranquillisants ; j'imagine que c'est pour cette raison qu'elle paraissait impassible le lendemain. Et à cause du traumatisme, bien sûr.

— Tu peux pas être certain qu'Ayani ait pris son somnifère ce soir-là.

— Galang le lui a apporté avec une tasse de chocolat, comme d'habitude, mais il ne l'a pas vue l'avaler, si c'est ce que tu insinues.

— Elle est le principal suspect.

— Ça, ce serait dans un film policier. Dans la vie réelle, je me laisse guider par mon expérience. J'ai le nez pour ces choses-là, c'est pour ça que je suis un bon policier. Il n'y a aucune preuve contre Ayani et mon odorat me dit...

— Ne laisse pas le physique du principal suspect influencer ton odorat, papa. Mais tu as raison, il faut être ouvert à d'autres hypothèses. Si Ayani planifiait de tuer son mari, elle aurait préparé un alibi plus valable que ces cachets pour dormir.

En arrivant le soir chez son père, Indiana regarda le courrier et, parmi les factures et les prospectus politiques, elle trouva une revue luxueuse envoyée sur abonnement aux titulaires les plus distingués de certaines cartes de crédit, qu'elle avait vue quelquefois dans le cabinet de consultation de son dentiste. La maison était silencieuse, c'était la soirée que son père réservait au squash et à la taverne allemande. Elle emporta la revue avec le reste du courrier à la cuisine, mit de l'eau à bouillir pour faire le thé et s'assit pour la feuilleter distraitement. Elle remarqua qu'une page était marquée d'un trombone et elle tomba sur l'article qui allait bouleverser le train-train de sa vie.

Dans la revue, Alan Keller apparaissait dans son vignoble, recevant ses hôtes, une femme blonde accrochée à son bras, que la description sous la photo identifiait comme étant Geneviève van Houte, baronne belge, représentante de plusieurs grands couturiers européens. Indiana lut avec une certaine curiosité jusqu'au troisième paragraphe, qui lui apprit que Geneviève vivait à Paris, mais qu'elle allait sans doute bientôt s'installer à San Francisco, une fois devenue l'épouse d'Alan Keller. L'article détaillait la fête en l'honneur du directeur de l'Orchestre symphonique, les opinions de plusieurs invités sur l'inévitable union que le couple n'avait pas démentie, et le pedigree de Geneviève van Houte, dont la famille arborait la baronnie depuis le XVIIe siècle. Sur les pages suivantes, elle vit quatre autres photographies d'Alan Keller avec la même femme en différents lieux, un club à Los Angeles, une croisière en Alaska, une fête de gala, et la tenant par le bras dans une rue de Rome.

Étourdie, des battements dans les tempes et les mains tremblantes, Indiana constata que Geneviève avait les cheveux courts sur deux photos, et longs sur d'autres, et qu'en Alaska Alan Keller portait le chandail beige en cachemire qu'elle aimait tant, dont il s'était défait pour le lui offrir. Comme cela avait eu lieu quelques semaines après leur rencontre, la conclusion inévitable était que son amant et cette baronne partageaient une longue histoire. Elle relut l'article et examina de nouveau les photographies en cherchant un détail qui démentirait les faits, mais elle ne put le trouver. Elle posa la revue sur la table, au-dessus de l'enveloppe qui contenait les brochures du voyage en Inde, et resta assise, le regard fixé sur le lave-vaisselle, tandis que la bouilloire sifflait sur le réchaud.

Cela faisait quinze ans qu'elle n'avait pas ressenti le déchirement d'une trahison. Mariée à Bob Martín, elle avait supporté sa conduite d'adolescent étourdi, ses canettes de bière jetées à terre, ses copains avachis devant la télé et ses explosions de colère, mais elle n'avait décidé de divorcer que lorsqu'il lui avait été impossible d'ignorer ses infidélités. Trois ans après le divorce, Bob lui demandait encore une deuxième chance, mais elle n'avait plus aucune confiance en lui. Au cours des années qui suivirent, elle eut plusieurs liaisons qui se terminèrent sans rancœur, parce que aucun autre homme ne la trompa ni ne la quitta. Lorsqu'elle sentait son enthousiasme tiédir, elle trouvait une manière délicate de s'éloigner. Alan Keller n'était peut-être pas le compagnon idéal, comme le lui répétaient souvent sa fille, son ex-mari et Ryan Miller, mais jusqu'alors elle n'avait pas douté de sa loyauté, qui était pour elle le fondement de leur relation. Ces deux pages en couleur sur le papier satiné de la revue prouvaient qu'elle s'était trompée.

Pour pouvoir soigner d'autres corps, Indiana avait appris à bien connaître le sien, et tout comme elle se mettait intuitivement à l'unisson de ses patients, elle le faisait avec elle-même. Alan Keller disait qu'elle était reliée au monde à travers les sentiments et les émotions, qu'elle vivait à une époque antérieure au téléphone, dans un univers magique, en faisant confiance à la bonté des gens ; il était d'accord avec Céleste Roko, qui affirmait que dans une incarnation précédente Indiana avait été dauphin, et que dans la prochaine elle retournerait à la mer, parce qu'elle n'était pas faite pour la terre ferme, il lui manquait le gène de la précaution. À cela s'ajoutaient plusieurs années de cheminement spirituel, qui contribuait à son détachement des choses matérielles, à sa liberté d'esprit et de cœur. Mais rien de cela n'atténua son choc à la vue d'Alan Keller et de Geneviève van Houte.

Elle monta dans son appartement, alluma le chauffage et s'étendit sur son lit afin de réfléchir à ses sentiments dans l'obscurité, de respirer en toute conscience et de convoquer le *qi*, l'énergie cosmique qu'elle essayait de transmettre à ses patients, le *prana*, la force qui soutenait la vie, l'un des aspects de Shakti, sa déesse protectrice. Elle sentait une serre dans sa poitrine. Elle pleura un long moment et enfin, passé minuit, la fatigue la vainquit et elle dormit d'un sommeil agité pendant quelques heures.

Jeudi, 26

Indiana se réveilla tôt après une nuit de rêves tourmentés dont elle ne parvenait pas à se souvenir. Pour se calmer, elle frotta quelques gouttes de néroli, la fleur de l'oranger, sur ses poignets, puis elle descendit dans la cuisine de son père pour se préparer une tisane de camomille avec du miel, et mettre de la glace sur ses paupières gonflées. Elle sentait son corps moulu, mais après la tisane et vingt minutes de méditation son esprit s'éclaircit et elle put regarder sa situation avec un certain recul. Certaine que cet état zen n'allait pas durer, elle décida d'agir avant d'être à nouveau submergée par les émotions et elle appela Alan Keller pour lui donner rendez-vous à une heure de l'après-midi sur leur banc préféré du parc Presidio, où ils avaient l'habitude de se retrouver. Elle passa une matinée sans drame, absorbée dans son travail ; à midi elle ferma le cabinet, passa prendre un cappuccino chez Danny D'Angelo et se rendit au parc en vélo. Elle arriva avec dix minutes d'avance et s'assit pour l'attendre, la revue posée sur ses genoux. L'effet calmant de la camomille et du néroli s'était complètement dissipé.

Alan Keller apparut à l'heure convenue, ravi qu'elle l'ait appelé, comme aux temps heureux de leurs amours, quand l'urgence du désir balayait toute réticence. Persuadé qu'il devait ce changement au voyage surprise en Inde, il s'assit à côté d'elle et voulut l'embrasser, en plaisantant, mais elle s'écarta et lui tendit la revue. Keller n'eut pas besoin de l'ouvrir, il en connaissait le contenu, qui ne l'avait pas inquiété jusqu'à cet instant, car la possibilité qu'elle tombât entre les mains d'Indiana était infime. « J'imagine que tu ne crois pas à ces commérages, Indi. Je pensais que tu étais une femme intelligente, ne me déçois pas », dit-il d'un ton léger. C'était la tactique la moins opportune.

Il passa la demi-heure suivante à tenter de la convaincre que Geneviève van Houte n'était qu'une amie, qu'ils s'étaient connus lorsqu'il faisait son doctorat d'histoire de l'art à Bruxelles et qu'ils restaient en contact par intérêt réciproque : il l'introduisait dans les cercles fermés de la haute société et elle l'appuyait et le conseillait dans ses placements, mais ils n'avaient jamais envisagé de se marier, quelle idée absurde, ces rumeurs étaient ridicules. Il entreprit ensuite de détailler ses vicissitudes financières les plus récentes, tandis qu'Indiana l'écoutait, enfermée dans un silence de pierre, parce que sa réalité à elle se calculait au centime près et la sienne en centaines de milliers de dollars.

L'année précédente, alors qu'ils se promenaient main dans la main dans Istanbul, la conversation était tombée sur l'argent et la manière de le dépenser. Elle ne s'était sentie tentée par aucune des babioles byzantines du bazar et plus tard, au marché des épices, elle avait senti toutes celles qui étaient exposées, mais n'avait acheté que quelques grammes de curcuma. Keller, lui, avait passé la semaine à débattre du prix de tapis anciens et de vases ottomans, et à se plaindre ensuite de leur prix. En cette occasion, Indiana lui avait demandé quelle était la quantité suffisante : à quel moment se disait-il c'est assez, pour quelle raison accumulait-il de plus en plus d'objets et comment gagnait-il de l'argent sans travailler ? « Personne ne s'enrichit en travaillant », lui répondit-il, amusé, et il lui fit un cours sur la distribution des richesses et sur la façon dont les lois et les religions se chargeaient de protéger les biens et les privilèges de ceux qui possédaient beaucoup, au détriment des pauvres, pour conclure que le système était d'une injustice phénoménale, mais que par chance il appartenait au groupe des fortunés.

Sur le banc du parc, Indiana se souvint de cette conversation, tandis qu'il lui énumérait les sommes qu'il devait verser en impôts, cartes de crédit et autres frais, lui expliquait que ses derniers investissements ne lui avaient rien rapporté et qu'il ne pourrait contenir plus longtemps ses créanciers par des promesses et le prestige de son nom.

— Tu n'imagines pas comme il est désagréable d'être riche sans argent, soupira Keller en guise de conclusion.

— C'est sûrement cent fois pire que d'être franchement pauvre. Mais nous ne sommes pas ici pour discuter de ça, nous sommes ici pour parler de nous. Je vois que tu ne m'as jamais aimée comme je t'ai aimé, Alan.

Elle récupéra la revue, lui rendit l'enveloppe du voyage en Inde, mit son casque et partit sur son vélo, abandonnant son amant déconcerté et furieux, conscient qu'il venait de dire à Indiana une demi-vérité : il était vrai qu'il n'avait pas l'intention d'épouser Geneviève, mais il avait omis de lui dire qu'il entretenait avec elle une amitié amoureuse depuis seize ans.

Keller et la baronne van Houte se voyaient peu, car elle voyageait constamment entre l'Europe et plusieurs villes des États-Unis, mais ils se rejoignaient lorsqu'ils se trouvaient au même endroit. Geneviève était fine et drôle, ils pouvaient passer une partie de la nuit à se défier mutuellement dans des jeux intellectuels dont eux seuls connaissaient les codes, émaillés d'ironie et de malveillance, et si elle le lui demandait, il savait lui donner du plaisir au lit sans se fatiguer, à l'aide de quelques accessoires érotiques qu'elle avait toujours dans son sac de voyage. Ils avaient des affinités et appartenaient à cette classe sociale sans frontières dont les membres se reconnaissent en n'importe quel lieu de la planète, ils avaient voyagé de par le monde et se sentaient à l'aise dans un luxe qui leur paraissait naturel. Tous deux étaient des mélomanes passionnés, Geneviève lui avait offert la moitié de la musique qu'il possédait, et de temps en temps ils se retrouvaient à Milan, New York ou Londres pour la saison lyrique. Le contraste était notable entre cette amie, que Placido Domingo et Renée Fleming invitaient à leurs représentations, et Indiana Jackson qui n'était jamais allée à l'Opéra avant qu'il l'emmenât écouter *Tosca*. Cette fois-là, elle ne fut pas impressionnée par la musique, mais sanglota sur son épaule à cause du mélodrame final.

Exaspéré, Keller décida qu'il n'avait violé aucun accord avec Indiana, son histoire avec Geneviève n'était pas de l'amour, il en avait assez des malentendus et de se sentir coupable pour des bagatelles, cette relation qui traînait depuis déjà trop longtemps s'achevait à la bonne heure. Cependant, en la voyant s'éloigner sur sa bicyclette, il se demanda comment il aurait réagi si la situation avait été inversée et si l'amitié amoureuse eût été celle d'Indiana et de Miller. « Va au diable, idiote ! » grommela-t-il, se sentant grotesque. Il pensait ne plus jamais la revoir, quelle scène de mauvais goût !, cela n'arriverait jamais avec une femme comme Geneviève. Se sortir Indiana de la tête, l'oublier, voilà ce qu'il avait de mieux à faire, et de fait il avait déjà commencé. Il s'essuya les yeux du dos de la main et se mit à marcher à grandes enjambées impétueuses en direction de sa voiture.

Il passa une nuit blanche à errer dans la maison de Woodside, vêtu d'un manteau et de gants par-dessus son pyjama, car le peu de chaleur que donnait le chauffage était avalé par les courants d'air qui se glissaient entre les fentes du bois avec un sifflement inquiétant. Il termina sa meilleure bouteille de vin, tout en ruminant les nombreuses raisons qu'il avait de rompre avec Indiana : ce qui venait d'arriver prouvait une fois de plus l'étroitesse d'esprit et la vulgarité de cette femme. Qu'espérait-elle ? Qu'il renonce à ses amitiés et à son cercle social ? Les brèves escarmouches avec Geneviève étaient sans importance, seul quelqu'un ayant aussi peu l'habitude du monde qu'Indiana pouvait faire un drame pour une telle banalité. Il ne se rappelait même pas s'être engagé à lui rester fidèle. Quand donc était-ce ? Sans doute dans un moment d'aveuglement ; s'il l'avait fait, c'était une formalité plus qu'une promesse. Ils étaient incompatibles, il l'avait su dès le début, et son erreur avait été d'alimenter les faux espoirs d'Indiana.

Il supporta très mal le vin. Il se réveilla avec des brûlures d'estomac et la migraine. Après avoir avalé deux analgésiques et une cuillerée de lait de magnésie, il se sentit mieux et put déjeuner de café, de toasts et de marmelade anglaise. Il eut assez d'énergie pour jeter un coup d'œil sur le journal. Il avait des projets pour ce jour-là et n'avait pas l'intention d'en changer. Il prit une longue douche pour effacer les effets de sa mauvaise nuit et crut avoir retrouvé son égalité d'humeur habituelle, mais en se rasant constata que dix ans lui étaient tombés dessus sans crier gare, et que dans le miroir le regardait l'un des vieillards du tableau du Tintoret. Il s'assit sur le bord de la baignoire, nu, et examina les veines bleues de ses pieds, appelant Indiana et la maudissant.

Samedi, 28

À l'aube, la baie de San Francisco apparut couverte par la brume laiteuse qui l'enveloppe souvent, effaçant les contours du monde. Le brouillard descendait en roulant depuis les cimes des montagnes, telle une lente avalanche de coton, couvrant l'éclat d'aluminium de l'eau. C'était l'une de ces journées typiques, avec une différence de plusieurs degrés entre les deux extrémités du Golden Gate : à San Francisco c'était l'hiver, mais quatre kilomètres plus au nord brillait un soleil d'automne. Pour Ryan Miller, le principal avantage de ce lieu était son climat béni, qui lui permettait de s'entraîner toute l'année à l'air libre. Il avait participé à quatre Ironman :

3,86 kilomètres à la nage, 180,25 kilomètres à vélo, et un marathon de 42,2 kilomètres, avec une moyenne médiocre de quatorze heures, mais chaque fois la presse l'avait désigné comme « un exemple de dépassement de soi », ce qui le mettait hors de lui, car le moignon de sa jambe était si courant parmi les vétérans de guerre qu'il ne valait pas la peine de le mentionner. Au moins avait-il d'excellentes prothèses, sur ce point il était avantagé par rapport à d'autres amputés qui, n'ayant pas les moyens de se les offrir, devaient se contenter de prothèses ordinaires. Sa claudication était légère et il aurait pu danser le tango s'il avait eu davantage le sens du rythme et moins peur de se rendre ridicule : il n'avait jamais été un bon danseur. Selon lui, un exemple de dépassement de soi était Dick Hoyt, un père qui participait au triathlon en portant son fils handicapé, un adulte aussi lourd que lui. L'homme nageait en tirant un canot pneumatique dans lequel se tenait le garçon, il le transportait en vélo, attaché sur un siège situé à l'avant, et courait en poussant son fauteuil roulant. Chaque fois que Miller le voyait courir, l'amour obstiné de ce père, qui contrastait avec la sévérité du sien, lui arrachait des larmes.

Comme d'habitude, sa journée avait commencé à cinq heures du matin avec un moment consacré au qi gong. Cela l'ancrait pour le reste de la journée et il réussissait presque toujours à se réconcilier avec sa conscience. Il avait lu dans un livre sur les samouraïs une phrase qu'il avait adoptée comme devise : un guerrier sans pratique spirituelle n'est qu'un assassin. Il prépara ensuite son petit déjeuner, une épaisse mixture verte contenant assez de protéines, de fibres et d'hydrates de carbone pour survivre dans l'Antarctique, puis emmena Attila courir, afin qu'il ne devienne pas paresseux. Le chien n'était plus si jeune, il avait huit ans, mais encore beaucoup d'énergie ; après avoir servi à la guerre, il s'ennuyait dans sa paisible existence à San Francisco. Il avait été dressé pour défendre et attaquer, détecter des mines et des terroristes, dissuader des ennemis, sauter en parachute, nager dans des eaux glacées et d'autres occupations sans utilité dans la vie civile. Il était sourd et borgne, mais compensait ses limites par un remarquable sens de l'odorat, même pour un chien. Il comprenait Miller par signes, devinait ses intentions et lui obéissait s'il s'agissait d'un ordre qui lui semblait approprié ; dans le cas contraire, il se réfugiait dans sa surdité pour l'ignorer.

Après avoir couru pendant une heure, l'homme et le chien rentrèrent hors d'haleine et Attila se coucha dans un coin, tandis que Miller se soumettait aux machines d'exercices, réparties telles de macabres sculptures dans son loft, un vaste espace nu meublé d'un grand lit, d'un téléviseur, d'une chaîne hi-fi et d'une table rustique qu'il utilisait comme salle à manger, bureau et atelier. Sur une énorme console se trouvaient les ordinateurs qui le connectaient directement aux agences du gouvernement auxquelles il vendait ses services. On ne voyait pas de photographie, de diplômes ou de décorations… rien de personnel, comme s'il venait d'arriver ou était sur le point de s'en aller, mais sur les murs se déployait sa collection d'armes, qu'il s'amusait à démonter et à nettoyer.

Son appartement occupait tout le second étage d'une ancienne imprimerie dans le quartier industriel de San Francisco, un bâtiment en ciment et brique, inhospitalier et impossible à chauffer en hiver, mais pourvu de suffisamment d'espace pour son âme inquiète, d'un grand garage et d'un ascenseur industriel, une cage en fer dans laquelle pouvait monter un tank, si besoin. Il avait choisi ce loft en raison de sa taille et parce qu'il aimait la solitude. Il était le seul locataire de l'édifice et dès six heures du soir, de même que les week-ends, personne ne circulait dans les rues de ce quartier.

Un jour sur deux, Miller nageait dans une piscine olympique et, les autres jours, dans la baie. Ce samedi-là il arriva au Parc aquatique, où il pouvait se garer gratuitement dans la rue pendant quatre heures, et se dirigea avec Attila vers le Dolphin Club. Il faisait froid et à cette heure matinale seules quelques personnes faisaient leur jogging, surgissant brusquement de l'épais brouillard, telles des apparitions. Par précaution, le chien était en laisse et portait sa muselière : il pouvait encore courir cinquante kilomètres à l'heure, était capable de mettre en pièces un gilet pare-balles avec sa gueule et, une fois qu'il fermait ses mâchoires sur une proie, il n'y avait pas moyen de la lui faire lâcher. Miller avait passé un an à l'adapter à la ville, mais il craignait, si le chien était provoqué ou surpris, qu'il puisse attaquer, car si cela arrivait il devrait recourir à l'euthanasie. Il avait accepté cet engagement lorsqu'on lui avait remis Attila, mais l'idée de sacrifier son camarade d'armes et son meilleur ami lui était intolérable. Il lui devait la vie. Lorsqu'il avait été blessé en Irak lors d'une attaque, en 2007, la jambe arrachée, il avait réussi à s'appliquer un garrot avant de s'évanouir, et il serait mort sans l'intervention d'Attila, qui l'avait traîné sur plus de cent mètres sous une intense mitraille, puis s'était couché sur lui pour le protéger de son corps jusqu'à ce que les secours arrivent. Dans l'hélicoptère de sauvetage, Miller appelait son chien et il continua à l'appeler dans l'avion qui l'évacuait vers un hôpital américain en Allemagne.

Des mois plus tard, pendant la longue épreuve de la rééducation, Miller apprit qu'on avait assigné un nouvel entraîneur à Attila et qu'il servait avec une autre équipe de *navy seals* dans une zone prise par Al-Qaida. Quelqu'un lui envoya une photo sur laquelle il ne reconnut pas le chien, car ils l'avaient entièrement rasé, sauf une raie sur le dos, comme un Mohican, pour lui donner un aspect encore plus terrifiant. Il suivit sa piste, se servant de ses frères du Seal Team 6 qui lui envoyaient régulièrement des nouvelles, et il apprit ainsi qu'en novembre 2008 le chien avait été blessé.

À l'époque, Attila avait participé à d'innombrables attaques et opérations de sauvetage, il avait sauvé de nombreuses vies et était devenu une légende parmi les *navy seals*. Mais un jour qu'il se trouvait dans une colonne avec son entraîneur et plusieurs hommes, une mine explosa sur le chemin. L'explosion détruisit deux véhicules et laissa un solde de deux morts et cinq blessés, outre Attila. Il était en si mauvais état qu'ils le crurent mort, mais ils le ramassèrent avec les autres, car on n'abandonne pas un compagnon dans la bataille, c'est un principe sacré. Attila reçut des soins médicaux et survécut à ses blessures, mais il ne servait plus au combat et fut décoré; Ryan Miller gardait dans une boîte une photo de la brève cérémonie et la médaille d'Attila parmi les siennes.

Lorsqu'il apprit que le chien avait été réformé, Miller entreprit la démarche délicate de le faire rentrer aux États-Unis et de l'adopter, surmontant plusieurs obstacles bureaucratiques. Le jour où il put enfin aller le chercher à la base militaire, Attila le reconnut immédiatement, il se jeta sur lui et tous deux roulèrent à terre, jouant comme ils le faisaient autrefois.

Le Dolphin Club de natation et d'aviron existait depuis 1877 et, depuis lors, il entretenait une amicale rivalité avec le club voisin, le South End, dans la même construction vétuste en bois, séparé par une cloison et une porte sans clé. Ryan fit un signe muet à Attila et celui-ci alla silencieusement se cacher dans les vestiaires, près d'un grand écriteau jaune qui interdisait l'entrée aux chiens, tandis qu'il montait l'escalier vers le mirador, une petite pièce circulaire avec deux sièges branlants et un fauteuil à bascule. Frank Rinaldi, l'administrateur, qui à quatre-vingt-quatre ans arrivait toujours le premier, était installé dans son rocking-chair pour jouir du plus beau spectacle de la ville : le pont du Golden Gate éclairé par la lumière de l'aube.

— J'ai besoin de volontaires pour nettoyer les toilettes. Inscris-toi sur la liste, fiston, fut sa bienvenue.

— Je le ferai. Tu vas nager aujourd'hui, Frank?

— Qu'est-ce que tu crois? Que je vais rester assis à côté du poêle le reste de la journée? grogna le vieux.

Il n'était pas le seul octogénaire à défier les eaux glacées de la baie. Un membre du club qui se mettait à l'eau à quatre-vingt-seize ans venait de mourir, celui-là même qui à soixante ans avait nagé depuis Alcatraz avec des chaînes aux pieds en tirant un canot. Rinaldi, comme Ryan Miller et Pedro

Alarcón, appartenait au Club Polar, dont les membres faisaient soixante-quatre kilomètres à la nage pendant la saison d'hiver. Chacun notait son score du jour sur une feuille à carreaux fixée au mur par quatre punaises. Pour calculer la distance parcourue, il y avait une carte du Parc aquatique et une corde à nœuds, méthode primitive que personne ne trouvait nécessaire de changer. Le compte des kilomètres, comme tout le reste au club, se fiait à l'honneur et le système marchait à merveille depuis cent trente-cinq ans.

Dans les vestiaires, Ryan Miller enfila son maillot de bain, et avant de descendre à la plage il fit une caresse sur l'échine d'Attila qui, blotti dans son coin, se disposa à l'attendre, le museau entre les pattes de devant, essayant de passer inaperçu. Sur la plage il retrouva Pedro Alarcón, qui l'avait devancé, mais ne voulait pas se mouiller car il était enrhumé. Il avait préparé un canot pour sortir ramer, protégé par un épais blouson, un bonnet et un cache-nez, le maté dans une main et sa Thermos d'eau chaude sous le bras. Ils se saluèrent d'un geste à peine perceptible.

Alarcón poussa le bateau, monta dedans d'un bond et disparut dans la brume, tandis que Miller se coiffait de son bonnet orange, mettait ses lunettes et enlevait sa prothèse qu'il laissa sur le sable avant de se jeter à la mer, certain que personne n'y toucherait. Il sentit le choc de l'eau froide comme une brusque raclée, mais tout de suite l'euphorie de la nage le fit monter au ciel. Dans des moments comme celui-là, sans pesanteur, défiant les courants traîtres et supportant la température de 8 °C qui faisait craquer ses os, propulsé par les muscles puissants des bras et du dos, il redevenait celui d'avant. Au bout de quelques brasses, il cessa de sentir le froid et se concentra sur sa respiration, la vitesse et la direction, se guidant grâce aux bouées qu'il distinguait à peine à travers ses lunettes de protection et la brume.

Les deux hommes s'entraînèrent pendant une heure et revinrent ensemble sur la plage. Alarcón traîna son canot à terre et tendit sa prothèse à Miller.

— Je ne suis pas en forme, marmonna celui-ci en se dirigeant vers le club appuyé sur l'épaule de son ami, en boitant parce que son moignon engourdi le gênait.

— Les jambes ne contribuent que pour dix pour cent à la poussée dans l'eau. Tu as des muscles de cheval, mec. Ne les abîme pas en nageant. Dans le triathlon, tu dois les réserver pour le vélo et la course.

Un sifflement de Frank Rinaldi les interrompit en haut de l'escalier pour leur annoncer qu'ils avaient une visite. Près de lui se tenait Indiana Jackson tenant deux gobelets en carton à la main, le nez rouge et les yeux larmoyants à cause du trajet à bicyclette.

— Je vous ai apporté ce que j'ai trouvé de plus décadent : un chocolat chaud au sel marin et au caramel, de chez Ghirardelli, dit-elle.

— Il est arrivé quelque chose ? lui demanda Ryan, alarmé par sa présence au club, où elle n'avait jamais mis les pieds jusque-là.

— Rien d'urgent...

— Dans ce cas, laisse Miller passer un moment dans le sauna. Certains imprudents sont morts d'hypothermie dans ces eaux, lui dit Rinaldi.

— Et d'autres ont été dévorés par des requins, se moqua Miller.

— C'est vrai ? demanda-t-elle.

Rinaldi lui expliqua qu'on n'avait pas vu de requins depuis longtemps, mais que des années plus tôt un lion de mer était entré dans le Parc aquatique. Il avait mordu les jambes de quatorze personnes et en avait poursuivi dix autres, qui étaient difficilement parvenues à se mettre à l'abri. Les experts avancèrent qu'il protégeait son harem, mais Rinaldi était convaincu que la bête avait le cerveau endommagé par des algues toxiques.

— Combien de fois t'ai-je dit que tu ne peux pas amener ton chien au club, Miller ?

— Des tas, Frank, et chaque fois je t'ai expliqué qu'Attila est un animal de service, comme les chiens d'aveugles.

— Je voudrais bien savoir quel service rend cette bête !

— Elle me calme les nerfs.

— Les membres du Dolphin Club se plaignent, Miller. Ton chien peut mordre quelqu'un.

— Comment pourrait-il mordre alors qu'il a une muselière, Frank ! En plus il n'attaque que si je lui en donne l'ordre.

Ryan prit rapidement une douche bien chaude et il s'habilla en vitesse, surpris qu'Indiana se fût souvenue qu'il s'entraînait au club à cette heure le samedi. Il la croyait toujours distraite. Son amie était un peu dans la lune, les détails du quotidien lui échappaient, elle s'égarait dans les rues, était incapable de tenir le compte de ses dépenses, perdait son téléphone et son sac, mais, inexplicablement, elle parvenait à être ponctuelle et ordonnée dans son travail. Lorsqu'elle attachait ses cheveux avec un élastique et enfilait la blouse blanche qu'elle portait à son cabinet, elle se transformait en la sœur raisonnable de l'autre femme, celle qui avait une crinière de sauvageonne et se vêtait de robes étroites. Ryan Miller aimait les deux : l'amie distraite et étourdie qui égayait son existence et qu'il voulait protéger, celle qui dansait ivre de rythme et de *piña colada* dans un club latino où les emmenait le peintre brésilien, tandis qu'il l'observait assis sur une chaise, et l'autre femme, la guérisseuse sobre et sérieuse qui soulageait ses douleurs musculaires, la sorcière qui manipulait les essences illusoires, les aimants pour redresser les forces de l'univers, les cristaux, pendules et bougies. Aucune des deux ne soupçonnait cet amour qu'il éprouvait, telle une plante grimpante qui peu à peu l'enveloppait.

Il fit signe à Attila de rester dans son coin et alla retrouver Indiana qui l'attendait dans le mirador, seule, car Alarcón et Rinaldi étaient déjà partis. Ils s'installèrent dans les fauteuils vétustes face aux baies vitrées, accompagnés par le tapage des mouettes, observant le paysage laiteux et les pointes des hautes tours du pont, apparaissant au milieu de la brume qui commençait à se dissiper.

— À quoi dois-je le plaisir de ta visite ? demanda Ryan, faisant un effort pour boire le chocolat qu'elle lui avait apporté, presque froid et dont la crème avait la consistance de la colle.

— J'imagine que tu sais déjà que tout est terminé entre Alan et moi.

— Non ! Comment c'est arrivé ? lui demanda Miller sans dissimuler sa satisfaction.

— Tu le demandes ? C'est à cause de toi ! C'est toi qui m'as envoyé cette revue. J'étais si sûre de l'amour d'Alan... Comment ai-je pu me tromper à ce point sur son compte ? Quand j'ai vu les photos, ç'a été comme si on m'avait frappée, Ryan. Pourquoi as-tu fait ça ?

— Je ne t'ai rien envoyé du tout, Indi, mais si ça a servi à te séparer de ce vieux, à la bonne heure.

— Il n'est pas vieux, il a cinquante-cinq ans et se porte parfaitement bien. D'ailleurs ça m'est égal, il ne fait plus partie de ma vie, annonça-t-elle en se mouchant.

— Raconte-moi ce qui s'est passé.

— D'abord, jure-moi que ce n'est pas toi qui m'as envoyé cette revue.

— On croirait que tu ne me connais pas ! s'exclama Miller, fâché. Je n'ai pas l'habitude d'user de subterfuges, j'agis en face. Je ne t'ai jamais donné aucune raison de douter de mon honnêteté, Indiana.

— C'est vrai, Ryan. Pardonne-moi, je suis vraiment désolée. J'ai trouvé ça dans mon courrier, dit-elle en lui tendant deux feuilles pliées par le milieu qu'il lut rapidement et lui rendit.

— La Van Houte te ressemble, fut le commentaire absurde qui lui vint à l'esprit.

— Ah oui, nous sommes identiques ! Sauf qu'elle a vingt ans de plus que moi, pèse dix kilos de moins et porte des tailleurs Chanel, répliqua-t-elle.

— Tu es bien plus jolie.

— Je ne supporte pas la trahison, Ryan. C'est plus fort que moi.

— Il y a une seconde tu m'accusais, moi, de te trahir.

— Au contraire, j'ai pensé que tu m'avais envoyé l'article par loyauté, pour me rendre service, pour m'ouvrir les yeux.

— Je serais un lâche si je ne te le disais pas en face, Indiana.

— Oui, bien sûr. J'ai besoin de savoir qui l'a fait, Ryan. Ce n'est pas arrivé par courrier, l'enveloppe n'avait pas de timbre. Quelqu'un a pris la peine de mettre la revue dans ma boîte aux lettres.

— C'est peut-être l'un de tes admirateurs, Indi, et il l'aura fait avec la meilleure intention : pour que tu saches quel genre de type est Alan Keller.

— Cette personne l'a laissée chez moi, pas à la Clinique, elle sait où je vis et a des renseignements sur ma vie privée. Je t'ai raconté que plusieurs sous-vêtements ont disparu de chez moi ? Je suis sûre que quelqu'un est entré dans mon appartement, peut-être y est-il entré plus d'une fois, je n'ai aucun moyen de le savoir. Il est facile de monter à mon appartement sans être vu depuis la rue, car l'escalier est situé sur un côté de la maison dissimulé par un grand pin. Amanda l'a dit à Bob et tu sais comme il est possessif ; il est venu sans prévenir, accompagné d'un serrurier, et il a changé les plaques des portes de la maison de mon père et de mon appartement. Depuis, rien d'autre n'a disparu, mais j'ai parfois l'impression que quelqu'un est venu à l'intérieur, je ne sais pas comment te l'expliquer, sa présence reste dans l'air, comme un fantôme. Je crois que quelqu'un m'espionne, Ryan…

Lundi, 30

Depuis trois ans que Denise West venait à la Clinique Holistique, elle était devenue la patiente préférée de plusieurs des practiciens. Les lundis après-midi, même s'il y avait de la tempête, elle les consacrait à sa santé et à l'art : elle avait rendez-vous avec Indiana Jackson pour le reiki, le drainage lymphatique et l'aromathérapie, avec Yumiko Sato pour l'acupuncture; David McKee lui administrait ses douces granules homéopathiques et, pour conclure cet heureux après-midi, elle prenait un cours de peinture avec Matheus Pereira. Elle ne manquait jamais ces séances, même si elle devait voyager une heure et demie dans le camion bruyant qui lui servait à transporter les produits de sa petite ferme jusqu'aux marchés de rue. Elle partait tôt, parce que garer son camion dans North Beach était un défi, et elle apportait toujours des délices de son jardin aux médecins de l'âme, comme elle les appelait : citrons, salades, oignons, bouquets de narcisses, œufs frais.

Denise avait soixante ans et elle affirmait qu'elle était vivante grâce à la Clinique Holistique, où on lui avait rendu la santé et l'optimisme à la suite d'un accident qui lui avait valu six os cassés et un traumatisme crânien. À la Clinique, elle se libérait de ses frustrations politiques et sociales – elle était anarchiste –, et recevait assez d'énergie positive pour rester combative le reste de la semaine. Ses médecins de l'âme lui portaient une immense affection, y compris Matheus Pereira, bien que le style pictural de Denise le rendît nerveux. Les tableaux de Pereira étaient de grandes toiles couvertes d'êtres torturés et de grands coups de pinceau de couleurs primaires, alors qu'elle peignait des poussins et des agneaux, thèmes qui ne se justifiaient que parce qu'elle vivait de l'agriculture et de l'élevage d'animaux, car ils ne reflétaient en rien son caractère d'amazone. Malgré les différences de style, le cours se déroulait avec bonne humeur de part et d'autre. Denise le payait rigoureusement cinquante dollars par cours, que Pereira acceptait avec un sentiment de culpabilité, car elle n'avait appris que deux choses en trois ans : à préparer les toiles et à nettoyer les pinceaux. À Noël, Denise distribuait ses œuvres d'art à ses amis, parmi lesquels ses médecins de l'âme; Indiana possédait une collection de poulets et d'agneaux dans le garage de son père et Yumiko recevait le cadeau à deux mains, avec de profondes courbettes selon l'étiquette de son pays, mais ensuite le faisait discrètement disparaître. Seul David McKee appréciait ces huiles et les accrochait dans son cabinet, parce qu'il était vétérinaire de profession, mais ses succès homéopathiques s'étaient avérés si remarquables que toute sa clientèle était humaine, à l'exception du caniche qui souffrait de rhumatismes et était également un patient d'Indiana.

C'est Ryan Miller et Pedro Alarcón qui amenèrent Denise West à la Clinique Holistique la première fois et ils la confièrent à Indiana dans l'espoir qu'elle pourrait lui venir en aide. Denise et Alarcón étaient de grands amis ; ils avaient été amants pendant une brève période, mais aucun des deux ne le mentionnait et ils feignaient de l'avoir oublié. Les os de Denise s'étaient ressoudés après plusieurs opérations compliquées, toutefois elle avait gardé une faiblesse dans les genoux et dans les hanches, et la sensation déplaisante d'avoir une lance fichée dans la colonne vertébrale, inconvénients qui ne limitaient pas ses activités et qu'elle supportait avec des poignées de cachets d'aspirine et des gorgées de genièvre. Elle était fatiguée par manque de sommeil et furieuse contre le monde, mais l'effort combiné des médecins de l'âme et la distraction de la peinture à l'huile lui avaient miraculeusement rendu la joie qui des années plus tôt avait séduit Pedro Alarcón.

Au terme de la séance de ce lundi avec Indiana, Denise descendit de la table de soins avec un soupir de bonheur, enfila le pantalon en velours, la chemise de bûcheron et les bottes d'homme qu'elle portait toujours, et elle attendit Ryan Miller qui avait rendez-vous avec Indiana juste après elle. Grâce aux traitements holistiques, elle pouvait monter au deuxième étage en s'accrochant à la rampe Arts déco, mais elle n'aurait jamais pu grimper à l'échelle de bateau qui conduisait au dernier étage, aussi le cours de peinture avait-il lieu dans le bureau numéro 3, inoccupé depuis plusieurs années. L'investisseur chinois, propriétaire de l'immeuble, n'avait pas réussi à le louer, parce que deux locataires s'y étaient suicidés : le premier s'était discrètement pendu et l'autre s'était fait sauter la cervelle d'une balle de revolver. Plus d'un praticien en médecine alternative s'était intéressé à ce local, qui était bien situé et avait la caution de la prestigieuse Clinique Holistique, mais ils se désistaient lorsqu'ils apprenaient l'histoire. À North Beach, on racontait que les suicidés hantaient le bureau numéro 3, mais Pereira, qui vivait dans l'immeuble, n'avait jamais rien vu de surnaturel.

Souvent Ryan Miller, qui voyait Indiana le lundi, passait après sa séance chercher Denise au cours de peinture et il l'accompagnait jusqu'à son camion. Lui aussi avait la chance de recevoir des tableaux d'animaux domestiques pour Noël, qu'il allait ensuite donner à la vente aux enchères annuelle d'un foyer pour femmes victimes d'abus, où ils étaient dûment appréciés.

Miller sortit de la consultation d'Indiana en paix avec le monde et avec lui-même, emportant son image et la vive sensation de ses mains sur son corps. Dans le couloir, il croisa Carol Underwater, qu'il avait déjà rencontrée plusieurs fois à la Clinique.

— Comment allez-vous, madame ? lui demanda-t-il par courtoisie, connaissant la réponse qui avait toujours la même tonalité.

— Avec mon cancer, mais encore vivante, comme vous voyez.

Après la séance avec Miller, la sérénité qui envahissait Indiana pendant son travail, absorbée qu'elle était par la guérison de ses patients, s'évapora, et elle replongea dans la tristesse de son amour brisé et la vague crainte de se sentir observée, dont elle ne parvenait pas à se débarrasser. Quelques heures après avoir rompu avec son amant dans le parc, sa colère avait disparu et le deuil de sa perte avait commencé ; elle n'avait jamais autant pleuré par amour. Elle se demandait comment elle n'avait pas perçu les indices que quelque chose n'allait pas. Alan avait l'âme absente, il était inquiet et déprimé, ils s'étaient éloignés. Au lieu d'enquêter sur la cause, elle avait choisi de lui laisser du temps et de l'espace, sans se douter que cette cause était une autre femme. Elle rassembla les draps et les serviettes, mit de l'ordre dans son petit cabinet et nota deux ou trois observations sur l'état de santé de Denise West et Ryan Miller, comme elle le faisait pour chaque patient.

Ce jour-là, ce fut au tour de Carol Underwater de consoler Indiana, une nouveauté dans cette amitié, car jusque-là elle avait adopté le rôle de victime. Elle avait appris ce qui était arrivé avec Keller le dimanche, lorsqu'elle avait appelé Indiana pour l'inviter au cinéma; remarquant son angoisse, elle l'avait obligée à se confier. Indiana la vit entrer avec un panier sous le bras et, émue par la bonté de cette femme qui pouvait mourir dans peu de temps et avait des raisons plus sérieuses que les siennes d'être désespérée, elle se repentit de toutes les fois où elle avait manqué de patience à son égard. Elle la vit assise sur la chaise de la réception, avec sa lourde jupe, sa veste couleur terre, son foulard sur la tête, le panier sur ses genoux, et elle décida que lorsque Carol en aurait terminé avec la radiothérapie et se sentirait mieux, elle l'emmènerait dans ses boutiques préférées de vêtements d'occasion pour lui acheter quelque chose de plus jeune et de plus féminin. Elle se considérait comme une experte en matière de vêtements de seconde main, son œil s'était affiné et elle découvrait souvent des trésors inestimables enfouis au milieu de chiffons inutiles, comme ses bottes de serpent, le comble de l'élégance, qu'elle pouvait porter sans scrupules puisque aucun reptile n'avait été dépouillé; elles étaient en plastique, fabriquées à Taiwan.

— J'ai de la peine pour toi, Indi. Je sais que tu souffres, mais bientôt tu t'apercevras que c'est une bénédiction. Tu mérites un homme beaucoup mieux qu'Alan Keller, dit Carol.

Sa voix était hésitante et cassante, elle parlait en chuchotements spasmodiques, comme si elle manquait d'air et que ses idées étaient confuses, la voix des blondes idiotes des vieux films dans le corps d'une paysanne des Balkans, comme l'avait décrite Alan Keller après avoir fait sa connaissance, la seule fois où tous trois s'étaient rencontrés au Café Rossini. Indiana, qui devait faire un effort pour l'entendre, pouvait à peine dissimuler l'irritation que lui causait cette façon de parler, qu'elle attribuait à la maladie, peut-être les cordes vocales de Carol étaient-elles endommagées.

— Écoute-moi, Indiana, Keller ne te convenait pas.

— En amour, personne ne pense à la convenance, Carol. Alan et moi sommes restés quatre ans ensemble et nous avons été heureux, du moins je le croyais.

— C'est long. Quand pensiez-vous vous marier ?

— Nous n'en avons jamais parlé.

— C'est étrange ! Vous êtes libres tous les deux.

— Nous n'étions pas pressés. Je pensais attendre qu'Amanda parte pour l'université.

— Pourquoi ? Ta fille ne s'entendait pas bien avec lui ?

— Amanda ne s'entend bien avec personne qui soit avec moi ou avec son père, elle est jalouse.

— Ne pleure pas, Indiana. Il y aura bientôt une file de prétendants à ta porte et j'espère que tu seras plus avisée dans ton choix cette fois. Keller appartient au passé, comme s'il était mort, oublie-le. Regarde, j'ai apporté un cadeau pour Amanda, dis-moi ce que tu en penses.

Elle posa le panier sur le bureau et souleva le morceau d'étoffe qui le couvrait. À l'intérieur, dans une écharpe en laine en guise de nid improvisé, il y avait un tout petit animal qui dormait.

— C'est une petite chatte, dit-elle.

— Carol ! s'exclama Indiana.

— Tu m'as dit que ta fille voulait une chatte…

— Quel merveilleux présent ! Amanda va être folle de joie.

— Elle ne m'a rien coûté, on me l'a donnée à la Société protectrice des animaux. Elle a six semaines, elle est en bonne santé et vaccinée. Elle ne dérange pas du tout. Est-ce que je peux la donner personnellement à ta fille ? J'aimerais la connaître.

L'inspecteur principal était dans son bureau, assis sur son siège ergonomique – un cadeau extravagant que lui avaient fait ses subalternes pour fêter ses quinze ans de Brigade criminelle –, les pieds sur la table et les mains sur la nuque. Petra Horr entra sans frapper, comme toujours, avec un sac en papier et un café. Avant de la connaître, Bob Martín pensait que ce nom si sonore ne seyait pas à cette petite femme d'aspect enfantin, mais par la suite il changea d'avis. Petra avait trente ans, elle était toute petite et mince, avec le visage en forme de cœur, le front large et le menton pointu, la peau criblée de taches de rousseur et les cheveux courts, hérissés avec du gel, teints en noir à la racine, orange au milieu et jaune aux pointes, comme un bonnet en peau de renard. De loin on aurait dit une petite fille, de près aussi, mais dès qu'elle ouvrait la bouche l'illusion de fragilité disparaissait. Elle déposa le sac sur le bureau et tendit le gobelet de café à Martín.

— Ça fait combien de temps que vous n'avez rien avalé, chef? Vous allez vous retrouver en hypoglycémie. Voilà un sandwich au poulet bio avec du pain complet. Très sain. Mangez.

— Je réfléchis.

— Quelle nouveauté! À quoi?

— À l'affaire du psychiatre.

— Donc à Ayani, soupira Petra d'un ton théâtral. Et puisque vous en parlez, chef, je vous annonce que vous avez une visite.

— Elle? demanda l'inspecteur en enlevant ses pieds du bureau et ajustant sa chemise.

— Non, un jeune homme des plus craquants. Le domestique des Ashton.

— Galang. Fais-le entrer.

— Non. Mangez ça d'abord, le gigolo peut attendre.

— Le gigolo? répéta l'inspecteur en mordant dans le sandwich à belles dents.

— Mon Dieu, chef! Que vous êtes naïf! s'exclama Petra, et elle sortit.

Dix minutes plus tard, Galang était assis devant l'inspecteur, de l'autre côté du bureau. Bob Martín l'avait interrogé deux fois chez les Ashton ; le jeune Philippin portait alors un pantalon noir et une chemise blanche à manches longues, un uniforme discret qui contribuait, avec son expression impénétrable et son attitude discrète de félin, à le rendre invisible. Mais l'homme qui se présenta à la Brigade criminelle n'avait rien d'invisible : svelte, athlétique, cheveux noirs attachés sur la nuque, comme les toreros, mains soignées et sourire facile aux dents très blanches. Il ôta son imperméable bleu marine, et en voyant la doublure, le classique tissu écossais noir et beige, Bob Martín reconnut la marque Burberry, qu'il ne pourrait jamais se payer avec son salaire. Il se demanda combien pouvait gagner cet homme ou si quelqu'un lui achetait sa garde-robe. Galang, avec son port élégant et son visage exotique, aurait pu poser pour une publicité d'eau de toilette masculine, un parfum sensuel et mystérieux, pensa-t-il, mais Petra l'aurait corrigé : pour ça, il poserait nu et non rasé.

Martín révisa mentalement l'information dont il disposait : Galang Tolosa, trente-quatre ans, né aux Philippines, émigré aux États-Unis en 1995, un an d'études supérieures, travail dans un Club Med, des gymnases et un Institut de Programmation corporelle consciente. Il demanda à Petra ce que ça pouvait bien être et elle lui expliqua qu'en théorie il s'agissait d'un massage avec attention et intention positive, qui était supposé produire des changements bénéfiques sur les tissus corporels. De la sorcellerie comme celle d'Indiana, conclut Bob, dont l'idée de massage était un salon sordide avec des jeunes Asiatiques en short, les seins à l'air et portant des gants en latex.

— Pardonnez-moi de vous prendre votre temps, inspecteur. Je passais par là et j'ai eu l'idée de venir bavarder avec vous, dit le Philippin avec un sourire.

— De quoi ?

— Je vais être très franc avec vous, inspecteur. J'ai un visa de résident et j'ai fait une demande de naturalisation, je ne peux pas être impliqué dans une affaire policière. Je crains que l'histoire du docteur Ashton m'attire des ennuis, dit Galang.

— Vous voulez parler de l'homicide du docteur Ashton ? Vous faites bien de vous inquiéter, jeune homme. Vous étiez dans la maison, vous aviez accès au studio, vous connaissiez les habitudes de la victime, vous n'avez pas d'alibi et, si nous creusons un peu, nous trouverons sûrement un mobile. Vous voulez ajouter quelque chose à vos premières déclarations ?

Le ton aimable du policier contrastait avec la menace implicite de ses paroles.

— Oui… Eh bien, ce que vous venez de mentionner : le mobile. Le docteur Ashton était un homme difficile et j'ai eu quelques heurts avec lui, balbutia Galang. (Son sourire avait disparu.)

— Expliquez-vous.

— Le docteur traitait mal les gens, surtout lorsqu'il avait bu. Sa première épouse et aussi la deuxième l'ont accusé de mauvais traitements lors des jugements de divorce, vous pouvez le vérifier, inspecteur.

— S'est-il déjà comporté avec violence à votre égard ?

— Oui, trois fois, mais c'est parce que j'avais essayé de protéger madame.

L'inspecteur réprima sa curiosité et attendit que Galang continue à son rythme, observant son expression faciale, ses gestes, ses tics presque imperceptibles. Il avait l'habitude des mensonges et des demi-vérités, il s'était résigné à l'idée qu'à peu près tout le monde ment, les uns par vanité, pour se présenter sous un jour favorable, d'autres par crainte, et la plupart simplement par habitude. Dans n'importe quel interrogatoire de police, les gens deviennent nerveux, même lorsqu'ils sont innocents, et il lui revenait d'interpréter les réponses, de découvrir le faux, de deviner les omissions. Il savait d'expérience que les personnes désireuses de plaire, comme Galang, ne supportent pas une pause incommode, et que si on leur lâche la bride elles parlent plus qu'elles ne doivent.

Il n'attendit pas longtemps : trente secondes plus tard le Philippin lui débita une tirade qu'il avait sans doute préparée, mais où il s'embrouilla dans l'urgence de paraître convaincant. Il avait connu Ayani à New York une dizaine d'années plus tôt, dit-il, ils étaient amis alors qu'elle était à l'apogée de sa carrière, plus qu'amis, comme frère et sœur, ils s'entraidaient, se voyaient presque chaque jour. Avec la crise économique, tous deux commencèrent à avoir de moins en moins de travail et fin 2010, lorsqu'elle fit la connaissance d'Ashton, sa situation était à peu près désespérée. Dès qu'Ashton et Ayani furent mariés, elle le fit venir à San Francisco comme majordome, un emploi très au-dessous de ses qualifications, mais il voulait s'éloigner de New York où il avait des problèmes d'argent et d'autres sortes. Son salaire était faible, mais Ayani le complétait en lui donnant un peu d'argent en cachette de son mari. Il lui avait été très dur de voir souffrir son amie. Ashton la traitait comme une reine en public et comme un rebut en privé. Au début il la torturait psychologiquement, il était imbattable sur ce point, et ensuite il la frappait aussi. Plusieurs fois il avait vu Ayani avec des meurtrissures, qu'elle tentait de cacher sous du maquillage. Galang essayait de l'aider, mais malgré la confiance qu'ils avaient l'un en l'autre, elle refusait de parler de cet aspect de son mariage, elle en avait honte, comme si elle était coupable de la violence de son mari.

— Ils se disputaient souvent, inspecteur, conclut-il.

— Pourquoi se disputaient-ils ?

— Pour des choses sans importance, parce qu'il n'aimait pas un plat, parce qu'elle téléphonait à sa famille en Éthiopie, parce que le docteur Ashton était furieux qu'on la reconnaisse où qu'elle aille et pas lui. D'un côté il désirait se montrer au bras d'Ayani, mais de l'autre il voulait la tenir enfermée. Enfin, pour ce genre de choses.

— Et aussi à cause de vous, monsieur Tolosa ?

La question prit Galang de court. Il ouvrit la bouche pour nier, mais réfléchit et acquiesça en silence, angoissé, se frottant le front de sa main. Richard Ashton ne supportait pas son amitié avec Ayani, dit-il, il se doutait qu'elle lui achetait des choses et lui donnait de l'argent, il savait qu'il gardait les secrets d'Ayani, depuis les dépenses et les sorties aux amitiés qu'Ashton lui interdisait. Le psychiatre les mettait tous deux à l'épreuve, l'humiliant lui devant Ayani et la maltraitant elle jusqu'à ce qu'il ne puisse plus le supporter et lui fasse front.

— Écoutez, inspecteur, je vous avoue que parfois mon sang bouillait, j'avais du mal à me contrôler pour ne pas le renverser d'un coup de poing. Je ne sais pas combien de fois j'ai dû m'interposer pour le séparer de sa femme, je devais le repousser et le retenir, comme un enfant capricieux. Une fois, j'ai dû l'enfermer dans la salle de bains en attendant qu'il se calme, parce qu'il poursuivait madame avec un couteau de cuisine.

— Quand cela s'est-il passé ?

— Le mois dernier. Récemment, la situation s'était améliorée ; ils traversaient une bonne période, ils étaient en paix et reparlaient du livre qu'ils voulaient écrire. Ayani… Mme Ashton était contente.

— Autre chose ?

— C'est tout, inspecteur. Je voulais vous expliquer la situation avant que les employées de la maison vous la racontent à leur manière. Je suppose que cela me rend suspect, mais vous devez me croire, je n'ai rien à voir avec la mort du docteur Ashton.

— Vous avez une arme ?

— Non, monsieur. Je ne saurais pas m'en servir.

— Et sauriez-vous vous servir d'un bistouri ?

— Un bistouri ? Non, bien sûr que non.

Lorsque Galang Tolosa sortit de son bureau, l'inspecteur appela son assistante.

— Que penses-tu de ce que tu as écouté derrière la porte, Petra ?

Bibliothèque publique d'Ottawa
Orléans
613-580-2535

Emprunts 2017/11/07 18:29
XXXXXXXXXX5246

Titre	Date retour
Le jeu de Ripper : roman	2017/11/28

Pour accéder à votre compte
visitez www.bibliottawalibrary.ca
www.Facebook.com/BiblioOttawaLibrary
www.twitter.com/opl_bpo

— Que Mme Ashton avait bien des raisons de se débarrasser de son mari, et ce jeune homme, de l'y aider.

— Tu crois qu'Ayani est le genre de femme capable d'électrocuter son mari avec un *taser* ?

— Non. Elle aurait plutôt mis une vipère éthiopienne dans son lit. Mais je crois que Galang Tolosa a oublié de mentionner un détail.

— Lequel ?

— Qu'Ayani et lui sont amants. Un moment, chef, ne m'interrompez pas ! La relation de ces deux-là a bien des tonalités, ils sont complices et confidents, elle le protège et il est sans doute le seul homme qui la connaisse jusqu'à la dernière fibre et soit capable de lui donner du plaisir sexuel.

— Jésus ! Quelles perversions vas-tu imaginer !

— Moi, il ne m'en vient que peu à l'esprit, mais Galang a sûrement un vaste répertoire. Si vous voulez, je vous explique exactement le genre de mutilation génitale qu'Ayani a subi à huit ans : ablation des lèvres et du clitoris. Ce n'est pas un secret, elle-même l'a dit. Je peux vous obtenir une vidéo, pour que vous voyiez ce qu'ils font aux fillettes, avec un couteau ébréché ou une lame de rasoir oxydée, sans anesthésie.

— Non, Petra, ce ne sera pas nécessaire, soupira Bob Martín.

FÉVRIER

Jeudi, 2

Aux nombreuses obligations de Blake Jackson s'était ajoutée Sauvez-le-Thon, la chatte dont Carol Underwater avait fait cadeau à sa petite-fille et qui exigeait pas mal de soins, mais il devait admettre que le petit animal était une compagnie agréable, comme l'avait prédit Elsa Domínguez. Amanda avait choisi son nom en hommage à Sauvez-le-Thon, l'ami invisible de son enfance, et personne dans la famille ne trouvait contradictoire que la chatte se nourrît de thon en boîte. Blake appelait Amanda tous les soirs à l'internat pour lui faire un rapport complet.

— Comment va Sauvez-le-Thon, grand-père ? Elle me manque beaucoup, dit Amanda.

— Elle déchire la tapisserie des meubles à coups de griffe.

— Ça n'a pas d'importance, de toute façon les meubles sont vieux. Comment avance ton livre ?

— Je n'ai encore rien écrit. Je tourne et retourne dans ma tête ton idée d'un roman policier.

— J'ai pensé à ça aujourd'hui, répliqua la petite-fille. Nous étudions l'*auto-sacramental.* Tu sais ce que c'est ?

— Aucune idée.

— C'étaient des drames moraux sous forme théâtrale au Moyen Âge, un peu comme des allégories didactiques, dans lesquels on représentait le combat entre le bien et le mal. Le bien triomphait toujours, mais le plus intéressant c'était le mal, parce que s'il n'y avait pas de vice, de péché et de méchanceté, le drame n'intéressait pas le public.

— Quel rapport cela a-t-il avec mon livre ?

— La formule du roman policier est la même. Le mal est incarné par un criminel qui défie la justice, sort perdant, reçoit son châtiment et le bien triomphe, si bien que tout le monde est content. Tu comprends ?

— Plus ou moins.

— Fais-moi confiance, grand-père. Si tu t'en tiens à cette recette, tu peux pas te perdre. Après je te donnerai d'autres conseils, mais maintenant, *Ripper*. Tu es prêt ?

— Prêt. À bientôt, dit le grand-père, et il raccrocha.

Quelques minutes plus tard tous les joueurs étaient devant leurs ordinateurs et la maîtresse du jeu déclara la séance ouverte.

— Nous allons laisser Staton et les Constante de côté pour l'instant et nous concentrer sur Richard Ashton. Kabel a quelques éléments nouveaux à nous communiquer. Tu as la permission de parler, sbire.

— La nuit de sa mort, une svastika a été gravée sur la poitrine de Richard Ashton ; la croix gammée est un symbole présent dans de nombreuses cultures à travers les âges, des Aztèques aux Celtes en passant par les bouddhistes, mais on l'associe surtout aux nazis.

— Nous savons cela, Kabel, l'interrompit sa petite-fille.

— Je l'ai lu dans le rapport d'Ingrid Dunn. Le papa d'Amanda, autrement dit l'inspecteur Martín, m'a donné une autorisation écrite pour examiner les archives de la Brigade criminelle concernant les Constante et Ed Staton ; j'ai utilisé la même autorisation pour demander le dossier de Richard Ashton et on me l'a prêté. D'après Ingrid Dunn, la svastika a été taillée avec un bistouri numéro 11 à lame triangulaire et à pointe affilée. Il est très courant et facile à obtenir, on l'utilise pour les coupes de précision et les angles droits. La svastika était si bien dessinée que l'auteur a sans doute utilisé un modèle.

— Je n'ai rien vu de cela dans la presse, dit sir Edmond Paddington.

— L'inspecteur a gardé l'information, c'est un as dans sa manche, qui peut servir à confondre l'assassin ; il ne convient donc pas de le divulguer tout de suite. Lorsqu'ils ont emporté le corps, ils n'ont pas vu la svastika, parce que Ashton portait un tee-shirt, une chemise et un gilet ; ils l'ont découverte en le déshabillant à la morgue.

— Il n'y avait pas de sang sur ses vêtements ? demanda Esmeralda.

— L'entaille était relativement superficielle et elle a été faite un bon moment après la mort. Les cadavres ne saignent pas.

— Où exactement a-t-elle été gravée ?

— Sur la photo, on la voit en haut, sur le sternum, dit Amanda.

— L'assassin a dû lui enlever le gilet et la chemise, sinon il n'aurait pas pu sortir les bras d'Ashton du tee-shirt pour le relever jusqu'au cou et graver le symbole sur la partie supérieure de la poitrine. Ensuite il lui a fallu le rhabiller, dit Sherlock Holmes.

— La svastika est un message, dit Abatha.

— Qui connaissait ses habitudes et savait qu'Ashton dormait dans le studio ? demanda Esmeralda.

— Uniquement sa femme et le majordome, expliqua Amanda.

— Ayani n'aurait pas gravé une svastika sur son mari, aussi mort soit-il, opina Abatha.

— Pourquoi pas ? Elle a pu le faire pour brouiller les pistes. Moi, c'est ce que j'aurais fait, lui répliqua Esmeralda.

— Toi, tu es une gitane, tu serais capable de n'importe quoi. Mais une dame ne commettrait jamais un acte aussi répugnant, en plus elle n'aurait pas eu la force de déplacer le corps de cette manière. C'était sûrement le majordome, affirma Paddington, fidèle au caractère machiste de son personnage

Tous se mirent à rire de cette solution classique – le majordome – et tout de suite ils envisagèrent la possibilité d'un crime idéologique, vu qu'Ashton avait une réputation de nazi. Sherlock Holmes leur fit remarquer le parallèle avec Jack l'Éventreur, qui mutilait ses victimes avec un bistouri.

— L'une des théories sur le célèbre assassin de Londres est qu'il avait des connaissances médicales, leur rappela-t-il.

— Je ne spéculerais pas sur ce point. Il n'y a pas besoin d'être médecin pour tailler un symbole simple avec un bistouri. C'est très facile, même une femme peut le faire, dit sir Edmond Paddington.

— Je ne sais pas... Il me vient une image à l'esprit, c'est comme une vision ou un pressentiment... Je crois que les trois affaires que nous étudions sont liées d'une manière ou d'une autre, dit Abatha, qui à force de tant jeûner avait des hallucinations.

Le temps était écoulé et Amanda ferma la séance avec l'ordre de chercher de possibles connexions entre les affaires, comme l'avait suggéré Abatha. Peut-être ne s'agissait-il pas d'un simple bain de sang, comme l'avait prédit Céleste Roko, mais de quelque chose de beaucoup plus intéressant : un assassin en série.

Samedi, 4

Bob Martín n'avait pas d'horaires et il lui arrivait de travailler deux jours de suite sans dormir. Pour lui n'existaient ni jours fériés ni vacances, mais il s'arrangeait pour passer le plus de temps possible auprès de sa fille les week-ends où il avait la garde d'Amanda. Une semaine sur deux, le vendredi soir, son ex-beau-père la déposait à son appartement ou à son bureau, après qu'elle eut dîné avec sa mère, et il repassait la prendre le dimanche pour la ramener à l'internat si lui-même ne pouvait le faire. Depuis son divorce, quinze ans plus tôt, il avait tant de fois emmené sa fille sur les scènes de crime, parce qu'il n'avait personne à qui la confier, que toute la police de San Francisco la connaissait. Petra Horr était pour Amanda ce qui s'apparentait le plus à une amie, et elle lui soutirait les informations policières que son père tentait de lui dissimuler. D'après Indiana, il était responsable de l'intérêt morbide que la petite portait au crime, mais Bob pensait qu'il s'agissait d'une vocation de naissance; Amanda finirait par être avocate, enquêtrice, policier ou, dans le pire des cas, délinquante. Elle réussirait des deux côtés de la loi. Ce samedi-là, il l'avait laissée faire la grasse matinée pendant qu'il allait au gymnase et passait à son bureau; il la récupéra à midi pour l'emmener déjeuner dans son endroit préféré, le Café Rossini, où elle s'empiffrait d'hydrates de carbone et de sucre. C'était un autre sujet de controverse avec Indiana.

Amanda l'attendait, vêtue d'un sarong enroulé autour du corps de manière peu traditionnelle et chaussée de babouches. Comme il lui fit remarquer qu'il pleuvait, elle mit une écharpe et un bonnet de laine bolivien dont les deux tresses multicolores couvraient ses oreilles. L'adolescente installa Sauvez-le-Thon dans un sac du Guatemala, cadeau d'Elsa Domínguez, dans lequel elle avait l'habitude de transporter la chatte. La petite bête était d'une discrétion admirable : blottie dans le sac, elle pouvait passer des heures sans broncher, dans les endroits qui lui étaient interdits. Au Café Rossini, tous sauf le patron savaient ce que contenait le sac, mais Danny D'Angelo les avait avertis que s'ils dénonçaient Sauvez-le-Thon ils auraient affaire à lui. Le serveur les reçut avec son habituelle exubérance et il n'eut pas besoin de demander ce qu'ils allaient manger, car c'était toujours la même chose : omelette au fromage et café pour l'inspecteur, assortiment de pâtisseries et une grande tasse de chocolat chaud surmonté d'une bonne couche de crème pour sa fille. Il leur apporta la commande et s'excusa de ne pouvoir bavarder un moment avec eux; la salle était pleine et il y avait des gens dans la rue qui attendaient une table, comme toujours le samedi.

— Grand-père a vu le rapport d'autopsie de Richard Ashton, papa. Tu ne m'avais pas parlé de la svastika. Il y a autre chose dont tu aurais oublié de me parler?

— Je te rassure, la beauté d'Ayani n'a pas interféré sur mon flair de policier, comme tu le craignais. Ayani reste en tête de la liste des suspects. Nous l'avons longuement interrogée, comme tous les employés de la maison. La nouveauté, c'est que les chaussettes perdues ont réapparu.

— Non !

— Oui, de la manière la plus étrange. Figure-toi que Mme Ashton a reçu par courrier un paquet qui contenait un livre et les chaussettes de son mari. Le paquet est passé entre de nombreuses mains à la poste, mais le contenu ne présente aucune empreinte digitale, on l'a manipulé avec des gants, ou alors il a été méticuleusement nettoyé.

— Quelle sorte de livre ? demanda sa fille.

— Un roman, *Le Loup des steppes*, de l'auteur allemand naturalisé suisse Hermann Hesse, un classique publié en 1927, antérieur au nazisme. L'un des psychologues de la Brigade est en train de l'examiner. Il doit bien contenir un indice, autrement, pourquoi l'aurait-il envoyé à Ayani ?

— Tu crois qu'une seule personne peut avoir commis les trois crimes ?

— De quels crimes parles-tu ?

— Des seuls intéressants que nous ayons entre les mains, papa : Staton, les Constante et Ashton.

— Qu'est-ce que tu racontes ! Ils n'ont rien en commun.

— Tous trois ont eu lieu à San Francisco.

— Ça ne veut rien dire. Les *serial killers* choisissent toujours le même genre de victimes, en général leur motivation est sexuelle et ils utilisent systématiquement la même méthode. Dans ces trois crimes les victimes sont très différentes, le mode opératoire varie et l'arme utilisée n'est jamais la même. Toute la Brigade enquête sur les trois.

— Séparément ? Quelqu'un devrait les considérer dans leur ensemble.

— Ce quelqu'un, c'est moi. Mais ces affaires ne sont pas liées, Amanda.

— Écoute-moi et ne perds pas de vue la possibilité d'un tueur en série, papa. Ce genre de crime est très rare.

— Sur ce point, tu as raison. La plupart des homicides que nous avons à résoudre sont la conséquence de disputes entre bandes rivales, de rixes et de trafics de drogue. Le dernier tueur en série dans nos parages est Joseph Nasso, accusé d'avoir tué des femmes entre 1977 et 1994. Il a soixante-dix-huit ans et va être jugé dans le comté de Marin.

— Oui, j'ai tout ça dans mes archives. Nasso a refusé un avocat, il va se défendre seul. Il n'a aucun remords de ce qu'il a fait, c'est un orgueilleux, dit Amanda. Si ces homicides ont été commis par la même personne, je crois aussi que le meurtrier est un orgueilleux et qu'il a laissé des signes et des pistes pour marquer son territoire.

— C'est ce que dit le manuel ? se moqua l'inspecteur.

— Attends, je l'ai ici, dit-elle, et elle lui lut l'information trouvée sur son portable. Écoute : la plupart du temps, aux États-Unis, les tueurs en série sont des hommes blancs, âgés de vingt-cinq à trente-cinq ans, bien qu'il y en ait aussi d'autres races, ils appartiennent à la classe moyenne ou inférieure, ils agissent seuls, cherchent une gratification psychologique, ont souffert de négligence ou d'abus sexuel et émotionnel dans leur enfance, ont eu des problèmes avec la loi, pour vol ou vandalisme par exemple. Ils sont pyromanes et sadiques, torturent des animaux. Ils ont une faible estime d'eux-mêmes, n'éprouvent aucune empathie pour leurs victimes, ce sont des psychopathes. Il s'agit parfois de fous qui souffrent d'hallucinations et croient que Dieu ou le Diable leur a donné l'ordre d'éliminer les homosexuels, les prostituées, les personnes d'une autre race ou d'une autre religion. La motivation sexuelle, à laquelle tu faisais référence, inclut la torture et la mutilation des victimes, ce qui leur procure du plaisir. Par exemple, Jeffrey Dahmer prétendait transformer les cadavres des hommes et des garçons qu'il assassinait en zombies, il leur perforait le crâne et les arrosait d'acide, il pratiquait même le cannibalisme pour...

— Ça suffit, Amanda ! s'exclama Bob Martín, livide.

— Encore une chose, papa…

— Non ! Je sais tout ça, nous l'avons étudié à l'Académie, mais ce n'est pas ton problème.

— Je t'en prie, écoute-moi. Il y a une chose qui me chiffonne. La plupart des tueurs en série ont un faible coefficient intellectuel et peu d'éducation. Je crois que dans notre cas le type est brillant.

— Ce pourrait aussi être une femme, même si ce n'est pas fréquent, dit Bob Martín.

— Exact, ce pourrait être ma marraine.

— Céleste ? demanda son père, surpris.

— Pour réaliser sa prophétie et prouver que les astres ne se trompent pas, ajouta sa fille avec un clin d'œil.

L'inspecteur-chef espérait que cette obsession de sa fille pour le crime lui passerait bientôt, comme lui était passée celle des dragons, des goules et des vampires. C'est ce qu'assurait la psychologue Florence Levy, qui avait suivi Amanda dans son enfance et qu'il venait de consulter par téléphone. D'après elle, ce n'était qu'une manifestation de la curiosité insatiable de l'adolescente, un autre de ses jeux intellectuels. En tant que père, il était préoccupé par ce nouveau passe-temps d'Amanda, mais en tant que détective il comprenait mieux que personne la fascination pour le crime et la justice.

Indiana affirmait qu'il n'y a ni « bien » ni « mal » ; la méchanceté est une distorsion de la bonté naturelle, l'expression d'une âme malade. Pour elle, le système judiciaire était une forme de vengeance collective par laquelle la société punissait les transgresseurs, elle les enfermait et jetait la clé au loin, sans essayer de les réinsérer ; elle admettait pourtant à contrecœur qu'il existait des criminels incurables qu'il fallait enfermer afin d'éviter qu'ils ne fassent du mal à d'autres personnes. La naïveté de son ex-femme l'exaspérait. En théorie, il aurait dû se fiche de toutes les bêtises qu'elle pouvait énoncer, mais elle plantait ses idées absurdes dans la tête d'Amanda, elle ne la protégeait pas comme elle aurait dû, elle ne prenait même pas le minimum de précautions que prend toute mère normale. Indiana était restée la même jeune fille romantique qui était tombée amoureuse de lui à quinze ans. À l'époque de la naissance d'Amanda, tous deux étaient des gamins, mais depuis il avait mûri, il avait acquis de l'expérience, il s'était endurci, il était devenu un homme admirable sous certains aspects, comme disait Petra Horr lorsqu'elle avait bu plus de deux bières ; Indiana, au contraire, stagnait dans une éternelle puberté.

Dans ma profession, il m'est donné de voir trop d'horreurs, pensait-il, quelles illusions puis-je avoir sur les êtres humains ? Ils sont capables de commettre les pires atrocités, les gens honnêtes sont rares dans ce monde pourri, il n'est pas étonnant que les prisons soient pleines à craquer, même s'il est vrai que les pauvres, les drogués, les alcooliques et les délinquants sans envergure forment l'essentiel de la population carcérale, alors que les mafieux, les spéculateurs, les autorités corrompues, bref la fine fleur du crime à grande échelle, ceux-là il est rare qu'on leur mette le grappin dessus, je ne me fais pas d'illusions, mais je dois tout de même faire mon boulot ; certains délits me mettent hors de moi, ils me donnent envie de faire justice de mes propres mains, pédophilie, prostitution enfantine, trafic d'êtres humains, sans parler de la violence domestique. Combien de femmes ai-je vues assassinées par leur amant ou leur mari ? Combien d'enfants battus, violés, abandonnés ? Et les rues de San Francisco sont de moins en moins sûres. Les prisons sont le commerce privé le plus rentable de Californie, et pourtant le délit augmente de jour en jour. Pour Indiana, c'est la preuve irréfutable que le système ne fonctionne pas, mais quelle est l'alternative ? Sans la loi et l'ordre, la terreur régnerait dans la société. La peur. La racine de la violence est la peur. Je suppose qu'il existe quelques êtres, comme le Dalaï-Lama, qui ont atteint un état supérieur de conscience et n'ont peur de rien, mais je n'en connais aucun et je crois que vivre sans peur est stupide, le comble de l'imprudence. Je ne dis évidemment pas que le Dalaï-Lama est stupide, ce saint homme a sans doute ses raisons d'être toujours souriant, mais moi, en tant que père et policier, je suis pleinement conscient de la violence, de la perversité et du vice, et je dois y préparer ma fille. Comment le faire sans détruire son innocence ?

Mais voyons, soyons réalistes, conclut-il. De quelle innocence est-ce que je parle ? À dix-sept ans, Amanda étudie dans le détail d'horribles assassinats, comme si elle projetait de les commettre.

Dimanche, 5

Ryan Miller passa chercher Indiana chez elle, à Potrero Hill, à neuf heures du matin comme ils en étaient convenus, sans tenir compte des prévisions météorologiques décourageantes de la télévision, dans le dessein optimiste d'emporter les vélos et de passer la journée à se promener dans les forêts et collines de l'ouest du comté de Marin. L'eau de la baie était houleuse sous un ciel couleur de plomb et il soufflait un vent glacé capable de démoraliser tout homme moins entêté et moins amoureux que Miller. Il s'apprêtait à conquérir Indiana avec la détermination féroce qui lui servait autrefois à la guerre, mais il devait avancer avec précaution. Il n'était pas question de se lancer à l'attaque : il risquerait de l'effrayer et même de perdre l'extraordinaire amitié qu'ils avaient forgée. Il devait lui donner le temps de se remettre de sa rupture avec Keller, mais il ne pensait pas lui en laisser beaucoup, car il avait déjà fait preuve d'une grande patience et, comme disait Pedro Alarcón, un autre plus malin que lui pouvait apparaître et la lui ravir. Mieux valait ne pas envisager cette éventualité, car il devrait le tuer, pensait-il avec une certaine euphorie, regrettant que les règles du combat ne soient pas applicables dans cette circonstance. Comme il serait plus facile d'éliminer simplement son rival ! Il avait l'impression d'être présent dans la vie d'Indiana depuis une éternité, même si ça ne faisait que trois ans, et de la connaître mieux que lui-même. Une chance se présentait maintenant à lui, mais elle n'était pas prête pour un nouvel amour, elle semblait déprimée. Elle continuait à travailler comme d'habitude, et même lui, qui se considérait comme le moins perceptif de ses patients, incapable d'apprécier les subtilités du reiki ou des aimants, se rendait compte qu'elle n'avait plus la même énergie qu'autrefois.

Indiana l'attendait avec du café frais, qu'ils burent debout dans la cuisine. Elle n'avait pas très envie de sortir alors que la tempête menaçait, mais elle n'eut pas le courage de décevoir Miller, qui avait parlé de cette excursion toute la semaine, et Attila, qui attendait près de la porte. Elle rinça les tasses, laissa un mot à son père, le prévenant qu'elle rentrerait dans l'après-midi et voulait voir Amanda avant qu'il ne la ramène à l'internat ; elle enfila un blouson et aida Miller à mettre son vélo dans la camionnette. Puis elle s'installa dans la cabine entre lui et Attila, qui ne cédait jamais sa place près de la vitre.

Le vent sifflait entre les câbles du pont, secouant les rares véhicules qui circulaient à cette heure. On ne voyait pas les voiliers habituels du dimanche ni les touristes venus de loin pour traverser à pied le pont du Golden Gate. L'espoir que le temps fût dégagé de l'autre côté, comme cela arrivait souvent, s'évanouit rapidement, mais Miller ne tint pas compte de la suggestion d'Indiana de remettre la promenade à plus tard, et il continua par l'autoroute 101 jusqu'à l'avenue Sir Francis Drake, et par là vers le parc d'État Samuel P. Taylor, où ils s'étaient rencontrés.

Pendant ces quarante et quelques minutes la tempête se déchaîna avec une fureur implacable, les gros nuages sombres se chargèrent d'électricité ; dans la lumière blanche des éclairs, les arbres courbés par le vent avaient l'apparence de spectres. À deux reprises ils durent s'arrêter, parce que la cataracte de pluie interdisait toute visibilité, mais dès que ça se calmait un peu Miller reprenait la route, évitant les virages glissants et les branches arrachées, au risque de s'écraser ou de périr foudroyés par un éclair. Enfin, vaincu par la nature, il stoppa le moteur sur un côté du chemin, cacha son visage dans ses bras croisés sur le volant et maudit son sort dans un langage de soldat, tandis qu'Attila observait le désastre depuis son coussin rose avec une telle expression de détresse qu'Indiana éclata de rire. Bientôt Miller fut pris lui aussi de fou rire et ils se mirent à rire et à rire de la situation grotesque, jusqu'à ce que les larmes coulent sur leurs visages, au grand désarroi du chien qui ne voyait pas ce qu'il y avait de drôle à rester enfermé au lieu de courir dans les bois.

Ensuite, lorsque chacun se retrouva seul avec le souvenir de ce qu'ils venaient de vivre, il n'aurait su à quoi l'attribuer : au rugissement de la tempête qui secouait le monde, au soulagement du rire partagé ou à la proximité dans la cabine de la camionnette, ou si ce fut inévitable parce que tous deux étaient prêts. Le geste fut simultané, ils se regardèrent, se découvrant, sans artifice, comme ils ne l'avaient jamais fait auparavant, et elle vit l'amour dans ses yeux à lui, un sentiment tellement sincère qu'il éveilla en elle le désir réprimé et sublimé depuis des années.

Indiana connaissait cet homme mieux que personne, elle connaissait son corps en long et en large, depuis la tête jusqu'au pied unique, la peau rougeâtre et brillante du moignon, les cuisses fermes marquées de cicatrices, la taille peu flexible, la ligne de la colonne, vertèbre par vertèbre, les formidables muscles du dos, de la poitrine et des bras, les mains élégantes, doigt par doigt, le cou aussi dur que du bois, la nuque toujours tendue, les oreilles sensibles qu'elle ne touchait pas pendant le massage pour lui éviter la honte d'une érection ; les yeux fermés, elle distinguait son odeur de savon et de sueur, la texture de ses cheveux coupés ras, la vibration de sa voix ; elle aimait ses gestes particuliers, sa façon de conduire d'une seule main, de jouer avec Attila comme un gamin, d'utiliser les couverts sur la table, d'enlever son tee-shirt, d'ajuster sa prothèse ; elle savait qu'il pleurait au cinéma devant les films romantiques, que sa glace préférée était celle à la pistache, que lorsqu'il était avec elle il ne regardait jamais les autres femmes, que sa vie de soldat lui manquait, qu'il était blessé dans l'âme et que jamais, jamais il ne se plaignait. Au cours d'innombrables séances de soins, elle avait parcouru d'un bout à l'autre ce corps d'homme, plus jeune en apparence qu'il n'était habituel à quarante ans, admirant sa rude virilité et sa force contenue que parfois, distraitement, elle comparait à Alan Keller. Son amant, mince et beau, avec son raffinement, sa sensibilité et son ironie, était l'opposé de Ryan Miller. Mais à cet instant, dans la cabine de la camionnette, Keller n'existait pas, il n'avait jamais existé, la seule chose réelle pour Indiana était son désir ardent de cet homme, qui brusquement était un inconnu.

Dans ce long regard ils se dirent tout ce qu'il y avait à dire. L'entourant d'un bras, Miller l'attira, elle leva le visage et ils s'embrassèrent sans hésiter, comme si ce n'était pas la première fois, avec une passion qui lui le secouait depuis trois ans et qu'elle ne pensait pas sentir à nouveau, parce qu'elle s'était installée dans l'amour pondéré d'Alan Keller. Lors des interminables jeux érotiques qu'elle partageait avec son ancien amant – qui suppléait par des drogues, des accessoires et de l'habileté à ce qui lui manquait en vigueur –, elle prenait du plaisir et s'amusait, mais elle ne connaissait pas la fiévreuse urgence avec laquelle, à cet instant, elle s'accrochait à Ryan Miller, le tenant à deux mains, l'embrassant à perdre haleine, surprise par la douceur de ses lèvres, le goût de sa salive et l'intimité de sa langue, impatiente, essayant d'ôter son blouson, son gilet, son corsage, sans se détacher du baiser, et de monter sur lui dans l'étroitesse de la cabine, avec le volant au milieu. Peut-être y serait-elle arrivée si Attila ne les avait interrompus par un long hurlement de chien scandalisé. Ils l'avaient complètement oublié. Cela leur apporta un souffle de sagesse et ils purent se séparer quelques instants pour décider quoi faire de ce témoin rétif, et comme ils ne pouvaient le mettre dehors dans la tempête, ils optèrent pour la solution la plus logique : chercher un hôtel.

Tandis que Miller conduisait à l'aveuglette sous la pluie, à une vitesse imprudente, Indiana le caressait et l'embrassait où elle pouvait, sous le regard outré d'Attila. Les premières lumières qu'ils aperçurent étaient celles du petit hôtel prétentieux où ils étaient venus d'autres dimanches prendre un petit déjeuner fait des meilleures tartines grillées françaises accompagnées de crème fraîche de la région. Ils n'attendaient pas de clients par ce temps-là, mais leur offrirent la meilleure chambre, un festival de papier peint fleuri, de meubles aux pieds chantournés et de rideaux à franges, avec un grand lit de bonne facture capable de résister aux assauts de la passion. Attila dut attendre plusieurs heures dans la camionnette avant que Miller se souvienne de son existence.

Mardi, 7

À vingt heures quinze, ce soir-là, la juge Rachel Rosen gara sa Volvo dans le garage de l'immeuble où elle habitait, elle sortit du coffre la lourde mallette contenant les documents qu'elle voulait étudier dans la soirée et son sac de courses avec son dîner et le déjeuner du lendemain, un pavé de saumon, des brocolis, deux tomates et un avocat. Elle avait été élevée dans une atmosphère d'austérité et toute dépense inutile constituait à ses yeux une insulte à la mémoire de ses parents, des survivants d'un camp de concentration de Pologne arrivés en Amérique les mains vides, qui grâce à leurs efforts avaient atteint une situation enviable. Elle achetait juste ce qu'il fallait pour la journée et ne gaspillait rien ; les restes du dîner servaient pour le déjeuner du lendemain, qu'elle emportait dans des boîtes en plastique au Tribunal des Mineurs où elle déjeunait seule, dans son bureau. Elle ne vivait pas mal, mais s'accordait peu de luxes et économisait comme une fourmi dans l'espoir de prendre sa retraite à soixante-cinq ans et de vivre de ses rentes. Elle avait hérité des meubles de sa famille et des modestes bijoux de sa mère, qui n'avaient qu'une valeur sentimentale, et elle était propriétaire de son appartement, d'actions de Jonhson & Jonhson, d'Apple et de Chevron, ainsi que d'un compte d'épargne qu'elle avait bien l'intention de dépenser jusqu'au dernier centime avant de mourir : elle ne voulait pas que son fils et sa belle-fille reçoivent les bénéfices de son travail, car ils ne le méritaient pas.

Elle sortit en hâte de ce garage malodorant et peuplé d'ombres, l'endroit le moins sûr de l'immeuble; elle avait entendu des histoires d'agressions dans des lieux comme celui-ci, des agressions de femmes seules, de vieilles femmes, comme elle. Cela faisait un moment qu'elle se sentait vulnérable et menacée, elle n'était plus la personne forte et résolue d'autrefois, celle qui faisait trembler les délinquants les plus endurcis, respectée de la police et de ses collègues. Ces mêmes personnes chuchotaient à présent dans son dos et lui avaient donné un sobriquet, la Bouchère, ou quelque chose comme ça, mais personne, bien sûr, n'osait le lui dire en face. Elle était fatiguée, ou plus exactement elle vivait fatiguée, elle ne pouvait même plus courir, à peine parvenait-elle à faire le tour du parc en marchant; le moment était venu de prendre sa retraite, dans quelques mois elle jouirait d'un repos bien mérité.

Elle prit l'ascenseur et monta directement à son appartement, sans passer récupérer son courrier à la loge du concierge, car celui-ci se retirait à dix-neuf heures après avoir tout mis sous clé. Il lui fallut deux minutes pour ouvrir les deux serrures de sa porte et en entrant elle s'aperçut qu'elle avait oublié de brancher l'alarme en sortant, une négligence impardonnable qu'elle n'avait jamais commise auparavant. Elle voulut l'attribuer à l'excès de travail des dernières semaines qui la rendait distraite; le matin elle était partie très vite parce qu'elle était en retard, mais elle avait la fâcheuse et persistante impression de perdre la mémoire. Elle fut aussitôt assaillie par la crainte que quelqu'un fût entré; elle avait d'ailleurs entendu dire qu'aucune alarme n'est sûre, qu'il existait maintenant des dispositifs électroniques capables de les désactiver.

Rachel Rosen n'appréciait que très peu son logis; l'idée d'acheter cet appartement aux plafonds hauts, ancien et inhospitalier, avait été celle de son mari, ils ne l'avaient jamais rénové, comme ils en avaient parfois rêvé, et il était resté dans le même état que trente ans plus tôt, exhalant une haleine froide de mausolée. Elle pensait le vendre dès qu'elle serait à la retraite et emménager dans une région ensoleillée, où elle n'aurait pas besoin de chauffage, en Floride par exemple. Exténuée par une longue journée passée à batailler avec des avocats et des délinquants, elle alluma la lumière de l'entrée, laissa la mallette sur la table de la salle à manger, avança à tâtons dans le couloir obscur jusqu'à la cuisine, où elle posa ses courses sur la console, et alla dans sa chambre pour enlever sa tenue de travail et enfiler quelque chose de confortable. Un quart d'heure plus tard elle revint dans la cuisine pour préparer son dîner, en pyjama, robe de chambre en flanelle et pantoufles fourrées de peau de mouton. Elle n'eut pas le temps de vider le sac.

Elle le sentit d'abord dans son dos, une présence silencieuse, comme un mauvais souvenir, et elle ne bougea pas, sur le qui-vive, avec la même sensation de terreur qui l'assaillait lorsqu'elle descendait de voiture dans le garage. Elle fit un effort pour contrôler son imagination, elle ne voulait pas finir comme sa mère, qui avait passé les dernières années de sa vie enfermée à double tour dans son appartement, refusant de sortir, persuadée que des agents de la Gestapo l'attendaient derrière la porte. Les vieux deviennent des êtres peureux, mais je ne suis pas comme ma mère, pensa-t-elle. Il lui sembla entendre le frôlement de quelque chose comme du papier ou du plastique et elle se tourna vers la porte de la cuisine. Une silhouette se découpait sur le seuil, une vague forme humaine, gonflée, sans visage, lente et maladroite comme un astronaute sur la Lune. Elle poussa un cri rauque, terrible, né dans le ventre, qui monta comme une flamme dans sa poitrine, elle vit s'avancer l'épouvantable créature ; le second cri s'étouffa dans sa gorge et l'air lui manqua.

Rachel Rosen recula d'un pas, elle heurta la table et tomba sur le côté, se protégeant la tête de ses bras. Elle resta à terre, suppliant dans un murmure qu'on ne lui fasse pas de mal, offrant de l'argent et les choses de valeur qu'elle avait chez elle, se traînant sous la table où elle s'accroupit en tremblant, négociant et pleurant pendant les trois minutes éternelles où elle fut consciente. Elle n'avait pas senti la piqûre dans sa cuisse.

Vendredi, 10

L'inspecteur Bob Martín n'avait pas l'habitude d'être encore au lit à sept heures et demie un vendredi matin, sa journée commençait normalement à l'aube. Il était allongé les bras derrière la tête, sa position la plus confortable, contemplant la lumière ténue du jour qui filtrait à travers les persiennes blanches de sa chambre et luttant contre l'envie de fumer. Il avait abandonné la cigarette depuis sept mois, avait un patch de nicotine et les minuscules aiguilles que Yumiko Sato lui mettait sur les oreilles, mais le désir de fumer était toujours aussi irrésistible. Au cours de l'une de leurs rencontres, qui n'étaient plus des interrogatoires mais des conversations, Ayani lui avait recommandé d'essayer l'hypnose, qui avait contribué à la réputation de son mari, mais l'idée ne lui plaisait guère. Il pensait que cette pratique se prêtait à des abus, comme dans ce film où un magicien hypnotise Woody Allen et l'oblige à voler des bijoux.

Il venait de faire l'amour avec Karla pour la troisième fois en cinq heures, ce qui n'était pas exactement un record, car cela ne lui avait pris que vingt-trois minutes au total, et maintenant, pendant qu'elle préparait le café à la cuisine, il pensait à Mme Ashton, au doux parfum de sa peau, qu'il devinait, car il ne s'était jamais trouvé assez près d'elle pour la sentir, à son long cou, à ses yeux couleur de miel aux paupières assoupies, à sa voix lente et profonde, semblable au débit d'un fleuve ou au moteur du sèche-linge. Un mois avait passé depuis la mort d'Ashton et il continuait à inventer des prétextes pour voir la veuve presque chaque jour, ce qui provoquait les commentaires sarcastiques de Petra Horr. Son assistante n'avait plus le même respect pour lui. Cela parce qu'il lui permettait trop de familiarité, il allait devoir la remettre à sa place.

Batifolant dans l'obscurité avec Karla, il rêvait qu'il serrait Ayani dans ses bras, les deux femmes étaient grandes et minces, élancées, avec des pommettes saillantes, mais le sortilège s'envolait dès que Karla ouvrait la bouche et proférait un chapelet d'obscénités avec l'accent polonais, qui l'excitaient au début mais l'avaient rapidement lassé. Ayani faisait l'amour en silence, il en était certain, ou peut-être ronronnait-elle comme Sauvez-le-Thon, mais elle ne disait sûrement pas des cochonneries en langue éthiopienne. Il ne voulait pas penser à Ayani avec Galang, comme l'avait suggéré Petra, et encore moins à la mutilation que cette femme avait subie dans son enfance. Il n'avait jamais rencontré une créature aussi extraordinaire qu'Ayani. L'arôme du café lui parvint au moment où le téléphone sonnait.

— Bob, c'est Blake. Peux-tu venir chez moi ? C'est urgent.

— Il est arrivé quelque chose à Amanda ? À Indiana ? cria l'inspecteur en sautant du lit.

— Non, mais c'est grave.

— J'arrive.

Blake Jackson, si peu alarmiste, devait avoir une bonne raison de l'appeler. En deux minutes il se passa un peu d'eau sur le visage, s'habilla avec les premiers vêtements qui lui tombèrent sous la main et courut à sa voiture, sans dire au revoir à Karla, qui se retrouva nue dans la cuisine avec les deux tasses de café dans les mains.

En arrivant à Potrero Hill, il trouva la camionnette rose des Cendrillons Atomiques garée devant la porte de son ex-beau-père, celui-ci dans la cuisine en compagnie d'Elsa Domínguez et de ses deux filles, Noémie et Alicia. Elles étaient jeunes, belles de visage, carrées de corps et énergiques, n'ayant rien de l'ingénuité et de la douceur de leur mère. Elles avaient commencé à faire des ménages quand elles étaient au lycée, après les cours, pour aider leur mère, et en quelques années avaient monté une entreprise. Elles trouvaient des clients et fixaient les termes du contrat, puis elles envoyaient d'autres femmes nettoyer et, à la fin du mois, elles encaissaient, payaient les salaires et achetaient les produits d'entretien. Les employées ne couraient pas le risque d'être exploitées par des patrons sans scrupules et les clients étaient libérés du tracas d'enquêter sur la situation légale de ces femmes ou de traduire des instructions en espagnol, car ils s'entendaient directement avec Noémie et Alicia, qui étaient responsables de la qualité du service et de l'honnêteté de leur personnel.

Les Cendrillons Atomiques s'étaient multipliées au cours des dernières années, elles couvraient un vaste territoire de la ville et il y avait une liste d'attente pour les avoir. En général, elles se rendaient dans les maisons une fois par semaine, arrivaient en équipes de deux ou trois et se mettaient à l'ouvrage avec une telle ardeur qu'en quelques heures elles laissaient tout impeccable. C'est ce qu'elles avaient fait pendant plusieurs années chez la juge Rachel Rosen, à Church Street, jusqu'à ce vendredi matin où elles la trouvèrent pendue à un ventilateur.

Alicia et Noémie expliquèrent à l'inspecteur que Rachel Rosen faisait tellement d'histoires pour les payer à temps que finalement, fatiguées de batailler chaque mois avec elle, elles avaient décidé de suspendre leur service. Ce matin, elles s'étaient rendues chez elle toutes les deux pour toucher les chèques de décembre et janvier, et l'avertir que les Cendrillons ne reviendraient pas. Elles étaient arrivées à sept heures, le portier de l'immeuble n'était pas là, car il ne commençait sa journée qu'à huit heures, mais elles connaissaient le code de la porte principale et avaient la clé de l'appartement de leur cliente. À l'intérieur, tout baignait dans une pénombre glacée, le chauffage était éteint, et elles furent surprises par le calme ambiant, parce que Rachel Rosen se levait tôt et qu'à cette heure elle aurait dû être en train de prendre son thé avec les nouvelles de la télévision à plein volume, en survêtement et chaussures légères pour aller marcher dans le parc Dolorès. Son parcours était immuable : de Church Street, elle traversait le pont piétonnier, marchait une demi-heure d'un pas rapide, s'arrêtait à la boulangerie Tartine, au coin de la rue Guerrero et de la 18, achetait deux petits pains au lait, puis rentrait chez elle pour prendre une douche et s'habiller avant de se rendre au tribunal. Les deux jeunes femmes parcoururent le salon, le bureau, la salle à manger et la cuisine en appelant la dame, elles frappèrent à la porte fermée de sa chambre et, n'obtenant pas de réponse, elles osèrent entrer.

— Elle était pendue au plafond, dit Alicia dans un murmure, comme si elle craignait d'être entendue.

— Elle s'est suicidée ? demanda l'inspecteur.

— C'est ce qu'on a d'abord pensé et on a regardé si elle était vivante et si on pouvait la décrocher, mais personne ne se couvre la bouche d'un ruban adhésif pour se suicider, non ? Alors on a pris peur et Alicia m'a dit de sortir rapidement. On s'est souvenues des empreintes digitales, et on a nettoyé les portes et tout ce qu'on avait touché, expliqua Noémie à l'inspecteur.

— Vous avez contaminé la scène ! s'exclama l'inspecteur.

— On n'a rien contaminé. On a nettoyé avec des serviettes humides. Vous savez, les jetables, on en a toujours avec nous, elles sont désinfectantes.

— On a appelé maman de la camionnette, ajouta sa sœur en montrant Elsa qui pleurait silencieusement sur sa chaise, accrochée à la main de Blake.

— Je leur ai dit de venir directement chez mister Jackson. Qu'est-ce que je pouvais faire d'autre ? dit Elsa.

— Prévenir le 911, par exemple, suggéra Bob Martín.

— Les jeunes femmes ne veulent pas de problèmes avec l'Immigration, Bob. Elles, elles ont un permis de travail, mais la plupart de leurs employées n'ont pas de papiers, lui précisa Blake.

— Si elles sont en règle, elles n'ont rien à craindre.

— C'est ce que tu crois. On voit que tu n'as jamais été dans la peau d'un immigré à l'accent latino, répliqua son ex-beau-père. Rachel Rosen était très méfiante. Personne ne lui rendait visite, même son fils n'a pas la clé de son appartement, seulement Alicia et Noémie, qui venaient toutes les semaines déposer les femmes de ménage. Elles, ils vont les traiter comme des suspectes.

— La dame, elle n'a jamais rien perdu, c'est pour ça qu'à la fin elle nous a laissé la clé. Au début elle restait pour surveiller, elle comptait les couverts et chaque vêtement qui partait à la machine à laver, mais ensuite elle s'est détendue, expliqua Alicia.

— Je ne comprends toujours pas pourquoi vous n'avez pas appelé la police, insista Bob Martín, en mettant la main sur son téléphone portable.

— Attends, Bob ! l'arrêta Blake.

— Il y a tant d'années que nous travaillons dans ce pays, nous sommes des personnes honnêtes ! Vous nous connaissez, imaginez qu'on nous accuse de la mort de cette dame, sanglota Elsa Domínguez.

— Cela serait rapidement éclairci, Elsa, ne craignez rien, la rassura Bob Martín.

— Elsa est inquiète pour Hugo, son fils mineur, intervint Blake. Comme tu le sais, ce garçon a eu des problèmes avec la police, tu as dû lui venir en aide une ou deux fois, tu t'en souviens ? Il a été en prison pour des bagarres et un vol. Hugo a accès à la clé de cet appartement.

— Comment ça ? demanda l'inspecteur.

— Mon frère vit avec moi, dit Noémie. Les clés de toutes les maisons où nous travaillons sont accrochées dans ma chambre à un porte-clés, avec le nom du client. Hugo n'a rien dans la tête et il se met dans le pétrin, mais il est incapable de tuer une mouche.

— Ton frère a pu aller à l'appartement de Rosen pour voler..., spécula l'inspecteur.

— Et tu penses vraiment qu'il aurait pu pendre cette femme ? Je t'en prie, Bob ! Aide-nous, nous devons tenir le garçon à l'écart de cette histoire, le supplia Blake.

— Impossible, nous allons devoir interroger tous ceux qui ont eu un contact avec la victime et le nom de Hugo apparaîtra au cours de l'enquête. Je vais essayer de lui donner deux jours, dit l'inspecteur. Je vais à mon bureau. Dans dix minutes, faites un bref appel anonyme au 911 depuis un téléphone public, pour avertir de ce qui est arrivé. Il n'est pas nécessaire de vous identifier, indiquez seulement l'adresse de Rosen.

L'inspecteur s'arrêta dans une station-service pour faire le plein et, comme il s'y attendait, la voix de Petra Horr le joignit sur son portable pour le mettre au courant du cadavre trouvé dans un immeuble de Church Street. Il partit dans cette direction pendant que son assistante, avec une efficacité toute militaire, lui transmettait les premiers renseignements sur la victime. Rachel Rosen, née en 1948, diplômée de Hastings, avait exercé comme avocate dans une société privée, puis comme procureur et enfin comme juge des mineurs, charge qu'elle avait exercée jusqu'à sa mort.

— Elle avait soixante-quatre ans, elle allait prendre sa retraite l'année prochaine, ajouta Petra. Mariée à David Rosen, ils s'étaient séparés mais sans divorcer, ils ont eu un fils, Ismaël, qui vit à San Francisco et il me semble qu'il travaille pour une marque d'alcools, mais je dois le confirmer. Il n'a pas encore été informé. Je sais ce que vous pensez, chef : le premier suspect est le conjoint, mais il ne nous sert à rien : David Rosen a un excellent alibi.

— Lequel ?

— Il est mort d'une crise cardiaque en 1998.

— Pas de chance, Petra. Autre chose ?

— Rosen ne s'entendait pas avec sa belle-fille, ce qui l'a éloignée de son fils et de ses trois petits-enfants. Le reste de sa famille comprend deux frères qui vivent à Brooklyn et qu'elle n'avait apparemment pas vus depuis des années. C'était une femme peu aimable, aigrie, et qui avait mauvais caractère. Au tribunal, elle avait la réputation d'être sévère, ses jugements étaient redoutables.

— De l'argent ? demanda Bob.

— Ça je ne sais pas, mais j'enquête. Vous voulez mon avis, chef ? C'était une vieille emmerdeuse, elle mérite de cuire dans les chaudrons de l'enfer.

Quand Bob Martín arriva à Church Street, devant le parc Dolorès, la moitié du quartier était déjà bouclée et la circulation déviée par la police. Un officier l'accompagna à l'immeuble, où le portier de garde, Manuel Valenzuela, un Hispanique d'une cinquantaine d'années en costume sombre et cravate, lui expliqua que ce n'était pas lui qui avait appelé le 911. Il avait appris ce qui était arrivé lorsque deux agents avaient débarqué en lui demandant d'ouvrir l'appartement de Rachel Rosen avec sa clé. Il dit qu'il avait vu la dame pour la dernière fois le lundi, lorsqu'elle avait récupéré son courrier, ce qu'elle n'avait fait ni le mardi, ni le mercredi, ni le jeudi, raison pour laquelle il avait pensé qu'elle était partie en voyage. Il lui arrivait de s'absenter plusieurs jours pour son travail. Le matin même, il l'avait appelée un peu après huit heures, dès qu'il avait commencé sa journée, afin de lui demander si elle voulait qu'il lui monte le courrier accumulé et un paquet, qui était arrivé la veille, dans l'après-midi, mais personne n'avait répondu au téléphone. Manuel Valenzuela avait supposé que si la femme était rentrée de voyage, elle pouvait être dans le parc. Avant qu'il n'en vienne à s'inquiéter, la police et une ambulance étaient arrivées, dans un vacarme qui avait chamboulé tout le quartier.

Bob Martín ordonna au concierge d'attendre à son poste et de donner le minimum d'information aux autres habitants de l'immeuble pour éviter la panique, puis il confisqua la correspondance ainsi que le paquet et monta à l'étage de Rachel Rosen, où l'attendait le sergent Joseph Deseve, le premier arrivé à l'appel du 911. L'inspecteur se réjouit de le voir : outre ses années d'expérience, c'était un homme prudent, qui savait gérer ce genre de situation. « J'ai limité l'accès à l'étage. Je suis le seul à être entré sur la scène de crime. Nous avons dû interdire l'entrée à un journaliste qui avait réussi à monter jusqu'ici. Je ne sais pas comment a fait la presse pour l'apprendre avant nous », l'informa le sergent.

L'appartement de la victime avait de grandes baies vitrées donnant sur le parc, mais la vue et la lumière étaient bouchées par des voiles et d'épais rideaux, qui lui donnaient un aspect de pompes funèbres. La propriétaire l'avait décoré de meubles vieillots et en mauvais état, de faux tapis persans, de tableaux de paysages bucoliques couleur pastel dans des cadres dorés, de plantes artificielles et d'une vitrine dans laquelle était exposé tout un zoo d'animaux en cristal Swarovski, que l'inspecteur vit du coin de l'œil avant de se diriger vers la chambre principale.

En les voyant, l'officier qui bloquait la porte se mit sur le côté et Joseph Deseve resta sur le seuil tandis que l'inspecteur entrait avec son petit enregistreur pour dicter ses premières impressions, qui étaient souvent les plus justes. Comme l'avaient dit Noémie et Alicia, la juge était en pyjama, pieds nus, pendue au ventilateur au centre de la pièce, bâillonnée avec du ruban adhésif. Il remarqua tout de suite que ses pieds touchaient le lit, ce qui signifiait qu'elle pouvait avoir mis des heures à mourir, luttant instinctivement pour se soutenir, jusqu'à ce qu'elle soit vaincue par la fatigue ou s'évanouisse, et alors le poids du corps l'avait étranglée.

Il se baissa pour examiner le tapis et vérifia que le lit n'avait pas été déplacé, il se dressa sur la pointe des pieds pour observer le ventilateur, mais ne monta pas sur une chaise ou sur la table de chevet, car il fallait auparavant relever les empreintes digitales. Il fut surpris que les mouvements désespérés de la victime n'aient pas détaché le ventilateur du plafond.

Le processus de putréfaction était avancé, le corps gonflé, le visage défiguré, les yeux exorbités, la peau marmoréenne, parcourue de veines vertes et noires. Vu l'aspect du cadavre, Martín supposa que la mort remontait au moins à trente-six heures, mais il décida de ne pas faire de conjectures et d'attendre Ingrid Dunn.

Il sortit de la chambre, ôta le masque et les gants ; puis il donna l'ordre de la refermer et de surveiller la porte. Il appela ensuite Petra afin qu'elle prévienne le médecin légiste et le personnel nécessaire pour examiner la scène, dessiner une esquisse du contenu de la chambre, photographier et filmer avant d'enlever le corps. Il remonta la fermeture de sa veste en frissonnant et prit conscience qu'il avait faim, que le café avec lequel il se réveillait le matin lui manquait. En un éclair il vit Karla avec deux tasses dans les mains, nue, aussi grande qu'un héron, les os protubérants des hanches et des clavicules, les seins exagérés qui lui avaient coûté ses économies de trois ans, une créature fabuleuse d'une autre planète apparue par erreur dans sa cuisine.

Tandis que le sergent Deseve descendait la rue pour maîtriser la presse et les curieux, Bob Martín fit une première liste des personnes qu'il devait interroger, puis il révisa le dernier courrier de Rachel Rosen : plusieurs factures, deux catalogues, trois journaux et une enveloppe de la Banque d'Amérique. Le paquet contenait un autre animal en cristal. Bob Martín appela la réception et le portier lui expliqua que Mme Rosen en recevait un chaque mois depuis des années.

L'équipe scientifique arriva bientôt en masse, précédée d'Ingrid Dunn et accompagnée de Petra Horr, qui n'avait rien à faire là ; en guise de prétexte, elle apportait à l'inspecteur un café au lait grand format, comme si elle avait lu dans ses pensées. « Pardon, chef, mais j'ai pas pu résister à la curiosité : il fallait que je la voie de mes propres yeux », fut son explication. Bob Martín se souvint de l'histoire que Petra lui avait racontée un soir de célébration qui avait commencé avec des *mojitos* et de la bière au Camelot, le vieux bar de la rue Powell où se rendaient régulièrement policiers et détectives après les heures de bureau, et s'était terminée dans la chambre de Petra, entre larmes et confidences Plusieurs collègues s'étaient réunis pour boire à la condamnation de O. J. Simpson à Las Vegas – enlèvement et vol à main armée, trente-trois ans de prison –, qu'ils applaudirent comme preuve évidente de la justice divine. L'admiration que tous portaient au footballeur pour ses prouesses s'était changée en frustration sept ans plus tôt, lorsqu'il avait été absous des assassinats de son ex-femme et d'un ami de celle-ci, bien que les preuves contre lui fussent accablantes. La police de tout le pays s'était sentie bernée.

La soirée au Camelot avait eu lieu en décembre 2008, et cela faisait déjà quelque temps que Petra était à la Brigade. Bob Martín fit le compte des années où ils avaient travaillé ensemble et il fut surpris qu'elle n'ait pas vieilli d'un jour, elle était toujours le même lutin d'autrefois, celle qui après avoir avalé trois *mojitos* était devenue sentimentale et l'avait emmené dans sa chambre de bonne. À cette époque, Petra vivait comme une étudiante pauvre, car elle payait encore les dettes que lui avait laissées un mari en transit avant de s'envoler pour l'Australie. Tous deux étaient libres et elle avait besoin de chaleur humaine, aussi avait-elle pris l'initiative en se mettant à le caresser, mais Bob Martín résistait mieux qu'elle à l'alcool et avec le peu de lucidité qui lui restait il décida de rejeter sa proposition avec délicatesse. Ils auraient eu des regrets au réveil, il en était sûr. Il ne valait pas la peine de compromettre leur magnifique relation de travail par quelques baisers éméchés.

Ils s'allongèrent habillés sur le lit, elle appuya sa tête sur son épaule et lui raconta les chagrins de sa courte existence, qu'il écouta à moitié, en essayant de lutter contre le sommeil. À seize ans, Petra avait été condamnée à deux ans de prison ferme après avoir été prise en possession de marijuana, en partie à cause de l'incompétence de son avocat commis d'office, mais surtout de la légendaire sévérité de la juge Rachel Rosen. Les deux années se prolongèrent jusqu'à quatre parce qu'une autre détenue se retrouva à l'infirmerie à la suite d'une altercation avec Petra. Selon elle, l'autre femme avait glissé, elle était tombée et avait heurté un pilier en ciment, mais Rosen avait considéré cela comme une agression qualifiée.

Une demi-heure plus tard, lorsqu'ils décrochèrent Rachel Rosen du ventilateur et l'étendirent sur une civière, Ingrid Dunn fit part de ses impressions à l'inspecteur.

— À première vue, je calcule que la mort remonte au moins à deux jours, peut-être trois, la décomposition a pu être lente parce que cet appartement est un réfrigérateur. Il n'y a pas de chauffage ?

— D'après le concierge, chaque occupant règle son chauffage et le paie de façon indépendante. Rachel Rosen ne manquait pas de moyens, mais elle supportait le froid. La cause de la mort semble évidente.

— Elle est morte étranglée, mais pas à cause de la corde qu'elle avait autour du cou, dit Ingrid.

— Non ?

Le médecin lui indiqua une fine ligne bleue, différente de la marque de la corde, et lui expliqua qu'elle avait été faite du vivant de la juge, car elle avait causé la rupture et l'hémorragie de vaisseaux sanguins. L'autre marque était une crevasse dans la chair, sans ecchymose bien qu'elle ait supporté le poids du corps, car elle s'était produite après la mort.

— Cette femme a été étranglée et elle a dû être pendue au moins dix ou quinze minutes après, alors que le cadavre ne développe plus d'hématome.

— Cela expliquerait pourquoi le ventilateur ne s'est pas détaché du plafond, dit Bob Martín.

— Que veux-tu dire ?

— Si la femme avait lutté pour sa vie en se tenant sur la pointe des pieds, comme je l'ai pensé au début, le ventilateur n'aurait pas résisté à ses secousses.

— Et si elle était morte, pourquoi l'a-t-on pendue ? demanda la légiste.

— Ça, c'est à toi de me le dire. Je suppose qu'on l'a bâillonnée pour qu'elle ne crie pas.

— Je lui enlèverai le ruban adhésif pendant l'autopsie et nous le saurons avec certitude, mais je ne vois pas pourquoi on a pris cette peine alors qu'elle était déjà morte.

— Pour la même raison qu'on a pendu son cadavre.

Une fois le corps emporté, l'inspecteur ordonna à l'équipe scientifique de poursuivre son travail et il invita Ingrid Dunn et Petra Horr à déjeuner. Ce serait le seul moment de détente avant que commence le tourbillon d'une nouvelle enquête.

— Vous croyez à l'astrologie ? demanda-t-il à ses compagnes.

— À quoi ? demanda le médecin.

— L'astrologie.

— Bien sûr, dit Petra. Je ne rate jamais l'horoscope de Céleste Roko.

— Je n'y crois pas, et toi, Bob ? lui demanda Ingrid.

— Jusqu'à hier je n'y croyais pas, mais aujourd'hui je commence à douter, soupira l'inspecteur.

Samedi, 11

Par considération pour Elsa, qui avait élevé sa fille et était dans la famille depuis dix-sept ans, l'inspecteur donna rendez-vous à Hugo Domínguez chez sa sœur Noémie, dans la zone du Canal, au village de San Rafael, au lieu de l'interroger à la Brigade criminelle, conformément à la procédure habituelle. Il emmena Petra Horr avec lui afin qu'elle enregistre les déclarations. Dans la voiture, elle l'informa que soixante-dix pour cent des habitants du Canal étaient des Hispaniques vivant de faibles revenus, beaucoup sans papiers, des ressortissants du Mexique et d'Amérique centrale, et que pour payer le loyer plusieurs familles partageaient le même logement. « Vous avez entendu parler des lits chauds, patron ? C'est quand deux ou trois personnes utilisent le même lit à tour de rôle, à différentes heures », dit Petra. Ils passèrent par la *parada* où, à trois heures de l'après-midi, une douzaine d'hommes attendaient encore qu'un véhicule les récupère pour leur donner quelques heures de travail. Le quartier avait une indéniable saveur latine, avec ses restaurants mexicains, ses marchés de produits du sud de la frontière et ses panneaux en espagnol.

L'immeuble où vivait Noémie était une masse de ciment peinte d'une couleur mayonnaise, avec des petites fenêtres, des escaliers extérieurs et des portes donnant sur des couloirs couverts, où les adultes se retrouvaient pour bavarder et les enfants pour jouer. Des portes ouvertes sortait le son de radios et de téléviseurs qui diffusaient des programmes en espagnol. Ils montèrent deux étages, observés avec hostilité par les locataires ; ces derniers se méfiaient des étrangers et pouvaient sentir de loin l'autorité, même si elle ne portait pas d'uniforme.

Dans l'appartement de deux pièces avec cabinet de toilette les attendaient ses habitants : Noémie et ses trois enfants, une cousine adolescente avec un ventre comme une pastèque et Hugo, le plus jeune fils d'Elsa, âgé de vingt ans. Le père des enfants de Noémie s'était volatilisé peu après la naissance du dernier, qui venait d'avoir cinq ans, et elle avait un autre compagnon nicaraguayen, qui vivait avec eux lorsqu'il se trouvait dans le secteur de la baie ; mais il était presque toujours absent, car il conduisait un camion de transport. « Voyez la chance que j'ai d'avoir trouvé un homme bon et qui a du travail », déclara Noémie. Un réfrigérateur, un téléviseur et un canapé occupaient le salon.

La gamine enceinte apporta de la cuisine un plateau avec plusieurs verres d'orgeat de souchet, des chips et du guacamole. Comme son chef l'avait avertie qu'elle ne pouvait refuser ce qu'on lui offrirait, car ce serait une offense, Petra fit un effort pour goûter ce breuvage blanchâtre d'aspect suspect, qui lui parut cependant délicieux. « C'est une recette de ma mère, nous y ajoutons des amandes moulues et de l'eau de riz », lui expliqua Alicia, qui arrivait à cet instant. Elle habitait avec son mari et deux filles à un pâté de maisons de là, dans un appartement semblable à celui de sa sœur, mais elle était plus à l'aise, car elle ne le partageait pas.

Six mois plus tôt, Bob Martín avait supervisé la police du comté de San Rafael lors d'un contrôle des gangs et il ne se laissa pas tromper par l'apparence de Hugo Domínguez. Il supposa que ses sœurs l'avaient obligé à mettre une chemise à manches longues et un pantalon, plutôt que le débardeur et le jean déformé, retenu de façon précaire sous le nombril, avec l'entrejambe à la hauteur des genoux, que portaient les garçons de son espèce. La chemise cachait les tatouages et les chaînes de la poitrine, mais la coupe des cheveux, rasés sur les tempes et longs derrière, les perforations et les anneaux sur le visage et les oreilles, et surtout l'attitude de fier mépris, l'identifiaient clairement comme appartenant à une bande.

L'inspecteur connaissait le gamin depuis toujours et il lui faisait pitié. Comme lui, qui avait été élevé par une grand-mère, une mère et des sœurs au caractère d'acier, il avait grandi sous la houlette des femmes fortes de sa famille. Hugo était catalogué comme mou et à moitié idiot, mais lui pensait que le garçon n'avait pas un mauvais fond et qu'avec un peu d'aide il éviterait de finir en prison. Il ne voulait pas voir le fils d'Elsa derrière les barreaux. Il serait alors l'un des deux millions deux cent mille prisonniers des États-Unis, plus que dans n'importe quel autre pays, y compris sous les pires dictatures, un quart de la population pénale du monde, une nation incarcérée à l'intérieur de la nation. Il avait du mal à imaginer Hugo commettant un homicide prémédité, mais il avait eu bien des surprises dans son métier et était préparé au pire. Hugo avait abandonné l'école dès la cinquième et il avait eu des problèmes avec la police ; c'était un jeune qui n'avait aucune confiance en lui, sans papiers, sans travail et sans avenir. Comme tant d'autres de sa condition, il appartenait à la culture violente de la rue faute d'alternative.

Cela faisait des décennies que la police luttait contre des bandes de Latinos dans le secteur de la baie : les Nordistes, qui étaient les plus nombreux, identifiés par la couleur rouge et la lettre N tatouée sur la poitrine et les bras ; les Sudistes, par la couleur bleue et la lettre M, à laquelle appartenait Hugo Domínguez ; les Border Brothers, assassins mercenaires vêtus de noir, et la redoutable mafia mexicaine, les MM, qui contrôlaient le trafic de drogue, la prostitution et les armes depuis la prison. Les bandes latines se battaient entre elles et affrontaient les gangs noirs et asiatiques, se disputant le territoire ;

ils volaient, violaient et dealaient, terrorisaient la population des quartiers et défiaient les autorités dans une guerre interminable. Pour un nombre inquiétant de jeunes, la bande remplaçait la famille, elle offrait identité, protection, et leur fournissait l'unique manière de survivre en prison, où ils étaient divisés en groupes ethniques ou nationalités. Après avoir purgé leur peine derrière les barreaux, les délinquants étaient déportés dans leur pays d'origine, où ils rejoignaient d'autres bandes connectées à celles des États-Unis ; c'est ainsi que le trafic de drogue et d'armes était devenu un commerce sans frontières.

Hugo Domínguez avait subi l'initiation nécessaire pour s'intégrer aux Sudistes : une rossée brutale qui l'avait laissé avec plusieurs côtes cassées. Il avait une cicatrice de coup de couteau dans le dos et une blessure superficielle de balle à un bras, il avait été arrêté plusieurs fois ; à quinze ans il s'était retrouvé dans une prison pour mineurs, et à dix-sept ans Bob Martín lui avait évité la prison pour adultes où il aurait eu bien des occasions d'affiner ses pratiques de malfaiteur.

Malgré ces antécédents, l'inspecteur doutait que Hugo fût capable d'un crime aussi recherché et si loin de son territoire que celui de Rachel Rosen, mais il ne pouvait écarter cette possibilité, car la juge était connue pour appliquer de longues peines aux mineurs des bandes qu'elle jugeait. Plus d'un jeune condamné à plusieurs années de prison avait juré de se venger d'elle, et Hugo avait pu être chargé de le faire dans le cadre de son initiation.

Bob Martín savait qu'il était stratégiquement bon de faire attendre un suspect et il ne jeta pas un seul regard à Hugo, se consacrant aux chips et au guacamole, bavardant avec ses sœurs comme s'il s'agissait d'une visite de courtoisie. Il voulut savoir quand naîtrait le bébé de l'adolescente enceinte, qui était le père et si elle s'était rendue au contrôle prénatal ; puis il égrena des souvenirs du passé avec Noémie et Alicia, raconta quelques anecdotes et but un autre verre d'orgeat, tandis que les trois enfants, debout sur le seuil de la cuisine, l'observaient avec le sérieux de vieillards et que Petra essayait de le faire accélérer par des regards impatients. Hugo Domínguez feignait d'être absorbé par l'envoi de textos sur son portable, mais des gouttes de sueur coulaient sur son visage.

Enfin l'inspecteur aborda le sujet qui les intéressait tous. Noémie lui expliqua qu'elle connaissait Rachel Rosen depuis huit ans, et qu'au début elle faisait elle-même le ménage de son appartement. Ensuite, lorsque sa sœur et elle avaient monté l'entreprise des Cendrillons Atomiques, la juge avait suspendu le service parce qu'elle ne voulait pas que des inconnues entrent chez elle. Noémie l'avait oubliée, mais un jour Rosen l'avait appelée.

— Je suis très ordonnée avec ma clientèle, j'ai inscrit la date exacte où nous avons renouvelé le service, dit-elle. Mme Rosen a discuté le prix, mais finalement on est tombées d'accord. Plus d'un an a passé avant qu'elle nous confie sa clé et qu'elle sorte quand les Cendrillons arrivaient pour nettoyer. Comme elle était très maniaque et méfiante, on lui envoyait toujours les mêmes femmes de ménage, qui connaissaient ses manies.

— Mais vendredi ce n'étaient pas elles, c'étaient toi et ta sœur, dit Bob.

— Parce qu'elle nous devait deux mois, les paiements ont lieu tous les quinze jours, et son dernier règlement remontait à début décembre, lui répondit Alicia. On allait lui notifier qu'on pouvait pas continuer le service, parce qu'en plus de payer en retard, elle traitait mal les employées.

— Comment ça ?

— Elle leur interdisait d'ouvrir le frigo ou d'utiliser ses toilettes, elle pensait qu'elles pouvaient lui transmettre une maladie. Avant de nous remettre le chèque, elle se plaignait toujours : qu'il y avait de la poussière sous la commode, de la rouille dans le lave-vaisselle, une tache sur le tapis... elle trouvait toujours quelque chose à redire. Un fois, une tasse avait été cassée et elle nous a retenu cent dollars, parce que soi-disant elle était ancienne. Elle collectionnait des petits animaux en verre qu'on n'avait pas le droit de toucher.

— Elle en a reçu un mercredi, dit l'inspecteur.

— Ça devait être un spécial. Des fois, elle les achetait sur Internet ou à des antiquaires. Ceux de la souscription arrivaient toujours à la fin du mois dans une boîte avec le nom du magasin.

— Swarovski ? demanda Martín.

— C'est ça.

Tandis que Petra enregistrait et prenait des notes, Noémie et Alicia montrèrent à Bob Martín le registre des clients, la comptabilité et le porte-clés où elles accrochaient les clés des appartements qu'elles nettoyaient et qu'elles ne remettaient qu'aux employées les plus anciennes, en lesquelles elles avaient une confiance absolue.

— Nous avons la seule clé de Mme Rosen, dit Alicia.

— Mais n'importe qui a accès au porte-clés, commenta l'inspecteur.

— Moi, j'ai jamais touché à ces clés ! explosa Hugo Domínguez, incapable de se contenir plus longtemps.

— Je vois que tu fais partie des Sudistes, dit l'inspecteur en l'examinant de haut en bas et prenant note du mouchoir bleu autour de son cou, qu'apparemment ses sœurs n'avaient pas réussi à lui faire enlever. Enfin on te respecte, Hugo, bien que ce ne soit pas précisément pour tes foutus mérites. Personne n'ose s'en prendre à toi maintenant, pas vrai ? Tu te trompes, moi j'ose.

— Qu'est-ce que tu me veux, putain de flic ?

— Remercie ta mère que je ne t'interroge pas au commissariat, mes hommes ne sont pas particulièrement tendres avec les mecs de ton espèce. Tu vas me dire ce que tu as fait minute par minute mardi dernier à partir de cinq heures de l'après-midi et jusqu'au mercredi midi.

— C'est pour cette vieille, celle qu'on a tuée ? Je sais même pas comment elle s'appelle. J'ai rien à voir là-dedans.

— Réponds à ma question !

— J'étais à Santa Rosa.

— C'est vrai, il n'est pas venu dormir, interrompit Noémie.

— Quelqu'un t'a vu à Santa Rosa ? Qu'est-ce que tu faisais là-bas ?

— Je sais pas qui m'a vu, je fais pas attention à ces conneries. J'ai été me balader.

— Il va falloir te trouver un meilleur alibi, Hugo, si tu ne veux pas finir inculpé pour homicide, l'avertit l'inspecteur.

Lundi, 13

Petra Horr avait les cheveux courts comme un garçon, elle ne se maquillait pas et s'habillait toujours de la même façon : bottes, pantalon noir, chemise de coton blanc et, en hiver, un épais sweat-shirt orné dans le dos du logo d'un groupe de rock. Ses seules concessions à la vanité étaient quelques mèches teintes comme une queue de renard et un vernis dans des couleurs voyantes sur les ongles des pieds et des mains, qu'elle gardait très courts à cause des arts martiaux. Elle était dans son bureau en train de peindre ses ongles d'un jaune fluorescent lorsque Elsa Domínguez arriva, vêtue comme pour aller à la messe, avec des talons et un vieux col en peau, pour voir l'inspecteur. L'assistante lui expliqua, en dissimulant un soupir d'agacement, que son chef dirigeait une enquête et qu'il ne reviendrait certainement pas cet après-midi.

Au cours des dernières semaines, son travail avait surtout consisté à couvrir Bob Martín, qui disparaissait pendant les heures de service avec des excuses invraisemblables. Qu'il le fasse un lundi, c'était un comble, pensait Petra. Elle ne tenait plus le compte des femmes qui avaient enthousiasmé Bob Martín depuis qu'elle le connaissait, c'était ennuyeux et inutile, mais elle estimait qu'il devait y en avoir douze à quinze par an, soit une tous les vingt-huit jours, si son arithmétique ne lui faisait pas défaut. Martín était peu sélectif dans ce domaine, toutes celles qui lui faisaient de l'œil pouvaient le mettre dans leur poche, mais jusqu'à l'apparition d'Ayani il n'y avait pas eu de suspectes d'homicide sur la liste de ses conquêtes, et aucune n'était parvenue à lui faire négliger son travail. Même si, comme amant, Bob Martín avait sûrement de sérieuses limites, pensait Petra, comme policier il avait toujours été irréprochable, ce n'était pas pour rien qu'il était arrivé au sommet de sa carrière à un âge précoce.

La jeune assistante admirait Ayani comme elle aurait pu admirer un iguane – exotique, intéressant, dangereux –, et elle comprenait que certains se laissent prendre à son charme, mais c'était impardonnable de la part du chef de la Brigade criminelle, qui avait assez d'informations non seulement pour se méfier d'elle, mais aussi pour l'arrêter. En ce moment même, tandis qu'Elsa Domínguez, dans son bureau, pressait un mouchoir de papier entre ses mains, l'inspecteur se trouvait une fois de plus avec Ayani, probablement dans le lit qu'un mois plus tôt elle partageait avec son défunt mari. Petra présumait que Bob Martín n'avait pas de secrets pour elle, en partie par distraction et en partie par vanité : cela le flattait qu'elle connût ses conquêtes, mais s'il prétendait la rendre jalouse, il perdait son temps, décida-t-elle en soufflant sur ses ongles.

— Je peux vous aider, Elsa ?

— C'est pour Hugo, mon fils... Vous l'avez vu l'autre jour...

— Oui, bien sûr. Qu'est-ce qu'il y a ?

— Hugo a eu des problèmes, à quoi bon vous le cacher, mademoiselle, mais il n'est pas violent. Cette allure qu'il a, avec les chaînes et les tatouages, c'est la mode, rien d'autre. Pourquoi le soupçonnez-vous ? demanda Elsa en essuyant ses larmes.

— Entre autres raisons, parce qu'il fait partie d'une bande qui a très mauvaise réputation, parce qu'il avait accès à la clé de Mme Rosen, et parce qu'il n'a pas d'alibi.

— De quoi ?

— Un alibi. Votre fils n'a pas pu prouver qu'il était à Santa Rosa le soir du meurtre.

— C'est qu'il était pas là-bas, voilà pourquoi il peut pas le prouver.

Petra Horr rangea le vernis à ongles dans le tiroir de son bureau, elle prit un crayon et un carnet.

— Où était-il ? Un bon alibi peut lui éviter la prison, Elsa.

— Moi, je trouve qu'être en prison est préférable à être tué.

— Qui va le tuer ? Dites-moi dans quoi trempe votre fils, Elsa. Le trafic de drogue ?

— Non, non, seulement de la marijuana et un peu de crystal. Hugo était dans autre chose le mardi, mais il peut pas en parler. Vous savez ce qu'ils font aux mouchards ?

— J'en ai une idée.

— Vous savez pas ce qu'ils lui feraient !

— Calmez-vous, Elsa, nous allons essayer d'aider votre fils.

— Hugo n'ouvrira pas la bouche, mais moi oui, à condition que jamais personne ne sache que c'est moi qui vous ai donné le renseignement, mademoiselle, parce que alors non seulement ils le tueraient lui, mais aussi toute ma famille.

L'assistante emmena Elsa dans le bureau de Bob Martín, où elles seraient plus tranquilles, elle alla à la machine à café du couloir, revint avec deux tasses et s'installa pour écouter la confession de la femme. Vingt minutes plus tard, lorsque Elsa Domínguez fut partie, elle appela Bob Martín sur son portable.

— Pardon de vous interrompre pendant l'interrogatoire crucial d'une suspecte, chef, mais vous feriez mieux de vous rhabiller et de rappliquer au plus vite. J'ai des nouvelles pour vous, lui annonça-t-elle.

Mardi, 14

Vingt-quatre heures après sa rupture avec Indiana, Alan Keller tomba malade. Pendant plus de deux semaines il eut les intestins retournés par une diarrhée comparable à celle dont il avait souffert quelques années plus tôt lors d'un voyage au Pérou, lorsqu'il avait craint qu'une malédiction des Incas lui fût tombée dessus pour s'être emparé de trésors précolombiens au marché noir et les avoir sortis du pays en contrebande. Il annula ses engagements sociaux, ne put écrire sa critique de l'exposition du Musée de la Légion d'honneur – culte à la beauté à l'ère victorienne – et ne fit pas non plus ses adieux à Geneviève van Houte avant son départ pour la saison des défilés de mode à Milan. Il perdit quatre kilos : il n'était plus svelte, mais émacié. Son estomac ne supportait que le bouillon de poule et la gélatine, il marchait en titubant et ses nuits étaient un supplice : il souffrait d'insomnies quand il ne prenait pas de somnifères, et d'horribles cauchemars lorsqu'il en prenait.

Les cachets le plongeaient dans un état moribond où il se voyait prisonnier dans le triptyque du *Jardin des Délices* de Jérôme Bosch, qui l'avait hypnotisé au musée du Prado dans sa jeunesse et dont il gardait les détails en mémoire, car il avait été le sujet de l'un de ses meilleurs articles pour la revue *American Art*. Il était là, parmi les créatures fantastiques du Hollandais, copulant avec des bêtes devant le regard hostile d'Indiana, torturé avec des fourchettes par son banquier, dévoré peu à peu par son frère et sa sœur, impitoyablement ridiculisé par Geneviève, noyé dans des excréments, crachant des scorpions. Quand l'effet des cachets s'estompait et qu'il parvenait à se réveiller, les images du cauchemar le poursuivaient toute la journée. Il n'eut pas de difficultés à les interpréter, elles étaient évidentes, mais cela ne l'en libéra pas.

Cent fois il se surprit le téléphone à la main pour appeler Indiana, avec la certitude qu'elle se précipiterait à son secours, non parce qu'elle lui avait pardonné ou par amour, simplement à cause de cet instinct congénital qui la poussait à aider ceux qui en avaient besoin, mais il parvint à résister à la tentation. Il n'était sûr de rien, pas même de l'avoir aimée. Il accepta la souffrance physique comme une purge et une expiation, écœuré de lui-même, de sa lâcheté pour éviter les risques, de sa mesquinerie avec les sentiments, de son égoïsme. Il fit un examen de conscience, seul avec lui-même, sans pouvoir recourir à son psychiatre, car celui-ci était en pèlerinage dans de vieux monastères du Japon, et il en vint à la conclusion qu'il avait dissipé cinquante-cinq ans en frivolités, ne s'engageant à fond dans rien ni avec personne. Il avait passé sa jeunesse à s'amuser sans atteindre aucune maturité émotionnelle, il continuait à examiner son nombril comme un gosse, tandis que son corps se dégradait inexorablement. Combien de temps lui restait-il à vivre ? Il avait déjà consumé ses meilleures années, et celles qui lui restaient, même si elles étaient au nombre de trente, seraient des années d'inévitable décadence.

Le mélange d'antidépresseurs, de somnifères, d'analgésiques, d'antibiotiques et de bouillon de poule fit enfin de l'effet et il commença à se remettre. Il était encore tremblant, avec un relent d'œuf pourri dans la bouche, quand sa famille le convoqua pour prendre des décisions, comme il en fut informé. C'était une nouvelle de mauvais augure, vu qu'ils ne le consultaient jamais pour rien. Cela coïncida avec la Saint-Valentin, qu'il avait consacrée à Indiana pendant quatre ans et ne pouvait partager à présent avec personne. Il supposa que la convocation était due à ses dettes récentes, qui d'une manière ou d'une autre étaient parvenues aux oreilles de sa famille. Bien qu'il eût agi discrètement, son frère avait appris qu'il avait envoyé les tableaux de Botero à la galerie Marlborough, à New York, pour les vendre. Il avait besoin d'argent, raison pour laquelle il avait fait évaluer ses jades et ainsi découvert qu'ils valaient moins que ce qu'il les avait achetés ; quant aux poteries incas, inutile d'en parler, il serait très risqué d'essayer de s'en défaire.

Le conseil de famille eut lieu dans le bureau de son frère Mark, au dernier étage d'un immeuble en plein district financier, avec vue panoramique sur la baie, un sanctuaire aux meubles massifs, aux tapis moelleux et aux gravures de colonnes grecques, symboles de la solidité marmoréenne de ce cabinet d'avocats qui se faisaient payer mille dollars de l'heure. Il vit son père, Philip Keller, tremblotant, ratatiné, la peau constellée de taches brunes évoquant une carte, vêtu du costume d'un capitaine de yacht, l'ombre du patriarche autoritaire qu'il fut jadis ; sa mère, Flora, avait l'expression d'immuable surprise que donne la chirurgie esthétique, elle portait un pantalon en cuir verni, un foulard Hermès pour dissimuler les plis de son cou et un hochet sans fin de bracelets en or ; sa sœur Lucille, élégante et maigre, l'air affamé d'un chien afghan, était accompagnée de son mari, un idiot solennel qui n'ouvrait la bouche que pour acquiescer ; et enfin Mark, sur les épaules d'hippopotame duquel reposait le lourd fardeau de la dynastie Keller.

Alan comprenait parfaitement que son frère aîné le détestât : lui était grand, beau, avec une chevelure provocante striée de cheveux blancs, il attirait les femmes, était sympathique et cultivé, tandis que ce pauvre Mark avait hérité des horribles gènes de quelque lointain ancêtre. Mark le détestait pour tout cela, mais surtout parce qu'il s'était échiné à travailler toute sa vie pour faire fructifier le patrimoine familial, alors que la seule chose qu'avait faite Alan était de l'assécher, comme il le bafouillait dès que l'occasion se présentait.

Dans le salon où la famille se réunit, autour d'une pompeuse table en acajou polie comme un miroir, flottait un parfum de désodorisant d'ambiance au pin se mêlant au persistant parfum Prada de Mme Keller, qui retourna l'estomac convalescent d'Alan. Pour éviter tout malentendu sur sa position dans la famille, Mark s'installa au bout de la table dans un fauteuil au dossier haut, plusieurs dossiers posés devant lui, et il plaça les autres de part et d'autre de la table, sur des chaises moins imposantes, chacun ayant devant lui une bouteille d'eau minérale. Alan pensa que les années, l'argent et le pouvoir avaient accentué l'aspect simiesque de son frère, et qu'aucun tailleur, aussi doué fût-il, ne pourrait le dissimuler. Mark était l'héritier naturel de plusieurs générations d'hommes dotés de vision financière et de myopie émotionnelle, dont la dureté et l'absence de scrupules marquaient le visage de rides de mauvaise humeur et d'une moue de permanente arrogance.

Dans son enfance, lorsqu'il tremblait devant son père et admirait encore son frère aîné, Alan avait voulu être comme eux, mais cette idée disparut à l'adolescence, dès qu'il comprit qu'il était fait d'une étoffe différente, plus noble. Des années plus tôt, lors de la fête de gala par laquelle les Keller commémorèrent les soixante-dix ans de Flora, Alan profita de ce qu'elle avait bu plus que de raison et il osa lui demander si Philip Keller était vraiment son père. « Je peux t'assurer que tu n'es pas adopté, Alan, mais j'ai oublié qui est ton père », lui répondit sa mère, entre hoquets et petits rires étouffés.

Mark et Lucille, excédés par les caprices du benjamin de la famille, s'étaient mis d'accord avant la réunion pour serrer la vis à Alan de façon définitive – les parents n'avaient été invités que pour faire nombre –, mais leur résolution faiblit en voyant l'état lamentable dans lequel celui-ci se présenta, pâle, hirsute, avec des cernes de Dracula.

— Qu'est-ce qui t'arrive ? Tu es malade ? aboya Mark.

— J'ai une hépatite, répondit Alan pour dire quelque chose et parce qu'il se sentait vraiment mal.

— Il ne manquait plus que ça ! s'exclama sa sœur en levant les bras au ciel.

Mais comme le frère et la sœur n'étaient pas totalement dénués de pitié, il leur suffit d'échanger un regard et de hausser le sourcil gauche, un tic de famille, pour décider d'adoucir un peu leur stratégie. Le conclave fut humiliant pour Alan, il ne pouvait en être autrement. Mark commença par donner libre cours à ses reproches en l'accusant d'être une sangsue, un play-boy, un parasite qui vivait de ce qu'on lui prêtait, n'ayant ni éthique de travail ni dignité, et il l'avertit que la patience et les ressources de la famille avaient atteint leur limite. « Ça suffit », dit-il d'un ton catégorique, avec une tape éloquente sur les dossiers. Ses récriminations, ponctuées par les interventions opportunes de Lucille, durèrent une vingtaine de minutes, au cours desquelles Alan apprit que les dossiers contenaient le détail de chaque centime dilapidé par lui, de chaque prêt reçu, de chaque négoce désastreux, dans l'ordre chronologique et dûment certifiés. Pendant des décennies, Alan avait signé des billets à ordre, convaincu qu'il s'agissait d'une simple formalité et que Mark les oublierait aussi vite que lui-même les effaçait de son esprit. Il avait sous-estimé son frère.

Au cours de la seconde partie de la réunion, Mark Keller exposa les conditions qu'il avait improvisées avec Lucille dans le silencieux accord de haussements de sourcils. Au lieu d'insister pour qu'Alan vende le vignoble afin de calmer ses créditeurs, selon le plan originel, il admit le fait irréfutable que la valeur de la propriété avait drastiquement diminué depuis l'effondrement économique de 2009, et que c'était le moment le moins favorable pour vendre. En revanche, il la réclama en tant que dégât collatéral pour tirer Alan de ses embarras une dernière fois. Il dit qu'Alan devait avant tout régler sa dette fiscale, qui pouvait le conduire en prison, ce qui serait un scandale absolument inacceptable pour les Keller. Mark annonça ensuite son intention de se défaire de la propriété de Woodside, ce qui surprit tellement Philip et Flora Keller qu'ils furent incapables de réagir pour exprimer leur désaccord. Mark expliqua qu'une entreprise financière souhaitait édifier deux tours résidentielles sur ce terrain et, étant donné l'état désastreux du marché des biens-fonds, ils ne pouvaient rejeter cette offre généreuse. Alan, qui pendant des années avait tenté de se débarrasser de cette bâtisse vétuste pour empocher la part qui lui revenait, écouta debout devant la grande fenêtre, admirant le panorama de la baie dans une feinte indifférence.

Le mouton noir de la famille saisit parfaitement le mépris et le ressentiment profond que son frère et sa sœur avaient pour lui, ainsi que la portée de leur condamnation : ils le mettaient au ban de la famille, un concept nouveau et insoupçonné. Ils lui enlevaient sa situation et son confort économiques, ses influences, ses relations et ses privilèges ; d'un coup ils le reléguaient sur les perchoirs inférieurs du poulailler social. Ce matin-là, en moins d'une heure et sans qu'intervînt une catastrophe – une guerre mondiale ou l'impact d'une météorite, par exemple –, il avait perdu ce qu'il estimait être son droit par naissance.

Surpris, Alan nota qu'au lieu d'être furieux contre son frère et sa sœur, ou angoissé par l'avenir, il éprouvait une certaine curiosité. Comment serait-ce de faire partie de l'immense masse humaine que Geneviève van Houte appelait les vilains ? Il se souvint d'une citation que lui-même avait utilisée dans l'un de ses articles, faisant référence à un aspirant artiste, l'un de ceux dotés d'une grande ambition et de peu de talent : pour chacun vient le moment d'atteindre son niveau d'incompétence. Il lui vint à l'esprit qu'en sortant du bureau de son frère il devrait se débrouiller seul et atterrirait tout droit dans son propre niveau d'incompétence.

En conclusion, il était ruiné. La vente de Woodside pouvait prendre un certain temps, mais de toute façon il ne toucherait rien, car sa famille lui décompterait l'argent qu'elle lui avait donné au long de sa vie, que lui-même qualifiait d'avances sur son héritage, mais que le reste des Keller considérait comme des prêts. Il n'avait jamais tenu le compte de ces dettes, mais elles étaient immortalisées dans les dossiers que Mark, à cet instant, écrasait de sa grosse main de maçon. Il imagina qu'il survivrait grâce à la vente de ses œuvres d'art, bien qu'il fût difficile de calculer combien de temps, car il ne tenait pas non plus le compte de ses dépenses. S'il avait de la chance, il obtiendrait un million et demi pour les Botero, en considérant la commission de la galerie ; les peintres latino-américains étaient à la mode, mais il n'était jamais avisé de vendre dans une situation de gêne, comme c'était son cas. Il devait beaucoup d'argent aux banques – le vignoble avait été un caprice onéreux – et à d'autres créanciers moins importants, de son dentiste à deux antiquaires, sans compter les cartes de crédit. À combien s'élevait tout cela ? Aucune idée. Mark lui notifia qu'il devait quitter immédiatement Woodside, et cette maison qu'Alan détestait une heure auparavant lui causait maintenant une certaine nostalgie. Il pensa, résigné, qu'au moins il ne connaîtrait pas l'humiliation de demander le gîte à une tierce personne, il pouvait s'installer dans le vignoble de Napa pour quelques mois, jusqu'à ce que Mark s'en empare.

Il embrassa sa mère et Lucille sur la joue et prit congé de son frère et de son père d'une tape sur l'épaule. En sortant de l'ascenseur et se retrouvant dans la rue, Alan constata qu'en cette heure décisive l'hiver avait reculé et qu'un soleil d'autres climats brillait sur San Francisco. Il alla au Clock Bar de l'hôtel Westin St. Francis prendre un whisky, le premier depuis qu'il était tombé malade, dont il avait grand besoin ; l'alcool le ranima, dissipant ses doutes et ses craintes. Il se peigna avec ses doigts, content d'avoir de si beaux cheveux, et redressa les épaules, se débarrassant d'un terrible poids, car il ne dépendait plus de son frère et de sa sœur ; c'en était fini des tours de passe-passe avec les cartes de crédit, de l'obsession des apparences et du devoir de veiller à la respectabilité de son nom. Son château de cartes s'était écroulé et il allait faire partie de la masse, mais il était libre. Il se sentit euphorique, léger, rajeuni. Seule Indiana lui manquait, mais elle aussi appartenait au passé, à ce que la tempête avait emporté.

Jeudi, 16

Blake Jackson reçut l'appel de sa petite-fille en milieu de matinée. Il était dans la pharmacie et dut abandonner ce qu'il faisait à l'instant même – il comptait des pilules pour une ordonnance –, car le ton d'Amanda était alarmant.

— Tu n'es pas en classe à cette heure-ci ? lui demanda-t-il, inquiet.

— Je t'appelle depuis les toilettes. C'est à cause de Bradley, dit-elle, et il perçut l'effort qu'elle faisait pour ne pas pleurer.

— Que se passe-t-il ?

— Il a une fiancée, grand-père ! (Et elle ne put retenir un sanglot.)

— Ah, ma chérie, je suis vraiment désolé. Comment l'as-tu appris ?

— Il l'a écrit sur Facebook. Autrement dit, d'abord il me trahit et ensuite il se moque de moi publiquement. Il a même mis une photo d'elle sur son profil, la fille est championne de natation, comme lui, elle a des épaules de mec et l'air méchant. Qu'est-ce que je vais faire, grand-père ?

— Je ne sais pas, Amanda.

— Tu n'as jamais vécu une chose pareille ?

— Je ne m'en souviens pas, ces choses-là s'oublient...

— Elles s'oublient ! Moi je pardonnerai jamais à Bradley ! Je lui ai envoyé un message pour lui rappeler qu'on allait se marier et il ne m'a pas répondu. Il doit être en train de penser à l'excuse qu'il va me donner, les hommes sont tous infidèles, comme Alan Keller, comme mon père. On peut pas leur faire confiance, dit l'adolescente en pleurant.

— Moi, je ne suis pas comme ça, Amanda.

— Mais toi, tu es vieux ! s'exclama sa petite-fille.

— Bien sûr qu'on peut faire confiance aux hommes, la plupart sont honnêtes. Ton père est célibataire, je veux dire divorcé, et il ne doit fidélité à personne.

— Tu veux dire que Bradley aussi est célibataire et qu'il ne me doit pas fidélité, alors qu'on allait se marier ?

— Moi, il me semble que cette histoire de mariage n'était pas vraiment arrêtée, ma chérie. Bradley ne savait peut-être pas que tu avais l'intention de te marier avec lui.

— Parle pas au passé, j'ai toujours l'intention de me marier avec lui. Attends que j'aille au MIT et que je fasse débarrasser le plancher à cette idiote.

— Bien parlé, Amanda.

Sa petite-fille pleura deux minutes tandis qu'il attendait au téléphone, sans savoir comment la consoler, puis il l'entendit se moucher bruyamment.

— Je dois retourner en classe, soupira Amanda.

— J'imagine que ce n'est pas le moment de te parler d'autopsie. Je t'appelle ce soir, dit Blake.

— Quelle autopsie ?

— Celle de Rachel Rosen. Le médecin légiste pense que l'assassin lui a injecté une drogue, parce que le corps a une piqûre sur la cuisse gauche. Il l'a bâillonnée, puis il l'a étranglée, ou plutôt il l'a garrottée avec du fil de pêche et un tourniquet, et enfin il l'a pendue au ventilateur.

— Un peu compliqué, tu trouves pas, Kabel ?

— Oui, à l'examen toxicologique ils ont identifié la drogue. Elle s'appelle Versed et a de nombreux usages, elle sert entre autres à tranquilliser les patients avant une opération ; selon la dose qu'il lui a administrée, Rachel Rosen a dû se retrouver pratiquement inconsciente en quelques minutes.

— Intéressant, commenta sa petite-fille, qui semblait assez bien remise de son dépit amoureux.

— Retourne en classe, ma chérie. Tu m'aimes ?

— Non.

— Moi non plus.

Vendredi, 17

Pour son avant-dernière séance de la semaine, Indiana s'était préparée en mettant deux gouttes d'essence de citron sur ses poignets, qui l'aidaient à concentrer son esprit, et elle avait allumé un bâton d'encens devant la déesse Shakti, la priant de lui accorder la patience. C'était l'une de ces semaines où Gary Brunswick avait besoin de deux traitements ; elle devait alors changer les rendez-vous d'autres patients pour le placer dans son emploi du temps. En temps normal, elle se remettait d'une séance difficile avec deux ou trois bonbons au chocolat noir, mais depuis qu'elle avait rompu avec Alan Keller ceux-ci avaient perdu leur effet régénérateur et les inconvénients de la vie, tel Brunswick, la désarmaient. Elle avait besoin de quelque chose de plus fort que le chocolat.

La première fois, Brunswick ne s'était pas présenté à sa consultation avec des intentions voilées, comme d'autres hommes qui apparaissaient sous prétexte de maux imaginaires afin de tenter leur chance auprès d'elle. Indiana avait eu quelques déconvenues avec des patients qui se pavanaient nus dans l'espoir de l'impressionner, jusqu'à ce qu'elle apprît à s'en débarrasser sans leur donner le temps de devenir une menace, mais en de rares occasions elle devait appeler Matheus Pereira à son secours. Le peintre avait branché un timbre sous la table de massage pour lui permettre de l'avertir lorsqu'elle ne pouvait contrôler la situation. Plus d'un de ces audacieux était revenu repentant lui demander une seconde chance, qu'elle lui refusait, car pour soigner il lui fallait se concentrer, et comment le pouvait-elle avec une érection pointée sous le drap ? Gary Brunswick n'était pas de ceux-là, il lui avait été envoyé par Yumiko Sato, dont les miraculeuses aiguilles d'acupuncture capables de combattre à peu près tous les maux n'avaient pas réussi à le guérir de ses migraines persistantes, aussi l'avait-elle envoyé à sa voisine du cabinet numéro 8.

N'ayant jamais vu Indiana auparavant, Brunswick fut surpris lorsqu'elle lui ouvrit la porte et qu'il se trouva devant une walkyrie déguisée en infirmière, très différente de la personne imaginée. Il ne s'attendait même pas à une femme, il croyait qu'Indiana était un nom d'homme, comme Indiana Jones, le héros des films de son adolescence. Avant la fin de la première séance, il était noyé dans un torrent d'émotions nouvelles difficiles à gérer. Il se flattait d'être un homme froid, capable de contrôler ses actes, mais la proximité d'Indiana, féminine, chaleureuse et compatissante, le contact de ses mains fermes et le mélange sensuel des parfums du cabinet le désarmèrent ; pendant l'heure que dura la séance il fut au septième ciel. C'est pourquoi il revenait, tel un suppliant, non pas tant pour soigner ses migraines que pour la voir et revivre l'extase de la première séance, qui ne s'était jamais répétée avec la même intensité. Chaque fois, comme un drogué, il lui en fallait davantage.

Sa timidité et sa maladresse l'avaient empêché d'exprimer franchement ses sentiments à Indiana, mais la fréquence de ses allusions augmentait dangereusement. Indiana aurait renvoyé un autre homme sans ménagement, mais celui-ci lui paraissait si fragile, malgré ses bottes de combat et son blouson de macho, qu'elle craignait de lui infliger une blessure fatale. Elle l'avait dit en passant à Ryan Miller, qui avait croisé Brunswick une ou deux fois. « Pourquoi ne te débarrasses-tu pas de cette belette pathétique ? » avait été sa réponse. Elle ne pouvait le faire justement pour cette raison : parce qu'il était pathétique.

La séance se déroula mieux qu'elle ne s'y attendait. Au début, Indiana nota qu'il était nerveux, mais il se détendit dès le début du massage et dormit durant les vingt minutes consacrées au reiki. En terminant elle dut le secouer un peu pour le réveiller. Elle le laissa seul pour qu'il s'habille et l'attendit dans la petite salle de réception, où les bâtons d'encens s'étaient consumés, mais l'odeur de temple asiatique persistait. Elle ouvrit la porte du couloir pour aérer à l'instant même où arrivait Matheus Pereira pour la saluer, éclaboussé de peinture et portant une plante en pot, qu'il lui apportait en cadeau. Les journées du peintre s'écoulaient entre de longues siestes de marijuana et des crises de créativité picturale, qui n'affectaient en rien sa capacité d'attention : rien ne lui échappait de ce qui se passait à North Beach et en particulier dans la Clinique Holistique, qu'il considérait comme son foyer. À l'origine, l'accord avec le propriétaire de l'immeuble consistait à tenir celui-ci informé des allées et venues des locataires en échange d'un pourboire, et d'occuper gratuitement le dernier étage, mais comme il se passait rarement quelque chose digne d'être noté, son arrangement avec le Chinois s'était peu à peu dilué. L'habitude de parcourir les étages, de mettre le courrier dans les boîtes, de recevoir les plaintes et d'écouter les confidences se traduisait en amitié avec les occupants de l'immeuble, son unique famille, surtout avec Indiana et Yumiko, qui soulageaient sa sciatique avec les séances de massage et d'acupuncture.

Pereira remarqua que le fleuriste japonais n'avait pas livré l'ikebana du lundi et il en déduisit qu'il s'était passé quelque chose entre Indiana et son amant. Dommage, pensa-t-il, Keller était un type cultivé qui s'y connaissait en art ; un jour ou l'autre, il pouvait lui acheter un tableau, peut-être l'un des grands, comme l'abattoir de bovins, inspiré des animaux éventrés de Soutine, son œuvre majeure. D'autre part, si Keller avait disparu, il pourrait bien sûr inviter Indiana chez lui de temps en temps, fumer un peu et faire l'amour avec légèreté, cela ne mettrait pas sa créativité en danger, à condition que cela ne devienne pas une habitude. L'amour platonique était un peu ennuyeux. Indiana remercia d'un baiser chaste pour la plante décorative et prit rapidement congé, parce que son patient, rhabillé, faisait son apparition.

Matheus Pereira disparut dans le couloir, tandis que Brunswick payait ses deux séances de la semaine en liquide, sans reçu, comme il le faisait toujours.

— Cette plante serait mieux loin de ta clientèle, Indiana. C'est de la marijuana. Ce type travaille ici ? Je l'ai vu plusieurs fois.

— Il est peintre et il habite sur la terrasse. Les tableaux du hall sont les siens.

— Je les trouve effrayants. Mais je ne suis pas compétent. Demain il y aura du *cinghiale* au Café Rossini… Je ne sais pas… On pourrait y aller. Si tu veux, bien sûr, balbutia Brunswick, les yeux baissés.

Ce plat ne figurait pas au menu de la cafétéria, il n'était proposé qu'aux habitués qui connaissaient le secret, et le fait que Brunswick fût l'un d'eux prouvait sa ténacité : il avait réussi, en un minimum de temps, à être accepté à North Beach. D'autres avaient mis des décennies. De temps en temps, le propriétaire du Café Rossini allait à la chasse dans les environs de Monterrey et il en revenait avec un sanglier, qu'il dépeçait lui-même dans sa cuisine, un procédé atroce, et il préparait, entre autres délices, les meilleures saucisses de l'histoire, l'ingrédient essentiel de son *cinghiale*. Quelques semaines plus tôt, Indiana avait commis l'erreur d'accepter une invitation à dîner de Brunswick et elle avait passé deux heures interminables à lutter pour rester éveillée, tandis qu'il lui faisait une conférence sur les formations géologiques et la faille de San Andrea. Elle n'avait aucune intention de renouveler l'expérience.

— Non, Gary, merci. Je vais passer le week-end en famille, nous avons beaucoup à célébrer. Amanda a été admise au MIT, avec une bourse couvrant la moitié des frais d'inscription.

— Ta fille doit être un génie.

— Oui, mais tu as gagné une partie d'échecs contre elle, commenta aimablement Indiana.

— Mais elle a gagné d'autres parties.

— Comment ça ? Tu l'as revue ? demanda-t-elle, alarmée.

— Nous jouons en ligne de temps en temps. Elle va m'apprendre à jouer au go, c'est plus difficile que les échecs. C'est un jeu chinois qui a plus de deux mille ans...

— Je sais ce qu'est le go, Gary, l'interrompit Indiana sans cacher sa contrariété. (Cet homme devenait un fléau.)

— Tu as l'air fâché, il se passe quelque chose ?

— Gary, je ne permets pas à ma fille d'être en relation avec mes patients. Je te prie de ne pas avoir de contact avec elle.

— Pourquoi ? Je ne suis pas un pervers !

— Je n'ai jamais pensé cela, Gary, dit Indiana en faisant un pas en arrière, surprise que ce type tellement timoré fût capable d'élever la voix.

— Je comprends qu'en tant que mère tu doives protéger ta fille, mais tu n'as rien à craindre de moi.

— Bien sûr, mais de toute façon...

— Je ne peux cesser de communiquer avec Amanda sans une explication, l'interrompit Brunswick. Je dois au moins lui parler. En plus, si tu me le permets, j'aimerais faire un geste envers elle. Ne m'as-tu pas dit que la petite voulait un chat ?

— Tu es très gentil, Gary, mais Amanda a déjà une petite chatte, elle s'appelle Sauvez-le-Thon. Une amie à moi la lui a donnée, Carol Underwater ; tu l'as peut-être vue ici.

— Dans ce cas, je vais devoir penser à un autre cadeau.

— Non, Gary, en aucune façon. Nous allons limiter notre relation aux quatre murs de ce cabinet. Ne te vexe pas, ça n'a rien de personnel.

— Rien ne peut être plus personnel, Indiana. Tu ne sais donc pas ce que je ressens pour toi ? répliqua Brunswick précipitamment, rouge de honte, avec une expression désolée.

— Mais, Gary, nous nous connaissons à peine !

— Si tu désires en savoir plus sur moi, demande-moi, je suis un livre ouvert, Indiana. Je suis célibataire, sans enfants, ordonné, travailleur, bon citoyen, une personne honnête. Il serait prématuré de t'expliquer ma situation économique, mais je peux déjà te dire qu'elle est excellente. Pendant cette crise, beaucoup de gens ont perdu ce qu'ils avaient, moi je me suis maintenu à flot et j'ai même gagné de l'argent, car je connais bien le marché des valeurs. Il y a des années que j'investis et…

— Cela n'a rien à voir avec moi, Gary.

— Je te demande seulement de considérer ce que je t'ai dit, j'attendrai le temps qu'il faudra, Indiana.

— Il vaut mieux que tu y renonces. Et il vaut mieux aussi que tu cherches une autre thérapeute, je ne peux pas continuer à m'occuper de toi, non seulement à cause de ce que nous venons de dire, mais parce mes traitements ont été fort peu efficaces.

— Ne me fais pas ça, Indiana ! Toi seule peux me soigner, grâce à toi ma santé est bien meilleure. Je ne t'embêterai plus, je te le promets.

Il avait l'air si désespéré qu'elle n'eut pas le courage d'insister et, la voyant hésiter, Brunswick en profita pour prendre congé jusqu'au mardi suivant, comme s'il n'avait rien entendu de ce qu'elle avait dit, et il partit en hâte.

Indiana ferma la porte et elle donna un tour de clé de l'intérieur, ayant l'impression d'avoir été manipulée comme une novice. Elle lava son visage et ses mains pour se débarrasser de la colère, pensant avec nostalgie au jacuzzi de l'hôtel

Fairmont. Ah ! l'eau parfumée, les grandes serviettes en coton, le vin froid, le repas délicieux, les caresses savantes, l'humour et l'amour d'Alan Keller. Une fois, après avoir regardé *Cléopâtre* à la télévision, trois heures d'Égyptiens décadents aux yeux peints et de Romains idiots aux jambes robustes, elle avait déclaré que ce qu'elle avait préféré dans le film, c'était le bain de lait. Alan Keller sauta du lit, s'habilla, sortit sans un mot et une demi-heure plus tard, alors qu'elle était sur le point de s'endormir, il revint avec trois paquets de lait en poudre qu'il versa dans l'eau chaude du jacuzzi, afin qu'elle s'y trempe comme la pharaonne d'Hollywood. Le souvenir la fit rire et elle se demanda, avec une piqûre douloureuse dans la poitrine, comment elle allait faire pour vivre sans cet homme qui lui avait donné tant de plaisir, et si elle arriverait à aimer Ryan Miller comme elle avait aimé Alan.

L'attirance physique qu'elle ressentait pour l'ancien soldat était si forte qu'elle pouvait seulement la comparer à celle que lui avait inspirée Bob Martín au lycée. C'était comme la fièvre, une chaleur constante. Elle se demandait comment elle avait pu ignorer ou résister à cet impérieux désir sexuel, qui existait sans doute depuis longtemps, et la seule réponse possible était que l'amour qu'elle portait à Alan Keller avait pesé plus lourd. Elle connaissait son propre tempérament, elle savait qu'elle ne pouvait aimer un homme sérieusement et coucher à la légère avec un autre, mais après avoir été avec Ryan dans ce petit hôtel fouetté par la tempête, elle comprenait mieux ceux qui s'abandonnent à la folie du désir.

Au cours des douze jours écoulés depuis, elle avait été chaque nuit avec Ryan, sauf le samedi et le dimanche qu'elle avait passés avec Amanda, et à l'instant même, alors qu'elle n'avait pas encore reçu son dernier patient, elle attendait avec impatience de le serrer dans ses bras dans le loft, où Attila, résigné, ne manifestait plus son mécontentement en hurlant. Elle pensait avec plaisir à la simplicité spartiate du lieu, aux serviettes rugueuses, au froid qui l'obligeait à faire l'amour avec un pull et des chaussettes de laine. Elle aimait l'immense présence masculine de Ryan, la force qu'il irradiait, son attitude de guerrier héroïque, qui dans ses bras se transformait en vulnérabilité. D'une certaine manière, elle aimait aussi sa hâte de garçon fougueux, qu'elle attribuait au fait que Ryan n'avait pas connu de véritable amour, personne ne s'étant proposé de lui apprendre à donner du plaisir à une femme. Cela changerait lorsque l'excitation de cet amour tout neuf céderait et qu'ils auraient l'occasion de s'explorer sans précipitation, décida-t-elle. C'était une perspective agréable. Ryan était un homme surprenant, bien plus doux et sentimental qu'elle ne l'avait imaginé, mais il leur manquait une histoire commune, toutes les relations ont besoin d'une histoire, ils auraient tout le temps de mieux se connaître et d'oublier Alan.

Elle mit de l'ordre dans le cabinet de massage, ramassa le drap et les serviettes utilisés, et se prépara pour la dernière séance de la semaine, le caniche, son client préféré, le plus affectueux, un petit animal couleur caramel, vieux et bancal, qui se soumettait à ses traitements avec une reconnaissance évidente. Comme elle disposait de quelques minutes, elle chercha le dossier de Brunswick où ne figurait pas l'heure de sa naissance, malheureusement, car elle aurait permis de dresser une carte astrale, puis elle composa le numéro de Céleste Roko pour lui demander le nom du Tibétain qui nettoyait le karma.

Samedi, 18

Le samedi soir, Pedro Alarcón et Ryan Miller, Attila sur leurs talons, sonnèrent ponctuellement à la porte d'Indiana à huit heures et demie, suivis de près par Matheus Pereira, Yumiko Sato et sa compagne de vie, Nana Sasaki. Indiana, qui les avait recrutés à la demande de Danny D'Angelo, les reçut vêtue d'une sobre robe noire en soie et chaussée de talons hauts, présents d'Alan Keller à l'époque où il voulait faire d'elle une dame, qui provoquèrent les sifflements d'admiration des hommes. Ils ne l'avaient jamais vue habillée de façon aussi élégante et de cette couleur ; persuadée que le noir attirait l'énergie négative, elle le portait avec précaution. Attila flaira avec délectation le mélange d'huiles essentielles qui imprégnait l'appartement. Le chien détestait les parfums synthétiques, mais il rendait les armes devant les naturels, ce qui expliquait sa faiblesse pour Indiana, qu'il distinguait entre tous les êtres humains. Miller saisit Indiana et l'embrassa sur la bouche, tandis que les autres invités feignaient de ne pas s'en apercevoir. L'hôtesse ouvrit une bouteille de Primus, délicat mélange de carménère et de cabernet, autre présent de Keller, car elle n'aurait pu se permettre d'acheter une bouteille de vin coûtant plus cher que son manteau d'hiver, et elle servit à Miller sa boisson gazeuse préférée. Le *navy seal* se vantait autrefois d'être un connaisseur de vins, mais lorsqu'il avait cessé de boire, il était devenu un dégustateur de Coca-Cola, qu'il préférait en petite bouteille – jamais en boîte – importée du Mexique, parce qu'il contenait plus de sucre, et sans glace.

La veille, Danny avait invité Indiana à son spectacle du samedi. C'était une occasion spéciale, car il fêtait un anniversaire et la patronne du local, en hommage à ses années sur scène, lui avait offert le rôle principal, qu'il avait soigneusement préparé. « À quoi ça me sert d'être l'étoile du show si tout le monde s'en fiche ? Viens me voir, Indi, et amène tes amis pour m'applaudir. » Comme Danny l'avait avertie au dernier moment, elle n'avait pas eu le temps d'ameuter une foule, comme elle l'aurait voulu, et elle dut se contenter de ces cinq amis fidèles. Tous s'habillèrent pour l'occasion, même Matheus, qui portait son éternel jean taché de peinture, mais avait mis une chemise rayée amidonnée, et noué un foulard autour de son cou. À North Beach, tout le monde s'accordait à reconnaître que le peintre brésilien était le plus bel homme du voisinage et il le savait. Très grand, mince, le visage marqué de rides profondes, taillées à la serpe, des yeux vert-jaune de félin, des lèvres sensuelles et les cheveux tressés en dreadlocks. Il attirait tellement l'attention que souvent les touristes l'arrêtaient dans la rue pour se faire photographier avec lui, comme s'il était une attraction locale.

Yumiko et Nana s'étaient connues enfants dans la préfecture d'Iwate, au Japon, elles avaient émigré en même temps aux États-Unis, vivaient et travaillaient ensemble, et avaient choisi de s'habiller de la même façon. Ce soir-là elles portaient leur uniforme de sortie : veste et pantalon noirs, chemisier en soie blanche style Mao. Elles s'étaient mariées le 16 juin 2008, le jour où avait été légalisé le mariage de couples du même sexe en Californie, et le soir elles avaient fêté la noce à la galerie Chenille Velue avec des sushis, du saké et la présence de tous les médecins de l'âme de la Clinique Holistique.

Matheus aida Indiana à servir le dîner, de délicieux petits plats d'un restaurant thaïlandais, dans des assiettes en carton et avec des baguettes. Les amis s'installèrent par terre pour manger, car la table servait de laboratoire d'aromathérapie. La conversation porta, comme toutes les conversations de ces jours-là, sur la possibilité qu'Obama perde les élections présidentielles et que le film *Midnight in Paris* remporte l'Oscar. Ils terminèrent la bouteille de vin et, pour le dessert, il y eut des glaces au thé vert qu'avaient apportées les deux Japonaises, puis ils se répartirent dans la voiture de Yumiko et la camionnette de Miller.

Ils se dirigèrent vers la rue Castro et se garèrent, laissant le chien dans le véhicule, disposé à attendre des heures avec une patience de bouddhiste, puis ils marchèrent deux rues plus loin jusqu'au Narciso Club. À cette heure le quartier s'animait de jeunes gens, de quelques touristes noctambules et homosexuels, qui remplissaient les bars et les théâtres de variétés. De l'extérieur, l'endroit où Danny jouait était une porte avec le nom en lumières bleues, qui serait passé inaperçu s'il n'y avait eu la queue à l'entrée et des groupes de gays en train de fumer en bavardant. Alarcón et Miller hasardèrent quelques commentaires comiques sur la nature du club, mais ils suivirent docilement Indiana, qui salua le fier-à-bras chargé de la porte et présenta ses compagnons comme des invités spéciaux de Danny D'Angelo. À l'intérieur, l'établissement était plus vaste qu'on n'aurait pu le supposer, suffocant, plein à craquer de clients, presque tous des hommes. Dans les coins les plus sombres on distinguait des silhouettes enlacées ou qui dansaient lentement, absorbées dans leur histoire, mais le reste du public s'entremêlait, parlant fort pour se faire entendre, ou entassé autour du bar pour consommer alcool et *tacos* mexicains.

Sur la piste de danse qui servait aussi de scène, sous des lumières clignotantes, quatre choristes en bikini couronnées de plumes blanches s'agitaient au rythme strident de la musique. On aurait dit des quadruplées, toutes de la même taille, portant perruque, faux bijoux et maquillage identiques, les jambes galbées, les fesses fermes, les bras couverts de longs gants de satin et les seins débordant de soutiens-gorge brodés de pierreries. C'est seulement en les examinant de près et à la lumière du jour qu'on aurait pu découvrir que ce n'étaient pas des femmes.

Les amis de Danny se frayèrent un chemin à coups de coude dans l'assistance turbulente et un employé les conduisit près de la scène, à une table réservée pour Indiana. Alarcón, Yumiko et Nana allèrent au bar chercher des verres et une boisson gazeuse pour Miller qui ne s'était pas encore rendu compte que le peintre et lui attiraient l'attention, il pensait que les clients regardaient Indiana.

Peu après, les choristes emplumées terminèrent leur chorégraphie, les lumières s'éteignirent et le club fut plongé dans une obscurité totale, accueillie par des plaisanteries et des sifflets. Ainsi s'écoula une minute entière, interminable ; alors, quand les farceurs se turent, la voix cristalline de Whitney Houston emplit le local d'une longue plainte d'amour, faisant tressaillir l'âme de chacun des assistants. Le rayon jaune d'un projecteur éclaira le centre de la scène, où le fantôme de la chanteuse, morte sept jours auparavant, attendait debout, la tête inclinée, le micro dans une main, l'autre main sur le cœur, les cheveux courts, les paupières fermées, vêtue d'une robe longue qui mettait en valeur les seins et le dos nu. L'apparition laissa le public sans voix, pétrifié. Lentement, Houston leva la tête, porta le micro à son visage et du fond de la terre s'éleva la première phrase de *I will always love you*. Le public réagit par une ovation spontanée, suivie d'un silence respectueux, tandis que la voix chantait son adieu, un torrent de caresses, de promesses et de lamentations. C'était elle, avec ce visage impossible à confondre, ses mains expressives, ses mimiques, son intensité et sa grâce. Cinq minutes plus tard, les dernières notes de la chanson vibrèrent dans un tonnerre d'applaudissements. L'illusion était si parfaite qu'Indiana et ses compagnons n'imaginèrent pas que cette femme célèbre, ressuscitée et rachetée par enchantement, pût être Danny D'Angelo, le serveur fluet du Café Rossini, jusqu'à ce que les lumières du club se rallument et que Whitney Houston fasse une révérence et enlève sa perruque.

Ryan Miller avait fréquenté des endroits comme le Narciso Club dans d'autres pays avec ses compagnons d'armes, qui dissimulaient par des blagues grossières l'excitation que leur causait le spectacle gay. Les travestis l'amusaient, il les considérait comme des créatures exotiques et inoffensives, d'une autre espèce en quelque sorte. Il se définissait comme un homme à l'esprit ouvert, qui avait vu le monde et que rien ne pouvait scandaliser, tolérant vis-à-vis des préférences sexuelles d'autrui du moment que n'étaient impliqués ni enfants ni animaux, comme il disait. Il n'approuvait pas la présence de gays dans les Forces armées, car il craignait que ce soient des éléments de distraction et, comme les femmes, des sources de conflits. Non qu'il doutât de leur courage, précisait-il, mais la virilité et la loyauté se prouvent au combat, la guerre se fait avec de la testostérone ; chaque soldat dépend de ses camarades, et lui-même ne serait pas rassuré si sa vie était entre les mains d'un homosexuel ou d'une femme. Ce soir-là, au Narciso Club, sans l'appui d'autres *navy seals*, sa tolérance fut mise à rude épreuve.

Le milieu fermé, la sexualité et la séduction qui flottaient dans l'air, le frôlement des hommes serrés autour de lui, l'odeur de sueur, d'alcool et de lotion après-rasage, tout lui porta sur les nerfs. Il se demanda comment réagirait son père dans ces circonstances et, comme cela arrivait chaque fois qu'il l'invoquait par la pensée, il le vit debout près de lui, dans son uniforme impeccable, ses décorations sur la poitrine, raide, les mâchoires serrées, les sourcils froncés, désapprouvant ce qu'il était et tout ce qu'il faisait. « Pourquoi mon fils se trouve-t-il dans cet endroit écœurant, au milieu de ces crapules de pédés ? », marmonna son père avec cette manière de parler qu'il avait eue de son vivant, sans bouger les lèvres, mordant les consonnes.

Il n'avait pu apprécier le numéro de Danny D'Angelo, parce qu'il s'était alors rendu compte que les regards chargés d'intentions ne s'adressaient pas à Indiana, mais à lui ; il se sentait violé par cette énergie masculine palpitante, fascinante, dangereuse et tentatrice, qui le dégoûtait et l'attirait. Sans penser à ce qu'il faisait, il mit la main sur le verre de whisky de Pedro Alarcón et avala le contenu en trois longues gorgées. L'alcool, qu'il ne buvait plus depuis plusieurs années, lui brûla la gorge et se répandit dans ses veines jusqu'au dernier filament, l'inondant d'une vague de chaleur et d'énergie qui effaça ses pensées, ses souvenirs et ses doutes. Il n'y a rien de comparable à ce liquide magique, décida-t-il, rien de comparable à cet or fondu, ardent, délicieux, cette eau des dieux qui vous électrise, vous rend plus fort, vous enflamme, rien de comparable à ce whisky dont je ne sais pourquoi ni comment je me suis privé, quel imbécile j'ai été. Son père recula de deux pas et la foule l'avala. Miller se tourna vers Indiana et se pencha, cherchant sa bouche, mais le geste mourut dans l'espace et au lieu de l'embrasser il attrapa sa chope de bière sans qu'elle, hypnotisée par Whitney Houston, le remarque.

Miller ne sut à quel moment il se leva de table et, par des poussées furieuses, se fraya un chemin jusqu'au bar, il ne sut comment se termina le spectacle, ni combien de verres il but avant de perdre tout contrôle ; il ne sut d'où jaillit la rage qui l'aveugla d'un éclat incandescent lorsqu'un homme jeune lui mit un bras sur les épaules et lui souffla quelque chose à l'oreille, le touchant de ses lèvres ; il ne sut exactement à quel moment s'effacèrent les contours de la réalité, à quel moment il sentit qu'il enflait, que son corps ne tenait plus dans sa peau, qu'il allait exploser ; il ne sut comment débuta la bagarre, contre combien il fonça à coups de poing méthodiques, ni pourquoi Indiana et Alarcón criaient, ni comment il se retrouva menotté dans une voiture de police, la chemise en sang et les jointures meurtries.

Pedro Alarcón ramassa la veste de Miller par terre, il en tira la clé de la camionnette et suivit le véhicule qui emmenait son ami au commissariat de police. Il se gara à proximité et se présenta dans l'enceinte, où il dut attendre une heure et demie avant qu'un officier s'occupe de lui. Il lui expliqua ce qui était arrivé, en atténuant l'implication de Miller, tandis que l'homme en uniforme l'écoutait distraitement, les yeux sur l'ordinateur.

— Le détenu pourra expliquer lundi son affaire au juge. En attendant, il a ici une cellule pour se remettre de sa cuite et se calmer, dit le policier d'un ton aimable.

Alarcón l'informa que Ryan Miller n'était pas ivre, mais sous médicaments, car il avait subi un traumatisme cérébral pendant la guerre d'Irak, où il avait également perdu une jambe, et qu'il souffrait sporadiquement d'épisodes de conduite incohérente, mais qu'il n'était pas dangereux.

— Comment ça, il n'est pas dangereux ? Allez expliquer ça aux trois personnes qu'il a expédiées aux urgences.

— C'est la première fois qu'un incident comme celui du Narciso Club se produit, officier. On a provoqué mon ami.

— De quelle façon ?

— Un homme a essayé de le tripoter.

— Non ! Dans ce club ? Ce qu'il faut pas entendre ! se moqua le policier.

Alors Pedro Alarcón sortit la carte réservée pour un dernier recours et lui annonça que Ryan Miller travaillait pour le gouvernement et qu'il était en mission confidentielle ; si l'officier doutait de sa parole, il pouvait regarder dans le portefeuille du détenu où il trouverait l'identification nécessaire et, si c'était insuffisant, il lui fournirait le code pour entrer directement en communication avec le bureau de la CIA à Washington. « Vous comprendrez qu'un scandale n'est pas souhaitable », conclut-il. Le policier, qui avait fermé l'ordinateur et l'écoutait d'un air sceptique, le renvoya à son siège avec l'ordre d'attendre.

Une autre heure s'écoula avant qu'ils puissent corroborer avec Washington l'information d'Alarcón, et encore une autre avant qu'ils relâchent Miller, après lui avoir fait signer une déclaration. Au bout de cette longue attente, l'ivresse s'était un peu estompée, mais il titubait toujours. Ils sortirent du commissariat vers cinq heures du matin, Alarcón impatient de préparer son premier maté de la journée, Miller avec une migraine épouvantable, et le pauvre Attila, qui avait passé la nuit dans la camionnette, pressé de lever la patte sur n'importe quel arbre disponible.

— Je te félicite, Miller, tu as ruiné le spectacle de Whitney Houston, commenta Pedro Alarcón dans le loft, tandis qu'il aidait son ami à se déshabiller.

— Mon cerveau va exploser, murmura Miller.

— Bien fait pour toi. Je vais préparer du café.

Assis sur le bord de son lit, la tête entre les mains et le museau d'Attila appuyé contre son genou, Miller tenta en vain de reconstituer les événements de la nuit, accablé d'une honte infinie, le crâne plein de sable, les lèvres éclatées, les mains et les paupières gonflées, les côtes tellement meurtries qu'il avait du mal à respirer. C'était son unique rechute ;

il avait réussi à passer trois ans et un mois dans une totale abstinence, nettoyé de l'alcool et de la drogue, excepté un joint de marijuana de temps en temps. Il l'avait fait de façon virile, sans l'aide psychiatrique à laquelle il avait droit en tant que vétéran, juste avec des antidépresseurs ; si à la guerre il était capable de supporter plus d'effort et de douleur que n'importe quel mortel, parce qu'il y avait été entraîné, comment un verre de bière pourrait-il le vaincre ? Il ne comprenait pas ce qui lui était arrivé ni à quel moment il avait bu la première gorgée et commencé à glisser vers l'abîme.

— Je dois appeler Indiana. Passe-moi le téléphone, dit-il à Alarcón.

— Il est cinq heures et quart et nous sommes dimanche. Ce n'est l'heure d'appeler personne. Avale ça et repose-toi, je vais promener Attila, répondit Alarcón.

Ryan Miller avala péniblement le café noir avec deux aspirines et courut vomir dans les toilettes tandis que son ami essayait en vain de convaincre Attila de se laisser mettre la muselière et la laisse. L'animal n'avait pas l'intention d'abandonner Miller en si mauvais état et il gémissait, assis devant la porte des toilettes, son unique oreille dressée et son seul œil en alerte, attendant les instructions de son compagnon d'infortune. Miller garda plusieurs minutes la tête sous le jet d'eau froide de la douche, puis il sortit de la salle de bains en short, mouillé, sur son unique jambe, et il donna au chien l'autorisation de sortir avec Alarcón. Aussitôt après, il se laissa tomber de tout son poids sur le lit.

Dans la rue, le portable d'Alarcón sonna avec le fracas d'instruments à vent : les accords martiaux de l'hymne national de l'Uruguay. Luttant contre les tiraillements du chien, il récupéra le téléphone au fond d'une poche et entendit la voix d'Indiana demander des nouvelles de Ryan. La dernière chose qu'elle avait sue de lui, c'était que deux robustes officiers de police le traînaient jusqu'à une voiture de patrouille, tandis que deux autres, aidés par le gorille qui surveillait la porte, tentaient de rétablir l'ordre dans le club, où quelques clients, soûls et exaltés, continuaient à se taper dessus au milieu des cris des étoiles du spectacle, toujours vêtues de plumes. Abrité derrière le comptoir, Danny D'Angelo, un bas nylon sur la tête, la perruque de Whitney Houston à la main et le rimmel dégoulinant de larmes, observait le désastre. Dans son style laconique, Alarcón mit Indiana au courant. « J'arrive. Tu peux me payer le taxi ? » lui demanda-t-elle.

Trente-cinq minutes plus tard, Indiana se présenta au loft avec ses bottes de reptile, un imperméable sur la robe noire qu'elle portait pour la soirée et un œil au beurre noir. Elle embrassa l'Uruguayen, le chien et s'approcha du lit de ses amours, où Miller ronflait sous la couverture que Pedro avait jetée sur lui. Indiana le secoua jusqu'à ce qu'il sorte la tête de son refuge sous l'oreiller et se redresse à moitié, essayant d'accommoder sa vue.

— Qu'est-il arrivé à ton œil ? demanda-t-il à Indiana.

— J'ai essayé de te retenir et j'ai reçu une baffe.

— Je t'ai frappée ? s'exclama Miller, complètement réveillé.

— C'était un accident, rien de grave.

— Comment ai-je pu tomber si bas, Indi !

— On fait tous des erreurs de temps en temps, on tombe de tout son long et après on se relève. Habille-toi, Ryan.

— Je ne peux pas bouger.

— Allez, vaillant *navy seal* ! Debout ! Tu vas venir avec moi.

— Où ça ?

— Tu verras bien.

Dimanche, 19

« Salut, mon nom est Ryan, je suis alcoolique, et il y a six heures que je n'ai pas bu. » C'est ainsi qu'il se présenta, imitant ceux qui avaient parlé avant lui dans cette salle sans fenêtres, et des applaudissements chaleureux accueillirent ses paroles. Un peu plus tôt, Pedro Alarcón l'avait conduit avec Indiana jusqu'à un immeuble couronné d'une tour au coin des rues Taylor et Ellis, en plein Tenderloin.

— C'est quoi, cet endroit ? demanda Miller quand Indiana, le prenant par le bras, l'obligea à avancer jusqu'à la porte.

— L'église Glide Memorial. Comment peux-tu vivre depuis des années dans cette ville et ne pas la connaître ?

— Je suis agnostique. Je ne vois pas ce que nous venons faire ici, Indiana.

— Regarde la tour, tu vois qu'elle n'a pas de croix ? Cecil Williams, un pasteur afro-américain, a été l'âme de Glide pendant de nombreuses années, mais à présent il est à la retraite. Dans les années soixante, on l'a envoyé dans cet endroit, une église méthodiste moribonde, et il en a fait le centre spirituel de San Francisco. Il a enlevé la croix, parce que c'est un symbole de mort et que sa congrégation célèbre la vie. Nous sommes ici pour cela Ryan : pour célébrer ta vie.

Elle lui expliqua que Glide était une attraction touristique, en raison de la musique irrésistible de sa chorale et de sa politique de bras ouverts : tous y étaient bienvenus, sans distinction de credo, de race ou de tendance sexuelle, chrétiens de toutes confessions, musulmans et juifs, toxicos et mendiants, millionnaires de la Silicon Valley, *drag queens*, vedettes de cinéma et criminels libérés, personne n'était rejeté, et elle ajouta que Glide avait des centaines de programmes visant à secourir, abriter, habiller, éduquer, protéger et réhabiliter les plus pauvres et les plus désespérés. Ils se frayèrent un chemin à travers une file ordonnée de gens qui attendaient leur tour pour le petit déjeuner gratuit. Miller apprit qu'Indiana venait plusieurs heures par semaine aider au service du petit déjeuner, de sept heures à neuf heures, seul horaire possible pour elle, et que l'église offrait chaque jour de l'année trois repas à des milliers d'indigents, ce qui requérait soixante-cinq mille heures de travail volontaire. « Moi, je n'en donne qu'une centaine, mais il y a tellement de volontaires qu'il faut s'inscrire sur une liste d'attente », lui dit-elle.

À cette heure matinale, la foule du service dominical n'avait pas encore commencé à arriver. Indiana connaissait le chemin et elle emmena Miller à l'intérieur, dans une petite salle où se réunissait le premier groupe d'Alcooliques Anonymes de la journée. Il y avait déjà une demi-douzaine de personnes autour d'une table, avec des Thermos de café et des assiettes de biscuits; les autres arrivèrent peu à peu, au cours des dix minutes suivantes. Ils s'assirent sur des chaises en plastique, formant un cercle, quinze au total, des personnes de races, âges et aspects différents, des hommes pour la plupart, presque tous plus ou moins abîmés par la dépendance, l'un d'eux, comme Miller, portant les traces d'une récente bagarre. Indiana, avec son air de bonne santé et son attitude joyeuse, semblait être là par erreur. Miller s'attendait à un cours ou une conférence, mais au lieu de cela, un petit homme maigre, portant d'épaisses lunettes de myope, ouvrit la séance. « Salut, je suis Benny Ephron et je suis alcoolique. Je vois quelques nouveaux visages. Bienvenue, mes amis », se présenta-t-il, et les autres, à tour dc rôlc, prirent la parole pour dire leur nom.

Aidés par des commentaires ou des questions d'Ephron, plusieurs racontèrent leur expérience, comment ils s'étaient mis à boire, comment ils avaient perdu leur travail, leur famille, leurs amis, la santé, et comment ils tentaient de se réhabiliter auprès des Alcooliques Anonymes. Un homme montra fièrement une fiche avec le chiffre dix-huit, la somme de ses mois de sobriété, et les autres applaudirent. L'une des quatre femmes du groupe, négligée, qui sentait mauvais, avait des dents très abîmées et le regard fuyant, confessa qu'elle avait perdu espoir, parce qu'elle était retombée bien des fois, et elle aussi ils l'applaudirent pour l'effort qu'elle avait fait de se présenter ce jour-là. Ephron lui dit qu'elle était sur le bon chemin, parce que le premier pas est d'admettre son manque de contrôle sur sa vie, et il ajouta qu'on retrouve l'espoir quand on s'en remet à un pouvoir supérieur. « Je ne crois pas en Dieu », dit-elle d'un ton provocant. « Moi non plus, mais j'ai confiance dans le pouvoir supérieur de l'amour, l'amour que je peux donner et celui que je reçois», dit le maigre aux lunettes. «Moi, personne m'aime, personne m'a jamais aimée!» répliqua la femme en se levant maladroitement pour s'en aller, mais Indiana se plaça devant elle et la prit dans ses bras. La femme se débattit quelques secondes, tentant de se libérer, mais ensuite elle s'abandonna en sanglotant dans les bras de cette jeune femme qui la soutenait avec la fermeté d'une mère. Elles restèrent ainsi, étroitement enlacées, pendant un temps qui parut à Miller éternel, insupportable, jusqu'à ce que la femme se calme et que toutes deux retournent s'asseoir.

Ryan Miller n'ouvrit la bouche que pour se présenter, il écouta les témoignages des autres, la tête dans les épaules et les coudes appuyés sur ses genoux, luttant contre les nausées et la douleur de ses tempes. Il partageait avec ces gens plus qu'il ne le soupçonnait lui-même jusqu'à la nuit précédente lorsque, dans un moment de distraction ou de colère, il avait avalé la première gorgée et était redevenu le mâle puissant et invincible de ses fantasmes juvéniles. Comme ces hommes et ces femmes qui l'entouraient, lui aussi vivait prisonnier dans sa peau, effrayé par l'ennemi tapi en lui, attendant l'occasion de le détruire, un ennemi tellement silencieux qu'il l'avait presque oublié. Il pensa à la couleur dorée du whisky, à son éclat ensoleillé, au son délicieux des glaçons dans le verre, il pensa à l'odeur musquée de la bière, à sa douce effervescence et à la délicatesse de la mousse.

Il se demanda ce qui avait foiré. Il passait sa vie à s'entraîner pour atteindre à l'excellence, fortifiant sa discipline, cultivant la maîtrise de soi, tenant ses faiblesses à distance, et voilà qu'au moment où il s'y attendait le moins l'ennemi sortait de sa tanière et lui bondissait dessus. Autrefois, quand les excuses ne lui manquaient pas – comme la solitude et l'amour désespéré – pour céder à la tentation de se perdre un moment dans l'alcool, il était resté sobre. Il ne comprenait pas pourquoi il avait cédé maintenant, alors qu'il avait tout ce qu'il désirait. Depuis deux semaines, il se sentait heureux et entier. Ce dimanche béni où il avait enfin pu serrer Indiana dans ses bras avait changé sa vie, il s'était abandonné à la merveille de l'aimer et du désir consommé, au miracle d'être aimé et d'être accompagné, à l'illusion de se croire racheté et guéri pour toujours de toutes ses blessures. « Je m'appelle Ryan Miller et je suis alcoolique », répéta-t-il en lui-même, et il sentit les larmes qu'il contenait lui piquer les yeux, l'envie de sortir en courant de cet endroit l'assaillit, mais la main d'Indiana sur son épaule le retint à sa place. À la sortie, quarante-cinq minutes plus tard, certains lui donnèrent une tape amicale dans le dos, le saluant par son prénom. Il ne leur répondit pas.

À midi, Indiana et Ryan allèrent pique-niquer au parc des séquoias où, deux semaines plus tôt, une tempête leur avait donné un prétexte pour faire l'amour. Le temps était incertain, les moments de douce bruine alternaient avec d'autres où les nuages se déplaçaient, laissant le soleil faire de timides apparitions. Il avait apporté un poulet cru, de la limonade, du charbon et un os pour Attila ; elle s'était chargée du fromage, du pain et des fruits. Indiana avait un vieux panier doublé de tissu à carreaux blancs et rouges, l'un des rares objets que lui avait légués sa mère, idéal pour transporter le repas, les assiettes et les verres d'un pique-nique. Il n'y avait pas âme qui vive dans le parc, qui en été se remplissait de gens, et ils purent s'installer dans leur coin préféré, à quelques pas de la rivière. Assis sur un gros tronc et enveloppés de ponchos, ils attendirent que le charbon soit à point pour rôtir le poulet, tandis qu'Attila courait, hystérique, à la poursuite des écureuils.

Le visage de Miller était une calebasse cabossée et son corps une carte d'hématomes noirâtres, mais il se sentait plein de gratitude car, d'après la justice primitive que lui avait inculquée le ceinturon de son père, la punition rachète la faute. Dans son enfance, les règles étaient claires : celui qui commet une méchanceté ou une imprudence doit la payer, c'est une loi naturelle inéluctable. Si Ryan faisait une bêtise sans que son père l'apprenne, l'exaltation d'avoir échappé à la pénitence durait peu; bientôt l'envahissaient une sensation de terreur et la certitude que l'univers se vengerait. En fin de compte, il était préférable d'expier la faute par quelques coups de courroie que de vivre dans l'attente que se matérialise la menace. Méchanceté ou imprudence… Il se demandait combien d'actes de cette nature il avait commis au cours de ses quatre décennies d'existence, et concluait qu'il y en avait sans doute plusieurs.

Au cours de ses années de soldat, jeune, fort, dans l'effervescence de l'aventure ou dans le fracas de la guerre, entouré de ses camarades et protégé par la puissance des armes, jamais il n'avait examiné sa conduite, de même qu'il n'avait pas remis en question l'impunité dont il jouissait. À la guerre, le jeu sale est permis, il n'avait de comptes à rendre à personne. Il accomplissait dans l'honneur sa promesse de défendre son pays, il était un *navy seal*, l'un des élus, des guerriers mythiques. Il s'était remis en question plus tard, au cours des mois d'hospitalisation puis de rééducation, urinant du sang et apprenant à se déplacer avec les fers sur le moignon; il avait alors décidé que s'il était coupable de quelque chose, il l'avait payé cher en perdant une jambe, ses camarades et sa carrière militaire. Le prix avait été si élevé – échanger une vie héroïque contre une vie banale – qu'il s'était senti floué. Il s'était abandonné à la consolation fictive de la boisson et des drogues dures, pour combattre la solitude et le dégoût de lui-même, languissant dans un appartement déprimant de Bethesda.

C'est à cette époque, alors que la tentation du suicide devenait impérieuse, qu'Attila lui sauva la vie pour la deuxième fois. Quatorze mois après ce jour où il avait quitté l'Irak attaché sur un brancard hébété par la morphine, le chien avait été gravement blessé par une mine à quinze kilomètres de Bagdad. Cet événement secoua Miller de la léthargie où il était plongé et le remit sur pied : il avait une nouvelle mission.

Maggie, sa voisine à Bethesda, une veuve de soixante-dix ans passés avec qui il était devenu ami en jouant au poker, vint lui donner un coup de main. Il lui devait une autre devise de son existence : qui cherche de l'aide en trouve toujours. C'était une vieille femme robuste, qui avait un langage et des manières de corsaire ; accusée d'avoir tué son mari après que celui-ci lui eut brisé plusieurs os, elle avait passé vingt ans en prison. Cette matrone redoutée de ses voisins fut la seule personne que Miller supportait durant cette période trouble de son existence ; elle y répondit par son habituelle rudesse et son étonnante bonté. Au début, avant qu'il pût se débrouiller seul, elle lui préparait ses repas et l'emmenait dans sa voiture aux rendez-vous médicaux, plus tard elle le ramassait sur le sol quand elle le trouvait noyé dans l'alcool ou en proie à la démence à cause des drogues, et elle le distrayait en jouant aux cartes ou en regardant des films d'action avec lui. Lorsqu'elle apprit ce qui était arrivé à Attila, Maggie décida que le premier pas pour obtenir le chien, s'il survivait, était que Miller s'assagît, car personne ne confierait un animal héroïque à une loque humaine comme lui.

Miller avait refusé de recourir aux programmes de désintoxication de l'hôpital militaire, de même qu'il avait rejeté les services d'un psychologue spécialisé dans les syndromes post-traumatiques, et elle fut pleinement d'accord avec lui pour affirmer que c'était des trucs de mauviette ; il y avait d'autres méthodes, plus rapides et plus efficaces. Elle vida les bouteilles dans le lavabo, jeta les drogues dans les toilettes, puis elle l'obligea à se déshabiller et emporta tous ses vêtements, son ordinateur, son téléphone et sa prothèse. Elle prit congé en lui adressant un signe optimiste, pouces levés, et l'enferma à double tour, boiteux et nu comme un ver. Miller dut supporter dans le froid la torture des premiers jours d'abstinence, grelottant, halluciné, fou de nausées, d'angoisse et de douleur. Il essaya en vain d'abattre la porte à coups de poing et de nouer les draps pour descendre par la fenêtre, mais il logeait au dixième étage. Il donna des coups au mur qui le séparait de l'appartement de Maggie au point de se rompre les jointures, et il claqua tellement des dents que l'une d'elles se cassa. Le troisième jour, il tomba exténué.

Maggie vint le soir lui rendre visite et elle le trouva recroquevillé sur le sol, gémissant doucement et à peu près calmé. Elle lui fit prendre une douche, lui donna une assiettée de soupe chaude, le mit au lit et s'installa pour veiller sur son sommeil du coin de l'œil, en feignant de regarder la télévision.

Ainsi commença la nouvelle vie de Ryan Miller. Il se consacra corps et âme à sa sobriété retrouvée et à ses démarches pour récupérer Attila, qui s'était alors remis de ses blessures et avait reçu sa décoration. Ce parcours du combattant aurait découragé quiconque n'eût pas été guidé par une gratitude tenant de l'obsession. Avec l'aide de Maggie, il écrivit des centaines de requêtes aux autorités militaires, fit cinq voyages à Washington pour défendre son cas et obtint un rendez-vous privé avec le secrétaire à la Défense, grâce à une lettre signée par ses frères d'armes du Seal Team 6. Il sortit de ce bureau avec la promesse qu'Attila serait rapatrié aux États-Unis, et qu'après la quarantaine réglementaire il pourrait l'adopter. Au cours de ces mois de paperasserie, il se rendit au Texas, prêt à dépenser ses économies pour les meilleures prothèses du monde; il commença à s'entraîner pour participer au triathlon et découvrit comment faire bon usage des connaissances qu'il avait acquises dans l'armée. Il était un expert en communications et en sécurité, il avait des relations dans le haut commandement, des états de service irréprochables et quatre décorations comme preuve de son caractère. Ensuite, il appela Alarcón à San Francisco.

L'amitié de Miller et d'Alarcón avait commencé lorsqu'il était âgé de vingt ans. Après avoir terminé ses études secondaires, il s'était présenté aux *navy seals* pour prouver à son père qu'il pouvait être un homme comme lui, et parce qu'il se sentait incapable de poursuivre des études supérieures : il était dyslexique et avait des problèmes d'attention. À l'école, il n'avait manifesté aucun intérêt pour les études, mais s'était distingué comme sportif, c'était une masse compacte de muscles et il croyait avoir une endurance à toute épreuve pour n'importe quelle tâche physique ; mais il avait été éliminé des *navy seals* pendant la *hell week*, la semaine la plus dure de l'entraînement, cent vingt heures meurtrières au cours desquelles on mesurait la trempe de chaque homme pour atteindre le but coûte que coûte. Il apprit que le muscle le plus fort est le cœur, et que lorsqu'il était sûr d'avoir atteint la limite de sa résistance à la douleur et à la fatigue, il ne faisait que commencer, il pouvait donner plus et plus encore, mais pas assez. À l'humiliation d'avoir échoué s'ajouta le profond mépris avec lequel son père accueillit la nouvelle. Pour cet homme, fils et petit-fils de militaire, qui avait pris sa retraite dans la Marine avec le grade de contre-amiral, le fait que son fils eût été refusé ratifiait la mauvaise opinion qu'il avait toujours eue de lui. Miller et son père n'évoquèrent jamais le sujet, chacun s'enferma dans un silence sournois qui allait les séparer pendant près d'une décennie.

Au cours des quatre années suivantes, Miller étudia l'informatique, tout en s'entraînant farouchement pour se présenter à nouveau aux *navy seals* ; il ne s'agissait plus de rivaliser avec son père, mais d'une véritable vocation, il savait ce que cela signifiait et voulait y consacrer sa vie. À l'université, il eut de bons résultats, grâce à l'un de ses professeurs qui s'intéressa personnellement à lui, l'aidant à gérer sa dyslexie et son manque d'attention, et à surmonter son blocage vis-à-vis des études ; il lui donna confiance en ses capacités intellectuelles et le convainquit d'obtenir son diplôme avant d'entrer dans la Marine. Cet homme était Pedro Alarcón.

En 1995, lorsque Miller atteignit son objectif et que le commandant accrocha sur sa poitrine son insigne lors de la cérémonie du Trident, la première personne qu'il appela fut son ancien professeur. Il avait survécu à la *hell week* et à d'interminables mois de dur entraînement dans l'eau, en l'air et sur terre, supportant des températures extrêmes, privé de sommeil et de repos, forgé par l'adversité et la souffrance physique, fortifié par les liens indissolubles de la camaraderie, et il avait assumé l'engagement formel de vivre et de mourir en héros. Au cours des seize années qui suivirent, jusqu'à ce qu'il soit blessé et réformé, il vit peu Alarcón, mais ils restèrent en contact. Tandis qu'il était envoyé en missions secrètes dans les endroits les plus dangereux, l'Uruguayen fut embauché comme professeur d'intelligence artificielle à l'université de Stanford. C'est ainsi que Miller apprit que son vieil ami était pratiquement un génie.

Pedro Alarcón approuva avec enthousiasme l'idée de son ami d'équiper les Forces armées de systèmes de sécurité complexes et fut d'avis que pour cela Miller aurait besoin d'avoir un pied-à-terre à Washington et un autre dans la Silicon Valley, seul endroit où l'on pouvait développer ce genre de technologie. Miller loua un bureau à dix minutes du Pentagone, qui lui servirait de base, il mit ses quelques affaires dans des cartons et emménagea avec Attila en Californie. L'Uruguayen les attendait à l'aéroport de San Francisco, prêt à l'aider dans l'ombre, car son passé politique était suspect.

Indiana connaissait à grands traits l'histoire de Miller, y compris la réconciliation avec son père, avant la mort de celui-ci, mais elle n'avait pas entendu parler de la mission en Afghanistan, qu'il revivait dans ses cauchemars. Dans le parc des séquoias, surveillant le poulet qui rôtissait avec une étonnante lenteur dans l'air humide, il lui raconta les événements de cette nuit-là. Il lui expliqua que tuer de loin, comme dans n'importe quelle guerre moderne, est une abstraction, un jeu vidéo, il n'y a ni risque ni sentiments, les victimes n'ont pas de visage, alors que dans le combat au sol le courage et l'humanité de chaque soldat sont mis à l'épreuve. La possibilité réelle de mourir ou de recevoir d'horribles blessures a des conséquences psychologiques et spirituelles, c'est une expérience unique, impossible à transmettre par des mots, seuls la comprennent ceux qui ont vécu cette exaltation, mélange de terreur et d'allégresse. « Pourquoi nous battons-nous ? Parce que c'est un instinct primitif aussi puissant que l'instinct de survie », lui dit

Miller, et il ajouta qu'après, dans la vie civile, rien n'est comparable à la guerre, tout paraît fade. La violence n'affecte pas seulement les victimes, elle touche également celui qui l'inflige. Il avait été préparé à mourir et à souffrir, il pouvait tuer, il l'avait fait pendant des années sans tenir le compte et sans remords ; il pouvait aussi torturer s'il fallait obtenir des renseignements, mais il préférait laisser cette tâche à d'autres, parce que ça lui retournait les tripes. Tuer dans la fureur du combat ou pour venger un camarade était une chose, dans ces moments-là on ne pense pas, on agit en aveugle, poussé par une haine terrible, l'ennemi cesse d'être humain et il n'a rien de commun avec soi. Mais tuer des civils en les regardant en face, des femmes, des enfants… c'était autre chose.

Début 2006, les rapports des services de renseignements signalèrent qu'Oussama Ben Laden se cachait dans la chaîne montagneuse de la frontière avec le Pakistan, où Al-Qaida s'était regroupé après l'invasion américaine. La région marquée sur la carte était trop vaste pour tenter de la ratisser, avec des centaines de grottes et de tunnels naturels, des montagnes inhospitalières habitées par des clans tribaux, unis par l'islam et leur haine commune des Américains. Les marines avaient effectué des incursions dans ce paysage abrupt et sec avec des pertes significatives, car les moudjahidins utilisaient leur connaissance du terrain pour leur tendre des embuscades.

Combien de ces humbles chevriers, semblables à leurs ancêtres des siècles passés, étaient en réalité des combattants ? Dans lesquelles de ces petites maisons couleur terre se cachaient les dépôts d'armes ? Que transportaient les femmes sous leurs vêtements noirs ? Que savaient les enfants ? Ils dépêchèrent les *navy seals*, certains qu'Oussama Ben Laden était à portée de main, avec la mission secrète de le tuer et, s'ils ne le trouvaient pas, d'empêcher au moins que la population continue à l'aider et d'obtenir des informations. La fin justifiait les moyens, comme toujours à la guerre. Pourquoi ce village en particulier ? Ce n'était pas à Ryan Miller de le vérifier, il lui revenait seulement d'obéir aux ordres sans hésiter ; les motifs ou la légitimité de l'attaque ne lui incombaient pas.

Il s'en souvenait en détail, en rêvait, le revivait inexorablement. Les *navy seals* et le chien avancent en silence, mâchoires serrées, quarante-trois kilos de protection corporelle et d'équipement sur le dos, y compris les munitions, l'eau, la nourriture pour deux jours, des batteries, des tourniquets et de la morphine, sans compter l'arme ou le casque doté d'une torche, d'une caméra et d'audiophones. Ils portent des gants et des lunettes de vision nocturne. Ils sont les élus, destinés aux missions les plus délicates, les plus dangereuses. On les avait parachutés d'un hélicoptère à trois kilomètres de là, appuyés par les forces aériennes et un contingent de marines, mais là ils étaient seuls. Attila avait sauté dans le même parachute, attaché à lui au moyen d'un harnais, portant une muselière, tendu, paralysé – ce saut dans le vide est la seule chose qu'il craint –, mais dès qu'ils touchèrent terre il fut prêt à l'action.

L'ennemi peut se trouver n'importe où, caché dans l'une de ces maisons, dans les grottes des montagnes, derrière eux. La mort peut survenir de bien des manières, une mine, un franc-tireur, un kamikaze portant une ceinture d'explosifs. C'est l'ironie de cette guerre : d'un côté l'armée la mieux entraînée et la mieux équipée du monde, la force écrasante de l'empire le plus puissant de l'histoire, de l'autre des tribus fanatiques prêtes à défendre leur territoire à tout prix, par des jets de pierre si les munitions manquaient. David et Goliath. La première compte sur une technologie et un armement imbattables, mais c'est un pachyderme entravé par le poids de tout ce qu'elle transporte, alors que son ennemi est léger, agile, rusé, et qu'il connaît le pays. C'est une guerre d'occupation, insoutenable à la longue, parce qu'on ne peut soumettre indéfiniment un peuple rebelle. C'est une guerre qu'on peut gagner par les armes sur le terrain, mais destinée à échouer sur le plan humain ; les deux camps le savent, ce n'est qu'une question de temps. Les Américains évitent les dégâts collatéraux dans la mesure du possible, car ils coûtent cher : le nombre de combattants et la fureur de la population augmentent à chaque civil tué et à chaque maison détruite. L'ennemi est fuyant, invisible, il disparaît dans les villages, mêlé aux bergers et aux paysans, il montre un courage fou et les *navy seals* respectent le courage, également chez cet ennemi.

Ryan Miller va devant, avec Attila à ses côtés. Le chien porte un gilet pare-balles, des lunettes spéciales, des écouteurs pour recevoir des instructions et une caméra sur la tête pour transmettre des images. C'est un animal jeune et joueur, mais dès qu'il porte le gilet de service il devient un fauve cuirassé, mythologique. Il n'est pas effrayé par le feu de la mitraille, les grenades ou les explosions, il sait distinguer le bruit des armes américaines de celles de l'ennemi, le moteur d'un camion ami et celui d'un hélicoptère de sauvetage, il est entraîné pour détecter les mines et les embuscades. Il reste près de Miller, en cas de danger imminent il s'appuie contre lui pour le prévenir, et s'il le voit tomber il le protège au prix de sa propre vie. Il est l'un des deux mille huit cents chiens de combat de l'armée américaine au Moyen-Orient. Miller sait qu'il ne doit pas le prendre en affection, Attila est une arme, il fait partie du matériel de combat, mais c'est avant tout son camarade, ils devinent mutuellement leur pensée, mangent et dorment ensemble. Miller le bénit en silence et lui donne deux petites tapes sur l'encolure.

Les muscles du corps d'Attila se tendent, son poil se hérisse, son museau se plisse et son étrange denture apparaît tout entière, avec les canines en titane. Il sera le premier à franchir le seuil, il est de la chair à canon. Il avance, prudent et décidé, seule peut à présent l'arrêter la voix de Miller dans les écouteurs. Accroupi, silencieux, invisible parmi les ombres, Ryan Miller le suit en serrant son M4, l'arme la plus maniable en combat rapproché. Il ne pense plus, il est prêt, son attention est fixée sur l'objectif, mais ses sens scrutent la périphérie, il sait que ses compagnons se sont dispersés en éventail autour du village pour un assaut simultané. L'ennemi, attaqué par surprise, ne pourra pas se rendre compte de ce qui lui arrive, une action éclair.

La première maison au sud est pour Miller. À la lueur pâle de la lune décroissante il la distingue à peine, plate, carrée, faite de terre et de pierre, incorporée au terrain comme une protubérance naturelle du sol. Il sursaute au bêlement d'une chèvre, qui interrompt pour la deuxième fois le calme de la nuit. Il est à dix mètres de la porte et s'arrête, il lui semble entendre les pleurs d'un enfant, mais aussitôt le silence revient. Il se demande combien de terroristes se cachent dans cette maison de berger, il aspire une bouffée d'air, emplit ses poumons, fait un geste au chien, qui le regarde attentivement derrière ses lunettes rondes, et tous deux se mettent à courir vers la maison. Au même instant, ses compagnons font irruption dans le village au milieu des cris, des explosions et des jurons. Le *navy seal* lâche une rafale contre la porte et immédiatement l'ouvre d'un coup de pied. Attila entre le premier et s'arrête, prêt à l'attaque, attendant des instructions. Miller arrive derrière, avec ses lunettes de vision nocturne, il analyse la situation et calcule l'espace, la distance des murs, le toit si bas qu'il doit se baisser, il enregistre automatiquement le sol de terre battue, un brasero avec des restes de charbon, des poteries de cuisine suspendues au-dessus d'un foyer éteint, trois ou quatre tabourets en bois. La maison n'a qu'une seule pièce et à première vue elle paraît vide. Il crie en anglais « Ne bougez pas ! » et Attila, à côté de lui, grogne. Tout se passe si vite qu'ensuite l'homme ne pourra reconstituer ce qui s'est passé ; à des moments inattendus, des images disloquées surgiront dans sa mémoire avec l'impact de coups de poing, dans ses cauchemars il revivra mille et une fois les événements de cette nuit-là. Il ne pourra jamais les ordonner ni les comprendre.

Le soldat crie de nouveau dans sa langue ; il perçoit un mouvement dans son dos, se retourne, presse la détente, une rafale, quelqu'un tombe dans un gémissement étouffé. Un silence subit suit le tonnerre précédent, une pause terrible au cours de laquelle le soldat relève ses lunettes et allume sa torche, le rayon de lumière balaie l'habitation, s'arrêtant sur un paquet à terre, Attila fait un bond en avant et le saisit dans sa gueule. Miller s'approche, il appelle le chien et doit répéter l'ordre pour qu'il lui obéisse et lâche sa proie. Il donne un léger coup de pied dans le corps pour vérifier s'il est mort. Un tas de chiffons noirs, le visage buriné d'une femme âgée, une grand-mère.

Ryan Miller jure. Dégât collatéral, pense-t-il, mais il n'en est pas sûr : quelque chose a mal tourné. Il s'apprête à se retirer, mais du coin l'œil perçoit quelque chose à l'autre bout de la pièce, dissimulé dans l'ombre, il se retourne rapidement et sa torche révèle quelqu'un blotti contre le mur. Ils se font face à quelques pas de distance, il lui ordonne en criant de ne pas bouger, mais la personne se lève avec un son rauque, comme un sanglot, et il voit qu'elle tient quelque chose à la main, une arme. Il n'hésite pas, presse la détente, l'impact des balles soulève l'ennemi de terre et son sang lui éclabousse le visage. Il reste immobile, attendant, avec la sensation de se trouver très loin, observant la scène sur un écran, indifférent. Et brusquement une fatigue subite l'assaille, il sent la sueur et, sur la peau, le fourmillement qui suit la décharge d'adrénaline.

Enfin le soldat décide qu'il n'y a plus de danger, il s'approche. C'est une femme jeune. Les balles n'ont pas touché son visage, elle est jeune et très belle, avec une masse sombre de cheveux ondulés répandue autour de sa tête, elle a les yeux ouverts, de grands yeux clairs encadrés de cils et de sourcils noirs, elle porte une tunique légère, on dirait une chemise de nuit, elle est nu-pieds et par terre, près de sa main ouverte, il y a un couteau ordinaire de cuisine. Sous la tunique ensanglantée on distingue le ventre très gonflé et il comprend qu'elle est enceinte. La femme le regarde dans les yeux et Miller comprend qu'il lui reste quelques instants de vie, et qu'il ne peut rien faire pour elle. Les yeux clairs se troublent. Le soldat sent sa bouche se remplir de salive et il se plie en deux, essayant de contrôler les nausées.

Deux ou trois minutes à peine se sont écoulées entre le moment où Miller a enfoncé la porte et où tout est terminé. Il doit continuer à avancer, déblayer le terrain dans le reste du village, mais avant ça il doit s'assurer qu'il n'y a plus personne dans cette maison. Il entend grogner Attila, le cherche avec la torche et se rend compte que le chien est derrière le foyer, où se trouve une chambre minuscule, un espace sans fenêtre dont le sol est recouvert de paille, qui sert de réserve d'aliments ; il voit des morceaux de viande séchée et fumée pendus à des crochets, un sac de grains, du riz ou du blé sans doute, deux jarres d'huile et des pots d'abricots au sirop, certainement acquis en contrebande, car ils sont semblables à ceux de la cantine de la base américaine.

Attila est prêt à attaquer et Miller lui donne l'ordre de reculer, tandis qu'avec sa torche il examine les murs irréguliers en terre, pousse ensuite la paille du pied et constate que le sol n'est pas en terre, comme le reste de l'habitation, mais en planches. Il suppose que n'importe quoi peut être caché là-dessous, des explosifs ou l'entrée d'une cave de terroristes, et il sait qu'il doit demander des renforts avant de poursuivre son exploration, mais il est troublé et, sans intention précise, il pose un genou à terre et d'une main tente d'arracher les planches, accroché de l'autre à son M4. Il n'a pas besoin de forcer beaucoup, trois des planches se détachent ensemble, c'est une petite porte.

Il se lève d'un bond et vise le trou, certain que quelqu'un se cache là, lui criant en anglais de sortir, mais il n'obtient pas de réponse ; le doigt sur la détente, il dirige le rayon de la torche, et alors il les voit. D'abord la fillette, un foulard noué sur la tête, qui le regarde avec les mêmes yeux que sa mère, recroquevillée dans un trou où elle tient à peine, puis l'enfant qu'elle a dans les bras, un bébé d'un ou deux ans avec une tétine dans la bouche. « Merde, merde, merde », murmure le soldat comme une prière, et il s'agenouille près du trou, un élancement dans la poitrine, qui lui permet à peine de respirer ; il devine que la mère a caché les enfants et leur a ordonné de rester tranquilles et muets, tandis qu'elle se préparait à les défendre avec un couteau de cuisine ébréché.

Le *navy seal* reste à genoux, pris dans le regard hypnotique de cette petite fille grave, qui enveloppe son petit frère dans une étreinte, le protégeant de son corps. Il a entendu toutes sortes d'histoires, l'ennemi est impitoyable, il transforme les femmes en kamikazes et utilise les enfants comme boucliers. Il doit vérifier si la fillette et le bébé ne bloquent pas un tunnel ou un dépôt d'explosifs, il doit les obliger à sortir du trou, mais il ne peut pas. Enfin il se lève, porte un doigt ganté à ses lèvres pour indiquer à la petite de garder le silence, referme la porte, la recouvre de paille et sort en titubant.

La mission dans ce village d'Afghanistan fut un échec, mais en dehors des Américains et des Afghans survivants, personne n'en sut jamais rien. Si cet endroit reculé était un nid de terroristes, quelqu'un avait dû les avertir à temps, ils avaient pu démanteler les installations et disparaître sans laisser de traces. Ils ne trouvèrent ni armes ni explosifs, mais le fait qu'il n'y eût que des vieux, des femmes et des enfants confirma les soupçons de la CIA. L'attaque laissa un solde de quatre blessés afghans, dont un grièvement, et les deux femmes mortes dans la première maison. Officiellement, l'attaque du village n'eut jamais lieu, aucune enquête ne fut menée et, si quelqu'un avait posé des questions, l'équipe des *navy seals* aurait donné une seule version. Mais personne ne le fit. Ryan Miller devrait porter seul le poids de ses actions ; ses compagnons ne lui demandèrent aucune explication, partant du principe qu'il avait fait la chose appropriée étant donné les circonstances, et qu'il avait tiré pour sa propre défense ou par précaution. « Les autres ont pris le village avec un minimum de dommages, moi seul ai perdu mon sang-froid », confessa Miller à Indiana. Il savait que le combat est chaotique, que les risques sont immenses. Il pouvait être blessé, avoir un traumatisme cérébral ou se retrouver invalide, mourir au combat, être fait prisonnier par l'ennemi, torturé et exécuté, il ne se faisait pas d'illusions sur la guerre, il n'était pas entré dans ce métier en pensant à l'uniforme, aux armes et à la gloire, mais par vocation. Il était prêt à mourir et à tuer, fier d'appartenir à la nation la plus admirable de l'histoire. Il n'avait jamais senti faiblir sa loyauté, pas plus qu'il n'avait mis en question les instructions reçues ou les méthodes employées pour remporter la victoire. Il assumait le fait qu'il devrait tuer des civils, c'était inévitable, dans toute guerre moderne dix civils périssaient pour chaque soldat tué ; en Irak et en Afghanistan, la moitié des dommages collatéraux était causée par des attaques terroristes et l'autre moitié par le feu américain. Mais le genre de missions que son équipe s'était vu confier n'avait jamais inclus un affrontement avec des femmes et des enfants désarmés.

Après cette nuit dans le village, Miller n'eut pas le temps d'analyser ce qui s'était passé, car son groupe fut immédiatement envoyé vers une autre mission, en Irak cette fois. Il balaya ces événements, les poussa dans le coin le plus poussiéreux et le plus oublié de son cerveau, et sa vie continua. La fillette aux yeux verts ne le ferait souffrir qu'un an plus tard, lorsqu'il se réveillerait de l'anesthésie dans un hôpital d'Allemagne et qu'elle serait assise sur une chaise en métal, silencieuse et sérieuse, son petit frère sur les genoux, à quelques pas de son lit.

Indiana Jackson l'écouta en grelottant sous son poncho dans la froide humidité du bois, sans poser de questions, parce que pendant le récit elle aussi fut dans ce village cette nuit-là, elle entra dans la maison derrière Miller et Attila et, une fois qu'ils furent partis, elle descendit dans le trou sous les planches et resta avec les enfants, les serrant dans ses bras en attendant que l'attaque se termine et que d'autres femmes arrivent, qu'elles ramassent les corps de la grand-mère et de la mère, qu'elles les appellent, les cherchent, les trouvent, les sortent de leur refuge et entament la longue période de deuil. Tout advient simultanément, le temps n'existe pas, il n'y a pas de limites dans l'espace, nous faisons partie de l'unité spirituelle contenant les âmes qui se sont incarnées dans le passé, celles d'aujourd'hui et celles de demain ; nous sommes tous des gouttes du même océan, se répéta-t-elle en silence, comme elle l'avait tant de fois dit et senti dans la méditation. Elle se tourna vers Miller, assis près d'elle sur le tronc, tête baissée, et elle vit qu'il avait les joues humides des premières gouttes de pluie, ou peut-être de larmes. Elle tendit la main pour les lui essuyer, dans un geste si intime et si triste que l'homme émit un soupir et une plainte.

— Je suis foutu, Indi, foutu au-dedans et au-dehors. Je ne mérite l'amour de personne et encore moins le tien.

— Si tu crois ça, tu es plus foutu que tu ne penses, parce que la seule chose qui te guérira, c'est l'amour, à condition que tu lui fasses une place. Tu es ton propre ennemi, Ryan. Commence par te pardonner, si tu ne te pardonnes pas tu vivras toujours prisonnier du passé, puni par la mémoire, qui est toujours subjective.

— Ce que j'ai fait est réel, ça n'a rien de subjectif.

— Il est impossible de changer les faits, mais tu peux changer ta manière de les juger, dit Indiana.

— Je t'aime tellement que ça me fait mal, Indi. Ça me fait mal ici, au centre du corps, comme si une pierre tombale m'écrasait la poitrine.

— L'amour ne fait pas mal. Ce qui t'écrase, ce sont les blessures de guerre, les remords, la culpabilité, tout ce que tu as vu et as dû faire, personne ne sort indemne d'une telle expérience.

— Qu'est-ce que je vais faire ?

— Pour l'instant, nous allons laisser les corbeaux manger ce poulet, qui est toujours aussi cru, et nous, nous allons rentrer faire l'amour. Ça, c'est toujours une bonne idée. Je suis frigorifiée et il commence à vraiment pleuvoir, j'ai besoin d'être au chaud dans tes bras. Ensuite tu vas arrêter de courir, Ryan, parce qu'on ne peut pas échapper à certains souvenirs, ils te rattrapent toujours, tu dois te réconcilier avec toi-même et avec la petite fille aux yeux verts, appelle-la pour qu'elle vienne écouter ton histoire, demande-lui pardon.

— L'appeler ? Comment ?

— Par la pensée. Et au passage, tu peux aussi appeler sa mère et sa grand-mère, qui doivent se promener par ici, flottant au milieu des séquoias. Nous ne connaissons pas le nom de cette fillette, mais il serait plus facile de lui parler si elle en avait un. Disons qu'elle s'appelle Sharbat, comme la fille aux yeux verts qui était sur cette couverture célèbre du *National Geographic*.

— Qu'est-ce que je peux lui dire ? Elle n'existe que dans ma tête, Indi. Je ne peux pas l'oublier.

— Elle non plus ne peut pas t'oublier, c'est pour ça qu'elle vient te rendre visite. Imagine ce qu'a été cette nuit pour elle, blottie dans un trou, tremblant de terreur devant un extraterrestre géant et un fauve monstrueux prêt à la mettre en pièces. Et après elle a vu sa mère et sa grand-mère couvertes de sang. Elle ne pourra jamais exorciser ces images terribles sans ton aide, Ryan.

— Comment vais-je l'aider ? Cela s'est passé il y a plusieurs années, à l'autre bout du monde, dit-il.

— Dans l'univers, tout est relié. Oublie les distances et le temps, tiens compte du fait que tout advient dans un présent éternel, dans cette forêt, dans ta mémoire, dans ton cœur. Parle à Sharbat, demande-lui pardon, explique-lui, dis-lui que tu iras les chercher, elle et son petit frère, et que tu essaieras de les aider. Dis-lui que si tu ne les retrouves pas, tu aideras d'autres enfants comme eux.

— Je ne pourrai peut-être pas tenir cette promesse, Indi.

— Si tu ne peux pas, alors moi j'irai pour toi, répliqua-t-elle et, prenant son visage entre ses mains, elle l'embrassa sur la bouche.

Pour échapper à la police, les combats de chiens avaient lieu dans différentes localités. Elsa Domínguez avait averti l'inspecteur-chef qu'il y en aurait un le troisième lundi du mois, pour profiter du *Presidents' Day*, mais elle n'avait su lui indiquer le lieu. Bob Martín demanda à l'un de ses informateurs de le vérifier et il appela ses collègues de la Brigade criminelle de San Rafael pour leur raconter ce qui allait se passer et leur proposer sa collaboration. Cette affaire n'intéressa pas trop les agents, qui avaient déjà assez de problèmes avec d'autres délinquants des bandes du Canal, même s'ils savaient que les combats de chiens se prêtaient aux paris, aux beuveries, à la prostitution et au trafic de drogue, mais Bob Martín leur fit voir l'avantage d'une nouvelle comme celle-là publiée dans la presse. Le public s'émouvait davantage du sort des animaux que de celui des enfants. Une journaliste et un photographe du journal local étaient prêts à les accompagner pour assister au coup de filet, un aiguillon dont Petra Horr avait eu l'idée, car elle connaissait la journaliste et avait pensé que cela l'intéresserait de voir ce qui se passait à quelques pâtés de maisons de chez elle.

Tous les propriétaires de chiens de combat n'étaient pas des délinquants patentés, quelques-uns étaient des Noirs ou des immigrés latinos et asiatiques sans emploi, qui essayaient de gagner leur vie grâce à leurs champions. Pour inscrire un nouveau chien dans un combat il fallait investir trois cents dollars, mais une fois que celui-ci était classé, après avoir vaincu plusieurs adversaires, le propriétaire était payé pour le faire combattre et en plus il touchait les paris. Le « sport », comme ils appelaient ce divertissement clandestin, était tellement sanguinaire que la journaliste faillit vomir lorsque Petra lui montra la vidéo d'un combat et des photos de chiens moribonds, les entrailles arrachées à coups de dents.

Hugo Domínguez et un autre gamin de son âge avaient un mâtin prometteur de quarante-cinq kilos, un bâtard de rottweiller élevé à la viande crue, sans contact avec d'autres animaux ni affection humaine, qu'ils entraînaient en le faisant courir pendant des heures, jusqu'à ce que ses pattes ne le portent plus ; ils l'excitaient pour qu'il attaque et le rendaient fou en le droguant et en lui fourrant du piment dans l'anus. Plus l'animal souffrait, plus il devenait féroce. Ses propriétaires allaient dans les quartiers les plus pauvres d'Oakland et de Richmond, où il y avait des chiens en liberté, ils attachaient une femelle en chaleur à un arbre et attendaient que les mâles errants, attirés par l'odeur, s'approchent ; alors ils les attrapaient avec un filet, les jetaient dans le coffre d'une voiture et les emmenaient pour servir de sparring-partners au rottweiller.

Ce lundi-là on commémorait George Washington, né en février 1732, et du même coup tous les présidents des États-Unis ; il y avait des rabais dans les magasins, des drapeaux, des émissions patriotiques à la télévision et des carnavals pour les enfants dans les parcs. La journée était nuageuse, la nuit tomba de bonne heure et à sept heures et demie du soir, quand Bob Martín rejoignit les agents de San Rafael pour commencer la rafle, il faisait déjà nuit noire. Petra Horr accompagnait son amie journaliste et le photographe, suivant de près la caravane de cinq voitures, trois de la police de San Rafael et deux de celle de San Francisco, qui arrivèrent en silence et tous phares éteints dans la zone industrielle de la ville, déserte à cette heure.

Près d'un vieux dépôt de matériaux de construction, inutilisé depuis plusieurs années, ils virent des véhicules stationnés le long de la rue et Bob Martín comprit que le renseignement de son informateur était exact. La plupart des succès de sa carrière, il les devait aux mouchards ; sans eux son travail serait très difficile, raison pour laquelle il les protégeait et les traitait bien. Sur son ordre, deux officiers relevèrent les immatriculations des voitures, qu'ils pourraient identifier par la suite, d'autres se répartirent en silence autour du dépôt, bloquant les issues possibles, tandis qu'il prenait la tête du groupe d'attaque. Ils pensaient faire irruption par surprise, mais les organisateurs du combat avaient des guetteurs à l'extérieur.

On entendit des cris d'alarme en espagnol et aussitôt se produisit une fuite éperdue d'hommes qui se précipitaient vers les sorties, dépassant en nombre et en force la police, suivis par quelques jeunes femmes qui criaient et se défendaient à coups de griffes et coups de pied. En quelques secondes les phares des voitures de patrouille s'allumèrent et commença un brouhaha d'ordres, d'insultes, de coups de bâton et même quelques coups de feu tirés en l'air. Ils arrêtèrent une douzaine d'hommes et cinq femmes, mais le reste réussit à s'enfuir.

Dans une sorte de hangar, où l'on pouvait encore voir quelques tas de briques et des barres de fer tordues, dans une épaisse atmosphère de fumée de cigarettes, d'aboiements, d'odeur de sueur humaine, de sang et d'excréments, il y avait une arène improvisée d'environ trois mètres sur trois, constituée de planches en bois aggloméré d'un mètre vingt de haut qui séparaient le public des bêtes enragées. Pour éviter que les pattes des chiens ne glissent, une moquette ordinaire couvrait le sol du quadrilatère, aussi ensanglantée que le bois de l'enceinte. Dans des cages ou attachés avec des chaînes attendaient plusieurs chiens qui n'avaient pas encore participé aux combats et, jetés à une extrémité du dépôt, deux animaux vaincus agonisaient. Bob Martín fit intervenir la Société protectrice des animaux, qui attendait non loin, avec un véhicule et deux vétérinaires.

Hugo ne tenta pas d'échapper à la police, comme s'il savait que son sort était scellé. Il avait eu les premiers soupçons lorsque sa mère et ses sœurs, qui avaient appris à ne pas se mêler de sa vie, l'avaient supplié de rester à la maison ce soir-là. « J'ai un mauvais pressentiment », avait dit sa mère, mais son ton sournois et son regard fuyant lui avaient fait comprendre que, plus qu'un pressentiment, c'était une trahison. Que savaient les femmes de sa famille ? Assez pour le faire plonger, il en était sûr. Elles étaient au courant pour le rottweiller, car elles avaient découvert sa mallette contenant des seringues et le reste de son équipement, qu'elles avaient confondu avec des instruments pour la drogue, et elles avaient fait un tel scandale qu'il s'était vu obligé de leur expliquer que c'était du matériel de premier secours. Les propriétaires des chiens ne pouvaient emmener les blessés chez un vétérinaire, qui aurait identifié les morsures, aussi devaient-ils apprendre à les recoudre, les bander, leur administrer les fluides dans les veines et les antibiotiques. Ils avaient investi du temps et de l'argent sur leurs champions, ils devaient essayer de les sauver s'il y avait un espoir, sinon ils les jetaient dans le canal ou les abandonnaient sur une autoroute, pour qu'ils meurent écrasés. Personne n'enquêtait sur la mort d'un chien, aussi déchiqueté soit-il par des morsures. Ce que sa mère et ses sœurs ne savaient peut-être pas, c'était qu'en informant la police elles le condamnaient à mort et se condamnaient elles-mêmes, car si les Sudistes ou les chefs du réseau de combats de chiens, deux Coréens sans pitié, apprenaient la trahison, ils paieraient tous le prix du sang, même ses petits-neveux. Et les chefs finissaient toujours par tout savoir.

L'inspecteur trouva Hugo Domínguez accroupi dans un coin derrière des sacs de gravillon. Il avait décidé que la seule façon d'éloigner les soupçons était d'être arrêté. En prison, il était plus en sécurité que dans la rue, il pouvait y passer inaperçu en se mêlant à d'autres Latinos, il ne serait pas le premier Sudiste à se retrouver à San Quentin. Sa peine purgée, il serait expulsé. Qu'irait-il faire au Guatemala, un pays inconnu et hostile ? Il rejoindrait une autre bande, que pouvait-il faire d'autre ?

— Quel est ton champion, Hugo ? lui demanda Bob Martín en l'aveuglant avec le rayon de sa torche.

Le garçon indiqua l'un des enchaînés, un animal grand et lourd, couvert de cicatrices, avec la peau du museau fripée, comme s'il avait été brûlé.

— Ce chien noir ?

— Oui.

— Il y a deux semaines, le mardi 7 février, ton chien a gagné un combat important. Tu as empoché deux mille dollars et les Sudistes en ont pris autant, après avoir payé leur commission aux Coréens.

— Je sais rien, flic.

— Je n'ai pas besoin de ta confession. Les combats de chiens sont un délit répugnant, Hugo, mais ça va te servir d'alibi et sauver ta peau de quelque chose de bien plus grave, le meurtre de Rachel Rosen. Retourne-toi et mets tes mains derrière ton dos, lui ordonna Bob Martín, les menottes prêtes.

— Dites à ma mère que je lui pardonnerai jamais, dit le garçon avec des larmes de colère.

— Ta mère n'a rien à voir là-dedans, espèce de morveux mal élevé. Cette pauvre Elsa, tu vas lui briser le cœur.

Vendredi, 24

La maison de Céleste Roko était l'une des « dames peintes » de Haight-Ashbury, l'une des quarante-huit mille demeures de style victorien et édouardien qui avaient poussé comme des champignons à San Francisco entre 1849 et 1915. Quelques-unes avaient été transportées en pièces détachées depuis l'Angleterre pour être remontées comme s'il s'agissait de puzzles. La sienne était une relique de plus de cent ans, construite peu après le tremblement de terre de 1906, qui avait connu des époques alternées de gloire et de décadence. Pendant les deux guerres mondiales, elle avait été peinte couleur bateau avec l'excédent de peinture grise de la Marine, mais en 1970 elle avait été rénovée, ses fondations renforcées avec du béton et peinte de quatre couleurs, bleu de Prusse en fond, bleu ciel et turquoise pour les reliefs décoratifs, blanc pour les encadrements des portes et des fenêtres. La maison, sombre et inconfortable, un labyrinthe de petites pièces et d'escaliers raides, avait été récemment évaluée à deux millions de dollars, parce qu'elle faisait partie du patrimoine historique de la ville et était une attraction touristique. Roko l'avait acquise pour beaucoup moins avec ses économies, fruit d'investissements avisés, grâce à ses pronostics astrologiques sur le cours de la Bourse de Wall Street.

Indiana Jackson grimpa les quinze marches de l'entrée, appuya sur le timbre, un interminable carillon aux accents viennois, et bientôt la marraine de sa fille lui ouvrit la porte. Céleste Roko avait été choisie comme marraine d'Amanda en raison de sa longue amitié avec doña Encarnación Martín, et parce que c'était une catholique pratiquante, même si le Vatican condamnait la pratique de la divination. Les grands-parents de Céleste Roko étaient croates, ils s'étaient connus et mariés sur le bateau qui les avait laissés à Ellis Island, à la fin du XIXe siècle. Le couple s'était installé à Chicago, baptisée la deuxième capitale de Croatie à cause du nombre élevé d'immigrants croates installés dans la ville. La famille, qui avait commencé à travailler dans le bâtiment et le textile, s'étendit peu à peu à d'autres États et prospéra à chaque génération, tout particulièrement la branche qui s'installa en Californie et s'enrichit dans l'épicerie. Le père de Céleste avait été parmi les premiers à aller à l'université, et ensuite elle-même devint médecin psychiatre, métier qu'elle exerça peu de temps, jusqu'à ce qu'elle découvre que l'astrologie aidait les patients de façon plus rapide et plus efficace que la psychanalyse. La combinaison des connaissances académiques et astrologiques fut un tel succès qu'elle se vit bientôt débordée par les patients, qui devaient attendre des mois pour une consultation. Elle eut alors l'idée de l'émission de télévision, qui durait maintenant depuis quinze ans. Elle se mit ensuite à faire sa promotion sur Internet, secondée par une équipe de jeunes gens. Elle apparaissait sur l'écran dans un costume sombre de coupe impeccable, avec un chemisier en soie, un collier de perles aussi grosses que des œufs de tortue, ses cheveux blonds ramassés en un élégant chignon sur la nuque et de vieilles lunettes en forme d'yeux de chat, qui ne se portaient plus depuis les années cinquante. Son image correspondait à celle d'une psychiatre jungienne un peu passée de mode, mais chez elle, elle s'habillait de kimonos qu'elle achetait à Berkeley. Le kimono, avec sa forme en T et ses larges manches, si naturel chez une geisha, n'avantageait pas son corps croate, mais elle le portait avec pas mal d'allure.

Indiana suivit Céleste par une autre volée d'escaliers jusqu'à un petit salon hexagonal, où elle s'assit en attendant son hôtesse, qui insista pour lui offrir le thé. L'atmosphère de la vieille maison lui semblait oppressante, avec son chauffage réglé trop fort, son odeur de tapis moisis et de fleurs fanées, ses lampes en faïence aux abat-jour en parchemin jaune, outre la présence ténue des anciens habitants qui traversaient les murs et, tapis dans les coins, écoutaient les conversations.

Quelques instants plus tard, Céleste revint de la cuisine, les manches du kimono ondoyant comme des drapeaux, avec un plateau, deux tasses en porcelaine de Chine et une théière en métal noir. Elle souleva le couvercle afin qu'Indiana hume l'arôme du thé français Marco Polo, mélange de fruits et de fleurs, l'un des luxes qui agrémentaient sa vie de femme seule. Elle servit le breuvage et s'installa jambes croisées, tel un fakir, sur l'un des fauteuils.

Tout en soufflant sur la tasse, Indiana fit part de ses préoccupations, dans la confiance acquise au cours de nombreuses années de relation familiale et de consultations zodiacales, sans entrer dans les détails, car la marraine était déjà au courant de ce qui s'était passé avec Alan Keller. Indiana l'avait appelée au téléphone le lendemain du jour où elle avait reçu la revue qui allait mettre fin à quatre années d'amours heureuses. Céleste avait essayé de minimiser l'importance de cet incident, car elle s'inquiétait de ce qu'Indiana fût célibataire à plus de trente ans ; la jeunesse passe vite et vieillir seule n'est pas drôle, lui dit-elle en pensant que sa propre vie serait plus heureuse avec Blake Jackson – dommage que cet homme eût vocation de veuf. Pour Indiana, cependant, l'infidélité était une raison plus que suffisante pour rompre avec son amant. À sa demande, Céleste venait de réaliser la carte astrale de Ryan Miller, qu'elle n'avait jamais rencontré.

— Ce Miller a un aspect très viril, n'est-ce pas ?

— Oui.

— Pourtant, huit de ses planètes sont dans le féminin.

— Ne me dis pas qu'il est gay ! s'exclama Indiana.

Céleste lui expliqua que l'astrologie n'indique pas la préférence sexuelle d'une personne, seulement son destin et son caractère, et celui de Miller avait de forts traits féminins : il était serviable, affectueux, protecteur, on aurait presque pu dire maternel, conditions idéales pour un médecin ou un instituteur, mais Miller était marqué par le complexe du héros et sa carte astrale révélait des contradictions notables, raison pour laquelle il n'avait pas écouté ce que lui dictaient les étoiles et sa propre nature, et vivait déchiré entre ses sentiments et ses actes. Elle s'étendit sur le père autoritaire et la mère dépressive, le besoin de prouver sa virilité et son courage, son talent pour s'entourer de compagnons loyaux à toute épreuve, sa tendance à l'addiction et son impulsivité ; elle indiqua même sur la carte un moment crucial dans sa vie aux alentours de 2006, mais elle ne mentionna pas qu'il avait été soldat ni qu'il avait failli mourir et perdu une jambe.

— Tu es amoureuse de lui, conclut Céleste Roko.

— C'est ce que disent les planètes ? dit Indiana en riant.

— Ça, c'est moi qui le dis.

— Amoureuse, peut-être pas, mais il m'attire beaucoup. C'est un grand ami, mais il vaut mieux ne pas penser à l'amour, ça apporte trop de complications. Et la vérité, Céleste, c'est que moi aussi j'ai des complications.

— Si tu t'accroches à lui seulement pour oublier Alan Keller, tu vas briser le cœur de ce gentil garçon.

— Il lui est arrivé beaucoup de choses tristes, c'est un nœud de remords, de culpabilité, d'agressivité, de mauvais souvenirs, de cauchemars, Ryan est mal dans sa peau.

— Comment est-il au lit ?

— Bien, mais il pourrait être bien meilleur et comparé à Alan n'importe quel homme est court.

— Court? questionna la Roko.

— N'aie pas l'esprit mal tourné! Je veux dire qu'Alan me connaît, qu'il sait comment me traiter, il est romantique, imaginatif et raffiné.

— Ça, ça peut s'apprendre. Ce Miller, il a le sens de l'humour?

— Plus ou moins.

— Quel dommage, Indiana. Cela ne s'apprend pas.

Elles burent deux tasses de thé et convinrent qu'une comparaison entre les cartes astrales d'Indiana et de Miller éclairerait certains points. Avant de la raccompagner à la porte, Céleste lui donna l'adresse du moine qui nettoyait le karma.

Samedi, 25

Une fois par an, Amanda faisait unc incursion à la cuisine dans un but plus sérieux que réchauffer un bol de chocolat au micro-ondes et elle se mettait en devoir de préparer un gâteau feuilleté à la confiture de lait pour l'anniversaire de sa grand-mère Encarnación, une bombe contenant des jaunes d'œufs, du beurre et du sucre. C'était son unique projet culinaire, mais en réalité le travail de galérien revenait à Elsa Domínguez : abaisser, plier la pâte feuilletée et la découper en disques qu'elle faisait ensuite cuire au four. Elle-même se chargeait seulement de faire bouillir quatre boîtes de lait condensé dans une marmite pour préparer la confiture de lait, de monter le gâteau et de planter les petites bougies dans le produit fini.

Encarnación Martín, qui mettait toujours du rouge à lèvres et teignait ses cheveux en noir, avait invariablement cinquante-cinq ans depuis une dizaine d'années, ce qui signifiait qu'elle avait eu son fils aîné à neuf ans, mais personne ne faisait ce calcul mesquin. On ne calculait pas non plus l'âge de la mère d'Encarnación; l'arrière-grand-mère était immunisée contre le passage du temps, droite comme un peuplier, avec son chignon serré et ses pupilles d'aigle capables de voir le futur. On célébrait toujours l'anniversaire d'Encarnación le dernier samedi de février par une fête au Loco Latino, une discothèque de salsa et de samba qui était fermée au public pour recevoir les invités des Martín. La fête culminait avec l'arrivée d'un groupe de vieux mariachis, membres de l'ancien orchestre de José Manuel Martín, l'époux décédé depuis bien longtemps. Encarnación dansait jusqu'à ce qu'il ne reste plus un seul homme debout pour l'accompagner, tandis que la bisaïeule veillait depuis un trône élevé à ce que personne, aussi ivre soit-il, ne perde la décence. On s'inclinait devant elle parce que, grâce à sa fabrique de tortillas, fondée en 1972, la famille avait prospéré et plusieurs générations d'employés avaient subsisté, tous immigrés du Mexique et d'Amérique centrale.

Le gâteau à la confiture de lait, pratiquement indestructible, pesait quatre kilos sans compter le plateau, il y en avait assez pour quatre-vingt-dix personnes, car on le découpait en lamelles transparentes et, congelé, il durait plusieurs mois. Doña Encarnación le recevait avec de grandes démonstrations de joie, bien qu'elle ne mangeât pas de sucreries, parce que c'était le cadeau de sa petite-fille préférée, la lumière de ses yeux, l'ange de sa vie, le trésor de sa vieillesse, comme elle l'appelait dans ses accès d'inspiration. Elle oubliait en général les noms de ses six petits-fils, mais collectionnait les mèches de cheveux et les dents de lait d'Amanda. Rien ne faisait davantage plaisir à la matrone que de voir réunis ses sept petits-enfants, ses fils et ses filles avec leurs conjoints respectifs, y compris Indiana et même Blake Jackson, pour qui elle avait une secrète faiblesse ; il était le seul homme capable de remplacer José Manuel Martín dans son cœur de veuve, mais par malheur c'était le beau-père de son fils. Inceste ou seulement péché ? Elle n'était pas sûre. Elle avait interdit à son fils Bob d'apparaître avec l'une des gourgandines qu'il fréquentait, car devant Dieu il était toujours marié à Indiana et le resterait, à moins d'obtenir une dispense du

Vatican. « Tu as pas amené la Polonaise ? » demanda Amanda à son père dans un murmure lorsqu'il arriva au Loco Latino.

Le défilé de plats mexicains non contaminés par l'influence américaine commença de bonne heure et à minuit les invités continuaient à manger et à danser. Amanda, s'ennuyant ferme avec ses cousins, d'incurables barbares, parvint à arracher son père à la piste de danse et son grand-père à la table pour les emmener à l'écart.

— Avec les joueurs de *Ripper* on a pas mal avancé sur l'enquête des crimes, papa, l'informa-t-elle.

— Quelle nouvelle bêtise t'est encore passée par la tête, Amanda ?

— Aucune bêtise. *Ripper* est un jeu inspiré de l'un des mystères de l'histoire du crime, Jack l'Éventreur. Il existe plus de cent théories sur l'identité de l'Éventreur, on soupçonne même un membre de la famille royale.

— En quoi cela me concerne-t-il ? lui demanda son père, en sueur à cause de la tequila et de la danse.

— Rien. C'est pas de ce Jack que je veux te parler, mais de l'Éventreur de San Francisco. On fait des recoupements, qu'est-ce que tu en penses ?

— Le pire, Amanda, je t'ai déjà avertie. Cette enquête est du ressort de la Brigade criminelle.

— Mais ta brigade ne fait rien, papa ! Il s'agit d'un tueur en série, écoute-moi, insista sa fille qui avait passé sa semaine de vacances à étudier minutieusement les informations de ses archives et à communiquer chaque jour avec son équipe.

— Quelle preuve as-tu, mademoiselle l'Éventreuse ?

— Note les coïncidences : cinq assassinats, Ed Staton, Michael et Doris Constante, Richard Ashton et Rachel Rosen, tous à San Francisco, chez aucun on n'a trouvé de traces de lutte, l'auteur est entré sans effraction, c'est-à-dire qu'il avait un accès facile, qu'il savait ouvrir plusieurs sortes de serrures et qu'il connaissait probablement les victimes, ou du moins leurs habitudes. Il a pris le temps de planifier et d'exécuter chaque homicide à la perfection. Chaque fois il a apporté l'arme du crime, ce qui prouve la préméditation : un revolver et une batte de base-ball, deux seringues avec de l'héroïne, un *taser* ou peut-être deux, et le fil à pêche.

— Comment sais-tu pour le fil à pêche ?

— C'est dans le rapport d'autopsie de Rachel Rosen que Kabel a lu. Il a aussi consulté le rapport d'Ingrid Dunn sur Ed Staton, le gardien qui a été tué à l'école, tu t'en souviens ?

— Évidemment que je m'en souviens, répliqua l'inspecteur.

— Tu sais pourquoi il s'est pas défendu et pourquoi il a reçu à genoux le coup de grâce dans la tête ?

— Non, mais je suis sûr que toi tu le sais.

— On pense que l'assassin a utilisé le même *taser* qui lui a servi à tuer Richard Ashton. Il l'a paralysé avec une décharge, Staton est tombé à genoux, et avant qu'il puisse reprendre ses esprits il l'a exécuté avec le revolver.

— Brillant, ma fille, admit l'inspecteur.

— Combien de temps dure l'effet du *taser* ? voulut savoir Amanda.

— Ça dépend. Pour un type de la taille de Staton, il peut durer trois ou quatre minutes.

— Plus de temps qu'il n'en faut pour l'abattre. Staton était conscient ?

— Oui, mais étourdi, pourquoi ?

— Pour rien… Abatha, la voyante de *Ripper*, assure que l'assassin prend toujours le temps de parler aux victimes. Elle croit qu'il a quelque chose d'important à leur dire. Qu'en penses-tu, papa ?

— C'est possible. Il n'a tué aucune des victimes par-derrière ou par surprise.

— Et cette histoire de lui mettre la batte dans… tu sais ce que je veux dire, il l'a fait après que Staton était mort. C'est très important, papa, c'est une chose de plus que les crimes ont en commun, l'auteur n'a pas torturé ses victimes vivantes, mais il a profané les cadavres : Staton avec la batte de base-ball, les Constante en les marquant comme du bétail avec un chalumeau, Ashton avec la croix gammée et Rosen en la pendant comme un criminel.

— N'anticipe pas, l'autopsie de Rosen n'est pas terminée.

— Il manque des détails, mais ça on le sait déjà. Il y a des différences entre les crimes, mais les ressemblances indiquent un seul auteur. Cette histoire de profanation *post mortem*, c'est Kabel qui en a eu l'idée, dit Amanda en accentuant l'expression latine qu'elle avait tirée de romans policiers.

— Kabel, c'est moi, précisa le grand-père. Comme dit Amanda, l'intention de l'assassin n'a pas été de martyriser les victimes, mais de laisser un message.

— Tu connais l'heure de la mort de Rachel Rosen ? demanda Amanda à son père.

— Le cadavre est resté pendu deux jours, elle est sûrement morte le mardi dans la nuit, mais nous ignorons l'heure exacte.

— Il semble que tous les crimes ont eu lieu autour de minuit. Nous cherchons à savoir si d'autres cas similaires sont survenus au cours des dix dernières années.

— Pourquoi ce laps de temps ? demanda l'inspecteur.

— Nous devons nous donner un laps de temps ou un autre, papa. D'après Sherlock Holmes, je parle de mon ami de *Ripper*, pas du personnage de Conan Doyle, ce serait une perte de temps d'examiner des affaires plus anciennes, parce que s'il s'agit d'un tueur en série, comme nous le pensons, et qu'il correspond au profil habituel, il a moins de trente-cinq ans.

— Il n'est pas certain qu'il le soit et s'il l'était, celui-ci n'est pas typique. Il n'y a pas de traits communs entre les victimes, répliqua l'inspecteur.

— Je suis sûre qu'il y en a. Au lieu d'enquêter sur les affaires séparément, mets-toi plutôt à la recherche de quelque chose de commun entre les victimes, papa. Cela nous donnera le mobile. C'est le premier pas de toute enquête et dans ces affaires, à l'évidence, il ne s'agit pas d'argent, comme c'est le cas habituellement.

— Merci, Amanda. Que ferait la Brigade criminelle sans ton aide précieuse ?

— Moque-toi tant que tu veux, mais je t'avertis qu'à *Ripper* nous prenons cela au sérieux. Tu auras terriblement honte quand nous résoudrons ces crimes avant toi.

Mardi, 28

Cette soirée dans le bureau de son frère changea la vie d'Alan Keller. Mark et Lucille Keller se chargèrent de sa dette fiscale et ils lancèrent la vente de Woodside. Désormais dépouillé de tous ses privilèges, il ne fut pas utile de l'expulser de la vieille demeure, tant il était impatient de s'en aller. Il s'était senti prisonnier pendant des années et en moins de trois jours il emménagea au vignoble de Napa avec ses vêtements, ses livres, ses disques, deux ou trois meubles anciens et ses précieuses collections. Il considérait cela comme une solution temporaire, car Mark avait l'œil sur cette propriété depuis longtemps et il la lui prendrait bientôt, à moins que ne survînt une chose inespérée, comme la mort soudaine et simultanée de Philip et Flora Keller, mais c'était là une possibilité lointaine ; ses parents ne feraient cette faveur à personne, surtout pas à lui. Il s'apprêta à jouir de son séjour à Napa tant qu'il le pourrait, sans s'angoisser pour l'avenir ; c'était la seule de ses possessions qu'il désirait vraiment conserver, plus que ses tableaux, ses jades, ses porcelaines et ses statuettes précolombiennes acquises en contrebande.

Cette semaine de février, il faisait quinze degrés de plus à Napa qu'à San Francisco, les journées étaient tièdes et les nuits froides, des nuages extraordinaires naviguaient dans un ciel peint à l'aquarelle, l'air sentait l'humus de la terre endormie, les vignes se préparaient à faire des feuilles au printemps, et dans les champs prédominait le jaune lumineux de la fleur de moutarde. Bien qu'il ne sût rien de l'agriculture ou de la préparation du vin, Alan avait une passion de propriétaire terrien, il aimait son domaine, se promenait entre les rangées rectilignes de ceps, étudiait les plantes, ramassait des brassées de fleurs sauvages, examinait son petit chai, comptait et recomptait les caisses et les bouteilles, apprenait auprès des quelques travailleurs qui taillaient la vigne. C'étaient des paysans mexicains itinérants, ils avaient vécu de la terre pendant des générations, leurs gestes étaient rapides, précis et tendres, ils savaient quelle longueur tailler et combien de rejets laisser sur les plantes.

Alan aurait tout donné pour sauver cette propriété bénie, mais avec ce qu'il parviendrait à obtenir de ses œuvres d'art et de ses collections il couvrirait à peine les dettes de ses cartes de crédit, dont les intérêts s'étaient accumulés à un coût usuraire. Il lui serait impossible de défendre son vignoble de la cupidité de son frère ; quand Mark avait quelque chose en tête, il allait jusqu'au bout avec une féroce ténacité. En apprenant ses ennuis, son amie Geneviève van Houte avait offert de lui trouver des associés pour faire du vignoble une affaire rentable, mais Alan préférait le donner à Mark ; ainsi au moins resterait-il dans la famille, pas à la merci d'inconnus. Il se demandait ce qu'il ferait lorsqu'il le perdrait, où il vivrait. Il en avait assez de San Francisco, toujours les mêmes têtes et les mêmes fêtes, les mêmes commérages persifleurs et les mêmes conversations banales, rien ne le retenait dans cette ville, hormis la vie culturelle à laquelle il n'avait pas l'intention de renoncer. Il nourrissait l'illusion de vivre dans une maison modeste, dans l'un des villages tranquilles de la vallée de Napa, par exemple à Santa Helena, et de travailler, bien que l'idée de chercher un emploi pour la première fois à cinquante-cinq ans fût risible. Dans quoi pourrait-il travailler ? Ses connaissances et ses talents, tellement appréciés dans les salons, s'avéraient inutiles pour gagner sa vie, il serait incapable de respecter un horaire ou de recevoir des ordres, il avait des problèmes avec l'autorité, comme il disait avec légèreté quand le sujet était abordé. « Épouse-moi, Alan. À mon âge, un mari est bien plus présentable qu'un gigolo », lui avait proposé Geneviève au téléphone en éclatant de rire. « Notre mariage serait ouvert ou monogame ? », lui demanda Alan en pensant à Indiana Jackson. « Pluraliste, bien sûr ! » répliqua-t-elle.

Dans cette maison de campagne avec ses gros murs couleur calebasse et ses sols de carreaux rouges, Alan trouvait la quiétude d'un couvent, il dormait sans somnifères, disposait de temps pour approfondir des idées au lieu de sauter d'une pensée à une autre dans un continuel exercice de futilité. Assis dans un fauteuil d'osier dans la galerie couverte, le regard perdu sur les collines rondes et les vignobles infinis, un verre à la main et le chien de María, l'employée, couché à ses pieds, Alan Keller prit la décision la plus importante de son existence, celle qui l'opprimait depuis des semaines, éveillé ou rêvant dans son sommeil, tandis que les arguments de sa raison bataillaient contre ses sentiments. Il composa plusieurs fois le numéro d'Indiana sans obtenir de réponse, et supposa qu'elle avait de nouveau perdu son téléphone portable, pour la troisième fois au cours des six derniers mois. Il termina son verre et avertit María qu'il allait en ville.

Une heure et vingt minutes plus tard, Keller laissa sa Lexus au parking souterrain d'Union Square et marcha sur un demi-pâté de maisons jusqu'à la bijouterie Bulgari. Il ne comprenait pas l'attrait de la plupart des femmes pour les bijoux, qui coûtaient cher, les vieillissaient, et qu'il fallait garder dans un coffre-fort. Geneviève van Houte achetait des bijoux en guise d'investissement, persuadée que lors du prochain cataclysme mondial seuls les diamants et l'or garderaient leur valeur, mais elle les portait rarement ; ils se trouvaient dans la salle des coffres d'une banque suisse, tandis qu'elle portait de faux bijoux. Un jour, il l'avait accompagnée à Manhattan, à la boutique de Bulgari sur la Cinquième Avenue, et il avait pu apprécier les dessins, l'audace dans l'association des pierres et la qualité artisanale, mais il n'était jamais entré dans la boutique de San Francisco.

L'agent de sécurité, qui savait situer les clients dans l'échelle sociale au premier regard, lui souhaita la bienvenue sans s'inquiéter de son aspect négligé et de ses souliers crottés. Il fut reçu par une femme vêtue de noir, avec des cheveux blancs et un maquillage professionnel.

— Il me faut une bague inoubliable, annonça Keller, sans rien regarder de ce qui était exposé dans les vitrines.

— Des diamants ?

— Pas de diamants. Elle pense qu'on les obtient au prix du sang africain.

— La provenance de nos diamants est certifiée.

— Essayez donc de le lui expliquer, répliqua Keller.

La vendeuse évalua rapidement à son tour la distinction du client, elle lui demanda d'attendre un moment et disparut derrière une porte, pour revenir au bout de quelques instants avec un plateau noir garni de soie blanche, sur lequel reposait un anneau ovale, exquis dans sa simplicité, qui rappela à Keller les bijoux austères de l'Empire romain.

— Cet anneau provient d'une collection ancienne, vous ne trouverez rien de semblable dans les collections récentes. C'est une aigue-marine du Brésil, coupe cabochon, peu habituelle sur cette pierre, sertie dans de l'or mat de vingt-quatre carats. Bien sûr, nous avons des pierres beaucoup plus précieuses, monsieur, mais selon moi, ceci est ce que je peux vous montrer de plus exceptionnel, dit la vendeuse.

Keller comprit qu'il allait commettre une extravagance impardonnable, une chose pour laquelle son frère Mark pourrait le crucifier, mais lorsque son œil de collectionneur se fut posé sur cet objet délicat, il ne voulut plus en voir d'autres. L'un de ses Botero était sur le point d'être vendu à New York et devait payer une partie de ses dettes, mais il décida que le cœur a ses priorités.

— Vous avez raison, il est exceptionnel. Je l'emporte, bien que cet anneau soit beaucoup trop cher pour un play-boy ruiné tel que moi, et trop fin pour une femme comme elle qui ne fait pas la différence entre un Bulgari et un faux bijou.

— Vous pouvez le régler à tempérament…

— J'en ai besoin aujourd'hui même. C'est pour ça que les cartes de crédit existent, répliqua Keller avec son plus chaleureux sourire.

Comme il disposait de temps et que trouver un taxi était à peu près impossible, il marcha vers North Beach, la brise froide sur le visage et l'humeur joyeuse. Il entra au Café Rossini en priant que Danny D'Angelo ne soit pas de service, mais celui-ci vint à sa rencontre avec de grandes démonstrations d'amitié et des excuses répétées pour avoir vomi dans sa Lexus.

— Oublie ça, Danny, c'était l'an dernier, dit Alan en essayant de se dégager de son étreinte.

— Demandez ce que vous voulez, monsieur Keller, c'est sur mon compte, annonça Danny en criant presque. Je ne pourrai jamais vous rendre ce que vous avez fait pour moi.

— Tu peux me le rendre à l'instant même, Danny. Échappe-toi cinq minutes et va appeler Indiana. Je crois qu'elle a perdu son portable. Dis-lui que quelqu'un a besoin d'elle, mais ne lui dis pas que c'est moi.

Danny, homme dénué de rancœur, avait pardonné à Indiana la mortification du Narciso Club, car deux jours après elle s'était présentée, traînant Ryan Miller pour qu'il s'excuse d'avoir gâché sa soirée triomphale. Il avait également pardonné au *navy seal*, mais profité de l'occasion pour lui expliquer que l'homophobie cachait souvent la peur de reconnaître sa propre homosexualité et que la camaraderie entre soldats a toutes sortes de connotations érotiques : ils vivent dans une étroite promiscuité, unis par des liens de loyauté et d'amour et par la glorification du machisme, en excluant les femmes. Dans d'autres circonstances, Miller l'aurait secoué comme un prunier pour avoir exprimé des doutes sur sa virilité, mais il accepta la semonce, parce qu'il était encore couvert de bleus et que la réunion des Alcooliques Anonymes l'avait rendu humble.

D'Angelo partit avec une mine de conspirateur pour la Clinique Holistique et il revint peu après en disant à Keller qu'Indiana viendrait dès qu'elle aurait terminé sa dernière séance. Il lui servit un café irlandais et un sandwich monumental, que celui-ci n'avait pas commandé, mais qu'il attaqua avec appétit. Vingt minutes plus tard, Alan Keller vit Indiana traverser la rue, les cheveux attachés en queue-de-cheval, en blouse et sabots, et l'émotion le cloua sur sa chaise. Elle lui parut encore plus belle que dans son souvenir, le teint rose, lumineuse, un souffle prématuré de printemps. Lorsqu'elle entra et le vit, elle hésita, prête à reculer, mais Danny la prit par le bras et l'amena jusqu'à la table de Keller, qui à cet instant avait réussi à se lever. Danny obligea Indiana à s'asseoir et il s'éloigna suffisamment pour leur donner une impression d'intimité, mais pas trop pour ne pas perdre un mot de ce qu'ils se diraient.

— Comment vas-tu, Alan ? Tu as maigri, le salua-t-elle d'un ton neutre.

— J'ai été malade, mais à présent je me sens mieux que jamais.

À cet instant Gary Brunswick, le dernier patient du mardi, entra dans le café sur les pas d'Indiana, qu'il projetait d'inviter à dîner, mais en la voyant avec un autre homme il s'arrêta, déconcerté. Danny profita de son hésitation pour le pousser vers une autre table et lui souffler sur le ton de la confidence de les laisser seuls, car de toute évidence cela ressemblait à un rendez-vous amoureux.

— Que puis-je faire pour toi ? demanda Indiana à Keller.

— Beaucoup. Par exemple, tu peux changer ma vie. Me changer moi, me retourner comme une chaussette.

Elle le regarda de travers, méfiante, tandis qu'il cherchait la petite boîte de Bulgari qui avait disparu dans ses poches. Enfin il la trouva et la posa devant elle avec une maladresse d'écolier.

— Tu épouserais un vieux pauvre, Indi ? lui demanda-t-il sans reconnaître sa propre voix, et il lui raconta précipitamment les événements récents, avalant de l'air dans sa hâte ; il lui dit qu'il était heureux d'avoir tout perdu, même si cela était exagéré, il avait encore assez, il n'allait pas mourir de faim, mais il traversait la pire crise de son existence ; les Chinois disent qu'une crise est un danger doublé d'une chance, et celle-là était sa grande chance de recommencer à zéro et de le faire avec elle, son seul amour, comment ne l'avait-il pas compris dès qu'il l'avait connue?, il était un imbécile, il ne pouvait continuer ainsi, il était fatigué de son existence et de lui-même, de son égoïsme et de sa prudence. Il allait changer, il le lui promettait, mais il avait besoin de son aide, il ne pouvait y arriver seul, tous deux avaient investi quatre années dans leur relation, comment allaient-ils permettre qu'elle prenne fin sur un malentendu. Il lui parla de la petite maison de Santa Helena qu'ils allaient acheter, près des thermes de Calistoga, l'endroit idéal pour se consacrer à son aromathérapie, ils mèneraient une existence bucolique et ils élèveraient des chiens, c'était plus logique que d'élever des chevaux. Et il continua à épancher tout ce qu'il avait en lui, la tentant avec ce qu'ils feraient ensemble et lui demandant pardon, la suppliant, marions-nous dès demain.

Accablée, Indiana tendit sa main au-dessus de la table et la posa sur sa bouche.

— Tu es sûr, Alan?

— Je n'ai jamais été aussi sûr d'une chose dans ma vie.

— Pas moi. Il y a un mois j'aurais accepté sans hésiter, mais aujourd'hui j'ai beaucoup de doutes. Plusieurs choses me sont arrivées que...

— À moi aussi! l'interrompit Keller. Quelque chose s'est ouvert en moi, dans mon cœur, et une force désordonnée, extraordinaire, m'a envahi. Il m'est impossible de t'expliquer ce que je ressens, je suis plein d'énergie, je peux vaincre n'importe quel obstacle. Je vais recommencer à zéro et m'en sortir. Je suis plus vivant que jamais! Je ne peux retourner en arrière, c'est le premier jour de ma nouvelle vie.

— Je ne sais jamais si tu parles sérieusement, Alan.

— Tout à fait sérieusement, aucune ironie cette fois, Indi, seulement des vérités de roman à l'eau de rose. Je t'adore. Il n'y a pas d'autre amour dans ma vie, Geneviève n'a pas la moindre importance, je te le jure sur ce qu'il y a de plus sacré.

— Il ne s'agit pas d'elle, mais de nous. Qu'avons-nous en commun, Alan ?

— L'amour, quoi d'autre !

— Je vais avoir besoin de temps.

— Combien ? J'ai cinquante-cinq ans et pas trop de temps devant moi, mais si c'est ce que tu veux, j'attendrai. Un jour ? Deux jours ? Je t'en prie, donne-moi une autre chance, tu n'auras pas à le regretter. Nous pourrions aller dans le vignoble, qui est toujours à moi, mais pas pour longtemps. Ferme ton cabinet pendant quelques jours et viens avec moi.

— Et mes patients ?

— Mon Dieu, personne ne va mourir faute d'aimants ou d'aromathérapie ! Pardon, je n'ai pas voulu t'offenser, je sais que ton travail est très important, mais tu peux quand même prendre quelques jours de vacances ! Je vais tellement m'appliquer à te rendre amoureuse, Indi, que c'est toi qui vas me supplier pour que nous nous mariions, sourit Keller.

— Si nous en arrivons là, alors tu pourras m'offrir ceci, répondit Indiana, et elle lui rendit la boîte de Bulgari sans l'ouvrir.

MARS

Vendredi, 2

Amanda attendait son père dans le minuscule bureau de son assistante, dont les murs étaient tapissés de photographies de Petra Horr en pyjama blanc et ceinture rouge, lors de compétitions d'arts martiaux. Petra mesurait un mètre cinquante et pesait quarante-huit kilos, mais elle pouvait soulever un homme du double de sa taille et le projeter au loin. Elle avait rarement eu l'occasion d'utiliser cette aptitude depuis qu'elle travaillait à la Brigade criminelle, mais elle lui avait été très utile pour se défendre dans la cour de la prison, où les bagarres pouvaient être aussi violentes que dans les prisons d'hommes. À vingt ans, après avoir purgé la double condamnation imposée par Rachel Rosen, elle avait passé les trente mois suivants à parcourir le pays en moto. Sur ces routes interminables, elle avait perdu toutes les illusions qu'elle aurait pu sauver d'une enfance d'abandon et d'une adolescence au milieu de délinquants. La seule constante dans son existence de voyageuse errante, c'étaient les arts martiaux, qui lui servaient pour se protéger et gagner sa croûte.

En arrivant dans un village, Petra se mettait en quête d'un bar, certaine qu'il y en aurait un, aussi pauvre et reculé que soit l'endroit, et elle s'asseyait dans un coin, faisant durer une unique bière. Bientôt, un ou plusieurs hommes s'approchaient d'elle avec des intentions évidentes et, à moins que l'un d'eux soit franchement irrésistible, ce qui arrivait rarement, elle les dissuadait en prétextant qu'elle était lesbienne, et aussitôt défiait le plus costaud à une lutte au corps à corps. Ses règles étaient claires : tout était permis, sauf les armes. Il se formait un cercle, les paris étaient lancés et ils sortaient dans la cour ou dans une ruelle discrète ; Petra ôtait alors son blouson de cuir, elle fléchissait ses bras et ses jambes de fillette au milieu des éclats de rire masculins, et elle annonçait qu'ils pouvaient commencer. L'homme l'attaquait deux ou trois fois sans malice, confiant et souriant, jusqu'à ce qu'il se rende compte qu'elle se moquait de lui, lui glissant entre les mains, telle une belette. Alors il perdait patience et, excité par les railleries des badauds, lui tombait sérieusement dessus, prêt à la démolir d'un coup de poing. Comme le but de Petra était d'offrir un spectacle honnête qui ne décevrait pas le public, elle se payait la tête de son adversaire un bon moment, évitant ses coups, le fatiguant, et enfin, lorsqu'il était furieux et couvert de sueur, elle lui faisait l'une de ses clés, profitant de l'élan et du poids de l'homme pour l'immobiliser au sol. Au milieu de la surprise respectueuse, elle empochait les paris, mettait son blouson, son casque, et filait en vitesse sur sa moto, avant que le vaincu soit remis de son humiliation et décide de partir à sa poursuite. En un seul combat elle pouvait gagner deux ou trois cents dollars, qui lui suffisaient pour une semaine ou deux.

Elle revint à San Francisco avec un mari resplendissant sur le siège arrière de sa moto, doux, beau et drogué ; ils s'installèrent dans une pension insalubre et Petra se mit à travailler dans tout ce qui se présentait, pendant qu'il jouait de la guitare dans le parc et dépensait ce qu'elle gagnait. Elle avait vingt-quatre ans quand il la quitta et vingt-cinq lorsqu'elle obtint un emploi administratif à la Brigade criminelle, après avoir vaincu Bob Martín par la méthode qu'elle avait perfectionnée pendant sa période de lutteuse itinérante.

Voilà comment ça s'était passé : au bar Camelot, où les policiers se retrouvaient en dehors de leurs heures de service pour se détendre en prenant un verre ou deux, la clientèle était si régulière qu'un nouveau visage attirait l'attention, surtout celui de cette fille qui arriva en prenant de grands airs. Le barman crut qu'elle était mineure et il lui demanda sa carte d'identité avant de lui servir une bière. Petra saisit sa bouteille et se retourna pour faire face à Martín et aux autres, qui la toisaient d'un œil critique. « Qu'est-ce que vous regardez ? J'ai quelque chose que vous voulez acheter ? » leur demanda-t-elle. Elle s'arrangea pour défier au combat le plus féroce, comme elle dit, qui se trouva être Bob Martín, désigné par consensus général, mais cette fois elle n'obtint pas que les hommes risquent leur situation dans des paris illicites et elle dut faire sa démonstration par pur amour du sport. Loin de s'offenser de sa défaite et des moqueries de ses camarades, Bob Martín se releva de terre, secoua son pantalon, passa les mains dans les cheveux, félicita la jeune femme d'une sincère poignée de main et lui offrit un emploi. Ainsi avait commencé la vie sédentaire de Petra Horr.

— Mon père est avec Ayani ? lui demanda Amanda.

— Qu'est-ce que j'en sais ! Demande-le-lui.

— Il veut pas l'admettre, mais ses yeux brillent quand je prononce son nom. J'aime mieux Ayani que la Polonaise, mais je crois pas qu'elle puisse faire une bonne belle-mère. Tu la connais ?

— Elle est venue ici une ou deux fois pour sa déposition, elle est belle, on peut pas le nier, mais je vois pas ce que ferait ton père avec elle. Ayani a des goûts de luxe et elle est très compliquée. Ton père a besoin d'une femme simple, qui l'aime et lui crée pas de problèmes.

— Comme toi ?

— Sois pas insolente. Ma relation avec l'inspecteur est strictement professionnelle.

— Dommage ! Ça me plairait que tu sois ma belle-mère, Petra. Pour changer de sujet, tu as parlé à Ingrid Dunn ?

— Oui, mais pas question. Ton père la mettrait en pièces si elle te laissait assister à une autopsie.

— Pourquoi on lui dirait ?

— Me mêle pas à ça, arrange-toi directement avec Ingrid.

— Tu pourrais au moins m'avoir une copie des rapports d'autopsie de Richard Ashton et de Rachel Rosen.

— Ton grand-père les a déjà vus.

— Lui, il laisse passer des choses essentielles, je préfère les voir de mes yeux. Tu sais si on va faire des tests ADN ?

— Seulement pour Ashton. Si ses enfants peuvent prouver qu'Ayani a tué son mari, ils pourraient mettre le grappin sur le magot. En ce qui concerne Rosen, elle avait trois cent mille dollars de côté, mais elle les a pas laissés à son fils, elle les a laissés aux Anges Gardiens.

— C'est qui ceux-là ?

— Une association à but non lucratif. C'est des volontaires qui patrouillent dans les rues pour prévenir le crime, je crois qu'elle a vu le jour à New York à la fin des années soixante-dix, à l'époque où la ville était réputée pour son insécurité. Ils collaborent avec la police, portent un uniforme, une veste et un béret rouge, ils peuvent arrêter des suspects, mais pas avoir d'armes sur eux. Aujourd'hui, ces Anges Gardiens existent dans plusieurs pays ; en plus de leur travail de surveillance, ils organisent des programmes d'éducation pour les jeunes et des ateliers de prévention des délits.

— C'est normal qu'une juge veuille soutenir un groupe qui combat le crime, déclara Amanda.

— Oui, mais son fils a eu une drôle de déception. Il était plus affecté d'avoir perdu l'héritage que d'avoir perdu sa mère. Il a un alibi, il a passé la semaine en tournée commerciale, on a déjà vérifié.

— Il a peut-être passé un contrat avec un tueur à gages pour l'expédier dans l'autre monde. Ils s'entendaient mal, non ?

— Ces choses-là se passent en Italie, Amanda. En Californie, un homme n'assassine pas sa mère parce qu'il s'entend pas avec elle. Pour ce qui est des Constante, sur les photos, on a constaté que les brûlures au chalumeau dessinaient des lettres.

— Quelles lettres ?

— F et A. On n'a pas encore trouvé l'explication.

— Il y en a forcément une, Petra. Dans chaque cas l'auteur a laissé un signe ou un message. Je l'ai dit à mon père il y a au moins dix jours, mais il m'écoute pas : on a affaire à un tueur en série.

— Si, il t'écoute Amanda. Toute la Brigade est à la recherche de liens possibles entre les crimes.

Dimanche, 4

Comme elle le faisait chaque premier dimanche du mois, même si c'était celui qu'elle passait chez son père, Amanda consacrait une heure à mettre de l'ordre dans la comptabilité de sa mère. L'ordinateur portable d'Indiana avait six ans et il était temps de le moderniser ou d'en acheter un autre, mais sa propriétaire y tenait autant qu'à une mascotte et elle avait l'intention de l'utiliser jusqu'à ce qu'il périsse de mort naturelle, même si dernièrement il lui causait pas mal de désagréments. Brusquement, sans raison aucune, apparaissaient au hasard sur l'écran des scènes de copulation et de torture, un tas de chair exposée, de l'effort, de la souffrance, bref, rien de très agréable à regarder. Indiana fermait immédiatement ces images déconcertantes, mais le problème se répétait si souvent qu'elle avait fini par donner un nom au pervers qui habitait son disque dur ou entrait par la fenêtre pour s'immiscer dans le contenu de son ordinateur, elle l'appelait Marquis de Sade.

Amanda, qui se chargeait de la comptabilité depuis l'âge de douze ans et la tenait à jour avec la rigueur d'un prêteur sur gages, fut la première à comprendre que les honoraires de sa mère lui suffisaient à peine pour vivre dans une modestie toute monacale. Aider les autres à guérir était un processus lent qui drainait l'énergie et les ressources d'Indiana, mais elle n'aurait changé ce travail pour aucun autre ; en réalité, elle ne le considérait pas comme un travail, mais comme un apostolat. Son objectif était la santé de ses patients, non la somme de ses revenus, et elle vivait de peu, car la consommation ne l'intéressait pas et elle mesurait son bonheur par une formule élémentaire : « Un beau jour plus un autre beau jour égale une belle vie. » Sa fille s'était lassée de lui répéter qu'elle devait augmenter ses tarifs – le salaire horaire d'un immigré clandestin faisant la récolte des oranges était supérieur au sien ; elle avait fini par comprendre que sa mère avait reçu la mission divine d'apaiser la souffrance d'autrui et devait y obéir, ce qui signifiait, en termes pratiques, qu'elle serait toujours pauvre, à moins qu'elle ne trouve un bienfaiteur ou n'épouse un type riche, comme Keller. Amanda était d'avis que la misère était préférable à cette solution.

Bien qu'elle ne vît pas dans la prière la méthode la plus efficace pour résoudre les problèmes d'ordre pratique, l'adolescente était allée voir sa grand-mère Encarnación, qui entretenait une communication directe avec saint Jude Thaddée, afin qu'elle sorte Keller de la vie de sa mère. Saint Jude faisait des miracles pour un juste prix, payable en liquide au sanctuaire de Bush Street ou au moyen d'un chèque envoyé par la poste. Dès que doña Encarnación avait eu recours à lui, l'article de la revue, qui avait coûté tant de larmes à Indiana, avait été publié ; Amanda pensa qu'elles en étaient débarrassées à jamais et qu'il serait remplacé par Ryan Miller, mais l'espoir venait de s'évanouir avec l'escapade de sa mère et de son vieil amant à Napa. Sa grand-mère allait devoir renouveler les négociations avec le saint.

Pour doña Encarnación le divorce était un péché et, dans le cas d'Indiana et de son fils Bob, il s'agissait d'un péché inutile, car avec un peu de bonne volonté ils pourraient cohabiter comme Dieu l'ordonnait. Au fond ils s'aimaient, puisque aucun des deux ne s'était remarié ; elle espérait qu'ils se rendraient bientôt à l'évidence et s'uniraient à nouveau. Elle trouvait blâmable que Bob ait des amies de petite vertu, les hommes sont des créatures imparfaites, mais elle ne pouvait accepter qu'Indiana risque son accès au ciel et sa réputation à cause de relations extraconjugales. Pendant des années elle avait été victime d'une conspiration familiale visant à lui cacher l'existence d'Alan Keller, jusqu'au jour où Amanda, dans un absurde accès de franchise, le lui avait raconté. La grand-mère souffrit un chagrin épique, qui dura plusieurs semaines, mais son cœur de mère finit par venir à bout de ses réserves de catholique et elle accueillit de nouveau Indiana, parce que, dit-elle, l'erreur est humaine et le pardon, divin. Elle avait de l'affection pour sa belle-fille, même si bien des aspects de la vie de cette jeune femme pouvaient être améliorés : non seulement sa manière d'élever Amanda, sa garde-robe et sa coiffure, mais aussi son travail, qui lui semblait païen, et même son goût en matière de décoration intérieure. Au lieu des meubles de style qu'elle avait jugé bon de lui offrir, Indiana avait rempli son appartement de tables, d'étagères et d'armoires, d'éprouvettes, de poids, d'entonnoirs, de compte-gouttes et de centaines de flacons de toutes tailles dans lesquels elle entreposait des substances inconnues, certaines provenant de pays dangereux tels que l'Iran et la Chine. Son logis avait l'aspect d'un laboratoire clandestin, comme ceux qu'on voit à la télévision, où sont élaborées des drogues. Deux ou trois fois, la police était venue frapper à la porte de son ex-belle-fille, alarmée par le parfum entêtant qui flottait dans l'air, comme si une sainte était morte. Sa petite-fille avait obligé Blake Jackson – quel homme agréable ! – à poser des grillages sur les étagères pour éviter, dans l'éventualité d'un tremblement de terre, que les huiles essentielles ne se répandent, intoxiquant sa mère et, probablement, les voisins. C'était après avoir lu dans un livre de récits érotiques du Japon qu'une courtisane du XVe siècle avait empoisonné son amant infidèle avec des parfums. Doña Encarnación était d'avis que quelqu'un devrait contrôler les lectures de sa petite-fille.

Amanda bénissait les lois de la génétique, car le don de guérisseuse de sa mère n'était pas héréditaire. Elle avait d'autres projets pour son avenir, pensait étudier la physique nucléaire ou quelque chose de ce genre, réussir dans sa profession, mener une vie aisée et, au passage, s'acquitter de l'obligation morale d'entretenir sa mère et son grand-père qui, si ses calculs étaient exacts, seraient alors deux vieux de quarante et soixante-dix ans respectivement.

Sa mère dépensait peu, elle se déplaçait à bicyclette, se coupait elle-même les cheveux deux fois par an avec les ciseaux de la cuisine et s'habillait de vêtements d'occasion, parce que personne ne prêtait attention à ce qu'elle portait, comme elle disait, mais rien n'était moins sûr, car cela importait beaucoup à Alan Keller. Malgré sa frugalité, l'argent filait vite, Indiana avait du mal à joindre les deux bouts et elle devait faire appel à son père ou à son ex-mari pour la tirer d'affaire. Amanda trouvait cela normal, car ils étaient de la famille, mais que Ryan Miller vienne à son secours, comme c'était arrivé plusieurs fois, la choquait profondément. Miller, mais jamais Keller, car sa mère disait qu'un amant, aussi généreux fût-il, se remboursait par des faveurs.

La seule chose à peu près rentable dans la comptabilité d'Indiana, c'était l'aromathérapie. Elle s'était fait un nom grâce à ses huiles essentielles : elle les achetait en gros, les versait dans de petits flacons obscurs joliment étiquetés qu'elle vendait en Californie et dans d'autres États. Amanda l'aidait à les remplir et en faisait la promotion sur Internet. Pour Indiana, l'aromathérapie était un art délicat, qu'il convenait de pratiquer avec prudence, en étudiant les maux et les besoins de chaque personne avant de déterminer la combinaison des huiles la mieux adaptée à chaque cas, mais Amanda lui avait expliqué que sa méticulosité n'était pas soutenable d'un point de vue économique. C'est elle qui avait eu l'idée de commercialiser l'aromathérapie dans les hôtels et les SPA de luxe pour financer cette matière première coûteuse. Ces établissements achetaient les huiles les plus populaires et les administraient n'importe comment, une goutte par-ci, une autre par-là, comme s'il s'agissait de parfums, sans prendre la moindre précaution, sans vérifier leurs propriétés ni lire les instructions, malgré les avertissements d'Indiana : mal administrées, elles pouvaient être nuisibles, comme ce serait le cas pour un épileptique exposé au fenouil et à l'anis, ou pour une nymphomane avec le santal et le jasmin. Sa fille opinait qu'il ne fallait pas s'en inquiéter : le pourcentage d'épileptiques et de nymphomanes sur le total de la population était infime.

La jeune fille pouvait nommer toutes les huiles essentielles de sa mère, mais leurs propriétés ne l'intéressaient pas, car l'aromathérapie était un art capricieux et elle avait un penchant pour les sciences exactes. Selon elle, il n'existait pas de preuves suffisantes montrant que le patchouli incitait à la romance ou que le géranium stimulait la créativité, comme l'assuraient des textes orientaux très anciens, à l'authenticité douteuse. Le néroli n'apaisait pas plus la colère de son père que la lavande ne donnait de sens pratique à sa mère, comme ils auraient dû. Elle-même utilisait la mélisse contre la timidité, sans résultat notable, et l'huile de sauge pour l'indisposition en période de menstruation, laquelle n'avait d'effet qu'associée aux analgésiques de la pharmacie de son grand-père. Elle voulait vivre dans un monde ordonné, avec des règles claires, et l'aromathérapie, comme tous les traitements de sa mère, contribuait au mystère et à la confusion.

Elle avait terminé les comptes et préparait son sac pour partir à l'internat quand Indiana revint avec une mallette de linge sale et le teint légèrement hâlé, grâce au soleil anémique mais persistant de la vallée de Napa en hiver. Elle la reçut avec une mine renfrognée.

— Tu as vu à quelle heure tu rentres, maman !

— Excuse-moi, ma chérie, il y avait beaucoup de circulation et nous avons été retardés. J'avais besoin de ces trois jours de vacances, j'étais très fatiguée. Comment t'en es-tu sortie avec la comptabilité ? J'imagine que tu as de mauvaises nouvelles pour moi, comme d'habitude… Allons à la cuisine et parlons un moment, je vais faire du thé. Il est encore tôt, ton grand-père ne t'emmènera pas au lycée avant cinq heures.

Elle essaya de l'embrasser, mais Amanda s'esquiva et s'installa par terre pour appeler son grand-père sur le portable et lui dire de se dépêcher. Indiana s'assit à côté d'elle, elle attendit qu'elle ait fini de parler et prit son visage entre ses mains.

— Regarde-moi, Amanda. Tu ne peux pas partir fâchée contre moi, il faut qu'on parle. Je t'ai appelée mercredi pour te dire qu'Alan et moi nous étions réconciliés et que nous allions passer quelques jours à Napa. Ce n'était pas une surprise.

— Si tu épouses Keller, je veux pas le savoir !

— Le mariage, ça reste à voir, mais si je me décide tu seras la première à le savoir, que tu le veuilles ou non. Tu es ce qu'il y a de plus important dans ma vie, Amanda, je ne te laisserai jamais.

— Je parie que tu as pas parlé de Ryan à Keller ! Tu crois que je sais pas que tu as couché avec lui ? Tu devrais être plus prudente avec ton courrier.

— Tu as lu ma correspondance privée !

— Tu n'as rien de privé. Je peux lire ce que je veux sur ton ordinateur portable, j'ai ton mot de passe : Shakti. C'est toi qui me l'as donné, comme tu l'as donné à grand-père, à papa et à toute la Californie. Je sais ce que tu as fait avec Ryan et j'ai lu tes stupides messages d'amour. Des mensonges ! Tu lui as rempli la tête d'illusions et après ça tu es partie avec Keller. Quelle sorte de personne tu es ? On peut pas te faire confiance ! Et me dis pas que je suis une morveuse et que je comprends rien de rien, parce que je sais parfaitement comment ça s'appelle.

Pour la première fois de sa vie, Indiana eut envie de la gifler, mais elle ne put ébaucher le geste. Par habitude, elle essaya d'interpréter le message, car souvent les mots déforment, et voyant l'angoisse de sa fille elle rougit, troublée, parce qu'elle savait qu'elle aurait dû donner une explication à Ryan avant de partir avec Alan, mais elle avait disparu, ignorant les plans qu'il avait faits pour le week-end. Si elle aimait Ryan autant qu'elle le lui avait fait croire, ou si au moins elle le respectait comme il le méritait, elle ne l'aurait jamais traité de cette manière, elle aurait été franche avec lui, elle lui aurait expliqué ses raisons. Elle n'avait pas osé l'affronter et s'était justifiée avec l'argument qu'elle avait besoin de temps pour se décider entre les deux hommes, mais elle était partie pour Napa parce qu'elle avait déjà choisi Alan Keller, à qui l'unissait quelque chose de plus qu'un amour de quatre ans. Elle était partie dans l'intention de clarifier certaines choses et était revenue avec une alliance dans son sac à main, qu'elle avait ôtée de son doigt en descendant de la voiture de Keller pour éviter que sa fille la voie.

— Tu as raison, Amanda, admit-elle, tête basse.

Suivit une longue pause, toutes deux assises par terre, très proches l'une de l'autre, sans se toucher, jusqu'à ce que la fille tende la main pour essuyer les larmes sur le visage de sa mère. Pour Indiana, l'horreur d'épouser quelqu'un que sa fille détestait augmentait de minute en minute et, de son côté, Amanda pensait que si Keller allait être son beau-père, elle devait faire l'effort de le traiter poliment.

Elles en étaient là quand le portable d'Amanda les fit sursauter. C'était Carol Underwater, qui appelait la fille pour localiser la mère, qu'elle n'avait pas réussi à joindre depuis le jeudi. Indiana prit le téléphone et lui raconta qu'elle avait passé quelques jours de repos au vignoble de Napa. Sur le ton plaintif qui lui était habituel, Carol se dit heureuse d'apprendre qu'Indiana avait tant de choses en sa faveur : l'amour, des vacances et la santé, surtout la santé, et elle souhaita de tout cœur qu'elle ne lui fasse jamais défaut, parce que sans la santé cela ne valait pas la peine de vivre, elle le savait d'expérience. Son dernier espoir était la radiothérapie. Elle voulut connaître en détail le séjour à Napa et comment Keller l'avait convaincue de retourner avec lui, après ce qui s'était passé entre eux; une trahison comme celle-ci était impossible à oublier. Indiana finit par lui donner des explications, comme si elle les lui devait, et elles décidèrent de se voir le mercredi à six heures et demie au Café Rossini.

— Carole m'a appelée plusieurs fois pour avoir de tes nouvelles et elle a presque halluciné quand je lui ai dit que tu étais avec Keller. Tu dois être sa seule amie, commenta Amanda.

— Pourquoi a-t-elle ton numéro de téléphone ?

— Pour prendre des nouvelles de Sauvez-le-Thon. Elle est venue la voir deux ou trois fois. Grand-père te l'a pas dit ? Carol adore les chats.

Lundi, 5

Esmeralda participa à *Ripper* depuis un hôpital d'Auckland. Le garçon y subissait un énième traitement, à base de cellules souches, dans l'espoir que cela lui permettrait de remarcher.

Amanda, dans son rôle de maîtresse du jeu, avait établi une liste récapitulant les indices disponibles des cinq homicides qui les tenaient occupés depuis janvier. Chaque joueur en avait une copie et, après avoir étudié les faits à la loupe de sa logique irréfutable, Sherlock Holmes avait tiré des conclusions différentes de celles d'Abatha, qui approchait les problèmes par les sentiers sinueux de l'ésotérisme ; du colonel Paddington, qui jugeait la réalité à partir de critères militaires ; ou d'Esmeralda, une gitane des rues qui ne jugeait pas nécessaire de se creuser la cervelle, car presque tout s'éclaircit seul, il suffit de poser les questions pertinentes. Les jeunes gens s'accordaient à dire qu'il s'agissait d'un criminel aussi intéressant que Jack l'Éventreur.

— Commençons par « le crime de la batte mal placée ». Vas-y, Kabel, ordonna la maîtresse.

— Ed Staton a été brièvement marié dans sa jeunesse. Ensuite, on ne lui a pas connu de relations avec des femmes ; mais il payait des prostitués masculins et regardait de la pornographie gay. À l'école et dans son tout-terrain, on n'a retrouvé ni la veste ni le calot de son uniforme, alors que les élèves qui se trouvaient sur le parking l'ont vu sortir et l'ont reconnu à son uniforme.

— Qui étaient ces prostitués ? demanda Esmeralda.

— Deux jeunes Portoricains, mais aucun d'eux n'avait rendez-vous avec lui ce soir-là et leurs alibis sont solides. Les témoins du parking n'ont pas vu une autre personne dans la voiture avec laquelle il est parti.

— Pourquoi Staton n'a-t-il pas utilisé son propre véhicule ?

— Parce que la personne qu'ils ont vue n'était pas Ed Staton, déduisit Sherlock. C'était l'assassin, qui avait mis la veste et le calot du gardien et qui est tranquillement sorti de l'école, au vu et au su des trois témoins qu'il a salués de la main ; puis il est monté dans la voiture avec laquelle il était arrivé et s'en est allé. Le gardien n'est jamais sorti de l'école, car à cette heure il était déjà mort. L'assassin est arrivé à l'école alors que le parking était plein de voitures et personne n'a remarqué la sienne, il est entré par la porte principale, s'est caché à l'intérieur et a attendu que tout le monde soit parti.

— Il a agressé Staton dans le gymnase alors que celui-ci faisait sa ronde pour fermer les portes et brancher l'alarme. Stratégie classique : attaquer par surprise. Il l'a paralysé avec un *taser* et l'a exécuté d'une balle dans la tête, ajouta le colonel Paddington.

— Est-ce qu'on a trouvé le lien entre l'université d'Arkansas et Ed Staton ? demanda Esmeralda.

— Non. L'inspecteur Bob Martín a enquêté sur ce point. Personne dans cette université ou dans ses équipes d'athlètes, les Loups Rouges, ne connaissait Staton.

— Les Loups Rouges ? Il ne s'agit peut-être pas d'un lien mais d'un code ou d'un message, suggéra Abatha.

— Le loup rouge, *Canis rufus*, est l'une des deux espèces de loups existantes ; l'autre, le loup gris, est plus grand. En 1980, on a déclaré l'espèce rouge éteinte, mais on a fait se reproduire les rares individus qui vivaient en captivité et on a réussi à établir un programme d'élevage ; on estime qu'il doit y en avoir environ deux cents à l'état sauvage, les informa Kabel, qui avait étudié le sujet l'année précédente, lorsque sa petite-fille s'était intéressée aux lycanthropes.

— Ça ne nous sert à rien, répliqua le colonel.

— Tout sert, le corrigea Sherlock Holmes.

La maîtresse du jeu proposa de passer au « double crime du chalumeau » et Kabel montra la photographie qu'il avait obtenue des brûlures sur les fesses des victimes ; Michael portait la lettre F et Doris la lettre A. Il présenta aussi les photos des seringues, du chalumeau et de la bouteille d'alcool, et expliqua que le Xanax avec lequel l'assassin avait endormi les Constante était dissous dans un pack de lait.

— Pour qu'il fasse de l'effet dans deux tasses, l'auteur a mis au moins dix ou quinze comprimés dans le litre de lait.

— Il est irrationnel de mettre de la drogue dans du lait, parce que normalement ce sont les enfants qui le boivent, pas les adultes, intervint le colonel.

— Les enfants faisaient une excursion à Tahoe. Pour le dîner, le couple mangeait toujours des sandwichs au jambon ou au fromage avec un bol de café instantané mélangé dans du lait. C'est ce que m'a raconté Henriette Post, la voisine qui a découvert les corps. Le café a dissimulé le goût du Xanax, expliqua Kabel.

— Autrement dit, l'assassin connaissait les habitudes du couple, déduisit Sherlock Holmes.

— Comment cet alcool est-il arrivé dans le frigo des Constante ? demanda Esmeralda.

— Cette marque de vodka n'existe pas dans notre pays. Les empreintes de doigts ont été soigneusement nettoyées sur la bouteille, lui expliqua Amanda.

— Ou alors elle a été manipulée avec des gants, comme les seringues et le chalumeau, cela signifie qu'elle a été placée là exprès par l'assassin, dit Sherlock.

— Un autre message, l'interrompit Abatha.

— Exact.

— Le message d'un ancien alcoolique à un autre ? De Brian Turner à Michael Constante ? demanda Esmeralda.

— Ça, c'est trop subtil pour Brian Turner, ce type est très primaire. S'il avait voulu laisser un message il aurait vidé deux bouteilles de bière sur les corps, il n'aurait pas cherché un alcool inconnu de Serbie pour le mettre dans le réfrigérateur, dit Kabel.

— Vous croyez que l'assassin est serbe ?

— Non, Esmeralda. Mais je crois que dans chaque cas il a laissé un indice pour l'identifier. Il est si arrogant et si sûr de lui qu'il se permet de jouer avec nous, dit le colonel, irrité.

— Ou plutôt, il joue avec la police, parce que nous, il nous connaît pas, précisa Amanda.

— C'est ce que j'ai voulu dire. Vous me comprenez.

— On n'a trouvé aucun lien entre le suspect, Brian Turner, qui s'est disputé avec Michael Constante, et les autres victimes. La nuit de la mort du psychiatre, Turner était à la prison de Petaluma à la suite d'une autre bagarre, cela prouve son mauvais caractère, mais aussi qu'il n'est pas notre suspect, dit Amanda.

— La nuit de la mort..., balbutia Abatha, et elle ne put terminer sa phrase, ses idées lui échappaient à cause de la faim et des médicaments.

La maîtresse du jeu expliqua que dans « le crime de l'électrocuté » les principaux suspects étaient toujours Ayani et Galang. Son père avait interrogé les personnes ayant eu un contact avec le psychiatre au cours des deux semaines qui avaient précédé sa mort, en particulier celles qui s'étaient trouvées dans son studio, il cherchait à savoir si on avait perdu un *taser* parmi les policiers ou d'autres personnes autorisées à l'utiliser, et qui en avait acheté un ou plusieurs en Californie au cours des trois derniers mois, même si l'assassin pouvait les avoir obtenus de bien d'autres façons. Le psychologue criminaliste qui avait étudié *Le Loup des steppes*, le roman adressé par courrier à Ayani avec les chaussettes de son mari, découvrit une douzaine de pistes possibles, mais toutes aboutissaient à des impasses, car c'est un livre très complexe qui se prête à mille interprétations. Il y avait plus de soixante échantillons d'ADN dans le studio et seul celui de Galang coïncidait avec un ADN enregistré, parce qu'il avait fait six mois de prison en Floride, en 2006, pour détention de drogues, mais comme l'homme travaillait dans la maison d'Ashton, ses empreintes étaient naturellement partout.

— Et enfin, dans « le crime de la suppliciée » nous avons le rapport d'autopsie final. La femme a été garrottée, dit la maîtresse du jeu.

— Le garrot est un supplice très ancien, les informa Paddington. Il consistait à étrangler la victime lentement, pour prolonger son agonie. En général l'instrument était un siège avec un poteau en guise de dossier, auquel on attachait le condamné à l'aide d'une corde, d'un fil de fer ou d'une ceinture métallique autour du cou, qu'on serrait par-derrière avec un tourniquet. Parfois il y avait un nœud devant, pour écraser le larynx.

— C'est quelque chose comme ça qu'on a utilisé pour Rachel Rosen : un fil de pêche en nylon avec une petite boule, probablement en bois, expliqua Amanda.

— Une fois en place, le garrot facilite la tâche du bourreau, parce qu'il suffit de faire tourner le tourniquet, il n'y a besoin ni de force physique ni d'adresse. De plus, Rosen était droguée, elle ne pouvait pas se défendre. Même une petite femme pourrait étrangler un géant de cette manière, poursuivit Paddington, toujours prêt à étaler ses connaissances.

— Une femme... ce pourrait être une femme, pourquoi pas ? suggéra Abatha.

— Une femme pourrait avoir tué Staton, Ashton et les Constante, mais il fallait de la force pour maîtriser Rosen, soulever le corps et la pendre au ventilateur, lui rétorqua Amanda.

— Pas nécessairement. Une fois que Rosen était sur le lit avec la corde au cou, il suffisait de la hisser peu à peu, dit Paddington.

— En plus, la femme était droguée quand on l'a garrottée, c'est pour ça qu'elle ne s'est pas défendue.

— Humm... garrot. Une méthode très exotique..., murmura Sherlock. Les victimes ont été exécutées. Dans chacun des cas l'assassin a choisi un mode opératoire différent : le coup de grâce pour Staton, une injection létale pour les Constante, l'électrocution pour Ashton, le garrot ou la pendaison pour Rosen.

— Vous croyez que ces personnes méritaient un genre particulier d'exécution ? demanda Esmeralda.

— Ça, on le saura quand on aura le mobile et qu'on connaîtra le lien entre les victimes, répliqua Sherlock.

Vendredi, 9

Il était plus de vingt-deux heures, jeudi soir, quand Pedro Alarcón arriva au loft de Miller, après avoir essayé en vain de le joindre au téléphone. À midi il avait reçu un appel d'Indiana, très préoccupée au sujet de Ryan, parce qu'elle lui avait parlé la veille pour lui dire qu'elle allait épouser Alan Keller.

— Je croyais que tu aimais Ryan, lui dit Alarcón.

— Je l'aime beaucoup, c'est un type formidable, mais il y a quatre ans que je suis avec Alan et nous avons quelque chose en commun que je n'ai pas avec Ryan.

— Qu'est-ce que c'est ?

— Ce n'est pas le moment d'en parler, Pedro. En plus, Ryan doit résoudre certaines choses de son passé, il n'est pas prêt pour une relation sérieuse.

— Tu es son premier amour, c'est ce qu'il m'a dit. Il voulait se marier avec toi. C'est typique de Miller d'arriver à cette décision sans en informer la principale intéressée.

— Il m'en a informée, Pedro. Tout ça, c'est de ma faute, je n'ai pas été claire avec lui. Je suppose que j'allais très mal après avoir rompu avec Alan et je me suis raccrochée à Ryan comme à une bouée de sauvetage. Nous avons passé plusieurs semaines merveilleuses, mais pendant que j'étais avec Ryan je pensais à Alan, c'était inévitable.

— En les comparant ?

— Peut-être... Je ne sais pas.

— J'ai du mal à croire que Keller sorte gagnant de la comparaison.

— Ce n'est pas si simple, Pedro. Il y a une autre raison, mais je ne l'ai pas dite à Ryan parce qu'elle n'a rien à voir avec lui. Il s'est indigné. Il a dit qu'Alan me dominait et me manipulait, que je suis incapable de prendre une décision rationnelle, qu'il allait me protéger pour m'empêcher de faire une bêtise, il s'est mis à crier et m'a menacée de régler cette affaire à sa façon. Il n'était plus lui-même, Pedro, il est devenu presque fou, comme au club de Danny D'Angelo, sauf qu'hier soir il n'avait pas bu d'alcool. Ryan est un volcan qui explose brusquement et crache des flots de lave ardente.

— Qu'est-ce que tu veux que je fasse, Indiana ?

— Va le voir, parle-lui, essaie de lui faire entendre raison, moi il n'a pas voulu m'écouter et maintenant il ne répond ni au téléphone ni à mes e-mails.

Alarcón était la seule personne à qui Miller avait confié les clés de son loft, parce qu'il s'occupait d'Attila lorsqu'il partait en voyage ; s'il ne s'agissait que d'une ou deux nuits, il restait avec le chien dans le loft ; si l'absence se prolongeait, il l'emmenait chez lui. Alarcón sonna deux fois, et comme il ne reçut pas de réponse, il ouvrit la porte de l'ancienne imprimerie avec la clé, monta dans l'énorme ascenseur industriel jusqu'au seul étage occupé de l'édifice, utilisa la clé que lui avait donnée Miller pour désentraver les lourdes portes métalliques et se retrouva directement dans le grand espace vide qui était la demeure de son ami.

Il faisait sombre, il n'entendit pas le chien aboyer et personne ne répondit à son appel. Tâtant le mur, il trouva l'interrupteur, alluma et s'empressa de désactiver l'alarme, le système de sécurité qui pouvait électrocuter l'intrus qui entrerait sans invitation, ainsi que les caméras qui se déclenchaient au moindre mouvement et restaient toujours en veille quand Miller s'absentait. Le lit était fait, il n'y avait pas un verre sale dans le lave-vaisselle, il régnait un ordre et une propreté militaires. Il s'assit et, en attendant, se mit à lire un manuel des ordinateurs de Miller.

Une heure plus tard, après avoir tenté plusieurs fois d'appeler son ami, Alarcón alla à sa voiture chercher l'herbe pour le maté et le roman latino-américain qu'il était en train de lire, puis il retourna à l'appartement. Il se fit griller deux tartines de pain, mit de l'eau à chauffer pour son maté et retourna lire dans le fauteuil, cette fois avec un oreiller et la couverture électrique de Miller, parce que le loft était glacé et qu'il n'avait pas réussi à se guérir tout à fait d'une grippe persistante qui l'embêtait depuis début janvier. À minuit, fatigué, il éteignit la lumière et s'endormit.

À six heures vingt-cinq du matin, Alarcón se réveilla en sursaut, le canon d'une arme sur le front. « J'ai failli te tuer, idiot ! » Dans le petit matin de ce jour brumeux, la lumière filtrait à peine à travers les fenêtres sans rideaux et la silhouette de Miller paraissait gigantesque avec l'arme qu'il tenait à deux mains, le corps en position d'attaque, l'expression déterminée d'un assassin. L'image ne dura qu'un instant, jusqu'à ce que Miller se redresse et mette son revolver dans la cartouchière qu'il portait sous son blouson de cuir, mais elle resta fixée dans l'esprit de son ami avec le choc d'une révélation. Attila observait la scène, guettant depuis l'ascenseur, où Miller lui avait sans doute fait signe d'attendre.

— Où étais-tu ? demanda l'Uruguayen, avec une tranquillité feinte et le cœur au bord des lèvres.

— Ne rentre plus jamais ici sans m'avertir ! L'alarme et l'électricité étaient désactivées, j'ai imaginé le pire.

— Un mafieux russe ou un terroriste d'Al-Qaida ? Désolé de t'avoir déçu.

— Je te parle sérieusement, Pedro. Tu sais qu'il y a ici des informations de haute sécurité. Ne me refais pas cette frayeur.

— Je t'ai appelé sans arrêt. Indiana aussi. Je suis venu parce qu'elle me l'a demandé. Je te répète ma question, où étais-tu ?

— Je suis allé parler à Keller.

— Armé d'un revolver ! Excellent. Je suppose que tu l'as tué.

— Je me suis contenté de le secouer un peu. Qu'est-ce qu'Indiana peut bien trouver à ce gringalet ? Il pourrait être son père.

— Mais il ne l'est pas.

Miller lui raconta qu'il s'était rendu au vignoble de Napa pour discuter d'homme à homme avec Keller. Pendant trois ans il l'avait vu traiter Indiana comme une simple passade, une parmi tant d'autres, car il sortait avec d'autres, comme cette baronne belge avec laquelle il allait se marier, à ce qu'on disait. Lorsque Indiana avait enfin pris conscience de la situation et rompu avec lui, Keller avait passé des semaines sans donner signe de vie, preuve du peu d'importance qu'il accordait à cette relation.

— Mais dès qu'il a su qu'elle était avec moi, il est arrivé avec une alliance pour lui proposer le mariage, une autre de ses tactiques pour gagner du temps. Il devra passer sur mon cadavre ! Je vais défendre ma femme, par n'importe quel moyen.

— Les méthodes de *navy seal* peuvent être inappropriées dans ce cas, lui suggéra Alarcón.

— Tu as une meilleure idée ?

— Tu pourrais essayer de convaincre Indiana au lieu de menacer Keller. Je vais me préparer un autre maté avant de partir pour l'université. Tu veux du café ?

— Non, j'ai déjà déjeuné. Je vais faire mes exercices de qi gong et ensuite j'irai courir avec Attila.

Une heure plus tard, l'Uruguayen arrivait à Palo Alto, roulant sur la route 280 accompagnée de la voix sensuelle de Cesaria Evora, sans se presser, jouissant du panorama de collines vertes et ondulantes comme il le faisait chaque jour depuis des années, avec le même effet bénéfique sur son âme. Ce vendredi-là il n'avait pas cours, mais à l'université l'attendaient deux chercheurs avec lesquels il développait un projet, deux jeunes génies qui avec leur audace et leur imagination aboutissaient rapidement aux mêmes conclusions qui lui coûtaient à lui de l'effort et de l'étude. Le champ de l'intelligence artificielle appartient aux nouvelles générations, qui naissent avec la technologie dans leur ADN, pas à un type comme moi qui devrait songer à prendre sa retraite, soupirait

Alarcón. Il avait passé une mauvaise nuit sur le divan de Miller et n'avait que deux ou trois matés dans le corps, il avait besoin de prendre un bon petit déjeuner dès qu'il arriverait à Stanford, où l'on pouvait manger comme un roi dans n'importe quelle cafétéria. Son portable fit retentir l'hymne national de l'Uruguay.

— Indiana ? J'allais t'appeler pour te parler de Miller, tout va bien…

— Pedro ! Alan est mort ! l'interrompit Indiana, et les sanglots ne lui permirent pas de continuer.

L'inspecteur Bob Martín prit la communication et l'informa qu'ils appelaient de sa voiture ; vingt minutes plus tôt, Indiana avait reçu un appel du commissariat de police de Napa lui notifiant qu'Alan Keller était mort dans son vignoble. Ils n'avaient pas voulu lui donner de détails, sauf que ce n'était pas de mort naturelle, et ils lui avaient ordonné de se présenter pour reconnaître le corps, bien que les employés de la maison l'aient déjà fait. Ils lui avaient proposé de venir la chercher, mais il avait décidé de l'emmener personnellement, car il ne voulait pas qu'Indiana affronte la situation sans son soutien. Son ton était sec et précis et il raccrocha avant qu'Alarcón pût en savoir plus.

Ce matin-là Indiana sortait de la douche, nue et les cheveux trempés, lorsqu'elle avait reçu l'appel de la police de Napa. Trente secondes s'écoulèrent avant qu'elle réagisse et descende en courant chez son père, enveloppée dans une serviette et l'appelant à grands cris. Blake Jackson saisit le téléphone et demanda de l'aide à la première personne à laquelle il pensa dans ce moment critique : son ancien gendre. Pendant le temps que mirent Indiana et son père à se vêtir et faire du café, Bob Martín se présenta avec un autre policier dans une voiture de patrouille et ils partirent en trombe, sirène hurlante, vers l'autoroute 101 nord.

Sur la route, l'inspecteur parla avec son collègue de Napa, le lieutenant McLaughlin, qui n'avait aucun doute sur le fait qu'il s'agissait d'un homicide, car la cause de la mort ne pouvait être attribuée à un accident ou un suicide. Il dit que l'appel au 911 était arrivé à sept heures dix-sept du matin et qu'il provenait d'une personne qui s'était identifiée comme María Pescadero, employée domestique de la résidence. Il était arrivé le premier et avait procédé à la vérification des faits, avait effectué une inspection sommaire, bouclé la scène et interrogé les deux employés, María et Luis Pescadero, Mexicains, légaux, qui travaillaient dans le domaine depuis onze ans, d'abord avec le propriétaire précédent et ensuite avec le défunt. Ils parlaient peu l'anglais, mais bientôt arriverait l'un de ses agents qui parlait espagnol et il pourrait communiquer avec eux. Bob Martín lui proposa de servir d'interprète, il lui suggéra de limiter l'accès à toute la propriété, pas seulement la maison, et lui demanda qui allait lever le corps. Le lieutenant expliqua que son comté était un secteur très calme, où ne se présentaient jamais de cas comme celui-ci, et qu'ils ne disposaient pas d'un médecin légiste ; en temps normal, c'était un médecin local, un dentiste, un pharmacien ou le propriétaire des pompes funèbres qui signait les certificats de décès. S'il y avait des doutes sur la cause de la mort et qu'une autopsie était nécessaire, on appelait quelqu'un de Sacramento.

— Vous pouvez compter sur notre appui, lieutenant, lui dit Bob Martín. La Brigade criminelle de San Francisco est à votre disposition. Nous avons toutes les ressources nécessaires. M. Alan Keller appartenait à une famille distinguée de notre ville, et il se trouvait temporairement dans le vignoble. Si vous êtes d'accord, je vais tout de suite donner l'ordre qu'on vous envoie mon équipe scientifique pour enlever le corps et réunir les preuves. Vous avez déjà prévenu la famille Keller ?

— Nous nous en occupons. Nous avons trouvé le nom et le numéro de téléphone de Mlle Indiana Jackson accroché au réfrigérateur avec un aimant. Les Pescadero avaient pour instruction de l'appeler en cas d'urgence.

— Nous entrons sur la route 29, lieutenant McLaughlin, nous serons bientôt là.

— Je vous attends, inspecteur-chef.

Indiana expliqua qu'Alan craignait pour sa santé, il prenait chaque jour sa tension et croyait qu'étant donné son âge il pouvait avoir une crise cardiaque à tout moment ; en plus, il venait d'avoir une grosse frayeur à cause de l'erreur d'un laboratoire médical, c'est pourquoi il avait son numéro de téléphone dans son portefeuille et sur son réfrigérateur. « Il ne lui aurait pas beaucoup servi, vu que ton portable, soit tu l'as perdu, soit il est déchargé », commenta l'inspecteur, mais il comprit qu'en ce moment il devait se montrer plus délicat avec Indiana, qui n'avait pas cessé de pleurer tout au long du trajet. Son ex-femme aimait Keller plus que ce type ne le méritait, conclut-il.

Le lieutenant McLaughlin les reçut dans le vignoble. Âgé d'une cinquantaine d'années, de type irlandais, les cheveux grisonnants, le nez rouge du bon buveur et une grosse bedaine qui passait par-dessus sa ceinture, il se déplaçait avec la lourdeur d'un phoque hors de l'eau, mais il avait l'esprit vif et vingt-six ans d'expérience dans la police, où il avait gravi les échelons avec patience et sans éclat jusqu'à ce poste à Napa, où il pouvait passer tranquillement le temps qui lui restait avant de prendre sa retraite. L'assassinat de Keller était un problème, mais il se mit à la tâche avec la discipline qu'il avait acquise dans son métier. La présence de l'inspecteur-chef de la Brigade de San Francisco ne l'intimida pas. À son tour, Bob Martín le traita avec une grande déférence, pour éviter les embêtements.

McLaughlin avait déjà fait marquer le périmètre de la maison, il avait placé plusieurs véhicules de police autour de la propriété pour en interdire l'entrée, et laissé Luis Pescadero dans la salle à manger, sa femme dans la cuisine, afin de les interroger séparément, sans leur donner l'occasion de se mettre d'accord sur les réponses. Il ne permit qu'à Bob Martín de l'accompagner dans la salle où se trouvait le cadavre, pour éviter le spectacle à la demoiselle, comme il dit, ayant oublié que lui-même l'avait appelée. Ils devaient attendre l'équipe scientifique qu'avait envoyée Petra Horr et qui était déjà en route.

Alan Keller était allongé dans un fauteuil confortable couleur tabac, la tête appuyée contre le dossier, dans la position d'un homme surpris pendant sa sieste. Il suffisait de voir son visage avec la lèvre ouverte et des traces de sang, sa poitrine traversée d'une flèche, pour comprendre que la mort avait été violente. Bob Martín regarda le corps et le reste de la scène, dictant ses premières constatations dans son enregistreur de poche, tandis que McLaughlin l'observait depuis le seuil, les bras croisés sur son ventre. La flèche avait pénétré profondément, clouant le corps contre le dossier du fauteuil, ce qui indiquait un tireur expert ou un coup porté de très près. Il en déduisit que les traces de sang sur un poignet de la chemise correspondaient au nez, et fut surpris que la blessure de la flèche eût si peu saigné, mais il ne pouvait examiner le corps avant l'arrivée de l'équipe scientifique.

Dans la cuisine, María avait préparé du café pour tous et elle caressait tour à tour la tête d'un labrador couleur vanille et la main d'Indiana, qui pouvait à peine ouvrir ses paupières gonflées de larmes. Indiana croyait être la dernière personne à avoir vu Alan Keller en vie, à part l'assassin. Ils avaient dîné tôt à San Francisco, il l'avait laissée chez elle et ils s'étaient séparés avec le projet de se voir le dimanche, après le départ d'Amanda pour l'internat. Keller était retourné au vignoble, un voyage qui ne lui pesait pas, car la nuit il n'y avait pas de circulation, et il s'accompagnait de livres audio.

Bob Martín et le lieutenant McLaughlin interrogèrent María Pescadero seule dans la bibliothèque, où se trouvaient les collections de statuettes précolombiennes et de jades exposées dans des niches encastrées dans le mur, protégées par des verres épais, sous clé. María avait désactivé l'alarme pour une première inspection de McLaughlin, mais elle les avertit de ne pas toucher aux vitres des collections, qui avaient un système de sécurité à part. Keller se trompait dans les codes et souvent une alarme se déclenchait parce qu'il n'arrivait pas à la désactiver, raison pour laquelle il n'utilisait pas celle de la maison, juste celle de la bibliothèque, protégée également par des détecteurs de mouvement et des caméras. Sur les vidéos de la nuit précédente, que McLaughlin avait déjà visionnées, ne figurait rien d'anormal, personne n'était entré dans cette salle avant que María l'ouvre à la police.

La femme s'avéra être l'un de ces rares témoins qui ont une bonne mémoire et peu d'imagination, qui se contentent de répondre aux questions sans faire de suppositions. Elle dit qu'elle vivait avec son mari dans une maisonnette sur la propriété, à dix minutes de marche de l'habitation principale ; elle se chargeait de la cuisine et d'autres tâches domestiques, son mari s'occupait de l'entretien, il faisait office de soigneur, de jardinier et de chauffeur. Ils s'entendaient très bien avec Keller, un patron généreux et peu exigeant sur les détails. Le chien était le leur, il était né et avait toujours vécu sur la propriété, mais n'avait jamais été un bon gardien, il avait déjà plus de dix ans et se déplaçait avec difficulté, dormait sous leur porche en été et à l'intérieur en hiver, si bien qu'il ne s'était rendu compte de rien quand l'auteur de l'homicide était entré dans la grande maison. Vers sept heures du soir, la veille, son mari avait apporté du bois pour la cheminée du salon et de la bibliothèque de Keller, puis ils avaient fermé la maison, sans brancher l'alarme, et étaient partis avec le chien.

— Avez-vous remarqué quelque chose d'anormal hier soir ?

— De chez nous on ne voit ni l'entrée du vignoble ni celle de cette maison. Mais hier après-midi, un peu avant que Luis arrive avec le bois, un homme est venu pour parler avec M. Keller. Je lui ai expliqué qu'il était pas là, il a pas voulu laisser son nom et il est parti.

— Vous le connaissiez ?

— Je l'avais jamais vu.

María expliqua que le matin même, à sept heures moins le quart, elle était revenue dans la grande maison, comme tous les jours, pour préparer le café et les tartines grillées du petit déjeuner de son patron. Elle était restée dans la cuisine et avait ouvert la porte du couloir au chien, parce que Keller aimait être réveillé par l'animal, qui grimpait péniblement sur son lit et se couchait sur lui. Un instant plus tard, María avait entendu les hurlements du labrador. « Je suis allée voir ce qui se passait et j'ai vu monsieur dans le fauteuil de la salle. Ça m'a fait de la peine de le voir endormi là, sans couverture, avec la cheminée éteinte, il devait avoir très froid. Quand je me suis approchée et que j'ai vu... que j'ai vu comment il était, je suis retournée à la cuisine, j'ai appelé Luis avec le portable et tout de suite après le 911. »

Dimanche, 11

Le corps d'Alan Keller se trouvait à la morgue en attendant d'être examiné par Ingrid Dunn, tandis que le frère et la sœur du défunt, Mark et Lucille, tentaient par tous les moyens à leur portée de faire taire le scandale sur ce qui venait d'arriver, imprégné d'un fort relent de gangsters et de bas-fonds. Qui sait dans quoi s'était fourré l'artiste de la famille. Indiana, plus calme grâce à une combinaison d'aromathérapie, de tisane de cannelle et de méditation, commençait à prévoir une cérémonie commémorative pour cet homme qui avait tellement compté dans sa vie, étant donné qu'il n'y aurait pas de funérailles dans un futur proche. À l'occasion du diagnostic erroné d'un cancer de la prostate, Keller avait rédigé un document notarié spécifiant qu'il ne voulait pas être branché à un respirateur artificiel, qu'il souhaitait être incinéré et que ses cendres soient dispersées dans l'océan Pacifique. À aucun moment il n'avait envisagé qu'il pourrait subir le procédé infamant d'une autopsie et rester des mois congelé à la morgue, jusqu'à ce que soient définitivement éclaircies les circonstances de son décès.

L'équipe scientifique que l'inspecteur Bob Martín mit à la disposition du lieutenant McLaughlin arriva en masse à Napa et recueillit une quantité inhabituelle d'indices sur la scène du crime et les environs. Dans la terre molle et humide de la cour et du jardin ils trouvèrent des traces de pneus et de chaussures, à la porte ils recueillirent des poils d'animal qui ne correspondaient pas à ceux du labrador des Pescadero, sur le timbre, sur la porte et dans la salle il y avait différentes empreintes digitales, qui pourraient être identifiées une fois que seraient écartées celles des habitants de la maison. Sur le carrelage du sol, les marques de chaussures sales avaient laissé des empreintes nettes, qui furent identifiées comme étant celles de bottes de combat très usées, du genre de celles qu'on pouvait acheter dans n'importe quel magasin de surplus de l'armée et qui étaient à la mode chez les jeunes. Ils ne trouvèrent aucune trace d'effraction ; Bob Martín en déduisit que Keller connaissait l'assassin et lui avait ouvert la porte. Les taches indiquaient que la plus grande partie du sang sur la chemise de la victime venait du nez, comme le supposait l'inspecteur-chef, et qu'il avait coulé sous l'effet de la pesanteur quand l'homme était en vie.

Lors de sa première évaluation, Ingrid Dunn signala que Keller était déjà mort depuis un bon moment lorsqu'il avait reçu la flèche, vu qu'il n'y avait pas de taches de sang projeté. La flèche, ou plutôt le vireton, avait été tiré de face, à une distance approximative d'un mètre cinquante, avec une arbalète de pistolet, comme celles qu'on utilise pour le sport et la chasse, une petite arme comparée à d'autres modèles, mais difficile à cacher en raison de sa forme. Si la victime avait reçu cet impact de son vivant, elle aurait abondamment saigné.

La description que fit María Pescadero de la personne qui était venue au vignoble le soir du crime et avait demandé à voir Alan Keller parut aussi familière à Bob Martín que si elle lui avait montré une photo de Ryan Miller, pour lequel il n'avait aucune sympathie, car il ne faisait pas de doute qu'il était amoureux d'Indiana. María mentionna une camionnette noire avec une suspension haute et des roues de camion, un chien étrange couvert de trous pelés et de cicatrices, un homme grand et costaud, aux cheveux coupés à la mode militaire, qui boitait. Tout concordait.

Indiana réagit avec une totale incrédulité à la suggestion que Miller avait pu se trouver dans la maison de Keller, mais elle dut accepter l'évidence et ne put empêcher son ex-mari d'obtenir un ordre de perquisition du loft et de lancer la moitié de sa brigade à la poursuite du suspect, qui avait disparu. D'après Pedro Alarcón et plusieurs associés du Dolphin Club qui furent interrogés, Ryan Miller voyageait souvent pour son travail, mais ils ne purent lui expliquer où il avait laissé son chien et sa camionnette.

En apprenant ce qui s'était passé, Elsa Domínguez s'installa chez les Jackson pour s'occuper de la famille, cuisiner des plats réconfortants et recevoir les visiteurs qui défilèrent pour présenter leurs condoléances à Indiana, depuis ses collègues de la Clinique Holistique jusqu'à Carol Underwater, qui arriva avec une tarte aux pommes et ne resta que cinq minutes. Elle fut d'avis qu'Indiana n'était pas en état de retourner travailler le lendemain et proposa d'avertir les patients par téléphone. Ils furent tous d'accord et Matheus Pereira fut chargé de poser un avis sur la porte du cabinet numéro 8 expliquant qu'il était fermé pour cause de deuil et qu'il rouvrirait la semaine suivante.

Blake Jackson avait accompagné son ex-gendre les deux derniers jours et il avait assez de matériel pour alimenter l'intérêt morbide des participants de *Ripper*, tandis que sa petite-fille était tortureé par le remord. Plus d'une fois l'adolescente s'était amusée à imaginer une mort lente pour l'amant de sa mère et elle avait mobilisé les forces surnaturelles de saint Jude Thaddée pour l'éliminer, sans imaginer que ce saint prendrait cela au pied de la lettre. Elle attendait le fantôme de Keller, qui viendrait la nuit se venger. Contribuait aussi au poids de sa culpabilité l'inévitable excitation que ce nouveau crime lui procurait, un autre défi pour Ripper. À ce moment, la petite-fille et le grand-père se savaient battus par l'astrologie : le bain de sang prophétisé par Céleste Roko était un fait incontestable.

Aussitôt que les esprits se calmèrent chez elle et que cessèrent les pleurs de sa mère, qui avait endossé la douleur d'une veuve sans avoir eu le temps de se marier, Amanda convoqua les membres de *Ripper*. Le minimum qu'elle pouvait faire pour apaiser le malheureux Keller, qui errait à sa recherche avec une flèche fichée dans la poitrine, c'était de découvrir qui la lui avait plantée. Alan Keller avait été le grand amour de sa mère, comme l'avait dit Indiana entre deux sanglots, et sa fin tragique était un outrage à sa famille. Amanda raconta à ses complices ce qu'elle savait sur « le crime de la flèche », leur enjoignant comme une faveur personnelle d'attraper le vrai coupable, afin aussi d'éviter que Ryan Miller paie pour un délit qu'il n'avait pas commis.

Sherlock Holmes proposa de faire le point sur toutes les informations disponibles à ce jour, annonçant qu'il avait découvert quelque chose d'important en agrandissant plusieurs photographies obtenues par Kabel sur son ordinateur, et en les étudiant millimètre par millimètre.

— La marque de l'alcool trouvé dans le réfrigérateur de l'ancien alcoolique Michael Constante est *Cher Byk*, qui en serbe signifie loup noir, dit Sherlock. Le thème du loup apparaît également dans le livre que la femme de Richard Ashton a reçu dans son courrier deux ou trois jours après le crime. Les psychologues de la Criminelle ont cherché des indices dans le contenu du roman, mais je crois que la clé se trouve dans le titre, *Le Loup des steppes*. Le logotype de la batte de base-ball dans le meurtre d'Ed Staton correspond aux Loups Rouges de l'université d'Arkansas.

— C'est ce qu'avait dit Abatha, que c'était un message, leur rappela Amanda.

— Ce n'est ni un message ni une clé, c'est la signature de l'assassin, affirma le colonel Paddington. La signature n'a de signification que pour l'assassin.

— Dans ce cas il aurait signé tous les crimes. Pourquoi ne l'a-t-il fait ni avec Rosen ni avec Keller ? intervint Esmeralda.

— Un moment ! s'exclama Amanda. Kabel, appelle mon père et interroge-le sur la figurine en cristal que la juge a reçue après sa mort.

Tandis que les jeunes poursuivaient leurs spéculations, le grand-père appela son ex-gendre, qui répondait toujours à ses appels, sauf s'il était aux toilettes ou au lit avec une femme, et celui-ci lui répondit que la figurine de Swarovski était un chien. Est-ce que ce pourrait être un loup ? insista Blake Jackson. Oui, ça pourrait l'être : il ressemblait à un berger allemand avec le cou tendu, comme s'il était en train de hurler. Il correspondait à une série ancienne, interrompue depuis 1998, ce qui ajoutait de la valeur à la pièce ; Rachel Rosen l'avait sans doute achetée sur Internet, mais on n'avait trouvé aucune trace de la transaction.

— Si c'est un loup, nous avons la signature de l'auteur pour tous les meurtres, sauf celui de Keller, conclut Amanda.

— Tous les crimes ont des similitudes dans le modus operandi, même si à première vue ils semblent différents, sauf celui de Keller. Pourquoi ? demanda Esmeralda.

— Il n'y a pas de loup dans celui de Keller et il a eu lieu à une certaine distance de la baie de San Francisco, le territoire défini par la prophétie astrologique et celui couvert par notre assassin jusqu'à présent. Keller est le seul qui ait été frappé avant sa mort, mais comme les autres, il ne s'est pas défendu, dit Amanda.

— J'ai un pressentiment… l'auteur pourrait être le même, mais le mobile est différent, insinua Abatha.

— Nous n'avons le mobile dans aucun des cas, fit remarquer Paddington.

— Mais nous devons tenir compte de ce que dit Abatha. Ses pressentiments se sont presque toujours révélés justes, les avertit Amanda.

— C'est parce des messages m'arrivent de l'Au-Delà. Les anges et les esprits me parlent. Les vivants et les morts, nous sommes ensemble, nous ne faisons qu'un…, susurra Abatha.

— Si je me nourrissais d'air, moi aussi j'aurais des visions et j'entendrais des voix, l'interrompit Esmeralda, craignant que l'autre ne se perde dans l'occultisme et ne précipite le jeu dans une fausse direction.

— Pourquoi ne le fais-tu pas ? lui demanda la voyante, convaincue que l'humanité évoluerait vers un état supérieur si elle cessait de se nourrir.

— Ça suffit, souvenez-vous que les piques sont interdites dans *Ripper*. Nous allons nous en tenir aux faits, ordonna la maîtresse du jeu.

— Des pressentiments ne sont pas des faits, marmotta le colonel Paddington.

— Notre assassin a dépassé la mesure avec ses victimes, comme Jack l'Éventreur et d'autres criminels de légende que nous avons étudiés, mais il l'a fait après les avoir tuées. Ceci est un message. Tout comme il a apposé sa signature, il a apposé un message, dit Sherlock.

— À quoi tu penses ?

— Élémentaire, Esmeralda. L'exécution aussi est un message. L'auteur n'a pas choisi la forme de la mort au hasard. C'est un criminel organisé et ritualiste.

— Il planifie chaque cas ainsi que sa retraite, il ne laisse pas de pistes, il doit avoir un entraînement militaire, c'est un excellent stratège ; il ferait un magnifique général, dit le colonel avec admiration.

— Au lieu de ça, cet homme est un assassin qui tue de sang-froid, dit Amanda.

— Ce n'est peut-être pas un homme. J'ai rêvé que c'était une femme, intervint Abatha.

Kabel demanda la permission de parler et, une fois qu'elle lui fut accordée, il mit au courant les joueurs sur l'enquête de l'affaire Alan Keller. D'après l'angle du coup porté au visage, l'équipe scientifique avait établi qu'il avait été donné de face, avec le poing serré, par une personne gauchère, particulièrement forte, qui mesurait au moins un mètre quatre-vingts, probablement un mètre quatre-vingt-cinq, ce qui coïncidait avec la grande taille des empreintes de bottes dans l'entrée de la maison et sur le carrelage ; ceci écartait l'hypothèse qu'il puisse s'agir d'une femme. L'autopsie avait révélé que la mort était survenue une demi-heure avant que le corps soit transpercé par le vireton de l'arbalète. D'après la couleur anormalement rose de la peau de Keller, on avait pensé que la cause de la mort était le cyanure, ce qui avait été confirmé par l'autopsie.

— Explique-nous ça, Kabel, exigea Amanda.

— C'est compliqué, mais je vais simplifier. Le cyanure est un poison métabolique rapide et efficace qui empêche les cellules d'utiliser l'oxygène. C'est comme si tout l'oxygène du corps était subitement éliminé. La victime ne peut plus respirer, elle a mal au cœur, des nausées, ou elle vomit, elle perd connaissance et peut avoir des convulsions avant la mort.

— Pourquoi la peau rosit-elle ?

— À cause d'une réaction chimique entre le cyanure et les molécules d'hémoglobine dans les globules rouges. La couleur du sang vire au rouge vif, intense, comme de la peinture.

— Le sang sur la chemise de Keller était comme ça ? interrogea Esmeralda.

— En partie. L'homme a saigné du nez avant d'ingérer le poison. Il y a un peu de sang postérieur au cyanure, mais très peu. La blessure n'a pas saigné, parce qu'il était déjà mort.

— Explique-nous comment on lui a administré le poison, Kabel, demanda Sherlock.

— On a trouvé du cyanure dans un verre d'eau près de la victime, ainsi que dans un autre verre sur la table de nuit de sa chambre. Le meurtrier a mis une pincée de poudre blanche, pratiquement invisible à l'œil nu, au fond du verre pour s'assurer que si Alan Keller ne buvait pas le poison dans le whisky, qu'il prenait d'ordinaire avant de se coucher, il le ferait pendant la nuit.

— Le cyanure est très toxique, il suffit d'une quantité infime pour donner la mort en deux minutes. On l'absorbe aussi par la peau ou en l'aspirant, l'assassin a dû très bien se protéger, expliqua Sherlock Holmes.

— Les espions des films ont des capsules de cyanure pour se suicider au cas où on les torturerait. Comment se le procure-t-on ? demanda Esmeralda.

— Facilement. On l'utilise dans les métaux, dans l'extraction de l'or et de l'argent, dans la galvanoplastie de ces métaux, mais aussi du cuivre et du platine. Le meurtrier a pu l'acheter dans un magasin de produits chimiques ou sur Internet.

— Le poison est une arme féminine. C'est une méthode de lâche. Nous les hommes, nous ne tuons pas avec du poison, nous le faisons en face, précisa Paddington, et un éclat de rire général accueillit son observation. Une femme de plus d'un mètre quatre-vingts, forte, avec des bottes de soldat doit ressembler à une championne olympique de poids et haltères. Quelqu'un de cette stature n'a pas besoin d'utiliser du poison, il aurait pu écraser la tête de la victime d'un autre coup de poing, insista le colonel.

— Avez-vous considéré que la personne qui a frappé Keller n'était pas la même que celle qui l'a tué ? suggéra Abatha.

— Très recherché, trop de coïncidences, je n'aime pas ça, répliqua le colonel.

— C'est possible, mais nous devons examiner l'évidence et tenir compte de ce que dit Abatha, intervint Sherlock Holmes.

Quelques jours plus tôt, les deux jeunes génies de l'intelligence artificielle de Stanford avaient attendu en vain le professeur Pedro Alarcón, qui n'était pas venu à la réunion prévue. Dès qu'il reçut l'appel d'Indiana lui annonçant la mort d'Alan Keller, l'Uruguayen fit demi-tour et repartit vers San Francisco. En route, il essaya plusieurs fois, sans succès, de joindre Miller. Il arriva au loft alors que Miller sortait de la douche et s'habillait, après avoir couru avec Attila et s'être entretenu par vidéoconférence avec un général du Pentagone, à Washington. La porte métallique de l'ascenseur s'ouvrit et avant que Miller ne puisse lui demander pourquoi il était de retour, Alarcón lui annonça de but en blanc la nouvelle.

— Qu'est-ce que tu racontes ! Comment Keller est-il mort ?

— Indiana m'a averti il y a une heure, mais elle n'a pas pu parler, son ex-mari, l'inspecteur Martín, a pris le téléphone et elle n'a pas réussi à m'en dire plus. Elle était dans la voiture de Martín. Tout ce que je sais, c'est que ce n'est pas de mort naturelle. Je pourrais jurer qu'Indiana m'a appelé pour que je t'avertisse. Qu'est-ce qui se passe avec ton téléphone ?

— Il a été mouillé, je dois en acheter un autre.

— Si c'est un crime, comme je le soupçonne, tu es dans un sale pétrin, Ryan. Tu étais avec Keller hier soir, tu es allé le voir armé d'un revolver et, d'après tes propres paroles, tu l'as un peu secoué. Cela te place dans le rôle enviable de principal suspect. Où as-tu passé la nuit ?

— Tu m'accuses de quelque chose ? grogna Miller.

— Je suis venu pour t'aider, fiston. J'ai voulu être ici avant la police.

Miller essaya de maîtriser la rage qui le brûlait à l'intérieur. La mort de son rival tombait à propos et il ne la regrettait pas, mais Pedro avait raison, sa situation était grave : il avait eu le mobile et l'opportunité. Il raconta à son ami qu'il était arrivé au vignoble de Keller la veille en fin de journée, ce devait être vers six heures et demie, mais il n'avait pas fait attention à l'heure, il avait trouvé le portail ouvert, roulé sur un chemin d'environ trois cents mètres, vu la maison et une fontaine ronde avec de l'eau, il s'était arrêté devant la porte et avait fait descendre Attila, en laisse, parce que le chien devait faire ses besoins. Il avait frappé à la porte trois fois avant qu'une femme de type hispanique lui ouvre enfin la porte, en s'essuyant les mains sur son tablier, pour lui dire qu'Alan Keller n'était pas là. Il n'avait pu parler plus longtemps, parce qu'un chien était apparu derrière elle, un labrador blanchâtre qui remuait la queue, il avait l'air doux, mais en voyant Attila il s'était mis à aboyer. À son tour, Attila avait commencé à tirer sur sa laisse, nerveux, et la femme leur avait fermé la porte au nez. Il était allé enfermer Attila dans la camionnette avant de revenir sonner ; cette fois, elle avait à peine entrouvert et à travers la fente lui avait dit dans un très mauvais anglais que Keller reviendrait dans la soirée et que s'il voulait il pouvait laisser son nom ; il lui avait répondu qu'il préférait l'appeler plus tard. Pendant ce temps les deux chiens aboyaient, l'un dans la maison et l'autre dans la camionnette. Il décida d'attendre Keller, mais il ne pouvait le faire devant la maison, la femme ne l'avait pas invité à entrer et il lui aurait paru étrange qu'il s'installe pour l'attendre dans son véhicule, il avait jugé plus prudent d'attendre dans la rue.

Miller s'était garé tous phares éteints dans un endroit d'où il pouvait bien voir l'entrée de la propriété, éclairée par de vieilles lanternes.

— Le portail est resté grand ouvert. Keller ne prenait aucune mesure de précaution, alors qu'apparemment il avait des œuvres d'art et des objets précieux.

— Continue, dit Alarcón.

— J'ai effectué une petite reconnaissance de l'endroit, il y a dix mètres de mur en briques crues de chaque côté du portail, plus par décoration que par sécurité, le reste de la clôture qui limite la propriété est constitué de rosiers. J'ai remarqué qu'il y avait déjà beaucoup de fleurs, bien qu'on ne soit qu'en mars.

— À quelle heure est arrivé Keller ?

— J'ai attendu environ deux heures. Sa Lexus s'est arrêtée à l'entrée, Keller en est descendu pour prendre le courrier dans la boîte aux lettres, puis il est entré avec la voiture et a fermé le portail avec sa commande à distance. Tu imagines qu'une haie de rosiers n'allait pas m'arrêter. J'ai laissé Attila dans la camionnette, je ne voulais pas effrayer Keller, je suis allé à la maison en passant par le chemin, ne croie pas que j'aie essayé de me cacher ou de le surprendre, rien de tout ça. J'ai sonné et presque aussitôt c'est Keller lui-même qui m'a ouvert. Et ça, tu vas pas le croire, Pedro, tu sais ce qu'il m'a dit ? Bonsoir, Miller, je t'attendais.

— La femme avait dû lui dire qu'un rufian de ton acabit le cherchait. Il est facile de te décrire, Miller, surtout si tu es avec Attila. Keller te connaissait. Il se peut aussi qu'Indiana l'ait averti que tu avais menacé de résoudre les choses à ta manière.

— Dans ce cas il ne m'aurait pas fait entrer, il aurait appelé la police.

— Tu vois, il n'était pas si mauviette que ça, après tout.

Miller lui raconta succinctement comment il avait suivi Keller jusqu'au salon, n'avait pas voulu s'asseoir, refusé le whisky que celui-ci lui avait offert et, debout, lui avait dit ce qu'il pensait de lui, qu'il avait perdu ses chances avec Indiana, maintenant elle était avec lui et mieux valait qu'il ne s'interpose pas, parce que les conséquences seraient très désagréables. Si son rival avait eu peur, il avait très bien su le dissimuler et lui avait répondu sans se troubler que cette décision revenait uniquement à Indiana. Que le meilleur des deux gagne, avait-il ajouté d'un ton moqueur, et il lui avait montré la porte, mais comme il n'avait pas bougé, Keller avait essayé de le prendre par le bras. Mal lui en prit.

— Ma réaction a été instinctive, Pedro. Je ne me suis même pas rendu compte que je lui envoyais un coup de poing dans la figure, dit Miller.

— Tu l'as frappé ?

— Je ne l'ai pas frappé fort. Il a un peu titubé et il a saigné du nez, mais il n'est pas tombé. Je me suis senti minable. Qu'est-ce qui m'arrive, Pedro ? Je perds la tête pour rien. J'étais pas comme ça.

— Tu avais bu ?

— Pas une goutte, rien.

— Et après, qu'est-ce que tu as fait ?

— Je me suis excusé, je l'ai aidé à aller jusqu'à un fauteuil et je lui ai servi de l'eau. Il y avait une bouteille d'eau et une autre de whisky sur un buffet.

Keller nettoya le sang avec la manche de sa chemise, il prit le verre et le posa sur une table près du fauteuil, il montra la porte à Miller pour la seconde fois et lui dit qu'Indiana n'avait pas besoin d'être mise au courant de cet épisode. D'après Miller, ce fut tout, il retourna à sa camionnette et reprit la route de San Francisco, mais il était exténué ; il commençait à bruiner et le reflet des phares sur le pavé l'aveuglait, car il n'avait pas les lentilles de contact qu'il portait presque toujours, et il crut plus prudent de se reposer un peu dans la voiture. « Je ne me sens pas bien, Pedro. Avant je gardais mon sang-froid sous la mitraille, et maintenant une altercation de cinq minutes me donne la migraine », dit-il. Il ajouta qu'il était sorti du chemin, qu'il avait arrêté la camionnette, s'était installé sur le siège et endormi presque instantanément. Il s'était réveillé des heures plus tard, alors qu'il commençait à faire jour, avec les premières lueurs de l'aube dans un ciel nuageux, et qu'Attila le griffait discrètement, pressé de sortir. Il lui donna l'occasion de lever la patte sur des buissons, continua jusqu'au premier McDonald's qu'il trouva ouvert à cette heure, acheta un hamburger pour Attila, déjeuna et regagna son loft où il trouva Alarcón en train de l'attendre.

— Je ne l'ai pas tué, Pedro.

— Si je croyais que tu l'as fait, je ne serais pas ici. Tu as laissé une traînée de pistes, y compris tes empreintes digitales sur le timbre, le verre, la bouteille d'eau et qui sait où encore.

— Je n'avais rien à cacher, pourquoi aurais-je pensé à mes foutues empreintes ? Hormis un petit saignement de nez, Keller allait parfaitement bien quand je suis parti.

— Il sera difficile d'en convaincre la police.

— Je n'ai pas l'intention d'essayer. Bob Martín me déteste et ce sentiment est réciproque, rien ne lui ferait davantage plaisir que de m'accuser de la mort de Keller et, s'il peut, de tous les crimes récents. Il sait qu'Indiana et moi sommes amis et il se doute que nous avons été amants. Quand nous nous rencontrons, l'air se charge d'électricité et ça fait des étincelles, parfois nous nous voyons au polygone de tir et il se vexe parce que je suis bien meilleur tireur que lui, mais ce qui l'embête le plus, c'est que sa fille m'aime bien. Amanda, qui n'a jamais toléré aucun prétendant de sa mère, était heureuse quand elle a appris qu'elle sortait avec moi. Bob Martín ne me le pardonne pas.

— Que vas-tu faire ?

— Résoudre cela à ma manière, comme je l'ai toujours fait. Je vais trouver l'assassin de Keller avant que Martín m'enferme et classe l'affaire. Je dois disparaître.

— Tu es fou ? Fuir est une preuve de culpabilité, mieux vaut que nous cherchions un bon avocat.

— Je n'irai pas loin. J'ai besoin de ton aide. Nous disposons de plusieurs heures avant qu'ils identifient mes empreintes et viennent me chercher. Je dois transférer tout le contenu de mes ordinateurs sur une clé USB et effacer les disques durs ; ce sera la première chose qu'ils confisqueront et cette information est ultra-secrète. Ça va me prendre du temps.

Il demanda à son ami de lui trouver pendant ce temps un bateau avec une cabine et un bon moteur, mais de ne pas l'acheter à un distributeur, parce que le paiement en espèces éveillerait ses soupçons et il pourrait en informer la police ; il fallait que ce soit une embarcation d'occasion en parfait état. Il avait également besoin de bidons d'essence pour plusieurs jours, et de deux téléphones portables neufs pour qu'ils communiquent, vu que le sien ne marchait plus et qu'Alarcón avait besoin d'un autre pour parler seulement avec lui.

Le *navy seal* ouvrit un coffre-fort dissimulé dans le mur et en sortit plusieurs liasses de billets, des cartes de crédit et des permis de conduire. Il donna à l'Uruguayen quinze mille dollars en billets de cent attachés par un élastique.

— Merde alors ! J'ai toujours pensé que tu étais un espion ! s'exclama Alarcón avec un sifflement admiratif.

— Je dépense peu et ils me paient bien.

— La CIA ou les Émirats arabes ?

— Les deux.

— Tu es riche ? lui demanda Alarcón.

— Non. Et je ne voudrais pas l'être. Ce qu'il y a dans le coffre-fort est à peu près tout ce que j'ai. L'argent ne m'a jamais intéressé, Pedro, sur ce point je ressemble à Indiana. Ensemble, nous finirions comme un couple de clodos, j'en ai bien peur.

— Qu'est-ce qui t'intéresse alors?

— L'aventure. Je veux que tu emportes tout ce qu'il y a dans le coffre-fort, pour que la police ne le confisque pas. Nous allons avoir des frais. S'il m'arrive quelque chose, tu remets le reste à Indiana, d'accord?

— Pas question. Je garderai tout et personne n'en saura rien. En somme, c'est de l'argent illégal ou falsifié.

— Merci, Pedro, je sais que je peux compter sur toi.

— S'il t'arrive quelque chose, Ryan, ce sera à cause de ton arrogance. Tu n'as pas le sens des réalités, tu te prends pour Superman. Ah ça! Je vois que tu as cinq passeports avec des noms différents, tous avec ta photo, dit Alarcón en regardant les documents.

— On ne sait jamais quand ils peuvent être utiles. C'est comme les armes : bien que je ne m'en serve pas, je me sens plus en sécurité quand je les ai. Je suis arrogant, mais aussi prévoyant, Pedro.

— Si tu n'étais pas militaire tu serais mafieux.

— Sans doute. Je serai sur le quai de Tiburon dans trois heures, je t'attendrai jusqu'à deux heures de l'après-midi. Surtout ne laisse pas de traces de l'achat du bateau. Ensuite tu dois faire disparaître ma camionnette. Tout cela fait de toi un complice. Un problème?

— Aucun.

Lundi, 19

Deux semaines plus tard, quand le long bras de la prophétie astrologique atteignit sa famille, l'inspecteur Bob Martín se reprocherait de n'avoir pas écouté les avertissements répétés de sa fille. Amanda l'avait mis au courant, pas à pas, des découvertes de *Ripper*, qui selon lui n'étaient que cinq enfants et un grand-père s'amusant à un jeu de rôle, jusqu'à ce qu'il dût leur donner raison, à contrecœur, et admettre que les crimes spectaculaires de San Francisco étaient l'œuvre d'un tueur en série. Jusqu'à la mort d'Alan Keller, le travail de la Brigade criminelle avait consisté à analyser les preuves et chercher un lien entre les meurtres, à la différence de la méthode habituelle, qui se préoccupait d'abord du mobile. Il avait été impossible de deviner les raisons qui poussaient le criminel à choisir des victimes aussi dissemblables. Mais après l'homicide de Keller, l'enquête avait pris une autre tournure : il ne s'agissait plus de dénicher le coupable en suivant des pistes à l'aveuglette, mais de prouver qu'un suspect déterminé était le coupable, et de l'arrêter. Le suspect, c'était Ryan Miller.

L'ordre de perquisition de l'ancienne imprimerie où vivait Miller prit plusieurs jours, parce qu'il incluait les moindres possibilités légales, garantissant que la preuve obtenue serait valable lors d'un procès. Peu de juges étaient disposés à signer un ordre aussi étendu. Le suspect était un ancien *navy seal*, un héros de guerre, qui apparemment travaillait pour le gouvernement et le Pentagone sur des projets secrets ; une erreur sur l'aspect légal pouvait être grave, mais bloquer l'arrestation d'un assassin présumé l'était encore davantage. Le juge finit par céder à la pression soutenue de l'inspecteur-chef, qui dès qu'il obtint l'ordre prit la tête de l'équipe de dix personnes qui envahit le loft de Miller équipé de la technologie la plus moderne.

L'inspecteur se proposait de vérifier si les preuves en sa possession correspondaient à celles qu'il découvrirait dans le loft. Il comptait sur la description qu'avait faite María Pescadero de l'homme et du chien qu'elle avait vus l'après-midi du crime, qui cadrait parfaitement avec Ryan Miller et cet animal de cauchemar qui l'accompagnait toujours. Sur la scène, ils avaient trouvé des poils de chien identifiés comme ceux d'un malinois belge, des marques de bottes dans l'entrée et sur le carrelage du sol, les empreintes digitales de Miller sur la porte, le timbre, la bouteille et le verre d'eau, des fibres d'une matière synthétique qui correspondait à de la peluche rose et plusieurs autres, comme des squames de peau et de duvet laissées par le coup de poing qu'avait reçu Keller sur le visage, qui servaient pour l'identification ADN. Lors de la perquisition du loft, ils obtinrent les mêmes poils de chien, des fibres roses, des traces de bottes sur le sol, des flacons à moitié pleins de Xanax et de Lorazepam, des armes à feu et un arc de tir, un modèle pour la compétition, avec un système de levier à cordes et poulies. Les munitions des armes étaient différentes de la balle qu'avait reçue Ed Staton et les flèches n'étaient pas non plus comme le vireton qui avait transpercé Keller, mais leur existence indiquait que leur propriétaire était familiarisé avec leur utilisation.

Les ordinateurs confisqués furent envoyés au laboratoire idoine, mais avant que les ingénieurs de la police puissent les ouvrir l'ordre arriva de Washington de les sceller jusqu'à ce que le FBI prenne une décision. Il était très probable que Miller avait installé un programme d'autodestruction, mais si ce n'était pas le cas, seule l'autorité correspondante pouvait avoir accès à leur contenu. Lorsqu'il fut interrogé, Pedro Alarcón expliqua que son ami collaborait avec des entreprises de sécurité à Dubaï et qu'il lui arrivait de s'absenter deux ou trois semaines, mais personne en possession du passeport de Ryan Miller n'était sorti du pays.

— Miller n'est pas coupable, papa, lui dit Amanda lorsqu'elle apprit la perquisition par Petra Horr. Tu lui vois la tête d'un tueur en série ?

— Je lui vois la tête d'un suspect de la mort d'Alan Keller.

— Pourquoi aurait-il fait une chose pareille ?

— Parce qu'il est amoureux de ta mère, dit Bob Martín.

— Personne ne tue par jalousie depuis Shakespeare, papa.

— Tu te trompes, c'est le principal mobile d'homicide dans un couple.

— OK. Il est possible que Miller ait un mobile dans le cas de Keller, mais explique-moi sa participation aux autres crimes. Il ne fait aucun doute que tous ont été commis par la même personne.

— Il a été entraîné pour la guerre et pour tuer. Je ne dis pas que tous les soldats sont des assassins en puissance, loin de là, mais des hommes dérangés entrent dans les Forces armées et y reçoivent des médailles pour des actes qui dans la vie civile les conduiraient en prison ou dans un asile d'aliénés. Et il y a aussi des hommes normaux qui perdent la raison à la guerre.

— Ryan Miller n'est pas fou.

— Tu n'es pas un expert en la matière, Amanda. Je ne sais pas pourquoi ce type t'est sympathique. Il est dangereux.

— Toi, il t'est antipathique parce que c'est un ami de maman.

— Ta mère et moi sommes divorcés, Amanda. Ses amis ne m'intéressent pas, mais Miller a des antécédents de traumatisme physique et émotionnel, de dépression, d'alcoolisme, de drogue et de violence. Il prend des anxiolytiques et des somnifères, la même drogue qui a mis les Constante hors de combat.

— D'après grand-père, beaucoup de gens prennent ces médicaments.

— Pourquoi le défends-tu ?

— Par bon sens, papa. Dans tous les crimes l'auteur a fait très attention à ne pas laisser de traces, il s'est certainement couvert de plastique de la tête aux pieds, il a nettoyé tout ce qu'il a touché, y compris ce qu'il a envoyé par la poste, comme le livre d'Ashton et le loup en cristal de Rosen. Tu crois que cet homme nettoierait ses empreintes sur la flèche et les laisserait partout dans la maison d'Alan Keller, y compris sur le verre contenant de l'eau empoisonnée ? Ça n'a pas de sens.

— Il y a des cas où l'assassin perd le contrôle de sa vie et commence à semer des pistes, parce qu'au fond il désire qu'on l'arrête.

— C'est ce que disent tes psychologues criminalistes ? Ryan Miller mourrait de rire s'il entendait cette théorie. Pour manipuler du cyanure il faut utiliser des gants en latex. Tu crois que Miller les a mis pour verser le poison et qu'il les a enlevés pour prendre le verre ? Comme s'il était un imbécile !

— J'ignore encore comment les choses se sont passées, mais tu dois me promettre que tu m'avertiras sur-le-champ si Miller essaie de prendre contact avec ta mère.

— Ne me demande pas ça, papa, parce qu'un homme innocent pourrait finir condamné à mort.

— Amanda, je ne plaisante pas. Miller aura l'occasion de prouver son innocence, mais pour le moment nous devons le considérer comme très dangereux. Même s'il n'est pas l'auteur des autres crimes, tout l'accuse dans l'assassinat de Keller. Tu m'as compris ?

— Oui papa.

— Promets-le-moi.

— Je te le promets.

— Quoi ?

— De t'avertir si j'apprends que Ryan Miller a pris contact avec maman.

— Tu as les doigts croisés dans le dos ?

— Non, papa, je triche pas !

En promettant à son père qu'elle dénoncerait Ryan Miller, Amanda n'avait aucune intention de tenir parole, car une promesse rompue pèserait moins sur sa conscience que briser la vie d'un ami – de deux maux elle devait choisir le moindre –, mais pour contourner ce problème elle demanda à sa mère de ne pas lui dire si le *navy seal* réapparaissait parmi ses patients ou dans son panorama sentimental. Indiana dut voir quelque chose dans l'expression de sa fille, car elle se contenta d'accepter sans poser de questions.

Indiana savait que la police s'était mobilisée pour arrêter Miller, en tant que seul suspect du meurtre d'Alan Keller, mais elle, comme Amanda, ne le croyait pas capable de commettre un crime de sang-froid. Personne ne désirait plus qu'elle qu'on attrape le coupable, mais cet ami, cet amant de deux semaines, cet homme qu'elle connaissait à fond et avait parcouru de ses mains de guérisseuse et de ses baisers de femme amoureuse, n'était pas coupable. Indiana aurait été bien en peine de donner une réponse raisonnable si on lui avait demandé comment elle pouvait être aussi sûre de l'innocence de Miller, un ancien soldat qui souffrait de crises de colère, qui avait tiré sur des civils, parmi eux des femmes et des enfants, et torturé des prisonniers pour leur arracher des aveux, mais on ne lui posa pas la question et, en dehors de Pedro Alarcón, personne ne connaissait le passé du soldat. La certitude d'Indiana se fondait sur les messages de son intuition et sur le jugement des planètes, qui en ces circonstances méritaient plus de confiance que le critère de son ex-mari. Aucun des hommes qui l'avait intéressée depuis qu'ils avaient divorcé n'avait jamais été du goût de Bob, mais il se méfiait particulièrement de Ryan Miller, ce qu'Amanda résumait en quelques mots : ce sont deux mâles alpha, ils ne peuvent partager un même territoire, ils sont comme des orangs-outangs. Indiana, quant à elle, célébrait les conquêtes de son ex-mari dans l'espoir qu'à force d'essayer tant de femmes il rencontrerait la belle-mère idéale pour Amanda et s'assagirait. Le profil astrologique réalisé par Céleste Roko ne signalait aucune tendance homicide chez Ryan Miller, un trait de caractère qui apparaîtrait sans doute sur la carte astrale d'une personne capable de commettre des actes aussi épouvantables.

Il fut inutile qu'Indiana cachât quoi que ce soit à Amanda ni que celle-ci mentît à son père, parce que si Ryan Miller n'entra pas en contact avec la mère, il le fit indirectement avec la fille. Pedro Alarcón se présenta au lycée de l'adolescente à la sortie des cours, il attendit que les bus et les voitures soient partis et demanda à lui parler au sujet d'une vidéo. Il fut reçu par sœur Cécile, chargée des internes, une Écossaise grande et forte qui ne faisait pas ses soixante-six ans, aux yeux bleu cobalt capables de détecter les polissonneries de ses élèves avant qu'elles ne les commettent. Une fois qu'elle eut fait le lien avec le projet de son élève sur l'Uruguay, elle le conduisit à la Salle du Silence, comme on appelait une petite annexe de la chapelle. La politique œcuménique de l'établissement pesait davantage que sa tradition catholique et les filles d'autres religions, de même que les agnostiques, disposaient d'un espace pour leurs pratiques spirituelles ou pour être seules, une pièce dépourvue de meubles, au parquet ciré, peinte d'un gris-bleu paisible, avec plusieurs coussins ronds de méditation et des petits tapis roulés dans un coin pour les deux seules élèves musulmanes. À cette heure elle était vide, presque dans la pénombre, à peine éclairée par la lumière de fin de journée qui entrait en coups de pinceau ténus par deux fenêtres. Contre les vitres se découpaient les fines branches des mélèzes du jardin, et le seul son qui parvenait jusqu'à ce sanctuaire étaient les accords d'un lointain piano. Avec une émotion qui lui serra la gorge, Alarcón se vit transporté dans un autre temps et un autre lieu, si lointains qu'ils étaient presque oubliés : son enfance, avant que la guérilla ne mît fin à son innocence, dans la chapelle de sa grand-mère, dans la ferme familiale de Paysandú, terre de bovins, vastes plaines de pâturages sauvages sur un horizon infini de ciel couleur turquoise.

Sœur Cécile apporta deux chaises pliantes, elle offrit au visiteur une bouteille d'eau, partit chercher son élève, puis les laissa seuls, mais elle garda la porte ouverte et laissa entendre qu'elle n'était pas loin, parce que Alarcón n'était pas sur la liste des personnes autorisées à rendre visite à l'adolescente à l'internat.

Amanda se présenta avec une caméra vidéo, comme ils en étaient convenus par courrier électronique, elle l'installa sur un trépied et ouvrit son carnet de notes. Ils parlèrent de l'Uruguay pendant quinze minutes et passèrent les dix suivantes à se mettre d'accord en chuchotant au sujet du fugitif. En janvier, en apprenant que les participants de *Ripper* avaient commencé à analyser les crimes de San Francisco, Alarcón s'y était aussitôt intéressé, non seulement parce qu'il était intrigué que cinq gamins solitaires, introvertis et pédants rivalisent avec l'énorme appareil d'investigation de la police, mais parce que les fonctions du cerveau humain étaient sa spécialité. L'intelligence artificielle – comme il l'expliquait à ses élèves lors du premier cours – est la théorie et le développement d'un système informatique capable de réaliser les tâches qui requièrent normalement l'intelligence humaine. Existe-t-il une différence entre l'intelligence humaine et l'intelligence artificielle ? Une machine peut-elle créer, ressentir des émotions, imaginer, avoir une conscience ? Ou ne peut-elle qu'imiter et perfectionner certaines capacités humaines ? De ces questions découlait une discipline académique qui fascinait le professeur, la science cognitive, dont la prémisse, semblable à celle de l'intelligence artificielle, est que l'activité mentale humaine est de nature informatique. L'objectif des scientifiques cognitivistes est de dévoiler les mystères de l'appareil le plus compliqué que nous connaissions : le cerveau humain. Quand Alarcón disait que le nombre d'états d'un esprit humain était probablement supérieur au nombre d'atomes dans l'univers, toute idée préconçue qu'auraient pu avoir ses étudiants sur l'intelligence artificielle volait en éclats. Les adolescents de *Ripper* raisonnaient selon une logique que la machine pouvait accroître de façon incroyable, mais ils possédaient une chose dont l'être humain avait seul l'apanage, l'imagination. Ils jouaient en toute liberté, pour le simple plaisir de se divertir, et accédaient ainsi à des espaces intérieurs que, pour le moment, l'intelligence artificielle était incapable d'atteindre. Pedro Alarcón rêvait de la possibilité de recueillir cet élément indompté de l'esprit humain et de l'appliquer à un ordinateur.

Amanda ne soupçonnait rien de tout cela, elle avait tenu Alarcón au courant des progrès de *Ripper* pour la seule raison qu'il était l'ami de Miller et parce que lui et son grand-père étaient les seuls adultes à avoir montré quelque intérêt pour le jeu.

— Où est Ryan ? demanda Amanda à l'Uruguayen.

— Il se déplace. Une cible en mouvement est plus difficile à chasser. Miller n'est pas Jack l'Éventreur, Amanda.

— Je le sais. Comment puis-je l'aider ?

— En découvrant rapidement l'assassin. Toi et tes copains de *Ripper* pouvez être le cerveau de cette opération et Miller le bras exécuteur.

— Quelque chose comme l'agent 007.

— Mais sans accessoires d'espion. Pas de rayons mortels dans le porte-mine ou de moteurs à rétropropulsion dans les chaussures. Il n'a qu'Attila et son équipement de *navy seal.*

— En quoi consiste-t-il ?

— Je ne sais pas, je suppose qu'il a un maillot de bain pour ne pas devoir nager nu, et un couteau, au cas où un requin l'attaquerait.

— Il vit sur un bateau ?

— Ceci est confidentiel.

— Cet établissement est entouré de quarante hectares de parc et de forêt à l'état sauvage. Il y a des coyotes, des cerfs, des carcajous, des renardeaux et quelques chats sauvages, mais aucun humain ne rôde par ici. C'est un bon endroit pour se cacher, et de la cafétéria je peux lui apporter de quoi se restaurer. On est bien nourries ici.

— Merci, nous en tiendrons compte. Pour le moment, Ryan ne peut communiquer avec personne, c'est moi qui ferai la liaison entre vous. Je vais te donner un numéro secret. Tu le composes, tu laisses sonner trois fois et tu raccroches. Ne laisse pas de message. Je m'arrangerai pour te localiser. Je dois être très prudent, car on me surveille.

— Qui ?

— Ton père. Autrement dit la police. Mais ce n'est pas grave, Amanda, je peux les semer ; à Montevideo, j'ai passé plusieurs années de ma jeunesse à me moquer de la police.

— Pourquoi ?

— Par idéalisme, mais je m'en suis guéri depuis longtemps.

— Dans l'Antiquité, il était plus facile qu'aujourd'hui de tromper la police, Pedro.

— Ça l'est toujours, ne t'inquiète pas.

— Tu sais entrer dans l'ordinateur de quelqu'un d'autre, comme un *hacker* ?

— Non.

— Je croyais que tu étais un génie de la cybernétique. Tu travaillais pas dans l'intelligence artificielle ?

— Les ordinateurs sont à l'intelligence artificielle ce que les télescopes sont à l'astronomie. Pourquoi as-tu besoin d'un *hacker* ? lui demanda l'Uruguayen.

— C'est un bon moyen pour ma technique d'investigation. Un *hacker* serait très utile à *Ripper.*

— S'il le faut, je peux t'en trouver un.

— Nous allons utiliser mon sbire comme messager. Kabel et moi, nous avons un code. Kabel est mon grand-père.

— Je sais. On peut lui faire confiance ?

Amanda lui répondit par un regard glacé. Ils se saluèrent formellement à la porte du lycée, sous l'œil vigilant de sœur Cécile. La religieuse avait une affection particulière pour Amanda Martín parce qu'elles partageaient la même prédilection pour les romans scandinaves et leurs crimes truculents, et que dans un élan de confiance, qu'elle avait ensuite regretté, l'adolescente lui avait raconté qu'elle enquêtait sur le bain de sang annoncé par Céleste Roko. Elle le regrettait, car depuis, sœur Cécile, qui aurait donné de l'or pour participer au jeu si les enfants le lui avaient permis, insistait pour suivre pas à pas les progrès de l'enquête, et il était bien difficile de lui cacher quelque chose ou de la tromper.

— Très sympathique, ce monsieur uruguayen, commenta-t-elle sur un ton qui mit instantanément Amanda en alerte. Comment l'as-tu connu ?

— C'est un ami d'un ami de ma famille.

— Il a quelque chose à voir avec *Ripper* ?

— Quelle idée, ma sœur ! Il est venu pour mon exposé du cours de justice sociale.

— Pourquoi chuchotiez-vous ? Il m'a semblé saisir une certaine complicité.

— Déformation professionnelle, ma sœur. Votre travail est de soupçonner, non ?

— Non, Amanda. Mon travail est de servir Jésus et d'éduquer les jeunes filles, dit l'Écossaise en souriant de ses grandes dents.

Samedi, 24

Pendant la première semaine de sa nouvelle vie de fugitif, Ryan Miller navigua dans la baie de San Francisco sur le bateau que lui avait trouvé Alarcón, un Bellboy de cinq mètres de long, avec une demi-cabine, un puissant moteur Yamaha et un permis sous un faux nom. La nuit, il jetait l'ancre dans des criques et descendait parfois à terre avec Attila pour courir quelques kilomètres dans l'obscurité, seul exercice qui lui était permis, hormis nager avec la plus grande discrétion. Il aurait pu continuer à flotter sur ces eaux pendant des années sans se voir obligé de montrer le permis du bateau et sans être intercepté, à condition de ne pas accoster dans les marinas les plus fréquentées, car les embarcations des gardes-côtes ne pouvaient naviguer dans des eaux peu profondes.

Sa connaissance de la baie, où il était tant de fois sorti ramer, faire un tour en voilier, pêcher l'esturgeon et le bar avec Alarcón, facilitait sa vie de proscrit. Il savait qu'il était à l'abri dans des endroits comme la Riviera Édentée, surnom d'un minuscule port de bateaux démantibulés et de maisons flottantes dont les rares habitants, couverts de tatouages et avec de mauvaises dents, parlaient à peine entre eux et ne regarderaient pas un étranger en face ; ou encore dans certains hameaux à l'embouchure des fleuves dont les résidents cultivaient la marijuana ou mitonnaient de la métamphétamine et ne souhaitaient surtout pas attirer l'attention de la police. Mais très vite l'étroitesse du bateau devint insupportable à l'homme autant qu'au chien et ils commencèrent à se cacher à terre, campant dans les bois. Miller avait eu peu de temps pour préparer sa fuite, mais il disposait de l'indispensable : son ordinateur portable, différents papiers d'identité, de l'argent liquide dans un sac à l'épreuve de l'eau et du feu, et une partie de son équipement de *navy seal*, plus pour des raisons sentimentales que dans le but de l'utiliser.

Il se cacha avec le chien trois jours à Wingo, un village fantôme de Sonoma, avec un ancien pont abandonné rongé par la rouille, des passerelles en bois blanchies par le soleil et des maisons en ruine. Il y serait resté plus longtemps, accompagné par des canards, des rongeurs, des cerfs, et la présence silencieuse des âmes qui donnaient sa réputation à Wingo, mais Miller craignit que la proximité du printemps n'attirât les pêcheurs, les chasseurs et les touristes. La nuit, emmitouflé dans son sac de couchage tandis que le vent sifflait entre les planches, avec la chaleur d'Attila collé à son corps, il imaginait Indiana serrée contre lui, la tête sur son épaule, un bras en travers de sa poitrine, les boucles de ses cheveux effleurant sa bouche.

Au cours de sa troisième nuit dans le village abandonné, pour la première fois Miller osa appeler Sharbat. Elle tarda un peu à venir, mais lorsqu'elle le fit ce n'était pas l'image floue ou ensanglantée de ses cauchemars : c'était la fillette de ses souvenirs, intacte, avec son expression effrayée, son foulard à fleurs et son petit frère dans ses bras. Alors il put lui demander pardon et lui promettre qu'il traverserait le monde pour aller à sa recherche et, dans un interminable monologue, lui dire ce qu'il ne dirait jamais à personne, rien qu'à elle, car personne ne veut connaître la réalité de la guerre, seulement la version héroïque expurgée de l'horreur, et personne ne veut entendre un soldat parler de son tourment ; lui raconter, par exemple, qu'après la Seconde Guerre mondiale on avait découvert que seul un soldat sur quatre tirait pour tuer. On avait changé l'entraînement militaire afin de détruire cette répulsion instinctive et de produire une réponse automatique : appuyer sur la détente, sans hésiter, à la moindre stimulation, un réflexe gravé dans la mémoire musculaire ; on a ainsi obtenu que quatre-vingt-quinze pour cent des soldats tuent sans y penser, une vraie réussite, mais on n'a pas encore perfectionné la méthode permettant de faire taire les coups de cloche qui carillonnent dans la conscience plus tard, après le combat, quand il faut réintégrer le monde normal et qu'il y a des pauses pour réfléchir, quand commencent les cauchemars et la honte que l'alcool et les drogues ne peuvent apaiser. Et lorsqu'il n'y a nulle part où décharger la rage accumulée, certains finissent par chercher la bagarre dans les bars, d'autres par taper sur leur femme et leurs enfants.

Il raconta à Sharbat qu'il faisait partie d'une poignée de guerriers spécialisés, les meilleurs au monde. Chacun d'eux est une arme mortelle, son métier est la violence et la mort, mais parfois la conscience peut être plus forte que l'entraînement et toutes les excellentes raisons de faire la guerre – devoir, honneur, patrie –, quelques-uns voient la destruction qu'ils causent partout où ils vont combattre, ils voient leurs compagnons vidés de leur sang par une grenade ennemie et les corps de civils emportés dans le conflit, des femmes, des enfants, des vieillards, et ils se demandent pourquoi ils se battent, quel but a cette guerre, l'occupation d'un pays, la souffrance de personnes semblables à eux, et ce qui se passerait si des troupes d'envahisseurs entraient avec des chars dans leur quartier, écrasaient leurs maisons, si les cadavres piétinés étaient ceux de leurs enfants et leurs épouses, et ils se demandent aussi pourquoi on doit plus de loyauté à la nation qu'à Dieu ou à son propre sens du bien et du mal, et pourquoi ils continuent à faire ce travail de mort, et comment ils vont vivre avec le monstre qu'ils sont devenus.

La petite fille aux yeux verts l'écouta, muette et attentive, comme si elle comprenait la langue dans laquelle il lui parlait et savait pourquoi il pleurait, et elle resta avec lui jusqu'à ce qu'il s'endorme dans son sac de couchage, épuisé, un bras sur l'échine du chien qui veillait sur son sommeil.

Quand la photographie de Ryan Miller parut dans les médias, demandant au public d'informer la police sur sa destination, Pedro Alarcón prit contact avec son amie Denise West : il savait qu'il pouvait se fier sans réserve à sa discrétion et il lui exposa la nécessité d'aider un transfuge recherché, soupçonné d'homicide avec préméditation, comme il le lui expliqua sur le ton de la plaisanterie, mais sans minimiser les risques. Elle fut enthousiasmée à l'idée de le cacher, parce que c'était une amie d'Alarcón et que Miller n'avait pas la tête d'un criminel, et parce qu'elle partait du principe que le gouvernement, la justice en général et la police en particulier étaient corrompus. Elle accueillit le *navy seal* dans sa maison, qu'Alarcón avait choisie parce qu'elle avait l'avantage de se trouver dans une zone de propriétés agricoles et à proximité du delta du fleuve Napa, qui se jetait dans la baie de San Pablo, la partie nord de la baie de San Francisco.

Denise cultivait un potager et des fleurs dans un jardin d'un hectare et demi pour son plaisir personnel, elle avait aussi un asile de vieux chevaux que leurs propriétaires lui confiaient au lieu de les sacrifier lorsqu'ils ne leur étaient plus utiles, et une industrie artisanale de conserves de fruits, de poulets et d'œufs qu'elle vendait sur les marchés ambulants et dans les magasins de produits biologiques. Elle avait vécu quarante ans dans la même propriété, entourée des mêmes voisins aussi peu sociables qu'elle, qui s'occupaient de leurs animaux et de leur terre. C'est dans ce modeste refuge créé à sa mesure, à l'abri du bruit et de la vulgarité du monde, qu'elle reçut Ryan Miller et Attila; ils durent s'adapter à une existence rurale très différente de celle qu'ils avaient menée jusqu'à présent, dans une maison sans télévision ni appareils électroménagers, mais dotée d'une bonne connexion Internet, au milieu de mascottes dorlotées et de chevaux à la retraite. Ils n'avaient jamais vécu en compagnie d'une femme et découvrirent avec étonnement que ce n'était pas aussi terrible que ce à quoi ils s'attendaient. Dès le début Attila témoigna de sa discipline militaire en résistant stoïquement à la tentation de dévorer les poulets qui se promenaient librement en picorant la terre, et d'attaquer les chats qui le provoquaient avec une évidente insolence.

Non contente de lui offrir l'hospitalité, Denise accepta de représenter Miller dans *Ripper*, car il ne pouvait montrer son visage. Amanda lui avait demandé de participer, parce qu'ils avaient besoin de lui, et ils créèrent très vite un personnage pour le jeu, une enquêtrice douée d'un talent spécial, du nom de Jézabel. Les seuls qui connaissaient son identité étaient la maîtresse du jeu et son fidèle sbire Kabel, mais aucun des deux ne savait où se cachait le *navy seal*, ni qui était la femme mûre coiffée d'une longue tresse grise qui tenait le rôle de Jézabel. Les autres joueurs de *Ripper* ne furent pas consultés à son sujet ; Amanda était devenue de plus en plus despotique au fur et à mesure que les crimes se compliquaient, mais ceux qui au début avaient formulé des objections constatèrent rapidement que la nouvelle recrue valait son pesant d'or.

— J'ai révisé les dossiers de la police sur les affaires, annonça la maîtresse du jeu.

— Comment les as-tu obtenus ? demanda Esmeralda.

— Mon sbire a accès aux archives et je suis amie avec Petra Horr, l'assistante de l'inspecteur-chef, qui me tient informée. Nous avons transmis une copie de tout cela à Jézabel.

— Personne ne doit avoir un avantage sur les autres joueurs ! objecta le colonel Paddington.

— C'est vrai. Je vous prie de m'excuser, cela ne se reproduira plus. Voyons ce que dit Jézabel.

— J'ai découvert une chose qui se répète dans toutes les affaires, sauf dans celle de Keller. Les cinq premières victimes travaillaient avec des enfants. Ed Staton était employé de la maison de correction en Arizona, les Constante gagnaient leur vie en accueillant des enfants que leur confiait le Service de Protection de l'Enfance, Richard Ashton était spécialiste en psychiatrie infantile et Rachel Rosen, juge au Tribunal des Mineurs. Ce peut être une coïncidence, mais je ne crois pas. Keller, en revanche, n'a jamais rien eu à voir avec des enfants, il n'a même pas voulu en avoir.

— C'est un indice très intéressant. Si la motivation de l'assassin a un rapport avec des enfants, nous pouvons supposer qu'il n'a pas tué Keller, dit Sherlock Holmes.

— Ou il l'a tué pour une autre raison, l'interrompit Abatha, qui avait déjà suggéré cette possibilité auparavant.

— Nous ne parlons pas d'enfants ordinaires, mais d'enfants qui ont des problèmes de comportement, des orphelins ou à haut risque. Cela limite les options, dit le colonel Paddington.

— La prochaine étape est de vérifier si les victimes se connaissaient et pourquoi. Je pense qu'il doit y avoir un ou plusieurs enfants qui relient les affaires, dit Amanda.

Lundi, 26

Les crimes qui tenaient l'inspecteur Bob Martín sur le gril connurent une certaine notoriété dans les médias de San Francisco, mais pas au point d'alarmer la population, car l'existence d'un tueur en série ne transpira pas en dehors du milieu fermé de la Brigade criminelle. La presse traita les crimes séparément, sans les mettre en relation. Ils n'eurent aucun écho dans le reste du pays. L'opinion publique, qui s'émouvait à peine lorsqu'un extrémiste ou un étudiant armé pour l'Apocalypse dépassait les bornes en tuant des innocents, s'intéressait fort peu à six cadavres en Californie. Le seul qui les mentionna deux ou trois fois fut le célèbre présentateur d'une radio d'extrême droite, pour qui les crimes étaient un châtiment divin de l'homosexualité, du féminisme et de l'écologie à San Francisco.

Bob Martín espérait que l'indifférence nationale lui permettrait d'effectuer son travail sans l'intervention des agences fédérales, et il en fut ainsi jusqu'à deux semaines après que les soupçons furent retombés sur Ryan Miller ; deux agents du FBI se présentèrent alors dans son bureau, entourés de tant de secret qu'on pouvait se demander si ce n'étaient pas des imposteurs. Malheureusement, leurs laissez-passer étaient réglementaires et il reçut pour instruction de leur offrir les plus grandes facilités, ordre qu'il accomplit à contrecœur. La Brigade criminelle de San Francisco était née en 1849, au temps de la fièvre de l'or, et d'après un chroniqueur de l'époque elle était constituée de bandits plus redoutables que les voleurs, plus soucieux de soustraire leurs anciens amis à un châtiment mérité qu'à défendre la loi ; la ville était en plein chaos et bien des années allaient passer avant que l'ordre s'établisse. Cependant, le corps de police se redressa en moins de temps que prévu par l'auteur de l'article, et Bob Martín était fier d'en faire partie. Sa brigade avait la réputation d'être inflexible vis-à-vis du crime et indulgente envers les délits mineurs ; on ne pouvait l'accuser de brutalité, de corruption et d'incompétence comme la police d'autres villes, mais elle recevait un excès de plaintes pour mauvaise conduite supposée. Très peu de ces dénonciations étaient fondées. Le problème, d'après Martín, ne venait pas de la police, mais des détestables envies de défier l'autorité qui caractérisaient la population de San Francisco ; il avait pleinement confiance en l'efficacité de son équipe, raison pour laquelle il regretta la présence des fédéraux, qui ne feraient que compliquer l'enquête.

Ceux qui se présentèrent dans le bureau de Bob Martín étaient les agents Napoléon Fournier III, Afro-Américain de Louisiane qui avait travaillé aux Narcotiques, à l'Immigration et aux Douanes avant d'être affecté au renseignement, et Lorraine Barcott, de Virginie, une célébrité au sein de l'agence, car elle s'était fait remarquer par des actes d'héroïsme lors d'une opération antiterroriste. L'agent féminin, avec ses cheveux noirs et ses yeux châtains aux longs cils, s'avéra être beaucoup plus séduisante en personne qu'en photo. Bob Martín voulut l'enjôler avec son sourire à la moustache virile et aux dents blanches, mais il y renonça quand la poignée de main de Barcott faillit lui briser les doigts ; cette femme était arrivée avec une mission précise et elle ne semblait pas disposée à se laisser distraire. Il lui présenta une chaise avec la galanterie apprise dans sa famille mexicaine, et elle s'assit sur une autre.

Petra Horr, qui observait la scène depuis le seuil, se racla la gorge pour dissimuler son rire.

L'inspecteur montra aux visiteurs le dossier des six crimes et il les mit au courant de l'enquête et de ses propres conclusions, sans mentionner les apports de sa fille Amanda et de son ex-beau-père, Blake Jackson, car les nouveaux venus auraient pu prendre cela pour du népotisme. Cette histoire de népotisme, il la devait au défunt Alan Keller, que la relation incestueuse de la famille d'Indiana intriguait ; avant de l'entendre dans la bouche de Keller et de le chercher dans le dictionnaire, il ne connaissait pas ce mot.

Barcott et Fournier commencèrent par s'assurer que personne n'avait mis la main sur les ordinateurs de Ryan Miller, qu'ils étaient en lieu sûr dans la chambre forte de la Brigade, et ensuite ils s'enfermèrent pour étudier la situation en quête du détail qui révélerait une conspiration des ennemis habituels des États-Unis. La seule explication qu'ils donnèrent à Bob Martín fut que le *navy seal* collaborait avec une compagnie de sécurité privée au service du gouvernement américain au Moyen-Orient ; telle était l'information officielle et il ne convenait pas de divulguer le reste. Son travail était confidentiel et comprenait certaines zones grises dans lesquelles il était nécessaire d'agir en marge des conventions pour en garantir l'efficacité. Dans une situation aussi délicate que celle de cette région, il fallait mettre dans la balance d'une part l'obligation de protéger les intérêts américains et d'autre part les traités internationaux, qui limitaient la capacité d'agir au-delà du raisonnable. Le gouvernement et les Forces armées ne pouvaient se voir impliqués dans certaines activités, que la Constitution ne permettait pas et que l'opinion publique n'approuverait pas ; c'est pourquoi ils avaient recours à des entreprises privées. Il était clair que Miller travaillait pour la CIA, mais l'Agence ne pouvait agir sur le territoire national, qui relevait du FBI. Les six victimes de San Francisco n'intéressaient absolument pas les deux agents fédéraux, leur travail consistait à récupérer les renseignements que Ryan Miller possédait avant qu'ils ne tombent entre les mains de l'ennemi, à retrouver le *navy seal* afin qu'il réponde à quelques questions, et à le retirer de la circulation.

— Miller commet-il des délits au niveau international ? demanda Bob Martín, admiratif.

— Des missions, pas des délits, répliqua Fournier III.

— Et moi qui croyais qu'il n'était qu'un tueur en série !

— Vous n'en avez pas la preuve et je n'aime pas votre ton sarcastique, inspecteur Martín, rétorqua Barcott.

— Le dossier Keller contient des preuves évidentes contre lui, lui rappela l'inspecteur-chef.

— La preuve qu'il a rendu visite à Alan Keller, pas qu'il l'a tué.

— Il a bien pris la fuite pour quelque chose.

— Avez-vous pensé à la possibilité que notre homme ait été séquestré ? demanda la femme.

— Non, franchement ça ne m'avait pas traversé l'esprit, répliqua le policier, dissimulant difficilement un sourire.

— Ryan Miller est un élément précieux pour l'ennemi.

— De quel ennemi parlons-nous ?

— Nous ne pouvons le révéler, dit Lorraine Barcott.

Du bureau du FBI de Washington ils dépêchèrent en outre un spécialiste en informatique pour analyser les appareils qui avaient été confisqués chez Miller. L'inspecteur Martín avait proposé son propre personnel à Fournier III et Barcott pour ce travail, aussi experts que ceux de Washington, mais ils lui avaient répondu que le contenu était confidentiel. Tout était confidentiel.

Vingt-quatre heures ne s'étaient pas écoulées depuis l'arrivée des fédéraux que déjà la patience de Bob Martín était à bout. Fournier III se révéla être un type obsessionnel, incapable de déléguer, qui par son souci de connaître chaque détail retardait le travail des autres ; dès le début il s'entendit mal avec Lorraine Barcott et ses tentatives pour s'attirer ses bonnes grâces furent infructueuses, cette femme était immunisée contre son charme et même contre la simple camaraderie. « Ne vous vexez pas, chef, vous voyez pas que Barcott est lesbienne ? » le consola Petra Horr.

Le spécialiste en informatique se chargea d'analyser les disques durs, en essayant de sauver quelque chose, mais il supposait que Miller savait parfaitement comment effacer tout leur contenu. Entre-temps Bob Martín fit à Fournier III et Barcott un résumé des battues que la Brigade criminelle réalisait depuis douze jours pour trouver Miller. La première semaine, ils s'étaient contentés de solliciter l'aide de la police du secteur de la baie et d'utiliser les informateurs habituels, puis ils avaient publié la photo et la description de Miller dans les médias et sur Internet. Depuis, ils avaient reçu des dizaines de dénonciations de personnes qui avaient vu rôder un individu boiteux, avec une mine de gorille, accompagné d'un fauve, mais aucune ne donna de résultat. Par erreur, deux ou trois mendiants furent arrêtés avec leurs chiens en différentes occasions, et aussitôt remis en liberté. Un vétéran de la guerre du Golfe s'était présenté au commissariat de Richmond en déclarant être Ryan Miller, mais ils ne l'avaient pas pris au sérieux parce que son chien était un jack russell terrier de sexe féminin.

Ils avaient interrogé les personnes qui avaient des relations avec le fugitif : Frank Rinaldi, l'administrateur du Dolphin Club où Miller nageait régulièrement ; le propriétaire de l'immeuble où il vivait ; quelques gamins défavorisés qu'il entraînait à la natation ; Danny D'Angelo du Café Rossini ; les locataires de la Clinique Holistique, et tout spécialement son ami le plus proche, Pedro Alarcón. Bob Martín avait parlé avec Indiana, mais il ne l'avait mentionnée qu'en passant à ceux du FBI, comme l'une des thérapeutes de la Clinique Holistique ; rien n'était plus éloigné de son esprit qu'attirer l'attention des agents sur quelqu'un de sa propre famille. Il savait qu'elle avait eu une brève liaison avec Miller, ce qui, pour une raison que lui-même n'arrivait pas à comprendre, le dérangeait bien plus que les quatre années qu'elle avait passées avec Alan Keller. Il avait ruminé sur les vertus de Miller qui pouvaient attirer Indiana et décidé qu'elle avait sûrement couché avec lui par pitié ; étant donné son caractère, Indiana ne pouvait repousser un mutilé. Il fallait voir la bêtise de cette femme ! À quoi ça pouvait bien ressembler de faire l'amour avec une jambe en moins ? Un numéro de cirque, il valait mieux ne pas l'imaginer. Sa détermination à appréhender le fugitif relevait d'un zèle strictement professionnel, rien à voir avec les cochonneries que Miller avait pu faire avec la mère de sa fille.

— Cet Alarcón est communiste ? demanda Lorraine Barcott, qui avait mis quarante secondes à trouver l'Uruguayen dans la base de données du FBI sur son portable.

— Non. Il est professeur à l'université de Stanford.

— Cela n'empêche pas qu'il puisse être communiste, insista-t-elle.

— Il reste encore des communistes ? Je pensais qu'ils étaient passés de mode. Nous avons mis son téléphone sur écoute et nous le surveillons. Jusqu'à présent, nous n'avons rien trouvé qui le relie au Kremlin, et rien d'illégal ou de suspect dans sa vie actuelle.

Les agents du FBI firent voir à l'inspecteur que le présumé fugitif était un *navy seal* entraîné pour survivre dans les conditions les plus dures – se cacher, éviter l'ennemi ou affronter la mort –, et qu'il serait bien difficile de mettre la main dessus. Tout ce qu'on obtiendrait en alertant la population, c'était de créer la panique ; il convenait donc d'étouffer cette affaire dans les médias et de continuer à le chercher discrètement, avec l'aide indispensable qu'ils lui prêteraient. Ils insistèrent sur la nécessité impérative que rien ne fût divulgué des activités de Ryan Miller et la compagnie de sécurité.

— Mon devoir n'est pas de protéger les secrets du gouvernement, mais de poursuivre cette enquête, de résoudre les six crimes en suspens et d'empêcher que d'autres soient commis, dit Bob Martín.

— Bien sûr, inspecteur, répliqua Napoléon Fournier III. Nous ne prétendons pas interférer dans votre travail, mais je vous préviens : Ryan Miller est un homme instable, sans doute atteint de troubles nerveux, qui peut avoir commis les assassinats qu'on lui attribue dans un état mental altéré. De toute façon, pour nous il est grillé.

— C'est-à-dire qu'il ne vous sert plus à rien, il est devenu un problème et vous ne savez pas quoi en faire. Miller est jetable. C'est ce que vous me dites, agent Fournier ?

— C'est vous qui le dites, pas moi.

— Nous vous rappelons que Miller est lourdement armé et qu'il est violent, ajouta Lorraine Barcott. C'est un soldat, il a l'habitude de tirer le premier et de poser ensuite des questions. Je vous conseille de faire pareil, pensez à la sécurité de vos agents et des civils.

— Il vaudrait mieux éviter que Miller soit arrêté et qu'il se mette à table, c'est ça ?

— Je vois que nous nous comprenons, inspecteur-chef.

— En fait, je ne crois pas, agent Barcott. Je suppose que les méthodes de votre agence diffèrent des nôtres, répliqua Martín, piqué au vif. Ryan Miller est innocent jusqu'à preuve du contraire. Notre intention est de l'arrêter pour l'interroger en tant que suspect, et nous essaierons de le faire avec le moins de dommages possible, pour lui et pour des tierces personnes. C'est clair ?

À la sortie de la réunion, Petra Horr qui épiait de son bureau, comme d'habitude, prit l'inspecteur par la manche, elle le poussa derrière la porte et, se dressant sur la pointe des pieds, l'embrassa sur la bouche. « Bien parlé ! Je suis fière de vous, chef ! » Surpris, Bob Martín ne put répondre avant que son assistante disparaisse comme le lutin qu'elle était. Il resta collé au mur avec le goût de ce baiser, au chewing-gum à la cannelle, et une onde de chaleur dans le corps.

Samedi, 31

La première à s'alarmer de l'absence d'Indiana fut sa fille, parce qu'elle connaissait ses habitudes mieux que personne et s'étonna qu'elle ne vienne pas dîner avec elle et son grand-père ce vendredi-là, une habitude immuable, à de rares exceptions près, depuis quatre ans qu'elle était pensionnaire. Mère et fille attendaient ces retrouvailles depuis le lundi, en particulier lorsque Amanda devait passer le samedi et le dimanche chez son père. Sans Alan Keller dans sa vie, qui l'avait rarement réclamée un vendredi, comme pour le voyage en Turquie ou pour assister à un spectacle, Indiana n'avait aucune excuse pour s'absenter à l'heure du repas. Elle finissait avec son dernier client, enfourchait sa bicyclette, prenait par Broadway Street, avec ses clubs de strip-tease et ses bars, continuait par l'avenue Colombus où se trouvait la fameuse librairie City Lights, repaire des beatniks, passait devant l'immeuble remarquable de Francis Ford Coppola, recouvert de cuivre, continuait jusqu'à la place Portsmouth, aux limites de Chinatown, où les vieux se retrouvaient pour s'adonner au tai-chi et parier à des jeux de table, et de là se dirigeait vers la tour de la Transamerica, cette pyramide devenue le symbole de San Francisco. C'était l'heure où le district financier changeait d'aspect, car les bureaux fermaient et la vie nocturne commençait. Elle passait sous Bay Bridge, qui reliait San Francisco à Oakland, face au nouveau stade de base-ball, et de là à son quartier, elle mettait moins de dix minutes. Elle s'arrêtait parfois pour acheter une gourmandise pour le dessert et se retrouvait bientôt à la maison, prête à s'asseoir à table. Comme elle arrivait tard et que Blake et Amanda ne cuisinaient pas, ils dépendaient du vendeur de pizzas ou de la bonne volonté d'Elsa Domínguez, qui leur laissait souvent quelque chose à manger dans le réfrigérateur. Ce vendredi-là, le grand-père et la petite-fille attendirent Indiana jusqu'à neuf heures du soir avant de se résigner à réchauffer la pizza, aussi raide que du carton.

— Qu'est-ce qui a bien pu se passer ? murmura Amanda.

— Elle va arriver. Ta mère a plus de trente ans, il est normal qu'elle sorte de temps en temps prendre un verre avec des amis après une semaine de travail.

— Mais elle nous aurait prévenus ! N'importe lequel de ces supposés amis pourrait lui prêter un téléphone.

Le samedi se leva avec un ciel orangé, le printemps qui s'annonçait dans les bourgeons de magnolias et les oiseaux-mouches suspendus en plein vol, tels de minuscules hélicoptères, au milieu des fuchsias du jardin. Amanda se réveilla en sursaut, avec un mauvais pressentiment, et elle s'assit sur le lit, tremblant du ressac d'un cauchemar dans lequel Alan Keller tentait d'arracher la flèche de sa poitrine. Sa chambre était éclairée par de fins rayons dorés qui passaient à travers le rideau, et Sauvez-le-Thon, aussi légère que l'écume, dormait de son sommeil de chatte heureuse, roulée en boule sur l'oreiller. L'adolescente la prit dans ses bras et plongea son nez dans son ventre tiède en murmurant une incantation pour se débarrasser des visions nocturnes persistantes.

Nu-pieds, un tee-shirt de son grand-père en guise de pyjama, elle alla à la cuisine donner du lait à la chatte et se préparer une tasse de chocolat, en suivant l'odeur de café et de pain grillé qui flottait dans la maison. Blake était déjà là, en train de regarder les informations, en pantoufles et emmitouflé dans sa vieille robe de chambre en flanelle, la même que celle qu'il portait du vivant de sa femme, dix-sept années plus tôt. Amanda lui mit la chatte sur les genoux et monta à l'antre de la sorcière par l'escalier en colimaçon qui le reliait à la maison principale. Une minute plus tard elle était de retour dans la cuisine, criant qu'il n'y avait personne dans la chambre de sa mère et que le lit n'était pas défait. C'était la première fois, d'aussi loin que le grand-père et la petite-fille pouvaient s'en souvenir, qu'Indiana n'était pas rentrée dormir sans les avoir avertis.

— Où a-t-elle pu aller, grand-père?

— Ne t'inquiète pas, Amanda. Habille-toi tranquillement, je vais t'emmener chez ton père, et ensuite je passerai au cabinet d'Indiana. Je suis sûr qu'il y a une explication.

Mais il n'y en avait pas. À midi, après l'avoir cherchée dans les endroits qu'elle fréquentait et avoir parlé sans résultat à ses plus proches amis, y compris doña Encarnación, qu'il ne voulait pas alarmer plus que nécessaire, et la redoutable Céleste Roko, qui répondit au téléphone au milieu d'un massage parce qu'elle avait vu le numéro de l'homme avec lequel elle pensait se marier, Jackson appela Bob Martín et lui demanda s'il fallait avertir la police. Son ex-gendre lui recommanda d'attendre un peu, car la police ne se mobilise pas pour la disparition présumée d'un adulte qui découche, et il ajouta qu'il allait faire quelques recherches et l'appellerait dès qu'il aurait des nouvelles. Tous deux craignaient qu'Indiana fût avec Ryan Miller. La connaissant comme ils la connaissaient, ils pouvaient énumérer plusieurs raisons justifiant cette crainte, depuis son absurde compassion, qui la pousserait à secourir un fugitif, jusqu'à son cœur troublé, qui lui ferait poursuivre un autre amour pour remplacer celui qu'elle venait de perdre. La possibilité qu'aucun des deux n'osait encore envisager, c'était qu'Indiana fût avec Ryan Miller contre sa volonté, en qualité d'otage. Bob Martín supposa que dans ce cas, ils le sauraient très vite, dès que le téléphone sonnerait et que le ravisseur exposerait ses conditions. Il s'aperçut qu'il transpirait.

Le portable secret de Pedro Alarcón se mit à vibrer dans la poche de son pantalon alors qu'il n'avait fait que la moitié des six kilomètres qu'il courait quotidiennement dans le parc Presidio, s'entraînant pour le triathlon auquel il aurait participé avec Ryan Miller si l'agenda de celui-ci ne s'était compliqué. Seules deux personnes pouvaient l'appeler à ce numéro, son ami fugitif et Amanda Martín. Il vérifia si c'était la petite, changea de direction et continua à courir jusqu'au café

Starbucks le plus proche, où il s'acheta un *frapuccino*, breuvage qui ne pouvait être comparé à un bon maté, mais qui servait à tromper celui qui l'aurait suivi jusque-là ; il demanda à un autre client de lui prêter son portable et appela Amanda, qui lui passa son grand-père. La conversation avec Blake Jackson consista en quatre mots : quarante minutes, Dolphin Club. Alarcón partit en trottant jusqu'à sa voiture, et de là se dirigea vers le Parc aquatique, où il eut la chance inespérée de trouver une place où se garer, puis il marcha jusqu'au Dolphin Club avec son sac sur l'épaule et d'un pas léger, comme il le faisait tous les samedis.

Jackson arriva en taxi jusqu'à la place Ghirardelli et se mêla aux touristes et aux familles qui se promenaient, profitant de cette journée ensoleillée, l'une de ces journées où la lumière de la baie est aussi transparente que celle de la Grèce. Alarcón l'attendait dans le vestibule sombre du club, apparemment absorbé par la feuille quadrillée où les membres du Club Polar notaient le nombre de kilomètres qu'ils avaient parcourus à la nage au cours de l'hiver. Il fit un signe à Blake et celui-ci le suivit dans les étroites cabines du deuxième étage.

— Où est ma fille ? demanda-t-il à l'Uruguayen.

— Indiana ? Comment veux-tu que je le sache ?

— Elle est avec Miller, j'en suis sûr. Elle n'est pas rentrée à la maison depuis hier et elle n'a pas appelé non plus, cela n'était encore jamais arrivé. La seule explication, c'est qu'elle est avec lui et ne nous a pas téléphoné par précaution, pour le protéger. Vous savez où se cache Miller, transmettez-lui un message de ma part.

— Si je peux, je le lui ferai passer, mais je pourrais jurer qu'Indiana n'est pas avec lui.

— Pas de serment parlez d'abord à votre ami. Vous êtes complice d'un fugitif, coupable d'obstruction à la justice, et caetera. Dites à Miller que si Indiana ne m'appelle pas avant huit heures du soir, c'est vous qui en paierez les conséquences.

— Ne me menacez pas, Blake. Je suis de votre côté.

— Oui, oui, pardonnez-moi, Pedro. Je suis un peu nerveux, balbutia le grand-père en se raclant la gorge pour dissimuler l'angoisse qui l'étreignait.

— Il sera difficile de parler à Miller, il se déplace sans arrêt, mais je vais essayer. Je vous appellerai d'un téléphone public dès que j'aurai du nouveau.

Alarcón guida Blake Jackson dans le couloir qui reliait le Dolphin Club au club rival, le South End, afin qu'il sorte par une porte différente de celle qu'il avait empruntée pour entrer, puis il partit à la plage où il pouvait parler en toute tranquillité. Il appela son ami pour lui expliquer la situation et, comme il s'y attendait, Miller affirma qu'il n'avait aucune nouvelle d'Indiana. Il dit que la dernière fois qu'il lui avait parlé, c'était de son loft, le vendredi 9 mars, le jour où on avait découvert le cadavre d'Alan Keller. Depuis qu'il se cachait, il avait été mille fois sur le point de l'appeler, et même de tout risquer en se présentant à elle à la Clinique Holistique, parce que ce silence étrange qui les séparait devenait de plus en plus insupportable ; il avait besoin de la voir, de la serrer dans ses bras, de lui répéter qu'il l'aimait plus que tout au monde et qu'il ne renoncerait jamais à elle. Mais il ne pouvait en faire sa complice. Il n'avait rien à lui offrir, il devait d'abord retrouver l'assassin d'Alan Keller et laver son nom. Il raconta à Alarcón qu'après avoir détruit le contenu de ses ordinateurs et avant de quitter son loft, il avait appelé Amanda, car il était sûr qu'Indiana avait oublié son portable ou qu'il était déchargé.

— Elles étaient ensemble et j'ai pu parler à Indiana ; je lui ai expliqué que je n'avais pas tué Keller, même s'il était vrai que je l'avais frappé, et que j'allais devoir me cacher, parce que cela m'incriminait.

— Que t'a-t-elle répondu ?

— Que je ne lui devais pas d'explications, parce qu'elle n'avait jamais douté de moi, et elle m'a supplié de me rendre à la police. J'ai refusé, évidemment, et je lui ai fait promettre de ne pas me dénoncer. C'était le moment le moins approprié pour évoquer notre relation, Keller était mort depuis quelques heures à peine, mais je n'ai pas pu m'en empêcher, je lui ai dit que je l'adorais et que dès que la situation serait éclaircie j'essaierais par tous les moyens de la conquérir. Rien de cela n'a d'importance maintenant, Pedro. La seule chose qui importe, c'est de la sauver.

— Elle n'est absente que depuis quelques heures…

— Elle est gravement en danger ! s'exclama Miller.

— Tu crois que sa disparition a un rapport avec la mort de Keller ?

— Sans doute, Pedro. Et vu les caractéristiques de l'homicide de Keller, je suis sûr que nous avons affaire à l'auteur des crimes précédents.

— Je ne vois pas le rapport entre Indiana et ce tueur en série.

— Pour le moment je ne le vois pas non plus, mais crois-moi, Pedro, ce rapport existe. Nous devons retrouver Indiana tout de suite. Mets-moi en contact avec Amanda.

— Amanda ? La petite est très altérée par ce qui s'est passé, je ne vois pas comment elle peut t'aider.

— On verra bien.

AVRIL

Dimanche, 1er

L'inspecteur-chef, vêtu du jogging qu'il utilisait pour le gymnase, accompagné de sa fille qui avait refusé de rester en arrière et portait Sauvez-le-Thon dans son sac, partit en direction de North Beach. De la voiture il appela Petra Horr, lui raconta ce qui s'était passé, conscient que son assistante n'avait nulle obligation de lui répondre, car elle était libre le dimanche, et lui demanda de trouver les noms et numéros de téléphone de tous les thérapeutes de la Clinique Holistique, ainsi que ceux des patients d'Indiana et de Pedro Alarcón, qui étaient enregistrés à la Brigade criminelle depuis qu'avait commencé la recherche de Miller. Dix minutes plus tard, il stationna en double file devant l'immeuble vert aux fenêtres couleur caca d'oie. Il trouva la porte principale ouverte, car plusieurs praticiens recevaient pendant le week-end. Suivi d'Amanda qui était retombée en enfance – elle avançait tête basse, suçant son pouce, la capuche de sa parka enfoncée jusqu'aux yeux, prête à fondre en larmes –, l'inspecteur monta quatre à quatre les deux étages, puis grimpa l'échelle qui menait à la terrasse de Matheus Pereira pour lui demander la clé du cabinet d'Indiana.

Le peintre, qui de toute évidence avait été tiré du lit, se présenta nu, hormis une serviette effilochée attachée à la taille qui cachait ses parties honteuses ; les dreadlocks dressées autour de sa tête tels les serpents de la Méduse, il avait l'expression vide de celui qui a fumé autre chose que du tabac et ne se souvient pas de l'année dans laquelle il vit, mais le négligé n'enlevait rien de sa prestance à cet homme aux yeux liquides, aux lèvres sensuelles, beau comme une sculpture en bronze de Benvenuto Cellini.

L'attique du Brésilien n'aurait pas attiré l'attention dans un quartier misérable de Calcutta. Pereira l'avait peu à peu élevé sur la terrasse de l'immeuble, entre le réservoir d'eau potable et l'escalier d'incendie extérieur, avec la même liberté qu'il créait ses œuvres d'art. Le résultat était un organisme vivant, aux formes changeantes, essentiellement fait de carton, plastique, plaques de zinc et panneaux d'aggloméré, avec un sol de ciment à certains endroits, de linoléum mal posé à d'autres et de quelques tapis loqueteux. À l'intérieur, l'habitation était un enchevêtrement d'espaces informes, qui remplissaient des fonctions diverses et pouvaient être modifiés en un clin d'œil, en ôtant un morceau de toile, en déplaçant un paravent ou simplement en réorganisant les caisses et cartons qui constituaient la plus grande partie du mobilier. Bob Martín la définit au premier coup d'œil comme un repaire de hippie, étouffant, immonde et sans doute illégal, mais il dut admettre à part soi qu'elle avait du charme. La lumière du jour, tamisée à travers les plaques de plastique bleu, donnait à l'ensemble un aspect d'aquarium ; les grands tableaux aux couleurs primaires, qui dans le hall de l'immeuble étaient agressifs, sur cette terrasse paraissaient enfantins, et le désordre et la crasse, qui ailleurs auraient paru répulsifs, s'acceptaient là comme une extravagance de l'artiste.

— Attachez votre serviette, Pereira, vous voyez bien que je suis avec ma fille, lui ordonna Bob Martín.

— Bonjour Amanda, salua le peintre, en bloquant le passage pour que les visiteurs ne voient pas la plantation de marijuana derrière un rideau de douche qui tenait lieu de séparation.

Bob Martín l'avait déjà vue, de même qu'il avait senti l'odeur douceâtre impossible à confondre qui imprégnait l'attique, mais il fit comme si de rien n'était, vu qu'il se trouvait là pour autre chose. Il lui expliqua les raisons de sa visite intempestive et Pereira lui raconta qu'il avait parlé avec Indiana le vendredi en fin de journée, au moment où elle partait.

— Elle m'a dit qu'elle allait retrouver des amis au Café Rossini et qu'elle rentrerait chez elle lorsqu'il y aurait moins de circulation.

— A-t-elle mentionné le nom de ces amis ?

— Je ne m'en souviens pas, je n'y ai pas prêté attention, à vrai dire. Elle a été la dernière à sortir de l'immeuble. J'ai fermé la porte principale vers huit heures, ou peut-être neuf heures…, répliqua vaguement Pereira, peu disposé à renseigner le policier ; il pensait qu'Indiana devait s'adonner à quelque polissonnerie et il n'avait pas l'intention de faciliter la tâche à son ex-mari pour la retrouver.

Mais l'attitude de l'inspecteur indiquait qu'il valait mieux coopérer, du moins en apparence, il enfila donc son éternel jean, attrapa un trousseau de clés et les conduisit au cabinet numéro 8. Il ouvrit la porte et, à la demande de Martín qui ne savait trop ce qu'il allait trouver à l'intérieur, attendit dans le couloir avec Amanda. Dans le cabinet d'Indiana tout était en ordre, les serviettes empilées, les draps propres sur la table de massage, les flacons d'huiles essentielles, les aimants, les bougies et l'encens prêts à être allumés le lundi ; dans l'encadrement de la fenêtre, la petite plante apportée comme présent par le Brésilien semblait avoir été arrosée récemment. Depuis le couloir, Amanda vit l'ordinateur portable sur la table de la réception et elle demanda à son père si elle pouvait l'allumer, car elle connaissait le code d'accès. Bob Martín lui expliqua qu'ils risquaient d'endommager les empreintes digitales et il descendit chercher des gants et un sac en plastique dans sa voiture. Dans la rue, il se souvint de la bicyclette et se dirigea sur le côté de l'immeuble, où il y avait une grille en fer pour la garer. Il constata avec un frisson que celle d'Indiana s'y trouvait, enchaînée. Il sentit un goût de bile lui envahir la gorge.

Ce jour-là Danny D'Angelo ne travaillait pas au Café Rossini, mais Bob Martín put interroger deux employés, qui n'étaient pas certains d'avoir vu Indiana, parce que ce vendredi soir le local était plein. L'inspecteur fit circuler une photo d'Indiana, qu'Amanda avait sur son téléphone portable, parmi le personnel de la cuisine et les clients, qui se détendaient à cette heure en prenant un café italien et la meilleure pâtisserie de North Beach. Il y avait plusieurs clients assidus qui la connaissaient, mais ils ne se souvenaient pas de l'avoir vue vendredi. Le père et la fille étaient sur le point de s'en aller, lorsque s'approcha d'eux un homme aux cheveux roux portant des vêtements froissés, qui était en train d'écrire à l'une des tables du fond.

— Pourquoi cherchez-vous Indiana Jackson ? leur demanda-t-il.

— Vous la connaissez ?

— Disons que oui, bien que nous n'ayons pas été présentés.

— Je suis l'inspecteur-chef de la Brigade criminelle, Bob Martín, et voici ma fille Amanda, dit le policier en lui montrant son insigne.

— Samuel Hamilton Jr, détective privé.

— Samuel Hamilton ? Comme le célèbre détective des romans de Gordon ? demanda l'inspecteur.

— C'était mon père. Il n'était pas détective mais journaliste, et je crains que ses prouesses n'aient été quelque peu exagérées par cet auteur. C'était dans les années soixante. Mon père est mort, mais il a longtemps vécu du souvenir de ses gloires passées, ou plutôt, de ses gloires romancées.

— Que savez-vous d'Indiana Jackson ?

— Pas mal de choses, inspecteur, je sais même qu'elle a été votre femme et qu'elle est la mère d'Amanda. Permettez-moi de vous expliquer. Il y a quatre ans, M. Alan Keller m'a engagé pour la surveiller. Pour mon malheur, une bonne partie de mes revenus provient de personnes jalouses qui soupçonnent leur conjoint, c'est l'aspect le plus ennuyeux et le plus désagréable de mon métier. Je n'ai pu donner aucune information intéressante à M. Keller, qui a suspendu la surveillance, mais il m'appelait régulièrement, en proie à une nouvelle crise de jalousie. Il ne s'est jamais persuadé que Mlle Jackson lui était fidèle.

— Vous savez qu'Alan Keller a été assassiné ?

— Oui, bien sûr, tous les médias en ont parlé. Je le regrette pour Mlle Jackson, qui l'aimait beaucoup.

— Nous la cherchons, monsieur Hamilton. Elle a disparu depuis vendredi. Il semble que le dernier à l'avoir vue soit un peintre qui vit à la Clinique Holistique.

— Matheus Pereira.

— Lui-même. Il dit qu'il l'a vue en fin de journée et qu'elle venait ici retrouver des amis. Vous pouvez nous aider ?

— Je n'étais pas ici vendredi, mais je peux vous donner une liste des amis que Mlle Jackson a fréquentés au cours des quatre dernières années. J'ai l'information chez moi, je vis près d'ici.

Une demi-heure plus tard, Samuel Hamilton arriva plein d'enthousiasme à la Brigade criminelle avec un gros dossier et son ordinateur portable, car c'était la première fois depuis des mois qu'il pouvait faire autre chose que poursuivre des gens qui enfreignaient la liberté sous caution, épier des couples au télescope et menacer de pauvres diables qui ne payaient pas leur loyer ou les intérêts d'un prêt. Son métier était une corvée, il n'avait rien de poétique ou de romanesque, comme dans les livres.

Petra Horr avait renoncé à son jour de congé et elle était au bureau, essayant de remonter le moral d'Amanda qui restait recroquevillée par terre, muette et réduite à la moitié de sa taille normale, serrant dans ses bras le sac de Sauvez-le-Thon. Ce matin-là, l'assistante était dans sa salle de bains en train de teindre ses cheveux de trois couleurs lorsqu'elle avait reçu l'appel de son chef ; elle avait à peine pris le temps de les rincer, de s'habiller en vitesse avant de partir comme une flèche sur sa moto. Sans le gel qui maintenait d'ordinaire ses cheveux hérissés, vêtue d'un pantalon court, d'un tee-shirt délavé et de baskets, Petra Horr avait l'air d'une gamine de quinze ans.

L'inspecteur avait déjà convoqué les gens de la scientifique afin qu'ils relèvent les empreintes sur l'ordinateur d'Indiana et se rendent ensuite à la Clinique Holistique en quête de preuves. Amanda se blottissait de plus en plus dans sa capuche à mesure qu'elle entendait les instructions de son père, bien que Petra Horr lui eût expliqué qu'il s'agissait de la procédure normale et que ça ne signifiait pas forcément que quelque chose de grave était arrivé à sa mère. Elle lui répondit par des gémissements, en suçant frénétiquement son pouce. En constatant que la petite régressait en âge au fil des heures, et craignant qu'elle ne se retrouve avec des couches, Petra prit sur elle d'appeler son grand-père. « On ne sait encore rien, monsieur Jackson, mais l'inspecteur-chef se consacre entièrement à la recherche de votre fille. Pourriez-vous venir à la Brigade ? Votre petite-fille se sentirait mieux si vous étiez auprès d'elle. Je vais envoyer une voiture de patrouille vous chercher. Aujourd'hui, c'est le marathon du jour des Innocents et la circulation est coupée dans de nombreuses rues. »

Pendant ce temps, Samuel Hamilton avait étalé sur le bureau de Bob Martín l'abondant contenu de son dossier, qui renfermait l'historique complet de la vie privée d'Indiana : des notes sur ses allées et venues, des transcriptions de conversations téléphoniques interceptées et des douzaines de photos, la plupart d'entre elles prises à une certaine distance, mais assez claires pour être agrandies sur l'écran. Là figuraient les membres de sa famille, les clients de son cabinet, y compris le caniche, ses amis et connaissances. Bob Martín éprouva un mélange de répulsion pour la façon dont cet homme avait espionné Indiana, de mépris pour Alan Keller qui l'avait engagé, d'intérêt professionnel pour ce précieux matériel et d'inévitable angoisse en voyant exposée devant ses yeux l'intimité de cette femme pour laquelle il ressentait une affection farouchement protectrice. Les photographies l'émurent jusqu'à la moelle :

Indiana sur sa bicyclette, traversant la rue avec sa blouse d'infirmière, pique-niquant dans une forêt, serrant Amanda dans ses bras, bavardant, parlant au téléphone, faisant ses courses au marché, fatiguée, joyeuse, endormie sur le balcon de son appartement au-dessus du garage de son père, transportant un énorme gâteau pour doña Encarnación, discutant avec lui dans la rue, les bras sur les hanches, irritée. Indiana, avec son air de vulnérabilité et d'innocence, sa fraîcheur de jeune fille, lui parut aussi belle qu'à quinze ans, lorsqu'il l'avait séduite derrière les gradins du gymnase de l'école avec l'indolence et l'inconscience qui caractérisaient tout ce qu'il faisait à cette époque, et il se détesta de ne l'avoir pas aimée et protégée comme elle le méritait, et d'avoir laissé passer la chance de former avec elle un foyer heureux, où Amanda se serait épanouie.

— Que savez-vous de Ryan Miller? demanda-t-il à Hamilton.

— À part qu'on le recherche pour la mort de M. Keller, je sais qu'il a eu une aventure avec Mlle Jackson. Elle a très peu duré et a eu lieu alors qu'elle avait rompu avec M. Keller; ce n'était donc pas une infidélité et je ne l'ai pas mentionnée à M. Keller. J'aime beaucoup la demoiselle, c'est une bonne personne, il n'y en a pas beaucoup comme elle dans le monde.

— Quelle est votre opinion sur Miller?

— M. Keller était jaloux de la moitié du monde, mais particulièrement de Miller. J'ai perdu des centaines d'heures à le surveiller. Je sais certaines choses sur son passé et je connais ses habitudes, mais la manière dont il gagne sa vie est un mystère. Je suis sûr qu'il a autre chose que sa pension de vétéran, il vit bien et voyage hors du pays. Son appartement est protégé par des mesures extrêmes de sécurité, il possède plusieurs armes, toutes légales, et va deux fois par semaine s'exercer dans un champ de tir. Il ne se sépare jamais de son chien. Ici il a très peu d'amis, mais il est en contact avec ses camarades, d'autres *navy seals* du Seal Team 6. Il a rompu il y a deux mois avec sa maîtresse, Jennifer Yang, sino-américaine, célibataire, trente-sept ans, cadre dans une banque, qui s'est présentée à la consultation d'Indiana Jackson et l'a menacée de lui jeter de l'acide à la figure.

— Comment ça ? Indiana ne me l'a jamais dit, l'interrompit Martín.

— À ce moment-là, Indiana et Miller étaient seulement amis. Je suppose que Miller en avait parlé à Indiana sans toutefois la lui présenter, si bien que lorsque Jennifer Yang est arrivée à la consultation en hurlant, Indiana a pensé que cette femme s'était trompée de porte. Matheus Pereira est descendu de sa terrasse en entendant le scandale et il a fait sortir Yang de l'immeuble.

— Cette femme a des antécédents policiers ?

— Rien. La seule chose étrange dans sa conduite, c'est qu'elle participe tous les ans à la foire sadomasochiste de la rue Folsom. J'ai deux ou trois photos d'elle recevant des coups de fouet sur le châssis d'une vieille Buick. Ça vous intéresse ?

— Seulement si elle est revenue embêter Indiana.

— Non. À votre place, inspecteur, je ne perdrais pas de temps avec Jennifer Yang. Concentrons-nous sur Ryan Millei, je vais résumer tout ce que je sais. Son père était un haut gradé dans la Marine, où il avait la réputation d'être sévère et même cruel envers ses subalternes ; sa mère s'est suicidée avec le revolver de service du père, mais la famille a toujours prétendu que c'était un accident. Miller est entré dans la Marine en suivant les traces de son père : excellents états de service, médaille du courage, il a été réformé après avoir perdu une jambe en Irak en 2007, il a reçu la décoration correspondante, mais s'est bientôt égaré dans la drogue et l'alcool… bref, le schéma habituel dans ces cas-là. Il s'est réhabilité et travaille pour le gouvernement et le Pentagone, mais je ne saurais vous dire dans quoi, peut-être l'espionnage.

— Dans la nuit du 18 février, Miller a été arrêté pour violence dans un club. Trois personnes se sont retrouvées à l'hôpital par sa faute. Vous le croyez capable d'avoir tué Keller ?

— Il pourrait l'avoir fait dans un accès de colère, mais pas de cette façon. C'est un *navy seal*, inspecteur. Il aurait affronté son rival et lui aurait donné la possibilité de se défendre, il n'aurait jamais utilisé du poison.

— L'histoire du poison n'a pas été rendue publique, comment le savez-vous ?

— C'est mon travail, je sais beaucoup de choses.

— Dans ce cas, vous savez peut-être où se cache Miller.

— Je ne me suis pas mis à sa recherche, inspecteur, mais si je le fais, je le trouverai sûrement.

— Faites-le, monsieur Hamilton, toute aide est la bienvenue.

Bob Martín ferma la porte de son bureau pour qu'Amanda ne l'entende pas et il confia à Samuel Hamilton qu'il soupçonnait Miller d'avoir pu séquestrer Indiana.

— Écoutez, inspecteur, dès que j'ai su que la police recherchait Miller je me suis mis à suivre Mlle Jackson, au cas où ils se rencontreraient. J'ai peu de travail en ce moment, et beaucoup de temps libre. Je l'ai suivie tant de fois que je la considère presque comme une amie. Miller est amoureux d'elle et j'ai pensé qu'il tenterait de l'approcher, mais à ma connaissance ils ne se sont pas parlé, dit Hamilton.

— Pourquoi dites-vous ça ?

— Vous connaissez la demoiselle mieux que moi, inspecteur : elle est transparente. Si elle aidait Miller, elle serait incapable de le dissimuler. En plus, ses habitudes n'ont pas changé. J'ai de l'expérience là-dessus, je sais quand une personne cache quelque chose.

Tandis que Bob Martín examinait les documents du détective privé, Blake Jackson arriva en hâte, essoufflé, dans le petit bureau de Petra Horr, où il trouva sa petite-fille recroquevillée par terre, le front sur les genoux, tellement ratatinée qu'on aurait dit un tas de chiffons Il s'assit à côté d'elle, sans la toucher, parce qu'il savait combien la petite pouvait être inaccessible, et il attendit en silence. Cinq minutes plus tard, qui parurent des heures à Petra, Amanda sortit une main d'entre les plis de ses vêtements et tâta l'espace, cherchant celle de son grand-père.

— Sauvez-le-Thon a besoin d'air, de nourriture, et elle doit faire ses besoins. Allons, trésor, nous avons beaucoup à faire, lui dit son grand-père du ton de quelqu'un qui veut calmer un animal effrayé.

— Ma maman…

— C'est de ça que je parle, Amanda. Il faut la retrouver. J'ai donné rendez-vous aux gars de *Ripper* pour une connexion dans deux heures. Tous sont d'accord sur le fait que c'est une priorité, et ils sont déjà en action. Allons, lève-toi, petite, viens avec moi.

Le grand-père l'aida à se relever, il remit un peu d'ordre dans ses vêtements, attrapa le sac de la chatte et au moment où il s'en allait en la tenant par la main, Petra, qui parlait au téléphone, les arrêta d'un geste.

— Au laboratoire, ils ont déjà les empreintes sur l'ordinateur et ils l'apportent tout de suite.

Un agent monta l'ordinateur portable dans le sac en plastique où l'avait mis Bob Martín quelques heures plus tôt, et leur tendit le rapport du laboratoire ; seules figuraient les empreintes d'Indiana. L'inspecteur retira l'appareil du sac et tous se réunirent autour de son bureau, tandis qu'Amanda, qui était aussi familiarisée avec son contenu que sa propriétaire, l'ouvrait après avoir enfilé des gants de latex. Se sentant utile, elle était sortie de la paralysie qui la tenait prisonnière et avait enlevé la capuche de son visage, mais elle gardait la même expression désolée. Indiana, très maladroite dans tout ce qui se rapportait à la technologie, utilisait un pourcentage infime des capacités de son ordinateur pour communiquer, écrire l'historique et les traitements de chaque patient, sa comptabilité et pratiquement rien d'autre. Ils lurent les courriers des vingt-trois derniers jours depuis la mort d'Alan Keller, et ne trouvèrent qu'une correspondance banale avec les destinataires habituels. Bob demanda à Petra de les copier, ils devaient les étudier pour traquer le moindre détail révélateur.

Soudain, l'écran devint noir et Amanda marmonna un juron, car elle avait déjà eu ce problème.

— Que se passe-t-il ? demanda l'inspecteur.

— Le Marquis de Sade. C'est le pervers personnel de maman. Préparez-vous, parce que vous allez voir les cochonneries qu'envoie ce pauvre type.

Elle n'avait pas fini de le dire que l'image revint sur l'écran, mais au lieu des actes troubles de cruauté et de sexe qu'Amanda attendait apparut une vidéo d'un paysage d'hiver éclairé par la lune, quelque part au nord de la planète, une clairière dans un bois de pins, de la neige, de la glace, et le bruit du vent. Quelques secondes plus tard, entre les arbres se détacha une silhouette solitaire, qui au début semblait n'être qu'une ombre ; mais en avançant sur la neige elle se précisa, et la silhouette d'un grand chien apparut. L'animal flaira le sol en faisant des cercles, puis il s'assit, leva la tête vers le ciel et salua la lune par un hurlement interminable.

La scène dura moins de deux minutes et les laissa tous déconcertés, sauf Amanda, qui se leva en titubant, les yeux exorbités, un cri rauque en travers de la gorge. « Le Loup, la signature de l'assassin », parvint-elle à balbutier avant de se plier en deux et de vomir sur le siège de bureau de son père.

Tu m'as dit à plusieurs reprises que tu faisais confiance à ta bonne étoile, Indiana, tu crois que l'esprit de ta mère veille sur toi et ta famille. Cela explique que tu ne fasses pas de projets d'avenir, que tu n'économises pas un centime, que tu vives au jour le jour, joyeusement, comme une cigale. Tu t'es même libérée des appréhensions de toute mère normale, tu tiens pour acquis qu'Amanda réussira grâce à ses propres mérites et avec l'aide de son père et de son grand-père ; jusqu'en cela tu es irresponsable. Je t'envie, Indiana. Moi, la chance ne me sourit pas et je ne compte pas sur des anges gardiens, j'aimerais croire que l'esprit de ma mère veille sur moi, mais ce sont des enfantillages. Je veille sur moi sans l'aide de personne. Je prends des précautions, parce que le monde est hostile et m'a maltraité.

Tu es très calme, mais je sais que tu m'entends. Est-ce que tu trames quelque chose ? Oublie ça. La première fois que tu t'es réveillée, dans la nuit de samedi, il faisait si sombre, si humide et si froid, et le silence était si total, que tu as cru être morte et enterrée. Tu n'étais pas préparée à la peur. Moi, au contraire, je la connais bien. Tu avais dormi vingt-quatre heures et tu étais confuse ; depuis, tu as dû avoir des moments de lucidité. Je t'ai laissée crier et crier pendant un moment, pour que tu comprennes que personne ne viendrait à ton secours, et lorsque tu as entendu l'écho de ta voix résonner dans l'immensité de cette forteresse, la panique t'a rendue muette. Par précaution, je dois te bâillonner quand je sors, même si cela ne me plaît pas, parce que la colle de la bande adhésive va t'irriter la peau. Il est possible qu'en mon absence tu retrouves par moments la conscience et la perdes à nouveau, c'est l'effet du médicament que je te donne pour que tu te sentes bien. C'est juste de la benzodiazépine, rien de nocif, bien que je doive t'en donner une forte dose. Les seules complications pourraient être des convulsions ou un arrêt respiratoire, mais cela arrive rarement. Tu es forte, Indi, et j'en sais long à ce sujet, il y a des années que j'étudie et que j'expérimente. Tu te souviens comment tu es arrivée ici ? Tu ne te souviens certainement de rien. La kétamine que je t'ai administrée vendredi provoque l'amnésie, c'est normal. C'est une drogue très utile, la CIA l'a expérimentée pour des interrogatoires, elle pose moins de problèmes que la torture. Personnellement, j'abhorre la cruauté, la vue du sang me donne des nausées, aucun des scélérats que j'ai exécutés n'a souffert plus que nécessaire. Dans ton cas, les somnifères sont adaptés, ils t'aident à passer les heures, mais demain je commencerai à réduire la dose pour éviter les risques et pour que nous puissions bavarder. Je t'entends encore murmurer à propos d'un mausolée, tu crois que tu es enterrée, bien que je t'aie expliqué la situation. La douleur au ventre va passer, je te donne aussi des analgésiques et des antispasmodiques, je me soucie de ton bien-être. Je te répète que ceci n'est pas un cauchemar,

Indiana, pas plus que tu n'es folle. Il est normal que tu ne saches pas ce qui s'est passé ces derniers jours, mais bientôt tu te souviendras de qui tu es ; ta fille, ton père, ta vie passée commenceront à te manquer. La faiblesse aussi est normale et elle passera, sois patiente, mais tu n'iras pas mieux si tu ne manges pas. Tu dois manger un peu. Ne m'oblige pas à prendre des mesures désagréables. Ta vie ne t'appartient plus, ta vie est à moi, et je suis chargé de ta santé, c'est moi qui déciderai comment et combien de temps tu vas vivre.

Mardi, 3

Grâce à *Ripper*, qui la tint occupée, Amanda parvint à émerger de l'état de terreur où l'avait plongée la certitude que le Loup retenait sa mère. Aucun des arguments de son père ne put la convaincre que l'absence d'Indiana n'avait pas de rapport avec les crimes précédents ; en fait, lui non plus ne croyait pas aux raisonnements par lesquels il tentait de rassurer sa fille. Le symbole du loup était le seul lien qu'ils avaient entre Indiana et l'assassin, mais il était trop clair pour qu'ils l'ignorent. Pourquoi Indiana ? Pourquoi Alan Keller ? L'inspecteur-chef pressentait que les connaissances ou l'expérience accumulées au cours de ses années de carrière ne lui serviraient à rien et il priait pour que le flair de policier dont il était si fier ne lui fît pas défaut.

Comme Amanda continuait à avoir des crises de panique, Blake Jackson appela le lycée pour expliquer à sœur Cécile le drame qui les frappait et lui dire que sa petite-fille n'était pas en état de retourner en classe. La religieuse autorisa l'adolescente à s'absenter le temps nécessaire, elle ajouta qu'elle prierait avec les autres sœurs pour Indiana et demanda qu'on la tînt informée. Blake n'alla pas travailler non plus, entièrement occupé à prendre soin de sa petite-fille et à participer au jeu, qui avait cessé d'être un divertissement pour devenir une effrayante réalité. Les membres de *Ripper* affrontaient la « mère de tous les jeux», comme ils avaient surnommé la recherche désespérée d'Indiana Jackson.

Bob Martín conclut que l'assassin était un psychopathe d'une intelligence exceptionnelle, méthodique et implacable, l'un des criminels les plus complexes et les plus diaboliques dont il eût entendu parler. Il affirmait que la routine de son travail n'était pas difficile, parce que son réseau de mouchards le renseignait sur les agissements de la pègre, et que la plupart des délinquants ordinaires sont fichés, récidivistes, vicieux, drogués, alcooliques ou simplement stupides, qu'ils laissent une traînée de pistes, trébuchent sur leur ombre, se trahissent et se dénoncent les uns les autres et à la fin tombent de leur propre poids; le problème, c'étaient les gangsters de haut vol, ceux qui causent des préjudices catastrophiques sans se salir les mains, échappent à la justice et meurent de vieillesse dans leur lit. Mais au cours de toutes ses années de service il n'avait jamais eu affaire à quelqu'un comme le Loup, il ne savait dans quelle catégorie le ranger, ne savait ce qui le motivait, comment il choisissait ses victimes et planifiait chaque crime. Il avait l'impression qu'un poing lui pressait l'estomac, il croyait que le Loup était tout près, que c'était un ennemi personnel. La mort d'Alan Keller avait été un avertissement et la disparition d'Indiana un affront qui lui était directement adressé; la terrifiante possibilité qu'il s'en prît à Amanda l'inondait de sueur glacée.

Depuis la disparition d'Indiana, l'inspecteur-chef n'était pas rentré à son appartement, il mangeait à la cafétéria ou ce que lui apportait Petra, dormait dans un fauteuil et se douchait au gymnase de la Brigade. Le lundi, Petra dut aller lui chercher des vêtements propres et porter son linge sale à la laverie. Elle non plus ne s'accorda aucun répit, parce qu'elle ne l'avait jamais vu obsédé au point de négliger son apparence, et cela l'inquiétait. Martín entretenait son physique de footballeur sur les machines du gymnase, il sentait une eau de toilette qui coûtait deux cents dollars, payait cher sa coupe de cheveux, faisait faire ses chemises en lin d'Égypte sur mesure, ses costumes et ses chaussures étaient hors de prix. S'il en avait décidé ainsi, ce qui arrivait souvent, n'importe quelle femme rendait les armes devant Bob Martín, sauf elle, cela va de soi. Très tôt le mardi, lorsque Petra arriva au bureau et qu'elle vit son chef, elle proféra un juron : la moustache, cultivée avec soin pendant une décennie, avait disparu.

— Je n'ai pas le temps de m'occuper de ça, marmotta l'inspecteur.

— Vous me plaisez, chef. Vous avez l'air plus humain. La moustache vous faisait ressembler à Saddam Hussein. Nous verrons ce qu'en pense Ayani.

— Qu'est-ce que ça peut lui faire, à elle !

— Eh bien, j'imagine que ce doit être différent avec le chatouillement de la moustache... vous voyez ce que je veux dire.

— Non, Petra. Je n'ai aucune idée de ce que tu veux dire. Ma relation avec Mme Ashton se limite à l'enquête sur la mort de son mari.

— Si c'est le cas, je vous félicite, chef. Il aurait été inconvenant que vous ayez des relations intimes avec une suspecte.

— Tu sais très bien qu'elle n'est plus suspecte. La mort de Richard Ashton est liée aux autres meurtres, les similitudes entre les crimes sont évidentes. Ayani n'est pas un tueur en série.

— Comment le savez-vous ?

— Bon sang, Petra !

— Bon, ne vous fâchez pas. Je peux vous demander pourquoi vous avez rompu ?

— Non, tu ne peux pas, mais je vais te répondre. Nous n'avons jamais été ensemble de la manière que tu crois. Et ici se termine cet interrogatoire absurde, d'accord ?

— Oui, chef. Une dernière question. Pourquoi est-ce que ça n'a pas marché avec Ayani ? Simple curiosité.

— Elle est traumatisée physiquement et émotionnellement, ça constitue un obstacle pour... pour l'amour. Le jour où Elsa Domínguez est venue parler des combats de chiens et où tu m'as appelé, j'étais avec Ayani. Nous avions dîné chez elle, mais après, au lieu de passer un moment romantique, comme je l'espérais, elle m'a montré un long documentaire sur la mutilation génitale et m'a raconté les complications dont elle a souffert pour cette raison, elle a même subi deux opérations. Avec Richard Ashton, elle n'avait pas de relations intimes, c'était stipulé dans le contrat de mariage. Ayani s'est mariée pour bénéficier d'une sécurité économique, et lui pour l'exhiber comme un objet de luxe et susciter l'envie.

— Mais dans la vie commune, Ashton n'a sûrement pas respecté les conditions du contrat et c'est pour cette raison qu'ils se disputaient tellement, déduisit Petra.

— C'est ce que je crois, bien qu'elle ne m'en ait rien dit. Je comprends maintenant le rôle de Galang ; il est le seul homme qui ait accès à l'intimité d'Ayani.

— Je vous l'avais dit, chef. Vous voulez du café ? Je vois que vous avez encore passé la nuit ici. Vous avez des cernes de carcajou. Allez vous reposer chez vous ; s'il y a des nouvelles, je vous avertis tout de suite.

— Je ne veux pas de café, merci. J'étais en train de penser que l'auteur des cinq crimes commis à San Francisco n'est pas le même que celui qui a tué Keller à Napa. Ce n'est qu'un pressentiment, mais il se peut que Ryan Miller ait tué Alan Keller par jalousie et qu'il ait imité la méthode du Loup pour nous égarer. Amanda a pu lui raconter les détails qui n'ont pas été rendus publics. Ma fille est plongée jusqu'au cou dans cette affaire et elle a de la sympathie pour Miller, allez savoir pourquoi, peut-être à cause de ce chien.

— Si Amanda communiquait avec Miller, nous le saurions déjà.

— Tu en es sûre ? Cette petite est capable de se jouer de nous tous.

— Je doute que Miller ait tué Alan Keller d'une manière si peu typique d'un soldat et qu'il ait laissé la scène parsemée de preuves contre lui. C'est un homme intelligent, formé à la discrétion et au secret, doté de sang-froid pour les missions les plus difficiles. Il ne s'incriminerait pas de façon si grossière.

— C'est ce que pense Amanda, admit le policier.

— Si ce n'est ni le Loup ni Miller, qui a tué Keller ?

— Je l'ignore, Petra. Tout comme j'ignore qui est responsable de la disparition d'Indiana. Miller reste le suspect le plus évident. J'ai demandé à Samuel Hamilton de vérifier une chose que m'a suggérée Amanda : Staton, les Constante, Ashton et Rosen travaillaient avec des enfants. Cette piste peut nous conduire au Loup.

— Pourquoi avez-vous fait appel à Hamilton ? lui demanda Petra.

— Parce qu'il peut enquêter sans utiliser les services de la Brigade, qui sont débordés, et parce qu'il a de l'expérience. Cet homme m'inspire confiance.

Les joueurs de *Ripper*, y compris Jézabel, avaient délaissé leur routine pour se consacrer pleinement à l'étude des affaires, chacun ayant recours à ses talents particuliers. Ils restaient en contact permanent grâce à leurs portables et se retrouvaient en vidéoconférence dès qu'ils découvraient une nouvelle piste, souvent au milieu de la nuit. Devant l'urgence de la tâche, Abatha se mit à manger afin de ne pas manquer d'énergie et sir Edmond Paddington se risqua hors de sa chambre, dans laquelle il était enfermé depuis des années, pour parler en personne à un vieux policier irlandais du New Jersey à la retraite, expert en meurtres en série. Pendant ce temps, Esmeralda et Sherlock Holmes, l'un à Auckland, en Nouvelle-Zélande, et l'autre à Reno, dans le Nevada, analysaient une fois de plus, partant de zéro, les éléments dont ils disposaient. Et ce fut Abatha qui découvrit la clé permettant d'ouvrir la boîte de Pandore.

— Comme nous l'a expliqué Sherlock Holmes dans un jeu précédent, tous les corps, sauf celui de Rachel Rosen qui a été trouvé trois jours après sa mort, présentaient une rigidité cadavérique, ce qui permet de calculer l'heure du crime. Nous savons avec certitude que cinq victimes sont mortes aux alentours de minuit et nous pouvons présumer que c'était le cas pour Rosen, dit Jézabel, représentant Miller et Alarcón.

— À quoi cela nous sert-il ? demanda Esmeralda.

— Cela signifie que l'assassin n'agit que la nuit.

— Il travaille peut-être dans la journée, dit Sherlock Holmes.

— C'est à cause de la lune, intervint Abatha.

— Comment ça à cause de la lune ? s'enquit Esmeralda.

— La lune est mystérieuse, elle indique les mouvements du voyage de l'âme d'une réincarnation à une autre, elle représente le féminin, la fertilité, l'imagination et les cavernes obscures de l'inconscient. La lune affecte la menstruation et les marées, expliqua la voyante.

— Abrège, Abatha, allons droit au but, l'interrompit sir Edmond Paddington.

— Le Loup attaque à la pleine lune, conclut Abatha.

— Explique-toi, Abatha, tu divagues.

— Je peux parler ? demanda Kabel.

— Sbire, à partir de maintenant je t'ordonne de parler quand tu as quelque chose à dire, tu n'as pas besoin de demander la permission, dit la maîtresse du jeu d'un ton impatient.

— Merci, maîtresse. Vous avez remarqué qu'il y a un assassinat chaque mois ? Abatha a peut-être raison, suggéra le sbire.

— Tous les crimes ont eu lieu à la pleine lune, dit Abatha avec plus de fermeté que d'habitude, parce qu'elle avait mangé une demi-gimblette.

— Tu en es sûre ? demanda Esmeralda.

— Voyons ça. J'ai ici les calendriers de 2011 et 2012, intervint Jézabel.

— Le Loup a commis les assassinats le 11 octobre et le 10 novembre de l'année dernière, le 9 janvier, le 7 février et le 8 mars de cette année, dit Sherlock Holmes.

— Pleine lune ! Dans tous les cas c'était nuit de pleine lune ! s'exclama Jézabel.

— Vous croyez que nous sommes face à un être mi-homme mi-bête qui se transforme les nuits de pleine lune ? suggéra Esmeralda, enthousiasmée par cette possibilité.

— Mon grand-père et moi avons étudié les lycanthropes quand nous nous sommes fatigués des vampires, tu te souviens, Kabel ? dit Amanda.

— L'homme-loup est le plus intelligent et le plus agressif des lycanthropes, récita le grand-père. Il y a trois sortes de lycanthropie : humaine, hybride et loup. Il n'est pas sociable, vit seul, agit la nuit. Sous sa forme hybride ou de loup, il est carnivore et très sauvage, mais dans sa forme humaine il ne se distingue pas d'autres personnes.

— Ça, c'est du fantasme et on n'est plus en train de s'amuser, ceci est réel, leur rappela le colonel Paddington.

— À l'hôpital où on m'a internée l'an passé il y avait un type qui se transformait en homme-araignée. Ils le gardaient attaché pour l'empêcher de sortir en volant par la fenêtre, insista Abatha.

— Tu veux dire qu'il est fou, dit Amanda.

— Fou ? Je ne sais pas. On dit aussi que je suis folle, répliqua Abatha.

Il se produisit un long silence, tandis que les joueurs digéraient cette information, silence qui fut interrompu par l'une des questions typiques d'Esmeralda.

— Que s'est-il passé à la pleine lune de décembre ?

L'inspecteur-chef eut un moment de panique lorsque Amanda l'appela à cinq heures du matin pour lui raconter l'histoire de l'homme-loup et de la pleine lune ; sa fille était bien plus étrange que tous ne le supposaient et le moment était venu d'avoir recours à un psychiatre. Mais un instant plus tard, en comparant les dates des crimes et les phases de la lune, qu'elle lui expliqua précipitamment, il accepta de réviser les faits policiers du 10 décembre de l'année précédente, nuit de pleine lune, et du reste de cette semaine. L'affaire prenait une tournure tellement insensée qu'il n'osa pas la confier à l'un de ses détectives qui, d'ailleurs, étaient tous occupés par les enquêtes en cours et par les deux agents du FBI, qui avaient bouleversé le rythme de la Brigade criminelle, aussi en chargea-t-il Petra Horr. Trente-cinq minutes plus tard l'assistante déposa ce qu'il avait demandé sur son bureau.

La nuit en question il y avait eu plusieurs décès de causes non naturelles à San Francisco, des bagarres, des accidents, un suicide et une overdose ; bref, les malheurs habituels, mais un seul cas retint l'attention de l'inspecteur et de son assistante : un accident survenu sur l'unique terrain de camping de la ville, à Rob Hill, décrit dans le langage concis des rapports de police. Le 11 décembre au matin, les rares personnes qui campaient à Rob Hill Camp Ground s'étaient plaintes à l'administrateur d'une odeur de gaz près de l'un des camping-cars. Comme personne n'avait répondu lorsqu'ils avaient frappé à la porte, le gérant l'avait forcée et ils avaient découvert les corps d'un couple de touristes, Sharon et Joe Farkas, en provenance de Santa Barbara, en Californie, asphyxiés au monoxyde de carbone. On n'avait pas réalisé d'autopsies, car la cause de la mort paraissait évidente : le couple était ivre et n'avait pas prêté attention à la fuite de gaz butane du réchaud, c'était un regrettable accident. Il y avait une bouteille de genièvre à moitié vide dans le camping-car. La police avait localisé un frère de Joe Farkas à Eureka, lequel s'était présenté deux jours plus tard pour identifier les corps. L'homme avait voulu emporter le camping-car, mais celui-ci avait été confisqué par la police jusqu'à ce que l'affaire soit classée.

Bob Martín chargea un détective de retrouver le frère de Joe et de parler à la police de Santa Barbara pour en savoir davantage sur les victimes ; il ordonna en outre à son équipe scientifique de passer le camping-car des Farkas au peigne fin, à la recherche de tout ce qui pouvait être utile. Puis il appela sa fille pour la remercier de la piste qu'elle lui avait donnée et l'informer sur le couple décédé à la pleine lune de décembre.

— C'est une autre exécution, comme les précédentes, papa. Le camping-car a été la chambre à gaz des Farkas.

— Alan Keller a été empoisonné.

— C'est aussi une forme d'exécution. Souviens-toi de Socrate.

— De qui ?

— Un Grec mort il y a très longtemps. On l'a obligé à boire de la ciguë. Les nazis eux aussi ont exécuté au cyanure plusieurs généraux tombés en disgrâce. Mais rien de cela ne nous aide à retrouver maman.

— La séquestration est un crime fédéral. Toute la police du pays est à sa recherche, Amanda. Allume la télévision et tu verras la photo d'Indiana sur toutes les chaînes, lui dit l'inspecteur.

— Je l'ai vue, papa. Plusieurs personnes ont appelé pour nous présenter leurs condoléances et Elsa est venue vivre avec nous jusqu'à ce que maman réapparaisse. Tu as interrogé ses patients ?

— Bien sûr, c'est la routine, mais personne ne sait rien. Aucun ne tombe dans la catégorie des suspects. Réponds-moi très franchement. Crois-tu qu'Indiana soit partie avec Ryan Miller ? Ils ont disparu tous les deux.

— C'est le Loup qui la retient ! Comment ne le comprends-tu pas ?

— Ce n'est qu'une théorie, mais je la considère très sérieusement.

— Il manque trois jours d'ici la pleine lune, papa. Le Loup va de nouveau frapper, dit la petite, et un sanglot lui brisa la voix.

Bob Martín promit de la tenir au courant de chaque étape de l'enquête. Lorsqu'elle lui répondit qu'elle-même allait chercher sa mère de son côté, il imagina qu'elle faisait référence au jeu de *Ripper* et sentit une vague sensation de soulagement, comme si le ciel lui avait envoyé une aide magique. Il commençait à prendre ces enfants au sérieux.

L'inspecteur-chef tint sa promesse et appela sa fille à sept heures du matin pour lui communiquer les résultats des enquêtes de Samuel Hamilton. Le gardien Ed Staton, accusé à plusieurs reprises d'abuser physiquement des enfants dont il était chargé à Boys Camp, avait été renvoyé après la mort d'un garçon en 2010, mais il avait peu après retrouvé du travail dans une école de San Francisco grâce à une lettre de recommandation de la juge Rachel Rosen.

La femme, surnommée « la Bouchère » en raison de ses sentences draconiennes envers les jeunes qui passaient dans son tribunal, recevait fréquemment des invitations pour donner des conférences dans des maisons de redressement, dont certaines faisaient l'objet de centaines de dénonciations pour mauvais traitements. Ses honoraires s'élevaient à dix mille dollars. La Californie, dont la population carcérale augmentait régulièrement, sous-traitait le placement des mineurs à d'autres États et, grâce à Rosen, Boys Camp et d'autres établissements privés similaires, profitaient d'un flux ininterrompu de clients. On ne pouvait l'accuser de recevoir des commissions ou des pots-de-vin, ses bénéfices apparaissaient sous forme de paiements pour ses conférences et de cadeaux : places de théâtre, caisses d'alcool, vacances à Hawaii, croisières en Méditerranée et dans les Caraïbes.

— Autre chose qui va t'intéresser, Amanda, c'est que Rachel Rosen et Richard Ashton se connaissaient professionnellement. Le psychiatre réalisait l'évaluation psychologique d'enfants et d'adolescents déférés devant les tribunaux et sous la responsabilité du Service de Protection de l'Enfance, dit l'inspecteur-chef.

— Et je suppose que le foyer des Constante recevait des enfants que leur envoyait Rosen.

— Cela n'est pas du ressort du juge, c'est de la compétence du Service de Protection de l'Enfance, mais on peut dire qu'il y avait une relation indirecte entre eux, lui expliqua son père.

Écoute ça, Amanda. En 1997 il y a eu une dénonciation contre Richard Ashton, rapidement étouffée, parce qu'il utilisait des électrochocs et des drogues expérimentales dans le traitement des mineurs. Les méthodes d'Ashton étaient douteuses, c'est le moins qu'on puisse dire.

— Il faut enquêter sur les Farkas, papa.

— Nous sommes dessus.

Tu devrais être plus lucide, Indi, je vois que tu es très sensible aux médicaments. Tu pourrais me montrer un peu de gratitude, j'essaie de t'apporter le maximum de confort, étant donné les circonstances. On ne va certes pas comparer cela à l'hôtel Fairmont, mais tu as un lit décent et de la nourriture fraîche. Le lit était ici, c'est le seul, les autres sont des brancards, deux perches et une toile. Je t'ai apporté une autre boîte de pansements et un antibiotique pour la fièvre. Cette fièvre complique un peu mes plans, il serait temps que tu te réveilles maintenant, parce que tu n'es pas vraiment droguée, je ne t'administre qu'un cocktail d'analgésiques, de sédatifs et de somnifères pour que tu restes tranquille, ce sont les doses adéquates, rien qui justifie ton état de prostration.

Fais un effort pour revenir au présent. Comment va ta mémoire ? Tu te souviens d'Amanda ? C'est une enfant curieuse. La curiosité est la mère de tous les péchés, mais aussi de toutes les sciences. J'en sais long sur ta fille, Indiana ; par exemple, je sais qu'en ce moment elle est occupée à te chercher, et si elle est aussi maligne que tous le croient, elle découvrira les clés que je lui ai laissées, mais jamais à temps. Pauvre Amanda, je la plains, elle va passer le reste de sa vie à se culpabiliser.

Tu devrais apprécier d'être aussi propre, Indiana. J'ai pris la peine de te laver avec une éponge et si tu coopérais un peu, je pourrais te laver les cheveux. Ma mère disait que la vertu commence par l'hygiène : corps propre, esprit propre. Même aux époques où nous vivions dans une voiture ou dans une camionnette, elle s'arrangeait pour que nous puissions prendre une douche chaque jour, c'était aussi important pour elle que la nourriture. Ici nous avons cent bidons d'eau, scellés depuis la Seconde Guerre mondiale et, tu ne vas pas le croire, il y a même un beau meuble en bois sculpté avec un miroir biseauté, intact, sans une égratignure. Les couvertures aussi datent de cette époque, il est admirable qu'elles soient propres et en bon état, on voit qu'il n'y a pas de mites. Fais-moi confiance, je ne permettrai pas que tu aies des poux et que tu attrapes une infection, je te protège aussi des insectes, je suppose qu'il doit y avoir toutes sortes de bestioles dégoûtantes dans cet endroit, en particulier des cafards, bien que j'aie entièrement désinfecté cette petite pièce avant de t'y amener. Je ne pouvais pas tout désinfecter, bien sûr, cette enceinte est immense. Il n'y a pas de rats, les chouettes et les chats se chargent de les éliminer ; des centaines de chouettes et de chats vivent ici depuis des générations. Savais-tu qu'à l'extérieur il y a aussi des quantités de dindons sauvages ?

Après t'avoir lavée je t'ai mis ton élégante chemise de nuit, celle que Keller t'a offerte et que tu gardais pour une occasion spéciale. Quoi de plus spécial que celle-ci ? J'ai dû jeter ton pantalon à la poubelle, il était plein de sang et je ne peux pas me mettre à faire la lessive. Savais-tu que j'ai la clé de ton appartement ? Les sous-vêtements qui ont disparu de ton armoire sont en ma possession, je voulais avoir un souvenir de toi et je les ai pris sans imaginer qu'ils nous serviraient aujourd'hui. Les tours que nous joue la vie ! Je peux entrer dans ton appartement quand je veux, l'alarme qu'a installée ton ex-mari est un jouet ; en fait j'y ai fait un saut dimanche et j'ai descendu l'escalier pour aller chez ton père, j'ai jeté un coup d'œil à Amanda qui dormait avec sa chatte dans les bras, et il m'a semblé qu'elle allait bien, mais je sais qu'elle est très nerveuse et que pour cette raison elle n'est pas allée au lycée, il y a de quoi, pauvre petite. J'ai aussi la clé de ton cabinet et le mot de passe de ton ordinateur, je te l'ai demandé pour acheter des places de cinéma sur Internet et tu me l'as donné sans hésiter, tu es très négligente, mais il est vrai que tu n'avais aucune raison de te méfier de moi.

Je vais devoir te bâillonner à nouveau Essaie de te reposer, je reviendrai cette nuit, car je ne peux entrer et sortir à n'importe quelle heure. Même si tu ne le crois pas, dehors c'est le matin. Les murs de cette pièce sont des rideaux d'une étrange étoffe, on dirait du caoutchouc noir ou de la toile enduite, ils sont lourds, mais assez souples, étanches, c'est pourquoi tu as l'impression qu'il fait toujours nuit. Le toit s'est enfoncé dans certaines parties de la forteresse, et dans la journée filtre un peu de lumière, mais elle ne parvient pas jusqu'ici. Tu comprendras que je ne peux te laisser une lampe, ce serait dangereux. Je sais que les heures te paraissent interminables et que tu m'attends avec anxiété. Tu crains certainement que je t'oublie, ou qu'il m'arrive quelque chose et que je ne puisse revenir, alors tu mourrais d'inanition attachée sur le lit. Non, Indi, il ne va rien m'arriver, je reviendrai, je te le promets. Je vais apporter de la nourriture et je ne veux pas avoir à te la faire avaler de force. Qu'aimerais-tu manger ? Demande-moi ce que tu veux.

L'horloge murale de l'inspecteur-chef était une relique des années quarante, que la Brigade criminelle gardait pour des raisons historiques et pour son infaillible précision suisse. Bob Martín, qui l'avait en face de son bureau avec plusieurs photographies de chanteurs mexicains, parmi eux son père et son groupe de mariachis, sentait sa tension monter tandis que les aiguilles métalliques marquaient l'écoulement du temps. Si Amanda était dans le vrai – et elle l'était certainement –, il avait jusqu'à vendredi soir, seulement deux jours et quelques heures, pour retrouver Indiana en vie. Sa fille l'avait convaincu que trouver sa mère signifiait aussi capturer le psychopathe sanguinaire qui était en liberté dans la ville, même s'il ne parvenait pas à établir un lien entre Indiana et ce criminel.

À neuf heures du matin il reçut un appel de Samuel Hamilton, qui la veille avait entrepris de comparer la liste des amis de l'ordinateur portable d'Indiana avec la sienne. À neuf heures cinq l'inspecteur enfila sa veste, il ordonna à Petra Horr de l'accompagner et il partit pour North Beach dans une voiture de patrouille.

À la Clinique Holistique, tous avaient vu la photographie d'Indiana Jackson à la télévision ou dans les journaux et plusieurs de ses collègues commentaient le fait dans le couloir du deuxième étage, devant la porte du cabinet numéro 8 scellée par les bandes jaunes de la police. Petra Horr resta avec eux pour relever leurs coordonnées, tandis que l'inspecteur montait en courant au troisième étage et grimpait avec l'agilité d'un singe à l'échelle qui conduisait à la terrasse. Il ne frappa pas à la porte déglinguée, il l'ouvrit d'un coup de pied et, piaffant d'impatience, se dirigea vers le lit où Matheus Pereira, habillé de pied en cap, dormait du doux sommeil de sa pipe. Le peintre se réveilla suspendu en l'air par les grosses mains de footballeur de Bob Martín qui le secouaient comme un pantin.

— Tu vas me dire avec qui Indiana est partie vendredi !

— Je vous ai déjà dit tout ce que je sais..., répliqua Pereira, pas encore tout à fait réveillé.

— Tu veux passer les dix prochaines années de ta vie en prison pour trafic de drogue ? l'apostropha l'inspecteur à quelques centimètres de son visage.

— Elle est partie avec une femme, je ne sais pas comment elle s'appelle, mais je l'ai vue plusieurs fois par ici.

— Décris-la-moi.

— Si vous me lâchez, je peux vous la dessiner, lui proposa le Brésilien.

Il prit un fusain et, deux minutes plus tard, remit à l'inspecteur le portrait d'une babouchka russe.

— Tu te fiches de moi, pauvre type, rugit Martín.

— C'est elle, je vous assure.

— Elle s'appelle Carol Underwater ? lui demanda l'inspecteur.

C'était le nom que lui avait donné Samuel Hamilton et qui ne figurait pas dans les courriers électroniques d'Indiana que Petra avait copiés avant que l'ordinateur ne soit rangé avec le reste des preuves.

— Oui, je suis presque sûr qu'elle s'appelle Carol, acquiesça Pereira. C'est une amie d'Indiana. Elles sont parties ensemble, j'étais en bas, dans le hall, et je les ai vues sortir.

— Elles t'ont dit quelque chose ?
— Carol m'a dit qu'elles allaient au cinéma.
Le policier descendit au deuxième étage et fit circuler le dessin parmi les locataires de la Clinique Holistique, qui se trouvaient toujours dans le couloir avec Petra ; plusieurs confirmèrent qu'ils avaient vu cette femme quelquefois en compagnie d'Indiana. Yumiko Sato ajouta que Carol Underwater souffrait d'un cancer et qu'elle avait perdu ses cheveux à cause de la chimiothérapie, ce qui expliquait le foulard de paysanne russe sur sa tête.

En arrivant à son bureau, l'inspecteur-chef colla l'esquisse faite par Matheus Pereira sur le tableau mural face à son bureau, où il avait mis toutes les informations qui pouvaient le guider dans la recherche du Loup et d'Indiana. Ainsi, en les ayant sous les yeux à chaque instant, une idée lui viendrait. Il savait, car ça lui était arrivé plusieurs fois, que l'excès de données et la pression l'empêchaient de raisonner clairement. Cette fois s'ajoutait l'angoisse qui l'étreignait. Il se comparait à un chirurgien forcé de pratiquer une opération grave sur un être cher : de son habileté dépendait la vie d'Indiana. Cependant, il avait confiance dans son instinct de chasseur, comme il appelait cette aptitude de son cerveau qui lui permettait de détecter des pistes invisibles, de deviner les pas qu'avait faits et ferait sa proie, d'arriver à des conclusions sans fondement logique qui s'avéraient presque toujours justes. Le tableau sur le mur lui servait à mettre en relation les divers aspects de l'enquête, mais surtout à stimuler cet instinct de chasseur.

Depuis que sa fille avait commencé à parler d'un tueur en série, il s'était plusieurs fois réuni avec les psychologues de sa brigade pour étudier des cas semblables survenus au cours des vingt dernières années, en particulier en Californie. Cette sorte d'assassinat systématique n'était pas un comportement spontané, il répondait à des fantasmes récurrents en gestation depuis des années, jusqu'à ce que quelque chose provoque le passage à l'acte. Certains prétendaient corriger les homosexuels ou les prostituées, d'autres étaient poussés par la haine raciale ou certains types de fanatisme, mais les victimes du Loup étaient tellement différentes qu'elles paraissaient choisies au hasard. Il se demanda quelles convictions et quelle image le Loup avait de lui-même, s'il se voyait comme une victime ou un justicier. Nous sommes tous les héros de notre propre histoire. Quelle était celle du Loup ? Pour l'attraper, l'inspecteur devait penser comme lui, il devait se changer en Loup.

À midi, Petra Horr lui annonça qu'ils n'avaient pas trouvé un seul indice de l'existence de Carol Underwater. Il n'y avait pas de permis de conduire, de véhicule, de propriété, de carte de crédit, de compte bancaire, de téléphone ou d'emploi sous ce nom, et aucun hôpital ou clinique de la baie de San Francisco ne la comptait parmi ses patients atteints d'un cancer. Comment communiquait-elle avec Indiana ? Il était possible que quelqu'un ayant accès à l'ordinateur portable ait effacé les courriers, de la même façon qu'il avait introduit la scène du Loup, ou qu'elles ne se parlent qu'au téléphone. Comme ils n'avaient pas trouvé le portable d'Indiana, Bob Martín réclama aussitôt une assignation pour que la compagnie des téléphones remonte les appels de ce numéro, mais cela prendrait deux jours. Pour le moment, Carol Underwater, que tant de personnes avaient vue ces derniers mois, était un fantôme.

Personne n'avait eu la courtoisie d'avertir Céleste Roko de la disparition d'Indiana. Elle l'apprit plusieurs jours plus tard par un appel hystérique de son amie Encarnación Martín qui avait déjà demandé à saint Jude Thaddée de trouver la mère de sa petite-fille. « Tu n'as pas vu Indiana à la télé ? Ma pauvre Amanda ! Tu n'as pas idée à quel point la petite est affectée ! Elle est à moitié folle, elle pense qu'un homme-loup a séquestré sa mère », lui raconta Encarnación.

Céleste, qui deux semaines plus tôt avait vu la photo de Ryan Miller à la télévision, se présenta à la Brigade criminelle bien décidée à parler à l'inspecteur-chef, et lorsque Petra

Horr tenta de lui barrer le chemin, d'une poussée elle l'aplatit contre le mur. L'énorme respect que lui inspirait l'astrologue empêcha l'assistante d'utiliser ses connaissances en arts martiaux pour l'arrêter. Roko fit irruption dans le bureau de Bob Martín, lui brandissant sous le nez une chemise qui contenait les deux cartes astrales et un résumé de leur lecture comparative, qu'elle venait d'effectuer. Elle lui expliqua que durant les longues années qu'elle avait consacrées à l'étude des astres et de la psychologie humaine d'après l'école de Carl Gustav Jung, elle n'avait jamais vu deux personnes psychiquement aussi compatibles qu'Indiana Jackson et Ryan Miller. Ils avaient été ensemble dans des vies antérieures. Sans aller plus loin, ils avaient récemment été mère et fils et étaient destinés à se rencontrer et se séparer jusqu'à ce qu'ils puissent résoudre leur conflit spirituel et psychique. Dans cette réincarnation, ils avaient une véritable chance de rompre ce cycle.

— Pas possible! répliqua le policier, indigné par cette interruption.

— C'est comme ça. Je te préviens, Bob, si Indiana et Ryan ont fui ensemble, comme c'est sûrement le cas, car c'est écrit dans la configuration des astres, et que tu essaies de les séparer, tu vas gravement salir ton karma.

— Je me fous de mon karma! J'essaie de faire mon boulot et tu viens m'emmerder avec tes idioties. Indiana ne s'est pas enfuie avec Miller, c'est le Loup qui l'a séquestrée, cria Bob Martín hors de lui.

Pour la première fois depuis bien longtemps, Céleste Roko, médusée, ne sut que répondre. Lorsqu'elle put réagir, elle remit les cartes astrales dans la chemise, récupéra son sac à main en peau de crocodile et recula, en équilibre sur ses talons hauts.

— Tu ne saurais pas à quel signe astral appartient cet homme-loup, par hasard? lui demanda-t-elle timidement depuis la porte.

Ouvre les yeux, Indi, essaie de prêter attention à ce que je te dis. Regarde, ce permis de conduire de 1985 est la seule photographie de ma mère; si d'autres ont existé, elle les a détruites, elle prenait grand soin de son intimité. Il n'y a pas non plus de photos de moi avant mes onze ans. Cette photo est très mauvaise, tout le monde a l'air d'un délinquant sur un permis de conduire, ma mère paraît grosse et négligée, mais elle n'était pas comme ça. Elle avait plusieurs kilos en trop, c'est sûr, mais elle n'a jamais eu cette tête de folle et elle était toujours impeccable, pas un cheveu ne dépassait de sa coiffure, elle en faisait une obsession, et en plus son travail l'exigeait. Les habitudes qu'elle m'a inculquées guident ma vie : la propreté, l'exercice, une nourriture saine, pas de cigarettes ni d'alcool. Petite, je ne pouvais pas faire de sport, comme les autres enfants, je devais rester à la maison, mais elle m'a appris les bienfaits de la gymnastique et je fais toujours quelques exercices dès que je me réveille. Bientôt il va falloir que tu t'y mettes aussi, Indiana. Tu dois bouger, mais nous attendrons que tu ne saignes plus et que tu retrouves ton équilibre.

J'ai eu la meilleure mère qu'on puisse avoir, elle se consacrait entièrement à moi, elle m'adorait, me soignait, me protégeait. Que serais-je devenue sans cette sainte femme? Elle a été une mère et un père pour moi. Le soir, après avoir dîné et corrigé mes devoirs, elle me lisait une histoire, on priait et ensuite elle me bordait dans mon lit, me déposait un baiser sur le front et me disait que j'étais sa jolie et gentille petite fille. Le matin, avant de partir au travail, elle m'indiquait ce que je devais étudier, me disait au revoir avec un baiser appuyé, comme si elle craignait que nous ne nous revoyions plus, et si je ne pleurais pas, elle me donnait un bonbon. «Je vais bientôt revenir, mon amour, porte-toi bien, n'ouvre la porte à personne, ne réponds pas au téléphone et ne fais pas de bruit, parce que les voisins commencent à murmurer, tu sais comme les gens sont malveillants.» Les mesures de sécurité étaient pour mon bien, dehors il y avait de nombreux dangers, des crimes, de la violence, des accidents, des germes, on ne pouvait faire confiance à personne, voilà ce qu'elle m'a appris. La journée me semblait longue. Je ne me rappelle pas comment les heures passaient dans mes premières années, je crois qu'elle me laissait dans un parc ou m'attachait à un meuble avec une corde à la taille, comme un petit chien, pour éviter que je me fasse mal, elle me laissait des jouets et de la nourriture à portée de la main, mais dès que j'ai eu l'âge de raison, ça n'a plus été nécessaire, parce que j'ai appris à me distraire toute seule. En son absence, je nettoyais l'appartement et lavais le linge, mais je ne cuisinais pas parce qu'elle avait peur que je me coupe ou me brûle. Je regardais aussi la télévision et je jouais, mais avant tout je faisais mes devoirs. J'étudiais à la maison, ma mère était une bonne maîtresse d'école et j'apprenais rapidement, si bien que lorsque je suis finalement allée à l'école, j'étais mieux préparée que les autres enfants. Mais ça, c'était plus tard.

Tu veux savoir depuis combien de temps tu es ici, Indiana ? À peine cinq jours et six nuits, ce qui dans l'espace d'une vie n'est rien, surtout que tu les as passés à dormir. J'ai dû te mettre des couches. Au début, il valait mieux que tu dormes, parce que l'alternative aurait été de te mettre une capuche sur la tête et des menottes, comme les prisonniers de Guantanamo et d'Abou Ghraib. Les militaires savent comment s'y prendre. La capuche est étouffante, il y a des gens que ça rend fous, et les menottes sont très inconfortables, les mains enflent, les doigts bleuissent, le métal s'incruste dans les poignets et il arrive que les blessures s'infectent. Bref, c'est toute une histoire. Tu n'es pas en état de supporter une chose pareille et je ne veux pas te faire souffrir plus que nécessaire, mais tu dois coopérer avec moi et bien te conduire. C'est ce qu'il y a de mieux à faire.

Je te parlais de ma mère. Ils ont dit qu'elle était paranoïaque, qu'elle souffrait de manie de la persécution, que c'est pour ça qu'elle me gardait enfermée et que nous passions notre vie à fuir. Ce n'est pas vrai. Maman avait de bonnes raisons de faire ce qu'elle faisait. J'adorais ces voyages : les stations-service, les endroits où nous nous arrêtions pour manger, les autoroutes interminables, les paysages différents. Parfois nous dormions dans des motels, d'autres fois nous campions. Quelle liberté ! Nous voyagions sans un plan, nous arrêtions n'importe où ; si un village nous plaisait, nous y restions un certain temps, nous nous installions comme nous pouvions, ça dépendait de l'argent que nous avions, d'abord dans une chambre et ensuite, dès qu'elle trouvait un emploi, nous déménagions dans quelque chose de mieux. Moi, l'endroit où nous vivions m'était égal, toutes les chambres se ressemblaient. Ma mère trouvait toujours du travail, on la payait bien et elle était très ordonnée, elle dépensait peu, elle économisait, ainsi elle était toujours prête quand nous devions partir ailleurs.

Au même moment, les participants de *Ripper* se posaient de nouvelles questions. La maîtresse du jeu les avait informés de chaque détail de l'enquête de police et la dernière chose qu'ils avaient entre les mains, c'était le mystère de Carol Underwater, à qui Amanda devait rien moins que Sauvez-le-Thon.

— Il m'a semblé curieux qu'il y ait une plainte contre Richard Ashton pour maltraitance en 1997 et une autre contre Ed Staton en 1998. J'ai envoyé mon sbire faire certaines vérifications, dit Amanda.

— Je n'ai pas voulu déranger l'inspecteur-chef, qui est débordé, mais Jézabel m'a aidé, car elle a accès à toutes sortes d'informations. Je ne sais pas comment tu fais, Jézabel, tu dois être une *hacker* experte, une pirate informatique de premier ordre...

— Cela a-t-il quelque chose à voir avec le sujet de notre discussion, sbire ? demanda Esmeralda.

— Pardon. La maîtresse du jeu a pensé qu'il y avait un lien entre les deux plaintes et grâce à Jézabel elle a confirmé qu'il y en a un. De plus, il existe un lien avec la juge Rachel Rosen. Les deux plaintes ont été déposées au Tribunal des Mineurs par une assistante sociale, et elles correspondent au même enfant, un certain Lee Galespi.

— Que sait-on de lui ? demanda Esmeralda.

— Il était orphelin, dit Denise West dans son rôle de Jézabel en lisant le papier que lui avait tendu Miller. Il est passé par plusieurs foyers d'accueil, mais partout il avait des problèmes, c'était un garçon difficile, avec un diagnostic de dépression, de bouffées délirantes, incapable de se socialiser. Ils lui ont assigné Richard Ashton comme psychiatre, qui l'a traité pendant un certain temps, mais l'assistante sociale l'a dénoncé pour usage d'électrochocs. Galespi était un enfant timide, traumatisé, victime des gamins cruels de l'école, ces brutes qu'on trouve partout. À quinze ans il a été accusé d'avoir provoqué un incendie dans les toilettes de l'école, où se trouvaient les garçons qui l'embêtaient. Il n'y a pas eu de blessés, mais Galespi a été envoyé en maison de correction.

— Je suppose que c'est Rachel Rosen qui l'a condamné et que la maison de correction était Boys Camp en Arizona, où se trouvait Ed Staton, intervint Sherlock Holmes.

— Tout juste, dit Jézabel. La même assistante sociale a dénoncé Ed Staton pour abus sexuels sur Lee Galespi, mais Rosen ne l'a pas laissé sortir de Boys Camp.

— Peut-on parler à cette assistante sociale ? demanda Esmeralda.

— Elle s'appelle Angélique Larson, elle est à la retraite et vit en Alaska, où elle a obtenu un emploi d'institutrice, l'informa Jézabel.

— Pour ça il y a le téléphone. Sbire, trouve le numéro de cette dame, ordonna la maîtresse.

— Ce ne sera pas nécessaire, je l'ai, annonça Jézabel.

— Super, pourquoi on l'appelle pas ? demanda Esmeralda.

— Parce qu'elle ne répondra pas aux questions d'un groupe de gamins comme nous. Ce serait différent si la police appelait, dit le colonel Paddington.

— On ne perd rien à essayer, qui ose ? demanda Abatha.

— J'ose, mais je crois que la voix de mon grand-père, je veux dire de Kabel, est plus convaincante. Allez, sbire, appelle et dis-lui que tu es de la police, essaie de prendre un ton autoritaire.

Blake Jackson, renâclant à se faire passer pour un policier, car c'était peut-être illégal, se présenta comme écrivain, un demi-mensonge, puisqu'il avait la sérieuse intention de réaliser le rêve de sa vie et de devenir romancier. Enfin il avait un sujet : le Loup, comme le lui avait suggéré sa petite-fille. Angélique Larson s'avéra être une personne si ouverte et si aimable que le sbire regretta de l'avoir trompée, mais il était trop tard pour se rétracter. La femme se souvenait très bien de Lee Galespi, parce qu'elle l'avait eu plusieurs années sous sa responsabilité et que son cas avait été l'un des plus intéressants de sa carrière. Elle bavarda trente-cinq minutes avec Blake Jackson, lui raconta ce qu'elle savait sur Galespi et ajouta qu'elle n'avait plus entendu parler de lui depuis 2006, mais qu'avant cette date ils s'appelaient pour Noël. Angélique et Blake se quittèrent comme de vieux amis. Elle proposa d'en reparler quand il voudrait et lui souhaita bonne chance pour son roman.

Angélique Larson se souvenait en détail de sa première impression de Lee Galespi et elle y repensait souvent, car cet enfant représentait la synthèse de son travail d'assistante sociale, avec toutes ses frustrations et ses rares satisfactions. Les services sociaux sortaient des centaines d'enfants semblables à Galespi de situations terrifiantes, mais ils revenaient bientôt dans un état bien pire, plus abîmés et avec moins d'espoir, de plus en plus inaccessibles, jusqu'à leurs dix-huit ans ; ils perdaient alors la maigre protection qu'ils avaient reçue et étaient jetés à la rue. Pour Angélique, tous ces enfants se confondaient avec Galespi et passaient par des étapes similaires : timidité, angoisse, tristesse et terreur, qui au fil du temps se changeaient en rébellion et en rage, et finalement en cynisme ou froideur ; alors il n'y avait plus rien à faire, elle devait leur dire adieu avec la sensation de les lâcher dans la cage aux fauves.

Larson expliqua à Blake Jackson qu'à l'été 1993 une femme avait eu une crise cardiaque à un arrêt d'autobus et que dans l'émoi qu'il y avait eu dans la rue, avant qu'arrivent la police et une ambulance, quelqu'un lui avait volé son sac à main. Elle avait été emmenée inconsciente à l'Hôpital général de San Francisco, dans un état grave et sans papiers d'identité. La femme était restée trois semaines dans le coma avant de mourir d'un second infarctus massif. Alors seulement la police était intervenue et on avait pu l'identifier comme Marion Galespi, soixante et un ans, infirmière intérimaire à l'hôpital Laguna Honda, résidente de Daly City, au sud de San Francisco. Deux agents se présentèrent à son adresse, un immeuble modeste où vivaient des familles aux faibles revenus, et comme personne ne répondit au coup de sonnette, ils appelèrent un serrurier qui ne put ouvrir la porte, car elle était verrouillée de l'intérieur. Plusieurs voisins passèrent la tête dans le couloir pour voir ce qui se passait, et ils apprirent ainsi la mort de la femme qui occupait cet appartement. Ils ne l'avaient pas regrettée, dirent-ils, parce que Marion Galespi n'habitait dans l'immeuble que depuis quelques mois, elle n'était pas sympathique et saluait à peine quand ils la rencontraient dans l'ascenseur. L'un des curieux demanda où était la fille, il expliqua aux policiers qu'une fillette vivait là mais que personne ne l'avait vue car elle ne sortait jamais. D'après sa mère, la petite souffrait de problèmes mentaux et d'une maladie de peau qui s'aggravait avec le soleil, c'est pourquoi elle n'allait pas à l'école et étudiait à la maison ; elle était très timide et obéissante, elle restait tranquille pendant qu'elle-même était au travail.

Une heure plus tard, les pompiers avaient installé une échelle télescopique depuis la rue, ils avaient brisé une fenêtre, pénétré dans l'appartement et ouvert la porte aux policiers. La modeste demeure consistait en une pièce, une petite chambre, une cuisine encastrée dans un mur et les toilettes. Il y avait un minimum de meubles ; en revanche, ils trouvèrent plusieurs valises et des caisses, mais pas d'objets personnels, sauf une image en couleurs du Sacré Cœur de Jésus et une statuette en plâtre de la Vierge Marie. Ça sentait le renfermé et ça semblait inhabité, aussi ne s'expliquèrent-ils pas pourquoi la porte était bloquée. Dans la cuisine, ils découvrirent des restes de paquets de céréales, des boîtes de conserve, deux bouteilles de lait et une de jus d'orange, toutes vides. Les seuls signes de l'existence de la petite étaient des vêtements et des cahiers d'écolier ; ils ne trouvèrent pas un seul jouet. Les policiers étaient prêts à s'en aller quand l'un d'eux eut l'idée de jeter un dernier coup d'œil dans la penderie, en écartant les vêtements accrochés. La petite était là, cachée sous une pile de chiffons, blottie comme un animal. En voyant l'homme, la fillette se mit à gémir, si terrorisée qu'il ne voulut pas la tirer de force de son refuge et demanda de l'aide. Bientôt arriva une femme policier, qui après avoir supplié la petite un long moment réussit à la convaincre de sortir. Elle était dans un état immonde, échevelée, maigre et avait l'air d'une folle. Avant qu'elle ne parvienne à faire trois pas, la femme dut la soutenir, car elle s'évanouit dans ses bras.

Angélique Larson vit Lee Galespi pour la première fois à l'hôpital, trois heures après son dramatique sauvetage de l'appartement de Daly City. Elle était sur un brancard, reliée à un goutte-à-goutte de sérum, à moitié somnolente, mais attentive à toute personne qui approchait. L'interne qui l'avait reçue dit qu'elle paraissait famélique et déshydratée, elle avait dévoré des galettes, des crèmes renversées, de la gélatine, tout ce qu'on avait posé devant elle, mais avait tout vomi aussitôt après. Malgré son état de faiblesse, elle se défendit comme une chatte enragée lorsqu'ils tentèrent de lui enlever sa robe pour l'examiner, et la doctoresse décida qu'il n'était pas utile d'user de violence ; il valait mieux attendre que le tranquillisant qu'on lui avait administré fît de l'effet. Elle confia à Larson que la fillette criait lorsqu'un homme s'approchait d'elle. L'assistante sociale prit la main de Lee, elle lui expliqua qui elle était, pourquoi elle était là, lui assura qu'elle n'avait rien à craindre et qu'elle allait rester près d'elle le temps nécessaire, jusqu'à ce que sa famille arrive. « Ma maman, je veux ma maman », répétait la petite, et Angélique Larson n'eut pas le cœur de lui dire à ce moment-là que sa mère était morte. Lee Galespi dormait profondément lorsqu'ils la dévêtirent pour que la doctoresse puisse l'examiner. Ils constatèrent alors que c'était un garçon.

Galespi fut interné au service de pédiatrie de l'hôpital tandis que la police essayait en vain de localiser un parent ; Marion Galespi et son fils semblaient sortis du néant, ils n'avaient ni famille, ni passé, ni racines. L'enfant souffrait d'eczéma d'origine allergique et d'alopécie nerveuse, il avait besoin de soins dentaires, d'air, de soleil et d'exercice, mais ne présentait aucun signe de maladie physique ou mentale, comme le croyaient ses voisins de Daly City. Son certificat de naissance, signé par un certain docteur Jean-Claude Castel le 23 juillet 1981, indiquait que l'accouchement avait eu lieu à domicile, à Fresno, en Californie, que l'enfant était de sexe masculin, de race caucasienne, qu'il pesait 3,2 kilos et mesurait 50 centimètres.

En janvier 1994, le docteur Richard Ashton remit au Tribunal des Mineurs sa première évaluation psychiatrique de Lee Galespi. L'enfant avait un développement physique normal à la puberté, un coefficient intellectuel un peu supérieur à la normale, mais il était limité par de sérieux problèmes émotionnels et sociaux, souffrait d'insomnie et d'addiction à des tranquillisants, grâce auxquels sa mère le calmait pour lui permettre de supporter l'enfermement. Il avait fallu se battre pour qu'il accepte d'avoir les cheveux coupés et de porter des vêtements masculins, il disait avec insistance qu'il était une fille et que « les garçons étaient méchants ». Sa mère lui manquait, il faisait pipi au lit, pleurait souvent, paraissait toujours terrorisé, surtout par les hommes, raison pour laquelle la relation thérapeute-patient était conflictuelle, aussi fallut-il recourir à l'hypnose et aux drogues. Sa mère l'avait élevé enfermé dans la maison et habillé en fille, elle lui avait appris que les gens étaient dangereux et que le monde finirait dans un avenir proche. Ils changeaient constamment de résidence, l'enfant ne se souvenait pas ou ne savait pas dans quelle ville il avait vécu, il pouvait seulement dire que sa mère travaillait dans des hôpitaux ou des résidences pour personnes âgées, et changeait d'emploi « parce qu'il fallait qu'ils s'en aillent ». Pour conclure, le psychiatre indiquait qu'étant donné les symptômes, le patient Lee Galespi avait besoin d'une thérapie par électrochocs.

L'assistante sociale expliqua au tribunal que la psychothérapie était contre-productive, car l'enfant était terrorisé par le docteur Ashton, mais Rachel Rosen ne demanda pas de seconde expertise, elle ordonna de poursuivre le traitement, de placer Galespi dans un foyer d'accueil et de l'envoyer à l'école. Dans un rapport de 1995, Angélique Larson indiquait que l'enfant était bon élève, mais qu'il n'avait pas d'amis, qu'on se moquait de lui parce qu'il était efféminé et que les professeurs le considéraient comme peu coopératif. À treize ans, il se retrouva chez Michael et Doris Constante.

Je sais que tu as soif, Indi. Pour te récompenser de ta bonne conduite, je vais te donner du jus d'orange. N'essaie pas de te lever, bois à la paille. Comme ça. Encore ? Non, un verre suffit pour le moment, avant de m'en aller je t'en donnerai un autre, à condition que tu manges ce que je t'ai apporté, des haricots et du riz, tu as besoin de reprendre des forces. Tu grelottes, tu dois être gelée, cet endroit est très humide, il y a des parties inondées, parce que l'eau s'infiltre par le sol. Qui sait depuis combien d'heures tu es là, à moitié morte de froid. Je t'ai laissée bien enveloppée dans plusieurs couvertures et je t'ai même mis des chaussettes de laine, mais tu as bougé et tu as réussi à te découvrir, tu dois te tenir tranquille quand je ne suis pas là, ça ne mène à rien de t'agiter, les courroies sont solides et tu auras beau faire, tu ne pourras pas te libérer. Je ne peux pas te surveiller tout le temps, j'ai une vie au-dehors, comme tu peux l'imaginer. Je t'ai expliqué la situation à plusieurs reprises, mais tu ne m'écoutes pas, ou tu oublies. Je te répète que personne ne vient ici, nous sommes en rase campagne et cet endroit est abandonné depuis des années, la propriété est clôturée et impénétrable, si tu n'étais pas bâillonnée tu pourrais crier jusqu'à t'époumoner, personne ne t'entendrait. Tu n'as peut-être pas besoin du bâillon, car je vois que tu es aussi muette qu'une carpe, mais je ne veux pas courir de risque. Qu'en penses-tu ? Mieux vaut que tu écartes toute idée de t'enfuir, si c'est ce que tu penses, parce que dans le cas improbable où tu pourrais tenir debout, il est impossible de sortir d'ici. Les murs de ce compartiment sont quatre draps noirs, mais tu es dans un immense souterrain de béton armé et de piliers de fer. La porte aussi est en fer et j'ai la clé du cadenas.

Tu es trop étourdie, tu es peut-être plus malade que je ne l'imagine, peut-être à cause de la perte de sang. Qu'est-ce qui t'arrive, Indiana ? Tu n'as donc plus peur ? Tu t'es résignée ? Ton silence m'ennuie, parce que si je te retiens ici, c'est pour que nous puissions parler et que nous parvenions à nous comprendre. Tu ressembles à l'un de ces moines tibétains qui fuient le monde dans la méditation ; on dit que certains peuvent contrôler leur pouls, leur tension, les battements de leur cœur, et même qu'ils peuvent mourir à volonté. C'est vrai ? Tu as là l'occasion de mettre en pratique les méthodes que tu recommandes à tes patients : méditer, se détendre, bref le jargon New Age que tu affectionnes tellement. Je peux t'apporter des aimants et de l'aromathérapie, si tu veux. Et puisque tu es en train de méditer, profites-en pour réfléchir aux raisons pour lesquelles tu te trouves ici, capricieuse et méchante que tu es. Tu te repens, je le sais, mais il est trop tard pour revenir en arrière, tu peux me promettre que tu comprends tes erreurs et que tu vas t'amender, tu peux me promettre ce que tu veux, mais il faudrait que je sois idiote pour te croire. Et je t'assure que je ne le suis pas.

Jeudi, 5

Après avoir entendu le reste de l'histoire de Lee Galespi, les joueurs de *Ripper* décidèrent à l'unanimité d'informer l'inspecteur-chef de leur découverte. À la première heure, Amanda composa le numéro de téléphone de son père et, n'obtenant pas de réponse, elle appela Petra Horr, qui lui expliqua que les agents du FBI avaient convoqué toute la Brigade à une réunion.

— Ils pensent que nous sabotons leur travail dans l'affaire Miller. Ils ont perdu leur temps sans rien obtenir. Je leur ai conseillé d'en profiter pour faire du tourisme et ils l'ont mal pris. Ils sont tout ce qu'il y a de plus obtus, dit Petra.

— Miller est peut-être parti en Afghanistan. Il parlait toujours d'une dette d'honneur en suspens dans ce pays, suggéra Amanda dans l'intention de l'égarer.

— Ils veulent que nous cherchions Miller, comme si nous n'avions que ça à faire. Pourquoi ne le trouvent-ils pas eux-mêmes ? Ils surveillent tout le monde dans ce but. Il n'y a plus rien de privé dans ce pays de merde, Amanda, chaque fois que tu achètes quelque chose, que tu utilises ton téléphone, Internet ou une carte de crédit, chaque fois que tu te mouches, tu laisses une trace et le gouvernement le sait.

— Tu es sûre ? l'interrogea Amanda alarmée, car si le gouvernement et son père apprenaient qu'elle jouait à *Ripper* avec Ryan Miller, elle se retrouverait en prison.

— Parfaitement.

— Dis à papa de m'appeler dès qu'il sortira de la réunion, c'est urgent.

Bob Martín appela sa fille vingt minutes plus tard ; ces derniers jours, il n'avait fait que des petits sommes sur le canapé de son bureau, il s'était nourri de café et de sandwichs, et il n'avait pas eu le temps d'aller au gymnase, il sentait son corps raide, comme dans une armure, et il était si irritable que la réunion s'était terminée dans les éclats de voix. Il détestait Lorraine Barcott, cette femme amère, et ce Napoléon le rendait fou avec ses manies. La voix d'Amanda, qui avait encore autant le pouvoir de l'émouvoir que lorsqu'elle était petite, calma un peu sa mauvaise humeur.

— Tu voulais me dire quelque chose ? demanda-t-il à sa fille.

— D'abord, donne-moi tes nouvelles.

— Le camping-car des Farkas est au dépôt depuis décembre, mais personne ne l'avait examiné, il y a d'autres priorités à la Brigade. Nous avons analysé le contenu de la bouteille de genièvre qu'il y avait à l'intérieur et il se trouve qu'elle contenait du Xanax. Et sais-tu ce que nous avons découvert d'autre, Amanda ?

— Un petit loup en peluche, répliqua-t-elle.

— Un album avec des photos touristiques des lieux que les Farkas ont visités ; ils ont voyagé dans plusieurs États avant de s'établir en Californie. Il y avait une carte postale intéressante signée du frère de Joe, datée du 14 novembre de l'année dernière, les invitant à le rencontrer à San Francisco en décembre.

— Qu'est-ce que ça a d'intéressant ?

— Deux points. Le premier : l'image de la carte est un loup. Le second : le frère de Joe affirme ne l'avoir jamais envoyée.

— Autrement dit, le Loup leur a donné rendez-vous pour les tuer.

— Sûrement, mais comme preuve, cette carte est insuffisante, elle ne résisterait pas au moindre examen.

— Ajoutes-y le Xanax et la pleine lune.

— Disons que le Loup s'est présenté dans le camping-car avec une excuse quelconque, il leur a certainement apporté une bouteille d'alcool en cadeau, parce qu'il savait qu'ils buvaient. Le genièvre contenait la drogue. Il a attendu qu'elle les mette KO, une demi-heure, et il a ouvert la valve du réchaud à gaz avant de s'en aller. Il a laissé la bouteille pour que ça ait l'air de l'accident typique de deux ivrognes, et c'est exactement ce qu'a supposé la police.

— Cela ne nous rapproche pas du Loup, papa. Il nous reste trente-neuf heures pour sauver maman.

— Je sais, ma fille.

— Moi aussi j'ai des nouvelles pour toi, lui dit Amanda sur ce ton exalté qu'il avait appris à respecter au cours des dernières semaines.

Les nouvelles de sa fille ne déçurent pas l'inspecteur-chef. Il appela aussitôt la directrice du Service de Protection de l'Enfance, et celle-ci lui envoya par coursier le dossier de Lee Galespi qu'Angélique Larson avait constitué pendant les sept années où elle avait eu la charge du garçon.

Sur une feuille libre écrite à la main, l'assistante sociale réfléchissait au fait que Lee Galespi avait beaucoup souffert et que le Service, tout comme les autres personnes qui auraient dû l'aider, avait échoué à plusieurs reprises dans sa mission ;

elle-même regrettait de n'avoir pu faire grand-chose pour lui. La seule bonne nouvelle arrivée à Lee dans sa malheureuse existence, c'était l'assurance-vie de deux cent cinquante mille dollars que sa mère lui avait laissée. Le Tribunal des Mineurs avait mis en place un fonds fiduciaire et il pourrait toucher cet argent à dix-huit ans.

Pour te remonter le moral, je t'ai apporté des chocolats, les mêmes que ceux que t'offrait Keller. Étrange mélange, ce chocolat au piment. Le sucre est mauvais et il fait grossir, mais tu te fiches des kilos, tu penses qu'ils sont sensuels, mais je te préviens qu'à quarante ans ils deviennent de l'obésité pure et simple. Pour le moment, tes kilos te vont bien. Tu es très belle. Je ne m'étonne pas que les hommes perdent la tête pour toi, Indiana, mais la beauté n'est pas un don, comme dans les contes de fées, c'est une malédiction, souviens-toi du mythe d'Hélène de Troie, qui a provoqué une guerre sanglante entre les Grecs. La malédiction se retourne presque toujours contre la belle, comme Marilyn Monroe, dépressive et droguée, qui est morte abandonnée ; trois jours ont passé avant que quelqu'un vienne réclamer son cadavre. J'en sais beaucoup à ce sujet, les femmes fatales me fascinent et me répugnent, elles m'attirent et me font peur, comme les reptiles. Tu es tellement sûre de ton charme, tellement habituée à être admirée et désirée que tu ne te rends même pas compte de la souffrance que tu causes. Les femmes coquettes comme toi vont librement de par le monde, provoquant, séduisant et martyrisant d'autres personnes sans aucun sens de la responsabilité ou de l'honneur. Il n'y a rien de plus terrible que l'amour rejeté, je te le dis par expérience, c'est un supplice atroce, une mort lente. Pense, par exemple, à Gary Brunswick, cet homme bon qui t'offrait un amour désintéressé, ou à Ryan Miller, que tu as jeté comme un déchet, et ne parlons pas d'Alan Keller qui est mort à cause de toi. Ce n'est pas juste. Tu dois payer pour cela, Indiana. Ces jours-ci je t'ai étudiée avec attention, d'abord ton caractère, mais surtout ton corps, que je connais par cœur, de ta cicatrice sur la fesse aux plis de ta vulve. J'ai même compté tes grains de beauté.

Lee Galespi était resté deux ans chez les Constante, jusqu'à ce qu'on découvre, lors d'une visite médicale, que le garçon avait des brûlures de cigarette sur le corps. Bien que Galespi ait refusé de dire ce qui s'était passé, Angélique Larson avait conclu que ce devait être la méthode des Constante pour lui apprendre à ne pas uriner au lit, et elle leur avait retiré le garçon, mais elle n'avait pu obtenir que l'accréditation des Constante leur soit retirée. Peu après, Galespi fut envoyé pour un an au Boys Camp d'Arizona. Angélique Larson supplia la juge Rachel Rosen de reconsidérer sa décision, car cet établissement à la discipline paramilitaire, connu pour sa brutalité, était le moins approprié pour un enfant vulnérable et traumatisé comme l'était Galespi, mais Rosen ignora ses arguments.

Comme les rares lettres qu'elle avait reçues du garçon étaient censurées au marqueur noir, l'assistante décida d'aller le voir en Arizona. Au Boys Camp, on n'acceptait pas les visites, mais elle obtint une autorisation du tribunal. Lee était pâle, maigre et renfermé, il présentait des meurtrissures et des coupures sur les bras et les jambes, qui d'après le gardien, un ancien soldat du nom d'Ed Staton, étaient normales : les garçons faisaient des exercices en plein air, et en plus Lee se battait avec ses camarades qui le détestaient parce qu'il geignait et pleurnichait tout le temps, comme un pédé. « Mais aussi vrai que je m'appelle Ed Staton, je vais en faire un homme », ajouta le gardien. Angélique exigea qu'on lui permît de parler seul à seul avec Lee, mais elle ne put rien en tirer. À toutes ses questions, il répondait comme un automate qu'il n'avait pas de plaintes à formuler. Elle interrogea l'infirmière de la maison de correction, une grosse femme antipathique qui lui apprit que Galespi s'était déclaré en grève de la faim, qu'il n'était pas le premier à user de ce subterfuge, mais qu'il avait rapidement renoncé en constatant combien il était désagréable d'être alimenté de force. Dans son rapport, Larson écrivit que Lee Galespi était dans un triste état, « il avait l'air d'un zombie », et elle recommandait de le retirer immédiatement du Boys Camp. De nouveau Rachel Rosen fit la sourde oreille, alors elle déposa personnellement une plainte contre Ed Staton, qui ne servit à rien. Lee Galespi accomplit sa peine d'un an en enfer.

Lorsqu'il revint en Californie, Larson le plaça dans le foyer de Jane et Edgar Fernwood, une famille évangélique qui l'accueillit avec la compassion qu'il n'attendait plus de personne. Edgar Fernwood, qui travaillait dans le bâtiment, en fit son apprenti et le garçon apprit ainsi un métier ; enfin il semblait avoir trouvé un lieu sûr dans le monde. Au cours des deux années suivantes, Lee Galespi obtint de bonnes notes au lycée et il travailla avec Fernwood. Il avait un visage agréable, des cheveux blonds ; petit et mince pour un gamin américain de son âge, timide et solitaire, il se distrayait en lisant des bandes dessinées, en jouant à des jeux vidéo et en regardant des films d'action. Une fois, Angélique Larson lui demanda s'il croyait toujours que « les garçons étaient méchants et les filles gentilles », mais Galespi ne comprit pas de quoi elle voulait parler ; il avait effacé de sa mémoire l'époque où il voulait être une fille.

Dans le dossier se trouvaient plusieurs photos de Lee Galespi, la dernière prise en 1999, alors qu'il venait d'avoir dix-huit ans et que le Service de Protection de l'Enfance cessait de l'avoir sous sa responsabilité. Rachel Rosen décida qu'étant donné les problèmes de comportement qu'il avait manifestés, il ne recevrait l'argent de l'assurance que lui avait laissée sa mère qu'à vingt et un ans. Cette année-là, Angélique Larson prit sa retraite et partit vivre en Alaska.

L'inspecteur-chef lança son personnel à la recherche de Lee Galespi, d'Angélique Larson et des Fernwood.

Je t'ai apporté du Coca-Cola, tu as besoin de prendre beaucoup de liquide et un peu de caféine te fera du bien. Tu n'en veux pas ?

Allons, Indi, ne fais pas la difficile. Si tu refuses de manger et de boire parce que tu crois que je te donne des drogues, réfléchis un peu : je peux te les injecter, comme je l'ai fait pour les antibiotiques. Ce fut une bonne idée, ta fièvre a baissé et tu saignes moins, tu pourras bientôt faire quelques pas.

Je vais continuer mon histoire, parce qu'il est important que tu me connaisses et comprennes ma mission. Cette coupure de presse date du 21 juillet 1993. Le titre dit : « Une fillette enfermée par sa mère est presque morte de faim », ensuite il y a deux paragraphes remplis de mensonges. On raconte qu'une femme non identifiée est morte à l'hôpital sans révéler l'existence de sa fille et qu'un mois plus tard la police a découvert une fillette de onze ans, qui toute sa vie avait été gardée sous clé et… On dit qu'ils sont tombés sur une scène macabre. Mensonges ! J'y étais et je t'assure que tout était propre et en ordre, il n'y avait rien de macabre. En plus, ce n'était pas un mois mais trois semaines, et ce qui était arrivé n'était pas la faute de ma pauvre mère. Son cœur s'est arrêté et elle n'a jamais repris connaissance, comment aurait-elle pu expliquer que j'étais restée seule ? Je me souviens très bien de ce qui s'est passé. Elle est sortie le matin comme d'habitude, elle m'a préparé le déjeuner et m'a rappelé de tirer les deux verrous de la porte et de n'ouvrir à personne, quoi qu'il arrive. Lorsqu'elle n'est pas revenue à l'heure habituelle, j'ai pensé qu'elle avait été retardée à son travail, j'ai dîné d'une assiettée de céréales avec du lait et je suis restée à regarder la télévision, jusqu'à ce que je m'endorme. Je me suis réveillée très tard et elle n'était toujours pas rentrée, alors j'ai commencé à avoir peur, parce que maman ne me laissait jamais seule autant de temps et qu'elle n'avait jamais passé une nuit dehors. Le lendemain, je l'ai attendue en regardant le réveil, en priant et priant encore, l'appelant avec mon cœur. Elle m'avait avertie de ne jamais répondre au téléphone, mais j'ai décidé de le faire au cas où il sonnerait, parce que si quelque chose était arrivé à maman, elle m'appellerait sans doute. Mais elle ne m'a pas appelée et elle n'est pas non plus revenue le soir, ni le lendemain ; ainsi ont passé les jours, que je comptais un à un sur le calendrier que nous avions collé sur le réfrigérateur. J'ai terminé toute la nourriture, à la fin j'ai mangé la pâte dentifrice, le savon, du papier mouillé, bref, tout ce que je pouvais mettre dans ma bouche. Les cinq ou six derniers jours je n'ai bu que de l'eau. J'étais désespérée, je ne pouvais imaginer que maman m'ait abandonnée. J'ai envisagé toutes sortes d'explications : il s'agissait d'une épreuve pour mesurer mon obéissance et ma force ; maman avait été attaquée par des bandits ou arrêtée par la police ; c'était une punition pour quelque chose de mal que j'avais fait sans le vouloir. Combien de jours allais-je encore pouvoir résister ? Je calculais que ce serait très peu, que la faim et la peur viendraient à bout de moi. Je priais et j'appelais maman. J'ai beaucoup pleuré et j'offrais mes larmes à Jésus. À cette époque j'étais très croyante, comme maman, mais je ne crois plus en rien ; j'ai vu trop de méchanceté dans ce monde pour avoir foi en Dieu. Après, quand ils m'ont trouvée, ils m'ont tous posé les mêmes questions : Pourquoi n'es-tu pas sortie de l'appartement ? Pourquoi n'as-tu pas demandé de l'aide ? La vérité, c'est que je n'avais personne à qui m'adresser. On n'avait ni parents ni amis, on ne connaissait pas les voisins. Je savais qu'en cas d'urgence il faut appeler le 911, mais je n'avais jamais utilisé le téléphone et l'idée de parler à un étranger me terrifiait.

Enfin, vingt-deux jours plus tard, de l'aide est arrivée. J'ai entendu les coups sur la porte et les cris qui demandaient qu'on ouvre, que c'était la police. Cela m'a encore plus effrayée, parce que maman m'avait rabâché que le plus terrible de tout c'était la police, que jamais, sous aucun prétexte, il ne fallait s'approcher de quelqu'un en uniforme. Je me suis cachée dans la penderie que j'avais transformée en mon repaire, je m'y étais fait un nid avec des vêtements. Ils sont entrés par la fenêtre, ont brisé une vitre, envahi l'appartement… Puis ils m'ont emmenée dans un hôpital, m'ont traitée comme un animal de laboratoire, ils m'ont fait subir des examens humiliants, m'ont obligée à m'habiller en garçon, personne n'a eu pitié de moi. Le plus cruel a été Richard Ashton, qui a fait des expériences sur moi : il me donnait des drogues, m'hypnotisait, troublait mon esprit, et décrétait ensuite que j'étais folle. Sais-tu ce qu'est la thérapie par électrochocs,

Indi ? Quelque chose d'épouvantable, d'indescriptible. Il est juste qu'Ashton l'ait subie dans sa propre chair, c'est pour ça qu'il a été exécuté à l'électricité.

J'ai été dans plusieurs foyers, mais je n'en ai supporté aucun, parce que j'étais habituée à la tendresse de maman et que j'y avais grandi seule ; les autres enfants m'embêtaient, ils étaient sales et désordonnés, me volaient mes affaires. Le foyer des Constante a été le pire. À cette époque, Michael Constante buvait encore, et une fois ivre il était redoutable ; il avait six enfants à sa charge, tous plus têtus que moi, mais il s'en prenait particulièrement à moi, il ne pouvait pas me supporter, si tu savais comme il me punissait. Sa femme était aussi mauvaise que lui. Ils méritaient tous deux la peine de mort pour leurs crimes, c'est ce que je leur ai dit. Ils étaient drogués, mais conscients, ils m'ont reconnu et ont compris ce qui allait leur arriver. Chacun des huit condamnés a eu le temps de m'écouter, et à chacun j'ai expliqué pourquoi il allait mourir, sauf à Alan Keller, parce que le cyanure a été très rapide.

Sais-tu quel jour nous sommes aujourd'hui, Indiana ? Le jeudi 5 avril. Demain ce sera le Vendredi Saint et les chrétiens commémoreront la mort de Jésus sur la croix. Du temps des Romains, la crucifixion était une forme courante d'exécution.

Blake Jackson, qui n'était pas allé travailler depuis plusieurs jours, passa en vitesse à la pharmacie pour vérifier si tout était en ordre ; il avait la plus grande confiance en ses employés, mais l'œil du chef est toujours nécessaire. Dans un moment d'inspiration, il décida de rappeler Angélique Larson, avec laquelle il avait ressenti une rare affinité. Ce n'était pas un homme sujet aux élans romantiques, il avait une véritable terreur des imbroglios sentimentaux, mais avec Angélique il n'y avait aucun danger : environ cinq mille kilomètres de géographie variée les séparaient. Il l'imaginait couverte de peaux, enseignant l'alphabet aux enfants inuits, son traîneau tiré par des chiens à l'entrée de l'igloo. Il s'enferma dans son petit bureau et composa le numéro de téléphone. La femme ne se montra pas surprise que le soi-disant écrivain l'appelle deux fois en quelques heures.

— J'étais en train de penser à Lee Galespi..., dit Blake, furieux contre lui de n'avoir pas préparé une question intelligente.

— C'est une histoire si triste ! J'espère qu'elle vous servira pour votre roman.

— Ce sera la colonne vertébrale de mon livre, Angélique, je vous l'assure.

— Je suis heureuse d'y avoir contribué pour une part.

— Mais je dois vous avouer que je n'ai pas encore écrit le livre, j'en suis à la phase d'élaboration de l'intrigue.

— Ah ! vous avez déjà un titre ?

— *Ripper.*

— C'est un roman policier ?

— Disons que oui. Vous aimez ce genre ?

— Pour être franche, j'en préfère d'autres, mais je lirai votre livre de toute façon.

— Je vous l'enverrai dès qu'il sortira. Dites-moi, Angélique, vous vous souvenez d'autre chose qui pourrait me servir, sur Galespi ?

— Humm... Oui, Blake. Il y a un détail qui n'a peut-être pas d'importance, mais je vous le raconte tout de même. Vous enregistrez ?

— Je prends des notes, si vous n'y voyez pas d'inconvénient. Quel est ce détail ?

— J'ai toujours eu des doutes sur le fait que Marion Galespi soit la mère de Lee. Quand elle est morte, Marion avait soixante et un ans, et l'enfant en avait onze, ce qui veut dire qu'elle aurait accouché à cinquante ans, à moins qu'il y ait une erreur sur les certificats de naissance.

— Cela peut arriver, aujourd'hui il existe des traitements pour la fertilité. En Californie, on voit constamment des femmes de cinquante ans pousser un landau avec des triplés.

— On n'en voit pas ici, en Alaska. Dans le cas de Marion, il me paraît peu probable qu'elle ait suivi un traitement pour la fertilité, car elle était en mauvaise santé et célibataire. En plus, l'autopsie a révélé une hystérectomie. Personne n'a vérifié où ni quand elle avait été opérée.

— Pourquoi n'avez-vous pas fait part de vos soupçons, Angélique ? On aurait pu faire un test ADN sur le garçon.

— À cause de l'assurance-vie. J'ai pensé que s'il y avait des doutes sur l'identité du bénéficiaire, Lee pouvait perdre l'argent que lui avait laissé Marion. La dernière fois que j'ai parlé à Lee, à la Noël 2006, je lui ai dit que Marion était obèse, qu'elle souffrait de diabète, d'hypertension artérielle et de problèmes cardiaques, et que ces syndromes sont souvent héréditaires. Il m'a assuré qu'il était en excellente santé. Je lui ai mentionné en passant que Marion l'avait eu à un âge où la plupart des femmes sont ménopausées et je l'ai interrogé au sujet de l'hystérectomie. Il m'a répondu qu'il n'en avait jamais entendu parler, mais que lui aussi s'étonnait que sa mère fût si âgée.

— Vous avez une bonne photographie du garçon, Angélique ?

— J'en ai plusieurs, mais la meilleure est celle que m'ont envoyée les Fernwood le jour où Lee a pu toucher le chèque de l'assurance-vie. Je peux vous l'envoyer tout de suite. Donnez-moi votre adresse électronique.

— Inutile de vous dire que vous m'avez énormément aidé, Angélique. Pourrai-je vous rappeler si j'ai une autre question ?

— Mais bien sûr, Blake. C'est un plaisir de bavarder avec vous.

Le grand-père raccrocha et appela son ex-gendre et sa petite-fille. À ce moment, Bob Martín avait déjà sur son bureau le premier rapport sur les Farkas et tout en écoutant il comparait ce que lui disait Blake Jackson avec ce qu'il savait des Farkas. Sans lâcher le téléphone il écrivit les noms de Marion Galespi et de la ville de Tuscaloosa, suivis d'un point d'interrogation, et il tendit le papier à Petra Horr, qui se connecta à la base de données. L'inspecteur raconta à son ex-beau-père que les Farkas étaient de Tuscaloosa, en Alabama, qu'ils avaient eu des problèmes mineurs avec la loi – possession de drogue, larcins, conduite en état d'ivresse – et qu'ils avaient vécu dans plusieurs États. En 1986, à Pensacola, en Floride, leur petite fille était morte à cinq semaines, étouffée sous une couverture ; ils avaient laissé la petite seule pendant qu'ils étaient dans un bar, ce qui leur avait valu un an de prison pour négligence. Ils étaient partis vivre à Del Rio, au Texas, où ils avaient vécu trois ans, puis à Socorro, au Nouveau-Mexique, où ils étaient restés jusqu'en 1997. Joe travaillait comme ouvrier et Sharon comme serveuse. Ils continuèrent à se déplacer vers l'Ouest, restant ici ou là peu de temps, jusqu'à ce qu'ils s'installent à Santa Barbara, en 1999.

— Et écoute ça, Blake : en 1984 on leur a enlevé un enfant de deux ans dans des circonstances suspectes, ajouta l'inspecteur. L'enfant avait été hospitalisé à trois reprises, d'abord à dix mois pour un bras cassé et des bleus, les parents avaient dit qu'il était tombé. Huit mois plus tard, atteint d'une pneumonie, il était arrivé aux urgences avec de la fièvre et très sous-alimenté. La police avait interrogé les parents, mais il n'y avait pas eu de charge contre eux. La troisième fois, l'enfant avait deux ans et présentait une fracture du crâne, des contusions et des côtes cassées ; d'après les parents, une moto l'avait renversé et avait pris la fuite. Trois jours après sa sortie de l'hôpital, l'enfant avait disparu. Les Farkas semblaient très affectés et ils avaient affirmé que leur enfant avait été enlevé. On ne l'avait jamais retrouvé.

— Que suggères-tu, Bob ? Que cet enfant pourrait être Lee Galespi ? lui demanda Blake Jackson.

— Si Lee Galespi est le Loup, et que les Farkas ont aussi été ses victimes, comme nous le croyons, il doit y avoir un lien entre eux. Attends une minute, voilà Petra qui arrive avec des renseignements sur Marion Galespi.

Bob Martín jeta un rapide coup d'œil aux deux feuilles que lui tendait son assistante et il lut le plus important à Blake Jackson : en 1984, Marion Galespi travaillait comme infirmière au service de pédiatrie de l'Hôpital général de

Tuscaloosa. Cette année-là, elle avait subitement démissionné de son travail et quitté la ville. On n'avait plus entendu parler d'elle jusqu'à sa mort, en 1993, à Daly City, lorsqu'elle était apparue comme la mère de Lee Galespi.

— À quoi bon chercher davantage, Bob, dit Blake Jackson. Marion a enlevé l'enfant pour le sauver des mauvais traitements de ses parents. D'âge mûr, célibataire, sans enfants, je pense que ce petit est devenu sa raison de vivre. Elle changeait de résidence et l'a élevé comme une fille, enfermé dans la maison, pour le cacher. Je la plains, j'imagine qu'elle vivait dans la peur que les autorités lui mettent la main dessus à tout moment. Je suis sûr qu'elle aimait beaucoup l'enfant.

Au cours des heures qui suivirent, l'inspecteur-chef put constater que trouver Lee Galespi était aussi difficile que trouver Carol Underwater. Les Fernwood, comme Angélique Larson, n'avaient plus eu de nouvelles de lui depuis 2006. Cette année-là, Lee avait investi la moitié de l'argent de l'assurance-vie dans une maison en mauvais état de la rue Castro, qu'il avait restaurée en quatre mois et vendue à un couple gay, avec plus de cent mille dollars de bénéfice. Dans son dernier message de Noël, il annonçait qu'il allait partir quelque temps au Costa Rica pour y tenter sa chance. Pourtant, à l'Immigration, aucun passeport n'avait été enregistré à ce nom. Ils purent suivre la piste d'une licence d'arpenteur et inspecteur de propriétés datée de 2004, qui devait toujours être valable, mais ne trouvèrent aucun contrat signé par lui, hormis celui de la maison de la rue Castro.

Tu seras sans doute d'accord avec moi, Indiana, sur le fait que les parents ne sont pas ceux qui t'engendrent, mais ceux qui t'élèvent. Moi, c'est Marion Galespi qui m'a élevée, elle a été ma seule mère. Les autres, Sharon et Joe Farkas, ne se sont jamais comportés en parents, c'étaient deux vagabonds alcooliques, ils ont laissé mourir ma petite sœur par négligence et moi ils m'ont tellement battue que si Marion Galespi ne m'avait pas sauvée, ils m'auraient tuée. Je les ai recherchés, et quand je les ai trouvés, j'ai attendu. J'ai pris contact avec eux l'an passé, quand tout était prêt pour accomplir ma mission. Alors je me suis présentée à eux. Si tu avais vu comme ils étaient émus devant leur enfant perdu! Ils ne se doutaient pas de la surprise que je leur réservais.

Quelle sorte de bête frappe un bébé? Tu es mère, Indiana, tu connais l'amour protecteur qu'inspirent les enfants, c'est une pulsion biologique, seuls des êtres dénaturés, comme les Farkas, maltraitent leurs enfants. Et puisque nous parlons d'enfants, je veux te féliciter pour Amanda, cette gamine est très intelligente, je te le dis avec admiration et respect. Elle a un esprit analytique, comme moi. Elle aime les défis intellectuels; moi aussi. Je n'ai pas peur de Bob Martín et de ses gens, ils sont ineptes, comme tous les policiers, ils ne résolvent qu'un homicide sur trois et cela ne veut pas dire qu'ils arrêtent et condamnent toujours le véritable coupable Il est bien plus facile de tromper la police que ta fille.

Je te précise que je ne cadre pas du tout avec le profil de psychopathe, comme ils m'ont qualifiée. Je suis une personne rationnelle, cultivée et éduquée, je lis, je m'informe et j'étudie. J'ai planifié cette mission pendant de nombreuses années, et lorsque je l'aurai accomplie je retournerai à une vie normale, loin d'ici. En réalité, la mission aurait dû se terminer en février, avec l'exécution de Rachel Rosen, la dernière condamnée de la liste, mais tu as com pliqué mes plans et je me suis vue obligée d'éliminer Alan Keller. Ce fut une décision de dernière minute, je n'ai pas pu préparer les choses avec le même soin que pour les autres. L'idéal aurait été que ton amant meure à San Francisco, à l'heure exacte qui lui correspondait. Si tu veux savoir pourquoi il a dû mourir, la réponse est que c'est ta faute : il est mort parce que tu es retournée avec lui. Pendant des mois il m'a fallu t'écouter parler de Keller, et ensuite de Miller, tes histoires sentimentales et tes confidences intimes me retournaient l'estomac, mais je les mémorisais parce qu'elles allaient me servir. Tu es le genre de femme légère qui ne peut vivre sans homme : dès que tu en as eu fini avec Keller tu t'es précipitée dans les bras de Miller. Tu m'as vraiment déçue, Indiana, tu me dégoûtes.

C'était le soldat qui devait mourir pour que tu sois libre, mais il s'est sauvé parce que tu l'as planté là sans explication. Tu aurais pu lui dire la vérité. Pourquoi ne lui as-tu pas dit que tu étais enceinte de Keller ? Quel était ton plan ? Avorter ? Tu savais que Keller n'avait jamais voulu avoir d'enfants. Ou pensais-tu convaincre Miller que l'enfant était de lui ? Je ne crois pas que tu pourras le lui dire, mais je pense que cela ne l'aurait pas dissuadé ; il se serait chargé de l'enfant d'un autre, comme le héros qu'il croit être. Je me suis beaucoup amusée avec la carte astrale que lui a faite Céleste Roko.

Te connaissant, Indiana, je crois que ton plan était d'être mère célibataire, comme te l'a conseillé ton père. Nous n'étions que deux personnes à être au courant du secret, ton père et moi, et aucun des deux n'avait prévu la réaction de Keller. Lorsqu'il t'a demandé de l'épouser au Café Rossini, il ignorait tout de ta grossesse, et toi tu venais de la découvrir. Deux jours plus tard, quand tu le lui as annoncé, l'homme s'est mis à larmoyer à l'idée d'être père, chose qu'il pensait ne jamais pouvoir lui arriver. C'était une sorte de miracle. Il t'a persuadée d'accepter son alliance. Quelle scène grotesque ça a dû être !

Je n'ai jamais eu l'intention de provoquer ton avortement, Indiana, ce fut un accident. Une seule dose de kétamine pour que tu me suives jusqu'ici aurait été inoffensive, mais ensuite j'ai dû te garder droguée quelques jours et c'est certainement ce qui a provoqué ta fausse couche. Tu m'as fait une peur terrible. Lundi, quand je suis venue te voir, je t'ai trouvée dans une mare de sang et j'ai failli m'évanouir, je ne supporte pas la vue du sang. J'ai craint le pire, que tu t'étais arrangée pour te suicider, mais alors je me suis souvenue de ta grossesse. À ton âge, le pourcentage d'avortements spontanés est de dix à vingt pour cent, et c'est un processus naturel qui nécessite rarement une intervention. La fièvre m'a inquiétée, mais nous l'avons jugulée grâce à l'antibiotique. Je t'ai bien soignée, Indi, tu comprendras que je ne vais pas permettre que tu meures exsangue. J'ai d'autres projets.

Lorsqu'elle examina la photographie de Lee Galespi, qu'Angélique Larson avait envoyée à son grand-père, Amanda sentit son estomac se nouer et un goût métallique dans la bouche, un goût de sang. Elle était sûre de connaître cette personne, mais elle ne parvenait pas à la situer. Après avoir retourné plusieurs possibilités, elle s'avoua vaincue et eut recours à son grand-père, qui au premier regard déclara qu'il ressemblait à cette dame malade d'un cancer qui lui avait offert Sauvez-le-Thon. Sans réfléchir davantage, tous deux se rendirent au Café Rossini, car ils savaient que Carol Underwater y restait des heures à lire pour passer le temps entre deux traitements à l'hôpital, ou pour attendre Indiana.

Danny D'Angelo, toujours théâtral dans ses réactions, les reçut avec de grandes démonstrations d'affection. Il n'avait pas oublié que Blake Jackson l'avait soigné chez lui lorsqu'il avait été malade. Il versa des larmes d'affliction pour la tragédie qui les affectait tous. Il était impossible qu'Indiana se soit évaporée, enlevée par des extraterrestres, quelle autre explication ?... Amanda l'interrompit en lui mettant la photo sous le nez.

— Qui c'est celui-là, Danny ? lui demanda-t-elle.

— Je dirais que c'est cette Carol, l'amie d'Indiana, quand elle était jeune.

— Celui-ci est un homme, lui dit Blake.

— Carol aussi. C'est évident, n'importe qui s'en aperçoit.

— Un homme ? maman ne s'en est pas rendu compte et nous non plus ! s'exclama Amanda.

— Non ? Je pensais qu'Indiana le savait. Ta maman est dans la lune, chérie, elle ne voit rien. Attendez, j'ai une photo de Carol, c'est Lulu qui l'a prise. Vous connaissez Lulu Gardner ? Vous l'avez sûrement vue, elle est toujours dans le coin, c'est une petite vieille extravagante qui passe son temps à prendre des photos à North Beach.

Il partit en hâte en direction de la cuisine et revint quelques minutes plus tard avec une photo Polaroïd en couleurs sur laquelle figuraient Indiana et Carol, à une table près de la fenêtre, Danny posant derrière elles.

— Le transformisme est un art délicat, leur expliqua Danny. Certains hommes vêtus en femme sont plus beaux qu'un mannequin, mais c'est rare, en général ça se remarque beaucoup. Carol n'essaie pas de paraître belle, il lui suffit de se sentir féminine. Elle a choisi un style négligé, passé de mode, qui dissimule mieux son corps. N'importe qui peut s'habiller pour être laide. Ah ! Je ne devrais pas parler ainsi d'une personne qui a un cancer. Bien qu'en réalité ça l'aide, parce qu'on lui pardonne la perruque et les foulards dont elle se couvre la tête. Il est possible aussi qu'elle n'ait pas de cancer, qu'elle l'ait inventé pour jouer son rôle de femme ou pour attirer l'attention. Feindre une maladie, ça porte un nom…

— Syndrome de Münchhausen, intervint Blake, qui en tant que pharmacien avait vu toutes sortes de choses.

— C'est ça. Pour un transformiste, cacher sa voix est un problème, à cause des cordes vocales, plus épaisses chez un homme que chez une femme. C'est pour ça que Carol parlait en murmurant.

— maman croit que c'est à cause de la chimiothérapie.

— Allons donc ! C'est un truc du métier, elles parlent toutes comme la défunte Jacqueline Kennedy.

— Le type de la photo a les yeux clairs et ceux de Carol sont marron, dit Amanda.

— Je ne sais pas pourquoi elle met des lentilles de contact couleur café, ça lui va très mal, ça lui fait des yeux exorbités.

— Tu as vu Carol par ici ?

— Maintenant que tu me poses la question, Amanda, il me semble que je ne l'ai pas vue depuis plusieurs jours. Si elle vient je lui dirai de t'appeler.

— Je ne crois pas qu'elle viendra, Danny.

Ça faisait longtemps que je ne m'étais pas habillé en femme, Indi, et je ne l'ai fait que pour toi, pour gagner ta confiance. Je devais me rapprocher de l'inspecteur Martín, j'avais besoin d'obtenir des détails sur l'enquête, parce que le peu que publient les médias est en général inexact et j'ai supposé que tu allais me servir à ça. Toi et Bob Martín, vous êtes d'étranges divorcés ; peu de couples mariés entretiennent des relations aussi amicales que les vôtres. Mais ce n'était pas la seule raison : j'espérais que tu en viendrais à m'aimer et à dépendre de moi. As-tu remarqué que tu n'as pas d'amies ? Presque tous tes amis sont des hommes, comme ce soldat éclopé ; tu avais besoin d'une amie. Le cancer a été une idée géniale, admets-le, parce que dans ton désir de m'aider tu as baissé tes rares défenses. Comment pouvais-tu te méfier d'une malheureuse atteinte d'un cancer en phase terminale ! Il a été facile de te soutirer des informations, mais je n'imaginais pas que ta fille aussi m'aiderait ; si je croyais à la chance, je dirais que ce fut un cadeau du ciel, mais je préfère croire que ma stratégie a porté ses fruits. Sous prétexte d'avoir des nouvelles de Sauvez-le-Thon – quel nom étrange pour un animal de compagnie – j'ai quelquefois rendu visite à ta fille et nous avons parlé au téléphone. J'ai toujours été très prudente, pour ne pas t'alarmer, mais dans la conversation nous commentions son jeu de Ripper *et elle me tenait au courant de ce qu'elle découvrait. Elle ne savait pas le service qu'elle me rendait.*

Du Café Rossini, le grand-père et la petite fille se rendirent sans attendre à la Criminelle avec la photo de Carol Underwater que Danny leur avait donnée. L'anxiété d'Amanda était telle, lorsqu'elle imaginait tout ce que cette personne savait sur sa mère, qu'elle pouvait à peine parler, c'est donc Blake qui prit la parole pour expliquer à Bob Martín que Carol était Lee Galespi. L'inspecteur convoqua en urgence ses détectives ainsi que les deux psychologues criminalistes de la Brigade, et il appela Samuel Hamilton qui se présenta un quart d'heure plus tard. Tout désignait Lee Galespi comme l'auteur des homicides et le responsable de la disparition d'Indiana. Ils en déduisirent que Galespi avait nourri pendant des années l'idée de se venger des personnes qui l'avaient maltraité, mais qu'il ne s'était décidé à agir que lorsque Angélique Larson lui avait fait part de ses doutes sur le fait que Marion Galespi, le seul être qui l'avait aimé dans sa vie, n'était pas sa mère. Il avait alors recherché ses parents biologiques et, les ayant identifiés, il comprit que ses malheurs avaient commencé le jour de sa naissance ; il avait alors quitté son travail et ses amis, avait légalement disparu et passé les six années suivantes à se préparer pour ce qu'il considérait comme un devoir de justice : débarrasser le monde de ces êtres dépravés et éviter qu'ils ne s'en prennent à d'autres enfants. Il vivait frugalement et avait pris soin de son argent, il pouvait vivre jusqu'à la réalisation de sa mission, planifiant à plein temps chacun des meurtres, depuis l'obtention de drogues et d'armes jusqu'à la manière de les réaliser sans laisser de traces.

— Galespi s'est effacé du monde et il a réapparu l'an dernier pour tuer Ed Staton, dit l'inspecteur.

— Transformé en Carol Underwater, ajouta Blake Jackson.

— Je ne crois pas qu'il ait commis ses crimes sous une identité féminine. Dans son enfance, le message qu'il avait reçu de Marion Galespi était clair : « Les filles sont gentilles et les garçons sont méchants. » Il est probable qu'il les a commis sous son identité masculine, hasarda l'un des psychologues.

— Dans ce cas, pourquoi s'habillait-il en femme ?

— Difficile de le savoir. C'est peut-être un transformiste.

— Ou alors il l'a fait pour gagner l'amitié d'Indiana. Carol Underwater, ou plutôt Lee Galespi, est obsédé par ma fille, expliqua Blake Jackson. Je crois que c'est Galespi, habillé en Carol Underwater, qui a fait parvenir la revue où Allan Keller apparaissait avec une autre femme, ce qui a rompu leur relation.

— Nous avons la vengeance comme mobile dans tous les homicides sauf celui de Keller, dit l'inspecteur.

— C'est le même assassin, mais avec un mobile différent. Keller, il l'a tué par jalousie, dit l'autre psychologue.

Blake expliqua qu'Indiana avait confiance en Carol et qu'elle lui avait donné accès à son intimité. Parfois Carol/Lee l'attendait à la réception du cabinet, pendant qu'elle recevait ses patients. Les occasions ne lui ont pas manqué d'entrer dans son ordinateur, de lire sa correspondance, de voir son agenda et d'installer les vidéos sadomasochistes ainsi que celle du Loup.

— Je les ai souvent vues ensemble au Café Rossini, ajouta Samuel Hamilton. Le jeudi 8 mars, Indiana a dû raconter à Carol qu'elle allait dîner avec Alan Keller à San Francisco, tout comme elle lui racontait d'autres détails de sa vie. Carol/Lee a disposé de toute la soirée pour aller à Napa, s'introduire dans la maison de Keller et empoisonner les deux verres avec du cyanure, ensuite il s'est caché pour l'attendre, s'assurer qu'il était mort et lui tirer la flèche.

— Mais il ne s'attendait pas à ce que Ryan Miller se présente pour parler à Keller. Il a dû le voir, ou du moins l'entendre depuis sa cachette, hasarda Amanda.

— Comment sais-tu à quel moment Miller s'est rendu dans cette maison ? lui demanda son père, qui depuis trois semaines se doutait que sa fille lui cachait quelque chose ; le moment était peut-être venu de vérifier son ordinateur et son téléphone.

— Simple question de logique, interrompit rapidement le grand-père. Miller a trouvé Keller vivant, ils ont discuté, il l'a frappé et il est parti, en laissant partout ses empreintes. Très pratique pour l'assassin. Ensuite Keller a bu l'eau empoisonnée et il est mort instantanément. Mais je ne comprends pas pourquoi il a tiré une flèche sur le cadavre.

— Pour Lee Galespi, il s'agissait aussi d'une exécution, expliqua l'un des psychologues. Alan Keller l'a fait souffrir, il lui a pris Indiana, et il devait payer. La flèche dans le cœur est un message clair : Cupidon transformé en bourreau. Il correspond à l'acte de sodomiser le cadavre de Staton, en référence à ce que cet homme lui avait fait à Camp Boys, et à celui de brûler les Constante, qui le brûlaient avec des cigarettes lorsqu'il urinait au lit.

— Matheus Pereira est la dernière personne à avoir vu Indiana et Carol le vendredi soir, dit Samuel Hamilton. J'ai parlé avec Pereira, parce qu'il y a quelque chose qui me tracasse.

— Quoi ? demanda l'inspecteur.

— Carol a dit au peintre qu'elles allaient au cinéma, mais d'après M. Jackson, Indiana dînait toujours à la maison le vendredi.

— Pour voir Amanda quand elle rentrait de l'internat. M. Hamilton a raison, Indiana n'irait pas au cinéma un vendredi, confirma le grand-père.

— Indiana est grande et forte, Carol n'aurait pas pu l'emmener de force, intervint l'inspecteur.

— À moins qu'elle lui ait administré ces drogues qui éliminent complètement la volonté et provoquent l'amnésie, celles qu'utilisent les violeurs, par exemple, répliqua Hamilton. Pereira n'a pas été surpris de voir les deux amies, mais lorsque j'ai évoqué la possibilité qu'Indiana ait été droguée, il m'a confirmé qu'elle paraissait un peu absente, qu'elle n'avait pas répondu à son salut et que Carol la tenait par le bras.

À onze heures et quart du soir tous étaient fatigués et affamés, mais personne n'eut l'idée de manger quelque chose ou d'aller dormir. Amanda n'avait pas besoin de regarder la pendule murale dans le bureau de son père, cela faisait deux ans qu'elle apprenait à deviner l'heure : il restait à sa mère vingt-quatre heures et quarante-cinq minutes de vie.

Ryan Miller non plus ne prit pas de repos cette nuit-là. Il était plongé dans son ordinateur, cherchant le bout du fil qui lui permettrait de démêler l'écheveau d'inconnues qu'il avait entre les mains. Il disposait des programmes qu'il utilisait pour son travail, lui donnant accès à toutes les informations n'importe où dans le monde, de la plus secrète à la plus banale. En quelques minutes il pouvait savoir ce qui s'était passé au cours de la dernière réunion des directeurs d'Exxon Mobil, Petro China et Saudi Aramco, ou connaître le menu du déjeuner du Bolchoï. Le problème n'était pas d'obtenir la réponse, mais de formuler la bonne question.

Denise West avait sacrifié l'un de ses poulets pour lui préparer un succulent dîner, qu'elle lui laissa dans la cuisine avec une miche de pain complet, pour passer la nuit. « Bonne chance, mon fils », lui dit-elle en posant un baiser sur son front, et Ryan rougit ; il vivait auprès d'elle depuis deux semaines, mais ne s'habituait toujours pas à la tendresse spontanée. Dans la journée, on sentait la tiédeur du printemps naissant, mais les nuits étaient encore fraîches et les brusques changements de température faisaient gémir les planches de la maison, comme une vieille arthritique. Les seules sources de chaleur étaient la cheminée de la salle, qui ne servait pas à grand-chose, et un réchaud à gaz, que Denise traînait avec elle d'une pièce à l'autre, là où elle s'installait ; Ryan Miller, habitué à son loft glacé, n'en avait pas besoin. La femme partit se coucher et le laissa plongé dans son ordinateur, Attila couché à ses pieds. Comme le chien ne pouvait faire d'exercice que dans l'hectare et demi de Denise, parce qu'au-delà il attirait trop l'attention, il avait grossi, et depuis qu'il partageait son espace avec deux toutous de manchon et plusieurs chats, pour la première fois dans sa rude existence de guerrier il bougeait la queue et souriait, comme un vulgaire chien de chasse.

À deux heures du matin, Miller termina la poule au pot, qu'il partagea avec Attila. Il avait fait ses exercices de qi gong, mais n'arrivait pas à se concentrer. Son esprit sautait d'une chose à l'autre. Il ne parvenait pas à réfléchir, ses idées s'embrouillaient et l'image d'Indiana interrompait le cours de n'importe quel raisonnement. Sa peau le brûlait, il avait envie de crier, de se battre contre les murs à coups de poing ; il voulait de l'action, il avait besoin d'instructions, d'un ordre péremptoire, d'un ennemi visible. Cette attente sans objet précis était bien pire que le fracas du combat le plus sanglant. « Il faut que je me calme, Attila. Dans cet état, je ne sers à rien. » Sous le terrible poids de la défaite, il se jeta sur le canapé pour s'obliger à se reposer. Il fit l'effort de respirer comme le lui avait appris Indiana, en se concentrant sur chaque inspiration, chaque expiration, et de se détendre comme le lui avait appris son maître de qi gong. Vingt minutes passèrent sans qu'il réussît à s'endormir.

Alors, dans l'éclat rougeâtre ténu des dernières braises de la cheminée, il vit deux silhouettes, une fillette d'une dizaine d'années portant une longue jupe et un châle sur la tête, qui tenait un petit garçon par la main. Ryan Miller demeura immobile, sans ciller, sans respirer, pour ne pas les effrayer. La vision dura un temps impossible à mesurer, peut-être seulement quelques secondes, mais elle fut aussi claire que si les enfants étaient venus d'Afghanistan lui rendre visite. Il les avait déjà vus d'autres fois tels qu'ils étaient pendant la guerre, en 2006, cachés dans un trou : une petite fille de quatre ans et un bébé. Mais cette nuit-là, dans la maison de Denise West, ce n'étaient pas des fantômes du passé, c'étaient bien eux, Sharbat et son frère, tels qu'ils étaient maintenant, six ans plus tard. Lorsque les enfants se retirèrent, avec leur discrétion habituelle, le soldat sentit se relâcher la serre qui avait emprisonné son cœur pendant ces six années, et il se mit à sangloter de soulagement et de reconnaissance parce que Sharbat et son frère étaient vivants, sauvés des horreurs de la guerre et de la douleur d'être orphelins, ils l'attendaient, ils l'appelaient. Il leur promit qu'il irait les chercher dès qu'il aurait accompli sa dernière mission de *navy seal* : délivrer la seule femme qu'il pouvait aimer.

Le sommeil surprit Miller quelques secondes plus tard. Il s'endormit, les joues humides de larmes.

J'espère que tu me pardonnes de t'avoir embobinée avec mon personnage de Carol, je t'ai déjà expliqué que c'était une fantaisie sans malice. Tout ce que je voulais, c'était me rapprocher de toi. J'ai pensé plus d'une fois que tu avais compris que Carol était un homme et que tu acceptais simplement la situation, comme tu acceptes à peu près tout, mais la vérité c'est que tu ne m'as jamais vraiment regardée pour me connaître à fond. Pour toi, notre relation n'a été qu'une amitié superficielle, pour moi au contraire, tu étais aussi importante que ma mission.

Comme tu t'en doutes, Indiana, éliminer Ed Staton, les Farkas, les Constante, Richard Ashton et Rachel Rosen ne pouvait passer inaperçu, il était essentiel que le public en soit informé. J'aurais pu le faire d'une manière qui paraisse accidentelle, personne n'aurait pris la peine d'enquêter et je n'aurais pas eu de raison de m'inquiéter, mais mon but a toujours été de donner une leçon à d'autres êtres aussi pervers qu'eux, qui n'ont pas le droit de vivre dans la société. Il fallait qu'il soit absolument évident que mes victimes avaient été jugées, condamnées à mort et exécutées. J'y ai réussi dans tous les cas, mais j'ai failli échouer avec les Farkas parce que, bien que j'aie laissé exprès la bouteille dans le camping-car, la police n'a pas analysé le contenu du genièvre. Je viens d'apprendre que ton ex-mari a enfin découvert que l'alcool était mélangé à une drogue. Trois mois plus tard ! Cela te prouve l'incurie de la police.

Dans mon plan, cela devait faire les gros titres des journaux pour avertir ceux qui n'ont pas la conscience tranquille, mais les journalistes sont paresseux et le public, indifférent. Il me fallait trouver la manière d'attirer l'attention. En septembre de l'année dernière, un mois avant la première exécution, celle d'Ed Staton, j'ai vu Céleste Roko à la télévision avec son horoscope du jour. Il faut admettre que cette femme est excellente, elle a réussi à me captiver, même si je ne crois pas à l'astrologie ; ça ne m'étonne pas que son émission ait tellement de succès. L'idée m'est venue de l'utiliser pour donner de la publicité à ma mission et je lui ai envoyé cinq brefs messages lui disant qu'il y aurait un bain de sang à San Francisco. Je suppose qu'elle a pris le premier pour une plaisanterie ; le deuxième pour la lubie d'un déséquilibré, mais elle a dû prêter attention aux suivants et, si elle est aussi professionnelle qu'elle le dit, elle a étudié les étoiles.

Tiens compte de la suggestion, Indiana, c'est un facteur très puissant. Roko a cherché dans l'astrologie ce qu'elle voulait trouver : l'évidence du bain de sang annoncé dans les messages qu'elle avait reçus. Et bien sûr elle l'a trouvée, tout comme tu vois des réponses justes dans ton horoscope. Les prévisions sont très vagues et ceux, comme toi, qui croient à l'astrologie les interprètent en fonction de leurs désirs. Roko a peut-être vu la prophétie écrite avec du sang dans le firmament et elle a décidé d'avertir le public, tout comme je l'espérais. Eh bien, Indiana, je te concède, pour le plaisir d'argumenter, qu'il n'en a peut-être pas été ainsi.

Qui vient en premier, l'œuf ou la poule? Peut-être que ma mission a vraiment été déterminée par la position des planètes. C'est-à-dire qu'elle était écrite depuis ma naissance. Je me suis donc contentée d'accomplir mon destin, c'était inévitable. Nous ne le saurons jamais, n'est-ce pas?

Vendredi, 6

À quatre heures du matin, alors qu'Amanda s'était enfin endormie dans le lit de son grand-père, enveloppée dans son gilet, lui tenant la main et Sauvez-le-Thon sur l'oreiller, son portable qu'elle avait laissé branché sur la table de nuit sonna. Blake, qui n'avait pas réussi à s'endormir et était assis dans l'obscurité, regardant passer le temps sur les chiffres lumineux du réveil, sursauta, d'abord avec le fol espoir que ce soit sa fille, enfin libre, et tout de suite après avec l'angoisse que ce soient de mauvaises nouvelles.

Sherlock Holmes dut lui répéter son nom pour qu'il comprenne de qui il s'agissait. Ce n'était jamais arrivé, l'une des règles tacites était qu'il n'y ait pas de contact unilatéral entre les joueurs de *Ripper*.

— C'est Sherlock Holmes! Je dois parler à la maîtresse! s'exclama le garçon de Reno.

— C'est Kabel, que se passe-t-il?

Amanda se réveilla en entendant la voix de son grand-père et elle lui arracha le téléphone des mains.

— Maîtresse, j'ai une piste, dit Sherlock.

— Laquelle? interrogea Amanda, tout à fait réveillée.

— J'ai vérifié quelque chose qui est peut-être important : Farkas veut dire « loup » en hongrois.

— Qu'est-ce que tu dis?

— Ce que tu as entendu. J'ai cherché la traduction de loup dans plusieurs langues et j'ai découvert qu'en hongrois, c'est *farkas*.

— Cela ne nous dit pas où il retient ma mère.

— Non, mais ça veut dire que si l'assassin a adopté le symbole du loup, c'est qu'il a un rapport avec Sharon et Joe Farkas. Il le savait avant de commettre le premier crime, celui d'Ed Staton, et il a laissé la signature du Loup, ou de *farkas*, sur chacune des scènes de crime.

— Merci, Sherlock. J'espère que ça va servir à quelque chose.

— Bonne nuit, maîtresse.

— Bonne nuit ? Mais c'est la pire nuit de ma vie... !

Après avoir raccroché avec Sherlock, Amanda et son grand-père apprécièrent cette nouvelle donnée, évaluant comment ils pouvaient l'utiliser pour résoudre le puzzle.

— Comment s'appelait l'enfant que les Farkas ont perdu ? demanda l'adolescente, si nerveuse qu'elle claquait des dents.

— Je t'en prie, trésor, calme-toi et essaie de te reposer, tu en as déjà trop fait, maintenant c'est au tour de la police.

— Tu sais comment il s'appelait, oui ou non ? lui cria-t-elle.

— Je crois qu'il s'appelait Anton. C'est ce qu'a dit ton père.

— Anton Farkas, Anton Farkas..., répéta Amanda en tournant en rond dans la chambre.

— Ça, c'est le nom du frère de Joe Farkas, celui qui est allé reconnaître les corps. Tu crois que ?... dit le grand-père.

— Ce sont les lettres brûlées sur les fesses des Constante ! Les initiales ! l'interrompit la petite fille.

— F sur Michael et A sur Doris, lui rappela Kabel.

— Selon la façon dont les corps étaient placés dans le lit, c'est A et F. Anton Farkas.

— La carte postale qu'ils ont trouvée dans le camping-car était signée de ce nom. C'était une invitation à se retrouver au camping de Rob Hill le 10 décembre de l'année dernière. Mais le frère de Joe Farkas a nié l'avoir envoyée, c'est du moins ce qu'il a déclaré à la police.

— C'est sûr, grand-père, il ne l'a jamais envoyée. La carte était d'un autre Anton Farkas, elle venait du fils de Sharon et Joe. Tu comprends, Kabel ? Les Farkas sont venus à San Francisco pour rencontrer leur fils, pas le frère de Joe. La personne qu'ils ont reçue dans leur camping-car était le fils qu'ils avaient perdu.

— Il faut appeler ton père, décida Blake Jackson.

— Attends. Donne-moi une minute pour réfléchir… Nous devons aussi prévenir Ryan immédiatement. Il vaut mieux le faire par téléphone.

Blake Jackson composa le numéro du portable secret que lui avait donné Alarcón. L'appareil ne sonna que deux fois, comme si l'Uruguayen avait attendu l'appel.

— Pedro ? Pardon pour l'heure, dit Blake, et il tendit le portable à sa petite-fille.

— Tu dois tout de suite transmettre un message à Ryan. Dis-lui que farkas veut dire « loup » en hongrois. Le fils des Farkas s'appelait Anton. Lee Galespi connaissait son nom et qui étaient ses parents lorsqu'il a établi la liste des personnes qu'il allait tuer. Je crois qu'il n'y a aucune trace de Lee Galespi ou de Carol Underwater parce qu'il utilise son vrai nom. Dis à Ryan qu'Anton Farkas est le Loup. Nous devons le trouver dans les vingt prochaines heures.

Aussitôt Amanda appela son père, qui pour la première fois de la semaine s'était rendu à son appartement et s'était écroulé sur son lit, habillé et chaussé. Lui aussi répondit tout de suite au téléphone et Amanda lui répéta le message.

— Papa, il faut que tu arrêtes Anton Farkas et que tu l'obliges à dire où il retient maman ! Arrache-lui les ongles s'il le faut, tu m'entends ?

— Oui, ma fille. Passe-moi Blake.

— C'est moi, Bob, dit le grand-père.

— Maintenant, cette affaire est entre mes mains, Blake. Je vais mettre toute la police de San Francisco et celle du reste de la baie à la recherche de tous les Anton Farkas qui existent et alerter les fédéraux. Je crois qu'Amanda est sur le point de craquer, elle n'en peut plus. Peux-tu lui donner un tranquillisant ?

— Non, Bob. Nous avons besoin qu'elle soit lucide au cours des prochaines heures.

À dix heures du matin, Miller se mit en contact avec les participants de *Ripper* par Skype, sans image, parce que Denise n'était pas là pour lui prêter son visage. C'était jour de marché et elle était partie très tôt avec ses caisses d'œufs frais, ses poulets et ses bocaux de conserves, elle ne rentrerait que dans l'après-midi.

— Que se passe-t-il avec la caméra de ton ordinateur, Jézabel ? demanda Amanda, qui était à côté de son grand-père dans la cuisine, tous deux sur le même ordinateur.

— Je ne sais pas, je n'ai pas le temps de l'arranger maintenant. Vous m'entendez bien ? dit Miller.

— Parfaitement, mais tu as une drôle de voix, dit le colonel Paddington.

— J'ai une laryngite.

— Voici les dernières nouvelles, joueurs. Vas-y, Kabel, ordonna la maîtresse du jeu.

Blake fit un résumé de ce qui s'était dit à la réunion de la Brigade criminelle. Les adolescents savaient que Carol Underwater était Lee Galespi et que la police n'avait pas pu le localiser. Le grand-père ajouta la découverte d'Amanda sur Anton Farkas.

— Ce matin j'ai appelé Jézabel pour qu'elle cherche Anton Farkas, c'est notre meilleure enquêtrice, dit Amanda, sans préciser qu'elles avaient déjà parlé deux fois le matin même.

— Nous étions d'accord pour que personne n'ait d'avantage sur les autres ! reprocha Paddington, de mauvaise humeur.

— Nous n'avons pas de temps à perdre en formalités, colonel. La bataille a commencé. Il ne manque que quelques heures avant minuit et nous ne savons pas où se trouve ma mère. Il est possible qu'elle soit morte..., dit Amanda, d'une voix étranglée.

— Elle est vivante, mais son énergie est très faible, déclara Abatha de son ton monocorde de somnambule. C'est un endroit très vaste, froid et obscur, on entend des cris, des glapissements. Je sens aussi la présence d'esprits du passé qui protègent la maman de la maîtresse.

— Qu'as-tu découvert, Jézabel ? l'interrompit Sherlock Holmes.

— Avant tout, nous devons remercier Sherlock et Amanda. Grâce à eux je crois que nous sommes sur le point de résoudre cette affaire, dit Jézabel.

Elle se mit aussitôt à leur expliquer que fort heureusement Anton Farkas n'était pas un nom courant. En Californie, elle n'avait trouvé que quatre personnes sous ce nom : le frère de Joe Farkas à Eureka, un vieillard dans une maison de repos à Los Angeles, un autre homme à Sacramento et le dernier à Richmond. Elle avait appelé le premier de ces deux derniers numéros et était tombée sur un répondeur : « Ici Anton Farkas, constructeur et arpenteur diplômé, inspection et évaluation de propriété, laissez votre message et je vous rappellerai dès que possible. » Elle avait appelé le second et entendu exactement le même enregistrement. Il s'agissait donc de la même personne.

— C'est le plus important que nous ayons ! s'exclama le colonel Paddington.

— Il n'y a pas d'adresse postale de Farkas, dans aucune des deux villes, seulement des boîtes postales, dit Jézabel.

Amanda et Blake le savaient déjà, non seulement parce que Miller le leur avait dit, mais parce que Bob Martín aussi l'avait fait. L'adresse des personnes qui louaient des boîtes postales était confidentielle, il fallait une assignation pour l'obtenir. Il avait ajouté que ces deux villes ne relevaient pas de sa juridiction, il n'avait de compétence que pour San Francisco, mais en apprenant ce qui se passait, les deux agents fédéraux. qui n'avaient pas besoin d'assignation, proposèrent aussitôt de l'aider. À l'instant même, Lorraine Barcott se trouvait à Richmond et Napoléon Fournier III à Sacramento. Ce que le grand-père et la petite-fille ignoraient, c'est que Ryan Miller et Pedro Alarcón venaient d'apprendre autre chose.

— Tu as dit que cet Anton Farkas est arpenteur-géomètre, demanda Esmeralda à Jézabel.

— Oui, c'est pourquoi j'ai eu l'idée de jeter un coup d'œil aux relevés récemment signés par Anton Farkas à Sacramento et Richmond, où il travaille sûrement. Il existe un registre de ces inspections. Il y en a une qui saute aux yeux et coïncide avec la description d'Abatha : Winehaven. Il s'agit d'un ancien pressoir à Point Molate, où l'on faisait du vin jusqu'en 1919, date à laquelle il a cessé de fonctionner. Pendant la Seconde Guerre mondiale, il a été occupé par la Marine. Il appartient aujourd'hui à la ville de Richmond, répliqua Miller dans son rôle de Jézabel.

— Très intéressant, déclara Paddington.

— C'est un bâtiment immense, à l'abandon. La Marine a utilisé les maisons des ouvriers pour y loger des officiers, elle a transformé les fameuses caves en casernements et construit un abri antiaérien.

— Ça te semble un endroit approprié pour cacher une personne séquestrée ? demanda Esmeralda.

— Oui, idéal, comme fait sur mesure. La Marine s'est retirée en 1995, et Winehaven est inoccupé depuis. Personne ne sait quoi faire de ce bâtiment ; un vague projet de casino a existé, mais il n'y a pas eu de suite. Les maisons des employés du pressoir existent toujours. L'édifice, qui ressemble à une forteresse médiévale de couleur rouge, n'est pas ouvert au public, mais on peut le voir depuis le ferry de Vallejo qui passe tout près sans s'arrêter, et aussi depuis le pont de San Rafael. En mars, la ville de Richmond a engagé Anton Farkas pour une mission d'arpentage.

— Anton Farkas, ou Lee Galespi, ou Carol Underwater, quel que soit le nom que vous voulez donner au Loup, peut retenir ma mère dans n'importe laquelle de ces maisons abandonnées ou dans la forteresse. Comment va-t-on la trouver sans l'aide d'un groupe d'intervention spéciale ? demanda Amanda.

— Si j'étais le Loup et si j'avais un otage, je choisirais l'abri antiaérien, parce qu'il doit être mieux protégé. C'est la stratégie de base, dit le colonel Paddington.

— Les maisons sont murées et elles se trouvent tout près du chemin. Je suis d'accord avec le colonel pour dire que le Loup choisirait l'abri antiaérien. Comme Anton Farkas a récemment été chargé de la mission d'arpentage, il sait comment entrer.

— Quelle est l'étape suivante ? demanda Esmeralda.

— Prévenir mon père ! s'exclama Amanda.

— Non ! répliqua Jézabel. Si Anton Farkas garde ta mère à Winehaven, nous ne pouvons pas alerter la police, parce qu'elle foncerait sur la forteresse comme un troupeau de buffles et nous ne récupérerions jamais ta maman à temps.

— Je suis d'accord avec Jézabel. Nous devons agir seuls et le prendre par surprise, approuva le colonel Paddington.

— Ne comptez pas sur moi, je suis dans un fauteuil roulant en Nouvelle-Zélande, leur rappela Esmeralda.

— Je propose qu'on demande de l'aide à Ryan Miller, intervint Jézabel.

— À qui ? demanda Esmeralda.

— Au type accusé d'avoir tué Alan Keller.

— Pourquoi à lui ?

— Parce que c'est un *navy seal*.

— Miller doit être à l'autre bout du monde, il ne serait pas imprudent au point d'être resté à proximité de la scène du crime, juste là où on le cherche, dit Sherlock Holmes.

— Il n'a commis aucun des crimes dont il est soupçonné, cela nous le savons, intervint Abatha.

— Il est peut-être resté dans le secteur de la baie pour trouver le Loup, je crois qu'il n'a pas confiance en l'efficacité de la police, suggéra Kabel, en faisant signe à sa petite-fille de prendre garde à ce qu'elle disait.

— Comment allons-nous localiser le *navy seal*? demanda Esmeralda.

— Je m'en charge. Ce n'est pas pour rien que je suis la maîtresse du jeu, leur assura Amanda.

— Cet homme nous aidera, je le sens ici, au milieu du front, dans le troisième œil, dit Abatha.

— À condition qu'il soit disponible, dit Paddington en regrettant de se trouver dans le New Jersey, car la situation requérait la présence d'un stratège militaire de son niveau.

— Supposons que la maîtresse trouve Ryan Miller. Comment va-t-il entrer dans Winehaven ? insista Esmeralda.

— Les *navy seals* ont envahi le refuge de Ben Laden au Pakistan. Je ne crois pas que Miller ait des difficultés pour pénétrer dans un pressoir abandonné sur la baie de San Francisco, dit le colonel.

— L'opération Ben Laden a été planifiée pendant des mois, l'attaque a été menée pas un groupe de *navy seals* en hélicoptère, appuyé par l'aviation. Ils sont entrés déterminés à tuer. Cette opération-ci serait menée par un seul homme pour sauver une personne, pas pour la tuer. Le plus difficile est de récupérer les otages vivants, c'est prouvé, les avertit Sherlock Holmes.

— Avons-nous une autre solution ? demanda Esmeralda.

— Non. Mais c'est un jeu d'enfants pour un *navy seal*, dit Jézabel, qui aussitôt regretta ses paroles, car se vanter avant l'action portait malheur, comme avait pu le vérifier plus d'un soldat.

— Nous communiquerons de nouveau à dix-huit heures, heure de Californie. En attendant je vais tenter de localiser Miller, trancha Amanda.

Quatre participants de *Ripper* se retirèrent de Skype, tandis que la maîtresse du jeu et son sbire restaient en contact avec Jézabel, c'est-à-dire Miller, pour écouter son plan d'action. Le *navy seal* leur expliqua que Winehaven consistait en plusieurs bâtiments et que le plus grand, qui abritait les anciennes caves à vin, avait trois étages et un sous-sol, où la Marine avait construit l'abri antiaérien. Les fenêtres étaient protégées par des grilles métalliques, la porte qui donnait accès au refuge, du côté de la baie, était fermée par deux barres d'acier croisées et le terrain était clôturé, de crainte qu'il ne soit utilisé pour une attaque terroriste contre la raffinerie de pétrole de Chevron, toute proche. Un vigile faisait deux rondes la nuit, mais il n'entrait jamais dans les bâtiments. Il n'y avait pas d'électricité et d'après la dernière inspection, celle d'Anton Farkas, l'endroit était peu sûr, fréquemment inondé pendant les tempêtes ou quand l'eau de la baie montait, faisant flotter les planches, il y avait des tas de décombres dus aux affaissements du toit et des trous profonds entre les étages.

— Sais-tu comment est le refuge ? lui demanda Blake.

— Plus ou moins, ce n'est pas très clair sur les plans. La cave est immense. Avant il y avait un ascenseur, qui n'existe plus, mais il doit y avoir un escalier. D'après le plan de la Marine, le refuge a la capacité d'abriter tout un contingent de soldats et d'officiers, plus un hôpital de campagne.

— Comment penses-tu entrer ? lui demanda Amanda.

— Il y a une porte au deuxième étage qui est visible depuis le chemin, dit Miller. Pedro est à Point Molate et il vient de m'appeler ; il dit que depuis la grille, il a réussi à photographier la porte avec son objectif télescopique. Elle est en fer et a deux cadenas industriels, qui d'après lui sont très faciles à ouvrir. Pour lui, n'importe quel cadenas est un jeu d'enfant.

— Pedro ira avec toi, je suppose, dit Amanda.

— Non. Pedro n'a pas mon entraînement, il serait plus gênant qu'autre chose. En plus, il doit rester sur ses gardes, ton père a mis un détective sur ses traces, je ne sais pas comment il l'a semé pour aller à Point Molate, ni comment il va se débrouiller pour me faire parvenir ce dont j'ai besoin.

— Il peut t'apprendre à ouvrir les cadenas ?

— Oui, mais il s'agit de l'une de ces portes métalliques qui s'enroulent. Si je tente de l'ouvrir ou que je casse une fenêtre, ça fera du bruit. Je dois chercher une autre entrée.

Je suis heureux de voir que tu es enfin réveillée, Indi. Comment te sens-tu ? Tu es faible, mais tu peux marcher, même si tu n'as pas besoin de le faire. Dehors, la journée est magnifique ; il ne fait pas froid, l'eau est claire, le ciel dégagé et il y a de la brise, un temps idéal pour les sportifs. On voit des centaines de voiliers dans la baie et les fans de kite surfing sont nombreux à voler au-dessus de l'eau. Il y a aussi beaucoup de mouettes, mais que ces oiseaux sont braillards ! Cela veut dire que la pêche est bonne et que les grands-pères chinois vont venir pêcher dans les environs. Nous sommes tout près d'une vieille station baleinière abandonnée depuis quarante ans, la dernière aux États-Unis. Ils amenaient les baleines du Pacifique, et il y a encore un siècle il en restait quelques-unes dans la baie. Le fond de la baie est semé d'ossements ; on dit qu'à l'époque une équipe de quarante hommes pouvait, en une heure, réduire une baleine à bosse en huile et en chair pour fourrage, et qu'on sentait l'odeur jusqu'à San Francisco.

Sais-tu que nous sommes à quelques mètres de l'eau ? Qu'est-ce que je dis ! Comment pourrais-tu le savoir puisque tu n'as pas eu l'occasion de prendre l'air. Nous n'avons pas de plage et la propriété est inaccessible depuis la baie. C'était un dépôt de combustible de la Marine pendant la Seconde Guerre mondiale et il y a encore des manuels d'instruction poussiéreux, des équipements sanitaires et les barils d'eau dont je t'ai parlé l'autre jour. Ils datent de 1960.

Ta fille m'amuse, c'est une gamine astucieuse, jouer contre elle est très stimulant : je lui ai indiqué plusieurs clés et elle les a presque toutes découvertes. Je suis sûr qu'elle a pensé que le Loup est Anton Farkas, c'est pourquoi la police court maintenant après lui, mais ils n'ont trouvé que des boîtes postales et des téléphones, un truc d'illusionniste, je suis un maître en la matière. Quand j'ai appris qu'ils cherchaient Farkas, j'ai compris que tôt ou tard Amanda établirait un lien entre cet arpenteur et cette forteresse. Mais elle ne le fera jamais à temps, et de toute façon je suis prêt.

Le Vendredi Saint est enfin arrivé, Indi, ta captivité se termine aujourd'hui, je ne l'ai pas prolongée dans l'intention de te châtier, tu sais bien que la cruauté me répugne, elle produit confusion, saleté et désordre. J'aurais préféré t'éviter les désagréments, mais tu n'as pas voulu entendre raison, tu as refusé de coopérer avec moi. La date d'aujourd'hui n'a pas été déterminée par caprice ou improvisation, mais par le calendrier lunaire. Les dates sont importantes et les rituels aussi, parce qu'ils donnent sens et beauté aux actes humains et aident à fixer les événements dans la mémoire. J'ai mes rituels. Par exemple, mes exécutions ont toujours lieu à minuit, l'heure mystérieuse où se lève le voile qui sépare la vie de la mort. Il est triste qu'il y ait si peu de rituels séculiers dans la vie moderne, ils sont tous religieux. Les chrétiens, par exemple, célèbrent la Semaine Sainte par des rites solennels. Ce sont trois jours de deuil, on commémore le calvaire du Christ, nous savons tous cela, mais peu savent en quoi consiste exactement la crucifixion, un supplice atroce, une mort lente. Le condamné est attaché ou cloué à deux madriers, l'un vertical, l'autre horizontal, c'est l'image la plus connue, mais il y a d'autres formes de croix. L'agonie peut durer des heures ou des jours, suivant la méthode et l'état de santé de la victime, et la mort advient par épuisement, septicémie, arrêt cardiaque, déshydratation, ou une combinaison de toutes ces causes ; mais aussi par hémorragie, au cas où il y aurait des blessures ou si on a brisé les jambes du condamné, comme on le faisait autrefois pour accélérer le processus. Il existe une théorie selon laquelle la position des bras tendus, résistant au poids du corps, rend la respiration difficile et la mort survient par asphyxie, mais ce n'est pas prouvé.

Le printemps était bien là en cette journée ensoleillée et dans l'explosion de couleurs sur les étals du marché, entre lesquels déambulait une foule légèrement vêtue à l'esprit de fête qui achetait des fruits, des légumes, des fleurs, de la viande, du pain, des plats préparés. À l'entrée se trouvait une jeune fille aveugle portant la longue robe paysanne, et la toque des femmes mennonites, qui chantait d'une voix angélique et vendait des CD de ses chansons ; cent mètres plus loin, une troupe de musiciens boliviens en costume traditionnel régalait le public en jouant de leurs instruments des hauts plateaux.

À midi, Pedro Alarcón, en short, sandales et chapeau de paille, s'approcha de la banne blanche sous laquelle Denise West vendait les produits de son poulailler et de sa cuisine. Le détective de la Brigade criminelle qui suivait Pedro depuis plusieurs jours avait ôté sa veste et s'éventait avec le bulletin écologiste que quelqu'un lui avait mis dans la main. À quelques mètres de distance, dissimulé au milieu de la foule, il vit l'Uruguayen acheter des œufs et conter fleurette à la vendeuse, une femme mûre et séduisante, vêtue comme un bûcheron, avec une tresse grise qui pendait dans son dos, mais il ne vit pas qu'il lui donnait la clé de sa voiture. Puis, en sueur, il suivit Pedro Alarcón dans sa promenade d'étal en étal, achetant une carotte par-ci, un bouquet de persil par-là avec une lenteur exaspérante. Il ne vit pas que pendant ce temps Denise West allait au parking, sortait un paquet de la voiture de Pedro et le mettait dans son camion. Le détective ne s'étonna pas qu'avant de quitter le marché Pedro passe saluer la femme autour de laquelle il avait papillonné un peu plus tôt, et il ne se rendit pas compte non plus que celui-ci récupérait sa clé.

Denise West remballa son étal de bonne heure, elle démonta sa banne, chargea ses affaires dans son camion et partit dans la direction que lui avait indiquée Pedro Alarcón, près de l'embouchure du fleuve Petaluma, une vaste étendue de canaux et de marécages. Elle eut du mal à trouver l'endroit, parce qu'elle s'attendait à quelque chose comme un magasin de sports aquatiques, mais c'était une maison en si piteux état qu'elle paraissait abandonnée. Elle stoppa son lourd véhicule dans une ornière et n'osa pas poursuivre, de crainte de rester embourbée. Elle klaxonna plusieurs fois et soudain, comme par enchantement, un vieux barbu armé d'un fusil surgit à moins d'un mètre de sa vitre. L'homme lui cria quelque chose d'incompréhensible en la menaçant de son arme, mais Denise n'était pas arrivée jusque-là pour reculer au premier obstacle. Elle ouvrit la porte, descendit avec quelque difficulté, parce que ses os la faisaient souffrir et, les bras sur les hanches, elle affronta l'homme.

— Baissez ce fusil, mister, si vous ne voulez pas que je vous le prenne. Pedro Alarcón vous a averti que je viendrais. Je suis Denise West.

— Pourquoi vous me l'avez pas dit avant ? grogna l'homme.

— Je vous le dis maintenant.

— Vous avez ce qu'on m'a promis ?

Elle lui tendit l'enveloppe qu'Alarcón lui avait donnée ; l'homme compta lentement les billets et, une fois satisfait, mit deux doigts dans sa bouche et lança un sifflement strident. Quelques instants plus tard, deux grands gaillards arrivèrent chargés de deux grands sacs de grosse toile qu'ils jetèrent sans cérémonie dans la partie arrière du véhicule. Comme Denise le craignait, le camion était embourbé et les trois hommes ne s'avisèrent pas de refuser lorsqu'elle exigea d'eux qu'ils poussent pour qu'elle puisse sortir de là.

Denise rentra chez elle à la tombée de la nuit, alors que Ryan Miller avait déjà soigneusement préparé son équipement, comme il l'avait fait pour chaque mission lorsqu'il était *navy seal*. Il se sentait confiant, comme à l'époque, même s'il ne pouvait compter sur ses frères du Seal Team 6, ni sur la diversité des armes, plus de quarante, qu'il avait autrefois à sa disposition. Il avait mémorisé les plans de l'intérieur de Winehaven. Le pressoir était né après le tremblement de terre de 1906 à Point Molate ; en ce temps-là, il n'y avait que quelques familles chinoises de pêcheurs de crevettes, qui avaient été expulsées. Les raisins arrivaient des vignobles de Californie dans de grandes barcasses et ils étaient traités par plus de quatre cents ouvriers permanents, qui produisaient un demi-million de gallons de vin par mois afin de satisfaire l'énorme demande dans le reste du pays. Le négoce s'acheva brusquement en 1919 avec la prohibition de l'alcool aux États-Unis, qui allait durer treize ans. La forteresse resta inoccupée pendant plus de vingt ans, jusqu'à ce que la Marine la transforme en une base militaire, dont Miller n'avait eu aucune difficulté à obtenir les plans.

Denise et lui descendirent les deux sacs du camion et ils les ouvrirent dans la cour ; le premier contenait le squelette et le second l'enveloppe d'un kayak Klepper, descendant direct des canoës des Inuits, mais qui au lieu de bois et de peau était constitué d'une armature pliable en aluminium et en plastique, et d'une enveloppe en toile imperméable. Il n'y avait rien de plus silencieux, de plus léger et pratique que ce Klepper, idéal pour le plan de Miller, qui l'avait souvent utilisé du temps où il était dans la Marine, dans des eaux bien plus agitées que celles de la baie.

— Pedro t'envoie ça, lui dit Denise en lui remettant le paquet qu'elle avait sorti de la voiture de l'Uruguayen.

C'était un harnais en toile pour Attila et le chandail beige en cachemire qu'Alan Keller avait offert à Indiana quelques années plus tôt. Alarcón l'avait trouvé dans la camionnette de Miller et il avait décidé de le garder, avant de se débarrasser du véhicule comme Ryan le lui avait demandé. Il avait laissé la camionnette dans un garage clandestin, dissimulé parmi les machines abandonnées de Hunter's Point, où une bande de voleurs spécialisés la transformerait pour la vendre au Mexique. Le moment était venu d'utiliser le chandail.

— Tu sais déjà ce que je pense de tout ça, dit Denise.

— Ne t'inquiète pas, j'aurai une bonne visibilité, répliqua Miller.

— Il y a beaucoup de vent.

— En ma faveur, dit Miller, mais il s'abstint de mentionner d'autres inconvénients possibles.

— Ça, c'est de la fanfaronnade, Ryan. Pourquoi vas-tu te jeter seul dans la gueule du loup ? Littéralement.

— Par machisme, Denise.

— Que tu es bête ! soupira-t-elle.

– Non. La vérité c'est que ce scélérat retient Indiana et que la seule façon de la récupérer vivante est de le prendre par surprise, sans lui donner le temps de réagir. Impossible de faire autrement.

— Il se peut que tu te trompes et que ton amie ne soit pas séquestrée dans cet endroit, comme tu le crois, ou que le Loup la tue dès que tu t'approcheras, s'il ne l'a pas déjà fait.

— Ça n'arrivera pas, Denise. Le Loup est ritualiste, il va attendre minuit, comme il l'a fait à chaque fois. Ce sera facile.

— Comparé à quoi ?

— C'est un homme seul, un fou délirant, et son arsenal se réduit à un *taser*, des drogues, du poison et des flèches. Je doute qu'il sache utiliser un fusil de chasse. Et en plus il s'habille en femme !

— Peut-être, mais il a commis huit homicides.

À dix-huit heures, la maîtresse du jeu informa les joueurs de *Ripper* qu'elle avait localisé le *navy seal* et elle leur exposa à grands traits le plan, qui fut approuvé avec enthousiasme par sir Edmond Paddington et avec hésitation par Sherlock Holmes. Abatha était plus incohérente que d'habitude, épuisée au niveau psychique par le violent effort qu'elle faisait pour rétablir la communication télépathique avec la mère d'Amanda. Il y avait des interférences et les messages étaient très vagues, expliqua-t-elle. Les premiers jours, elle la visualisait flottant dans la nuit sidérale et elle pouvait parler, mais l'esprit d'Indiana ne naviguait plus librement. C'était aussi de sa faute, admit-elle, la faute des cinq cents calories ingérées la veille, qui lui avait laissé l'aura rayée comme un zèbre et le ventre en flammes.

— Ta maman est toujours vivante, mais désespérée. Dans ces conditions, je ne peux entrer dans son esprit, ajouta-t-elle.

— Elle souffre ? lui demanda Amanda.

— Oui, maîtresse, beaucoup, dit Abatha, et Amanda répondit par un sanglot.

— Vous avez pensé à ce qui se passera si Miller échoue ? interrompit Esmeralda.

Pendant une longue minute personne ne répondit. Amanda ne pouvait imaginer la possibilité que Miller échoue, parce qu'il n'y aurait pas de seconde chance. La nuit approchant, ses doutes augmentaient, ravivés par son grand-père qui envisageait sérieusement d'appeler Bob Martín pour tout lui raconter.

— C'est une mission de routine pour un *navy seal*, leur dit Denise West dans son rôle de Jézabel, sans grande conviction.

— Du point de vue militaire, le plan est bon mais risqué, et il doit être dirigé depuis la terre, dit Paddington avec fermeté.

— Pedro Alarcón, un ami de Miller, s'en chargera avec un portable et un GPS. Il sera à un kilomètre de distance, prêt à intervenir. La maîtresse et moi, nous resterons en contact avec lui, précisa Kabel.

— Et nous, comment pouvons-nous aider ? demanda Esmeralda.

— En priant, par exemple, ou en envoyant de l'énergie positive à Winehaven, suggéra Abatha. Je vais insister sur la télépathie. Je dois dire à la mère d'Amanda d'avoir de la patience et du courage, car les secours vont bientôt arriver.

Les dernières heures de l'après-midi s'écoulèrent avec une effroyable lenteur pour tous, en particulier pour Ryan Miller, qui observait avec une longue-vue le festival des voiliers dans la baie en attendant qu'ils rentrent à quai, comptant les minutes. À vingt et une heures, quand la circulation des bateaux cessa tout à fait et que passa le dernier ferry en direction de Vallejo, Denise West le laissa avec Attila et le kayak sur la Sonoma Creek, l'un des affluents du Napa. C'était une nuit sans étoiles, de pleine lune, un disque magnifique de pur argent qui s'élevait lentement au-dessus des montagnes de l'est. La femme aida Miller à mettre le Klepper à l'eau et lui dit au revoir sans chichis, en lui souhaitant bonne chance. Elle lui avait déjà dit tout ce qu'elle pensait de cette expédition. Le *navy seal* se sentait bien préparé, il avait le revolver le mieux adapté à sa mission, un Glock semi-automatique de fabrication australienne. Il avait laissé accrochées au mur de son loft des armes plus létales, mais il ne les regrettait pas, car elles ne lui auraient pas aussi bien servi que le Glock pour délivrer Indiana. Il avait aussi son couteau de service Ka-bar, un modèle utilisé depuis la Seconde Guerre mondiale, et sa trousse de premiers secours, plus par superstition que pour autre chose, vu qu'un seul tourniquet lui avait évité de se vider de son sang en Irak, Attila ayant fait le reste. Il avait chargé Denise de lui acheter les meilleures lunettes de vision nocturne, qui lui avaient coûté la bagatelle de mille dollars ; il dépendrait entièrement d'elles à l'intérieur de Winehaven. Il s'était vêtu de noir – pantalon, tee-shirt, sweater et baskets –, et il se peignit le visage avec du cirage de même couleur. De nuit, il était pratiquement invisible.

Il avait calculé que traverser la baie de cet endroit jusqu'à Point Molate lui prendrait deux heures, à une vitesse de quatre ou cinq nœuds. Cela lui laissait une bonne marge de temps avant minuit. Il faisait confiance à la force de ses muscles, à son expérience de rameur et à sa connaissance de la baie. Pedro Alarcón avait inspecté les environs de Winehaven et l'avait prévenu qu'il n'y avait ni plage ni embarcadère ; il devrait escalader une paroi rocheuse pour accéder à la propriété, mais elle n'était pas très haute et il pensait qu'Attila pourrait grimper aussi, même dans l'obscurité. Une fois dans l'ancien pressoir, il devrait agir avec prudence et rapidité pour ne pas perdre son avantage. Il repassa dans son esprit le plan de Winehaven tout en ramant dans les eaux calmes du canal. Assis dans le kayak, dressé sur ses pattes et attentif, Attila, en bon marin, scrutait l'horizon.

Un quart d'heure plus tard, le kayak pénétra dans la baie de San Pablo et se dirigea vers le sud. L'homme n'avait pas besoin de boussole, il se guidait d'après les lumières des deux rives de la large baie et les bouées lumineuses, qui indiquaient les voies navigables pour les bateaux et les barcasses de marchandises. Le kayak pouvait naviguer dans des eaux très peu profondes, ce qui lui permettait d'aller tout droit vers Point Molate, sans crainte de s'échouer, comme cela serait arrivé avec son bateau à moteur. L'agréable brise de la journée s'était changée en vent du nord, un vent arrière qui ne l'aidait pas, car la marée montait, très forte en cette nuit de pleine lune, et le vent butait contre la direction de l'eau, provoquant de la houle. Cela l'obligeait à ramer avec plus de force qu'en temps normal sur ce trajet. La seule embarcation qu'il vit au cours de l'heure suivante fut une barcasse de transport qui s'éloignait vers le Golden Gate et l'océan Pacifique.

Miller ne put voir deux rochers où nichaient les mouettes, qui marquaient le point où la baie de San Pablo devenait celle de San Francisco, mais il devina où ils se trouvaient car les eaux s'agitèrent davantage. Il avança encore un moment et vit en face les lumières du pont qui reliait Richmond à San Rafael – il semblait beaucoup plus proche qu'il ne l'était en réalité et allait lui servir à s'orienter –, et celles de l'ancien phare devenu un petit hôtel pittoresque pour touristes aventuriers, sur l'un des îlots appelés Dos Hermanos, les « Deux Frères ». Il trouverait Winehaven sur sa gauche, peu avant d'arriver au pont, et comme il n'avait pas de lumière, il devrait naviguer tout près de la berge pour ne pas le dépasser. Il continua à ramer contre la houle, indifférent à l'effort des muscles des bras et du dos, sans perdre le rythme cadencé de ses mouvements. Il ne s'arrêta que deux ou trois fois pour éponger la sueur qui trempait ses vêtements et boire de l'eau d'une bouteille. Il rassura Attila : « Tout va bien, camarade. »

L'homme sentait l'excitation bien connue qui précède le combat. S'il avait eu l'illusion d'avoir prévu tous les dangers possibles et de contrôler la situation, celle-ci avait disparu dès l'instant où il avait fait ses adieux à Denise West. C'était un soldat aguerri, il savait que sortir sain et sauf d'un combat est une question de chance, et que même le plus expert peut être atteint par une balle perdue. Au cours de ses années de guerre, il avait toujours eu conscience qu'il pouvait à tout moment mourir ou être blessé ; chaque matin il se réveillait reconnaissant et s'endormait préparé au pire. Cela ne ressemblait cependant en rien à la guerre technologique, abstraite et impersonnelle à laquelle il était habitué ; ce serait une lutte frontale, et cette éventualité augmentait son enthousiasme et son anxiété. Il le désirait : il voulait voir le Loup en face. Il ne le craignait pas. En fait, dans la vie civile, il ne craignait personne, il était mieux préparé que n'importe qui, il s'était gardé en forme et cette nuit il affronterait un homme seul, il en avait la certitude, car aucun tueur en série n'a de complices. Le Loup était un personnage de roman, absurde, cinglé, ce n'était certainement pas un adversaire digne d'un *navy seal.* « Dis-moi, Attila, crois-tu que je sous-estime l'ennemi ? Je pèche parfois par orgueil et présomption. » Le chien ne pouvait l'entendre ; il était immobile à son poste, son œil unique fixé sur le but. « Tu as raison, camarade, je divague », dit Miller. Il se concentra exclusivement sur le présent, sur l'eau, le rythme de ses bras, le plan de Winehaven, le cercle lumineux de sa montre, sans anticiper l'action, sans réviser les risques, sans invoquer ses frères du Seal Team 6 ni se placer dans le cas où Indiana ne serait pas dans le refuge antiaérien de l'ancienne base navale. Il devait sortir Indiana de son esprit, cette distraction pouvait lui être fatale.

La lune était très haute dans le ciel quand le kayak toucha terre devant Winehaven, une énorme masse en brique avec des murailles épaisses, des parapets crénelés et de grosses tours. On aurait dit un château du XIVe siècle, incongru sur la baie placide de San Francisco, et la lueur blanche de la lune lui donnait un air menaçant, de mauvais augure. Il était construit sur le versant de la colline et, de l'endroit où se trouvait Miller, sa hauteur avait de quoi impressionner, mais la partie avant n'était haute que de moitié. L'entrée principale, côté chemin, donnait directement accès au deuxième étage ; il y avait un étage de plus au-dessus, un autre plus bas, et le souterrain.

Le *navy seal* sauta dans l'eau, qui lui arrivait à mi-poitrine, il amarra la fragile embarcation à un rocher, prit son arme, ses munitions et le reste de son équipement, enfila ses baskets, qu'il portait accrochées au cou, et fit signe à Attila de le suivre.

Il poussa le chien pour qu'il grimpe sur les roches glissantes, et une fois sur la terre ferme ils franchirent en courant les quarante mètres qui séparaient l'eau de l'édifice. Il était minuit moins vingt-cinq. La traversée avait duré plus que prévu, mais si le Loup s'en tenait à ses habitudes, il disposait de plus de temps qu'il ne lui en fallait.

Miller attendit quelques minutes collé au mur, pour s'assurer que tout était calme. Il ne perçut que le cri d'une chouette et le mouvement des dindons sauvages dans l'herbe, qui ne le surprirent pas, car Pedro l'avait averti de la présence de ces volatiles patauds dans les environs. Il avança dans l'ombre de la forteresse, contourna la grosse tour sur la droite et affronta le mur côté sud, qu'il avait vu sur l'une des photos de Pedro et choisi parce qu'il était invisible depuis le chemin, où pouvait passer le gardien. Dans sa partie la plus basse, la paroi mesurait entre quinze et dix-huit mètres de haut et une gouttière en zinc descendait le long du mur pour l'écoulement de l'eau du toit. En mettant son harnais à Attila, un gilet improvisé en grosse toile avec quatre ouvertures pour les pattes, un crochet sur le dos, il sentit le tremblement nerveux de l'animal. Il comprit qu'Attila se souvenait d'avoir porté un harnais semblable. « Du calme, camarade, ça va être beaucoup plus facile que de sauter en parachute », lui murmura-t-il comme si le chien pouvait l'entendre, et il lui caressa la tête. « Attends-moi ici et ne t'avise pas de courir après les dindons. » Il accrocha au harnais la corde qu'il portait à la taille et fit signe au chien d'attendre.

Priant pour que la tuyauterie supporte son poids, Miller entreprit son ascension en se hissant à l'aide des muscles du torse et des bras et en stabilisant son corps à l'aide de son unique jambe, comme il le faisait lorsqu'il nageait ; la jambe appareillée n'était d'aucune utilité à ce moment. Solidement fixé, le tuyau grinça mais ne céda pas sous son poids, et il atteignit rapidement le toit. De là il put apprécier l'immense superficie de l'édifice et la vue spectaculaire de la baie éclairée par la lune, avec les lumières du pont sur sa gauche et en face la lueur lointaine de la ville de San Rafael. Il donna une brève secousse à la corde, pour prévenir Attila, et se mit tout de suite à le hisser lentement, en prenant soin de ne pas le cogner. Dès qu'il l'eut à sa portée, il le prit dans ses bras pour le faire passer par-dessus le mur et décrocha la corde, mais il ne lui enleva pas le harnais. Au cours de ce bref trajet vertical, Attila retrouva l'esprit courageux qui lui avait valu sa médaille : il ne montrait plus de signes de nervosité, était attentif aux ordres, plein d'énergie, avec une expression d'attente féroce que Miller ne lui avait pas vue depuis des années. Il se félicita d'avoir continué à l'entraîner avec la même rigueur qu'autrefois, lorsqu'ils combattaient ensemble. Attila avait gardé intacte sa discipline de soldat.

Sur le grand toit en terrasse couvert de gravillons, Miller vit trois coupoles en verre, une sur chaque corps de bâtiment. Il devait entrer par la première, se glisser jusqu'à l'étage supérieur de Winehaven, trouver la cage d'ascenseur qui unissait tous les étages et débouchait dans l'abri antiaérien. Il remercia la minutie d'Alarcón, qui lui avait envoyé des photos de l'extérieur, y compris des lucarnes. Retirer deux fines plaques métalliques de ventilation, à la base de la coupole de verre, fut un jeu d'enfant, car elles étaient rouillées et desserrées. Il se pencha pour éclairer le trou avec sa torche, qu'il avait décidé d'utiliser le moins possible, et évalua une distance d'environ cinq mètres. Il composa le numéro d'Alarcón et lui parla à voix basse.

— Tout va bien. Je suis sur le toit avec Attila, nous allons entrer.

— Tu as une quinzaine de minutes.

— Vingt.

— Sois prudent. Bonne chance.

Le *navy seal* mit à Attila les lunettes canines de vision nocturne qu'il portait à la guerre et qu'il avait gardées en souvenir, sans se douter qu'il en aurait à nouveau l'usage. Il remarqua qu'elles le gênaient, mais comme le chien les avait utilisées autrefois, il les supporta en silence ; elles lui serviraient peu, car il y voyait mal, mais il en aurait besoin. Miller accrocha la corde au harnais, il caressa le noble animal, lui fit un signe et entreprit de le descendre dans l'espace obscur qui s'ouvrait devant lui.

Dès qu'il sentit Attila toucher le sol, Miller attacha l'autre extrémité de la corde au cadre en métal de la lucarne et il l'utilisa pour descendre. « Voilà, mon ami, nous sommes à l'intérieur », murmura-t-il en chaussant ses lunettes neuves. Il lui fallut quelques secondes pour accommoder sa vision aux images fantasmagoriques et mouvantes en vert, rouge et jaune. Il alluma la lampe infrarouge qu'il portait sur le front et put se faire une idée de la salle où il se trouvait, aussi vaste qu'un hangar d'avion. Il ôta le harnais au chien, inutile à partir de cet instant, la corde étant restée accrochée à la lucarne ; dorénavant, il devrait faire confiance à la précision des plans dessinés en 1995, à son expérience et à sa chance.

Les lunettes lui permettaient d'avancer de face, mais il manquait de vision périphérique. S'il y avait du danger, avec son instinct et son excellent odorat, le chien l'avertirait. Il s'enfonça, évitant les décombres qui jonchaient le sol, et une dizaine de mètres plus loin distingua le grand cube en grillage métallique qui contenait autrefois un monte-charge. À côté de la cage, comme il l'avait imaginé, il découvrit un petit escalier en fer. Il supposa que le repaire du Loup ne se trouvait ni à cet étage ni dans celui qu'il y avait juste au-dessous, parce que dans la journée ils recevaient un peu de lumière, qui pénétrait par les lucarnes, la cage d'ascenseur et les fentes des fenêtres bouchées. Il constata qu'il n'avait pas de connexion pour le portable et ne pouvait communiquer avec Alarcón. Ils avaient prévu cette possibilité, mais il proféra un juron entre ses dents, car désormais il n'avait d'autre appui que son chien.

Attila hésita devant l'escalier raide et étroit, mais sur un signe il commença à descendre prudemment. Lorsqu'il s'était préparé, dans la maison de Denise, Miller avait pensé atténuer le bruit en couvrant ses pattes, mais décidé que cela allait le gêner, et il s'était contenté de lui couper les ongles. Il ne s'en repentit pas, car Attila n'aurait pu manœuvrer dans cet escalier sans s'agripper.

Le vaste étage principal s'étendait sur toute la longueur et toute la largeur des trois bâtiments qui constituaient la forteresse. Miller renonça à l'idée de l'explorer. Il n'avait pas le temps, il devait jouer toutes ses cartes sur une seule possibilité : le refuge souterrain. Il s'arrêta, à l'affût, Attila collé à sa jambe. Dans le calme absolu qui régnait il crut entendre les paroles d'Abatha, l'adolescente anorexique qui avait bien décrit cet endroit fantastique depuis une clinique de Montréal. « Des esprits du passé protègent la maman d'Amanda », avait dit Abatha. « Je l'espère », murmura Miller.

La volée suivante d'escalier était un peu plus large et plus solide que la première. Avant de descendre, il ouvrit le sac en plastique qu'il gardait sous son tee-shirt, sortit le cardigan beige d'Indiana et le mit sous le nez d'Attila. Il sourit à l'idée que lui-même pourrait suivre la trace de ce parfum qui la caractérisait, un mélange d'huiles essentielles qu'Amanda appelait « l'odeur de magie ». Le chien flaira la laine et leva la tête pour regarder son compagnon à travers les lunettes, indiquant qu'il avait compris. Miller remit le cardigan dans le sac, pour ne pas désorienter le chien, et il le glissa sous son tee-shirt. Attila colla le museau au sol et descendit prudemment à l'étage inférieur. Le *navy seal* attendit et, lorsqu'il fut certain qu'Attila n'avait buté sur rien d'alarmant, il le suivit.

Il se retrouva à un étage plus bas de plafond, au sol de ciment, qui avait sans doute été utilisé pour entreposer d'abord des tonneaux de vin et ensuite du matériel militaire et du combustible. Pour la première fois il sentit le froid et se souvint que ses vêtements étaient mouillés. D'aussi loin qu'il pouvait voir grâce à ses lunettes, il y avait des décombres, des objets, des tonneaux, d'énormes caisses scellées, des armatures circulaires en bois servant à enrouler des tuyaux ou des cordes, un vieux réfrigérateur, plusieurs chaises et des bureaux. Indiana pouvait être séquestrée dans n'importe quel recoin de cet étage, mais l'attitude d'Attila lui indiqua clairement qu'il ne devait pas perdre de temps ici ; baissé, le nez au sol dans l'escalier, il attendait des instructions.

La lumière infrarouge montra un trou ainsi que les premières marches d'un escalier en colimaçon décrépit, qui d'après les plans devait conduire au refuge. Une odeur fétide de renfermé et d'eau stagnante frappa ses narines. Il se demanda si Attila serait capable de suivre la trace d'Indiana dans ce milieu contaminé et la réponse lui parvint tout de suite : le chien avait le dos hérissé et les muscles tendus, prêt à l'action. Il était difficile de deviner ce qu'il allait trouver dans l'abri antiaérien, car le plan montrait seulement quatre murs épais, le trou où avait été l'ascenseur et l'emplacement des piliers de fer. À l'extrémité opposée, on accédait à l'unique sortie vers l'extérieur par un autre escalier, inutilisé depuis bien des années, qui n'existait peut-être plus. Dans l'un des rapports de la Marine figuraient des divisions provisoires destinées à l'hôpital, à des bureaux et des chambres d'officiers, ce qui compliquerait beaucoup la tâche ; la dernière chose que désirait le soldat était de se perdre dans un labyrinthe de bâches.

Ryan Miller comprit qu'il se trouvait enfin, comme l'avait dit Denise West, dans la gueule du loup. Dans l'abominable silence de la forteresse, il pouvait entendre les battements de son cœur comme le tic-tac d'un réveil. L'entrée de l'escalier était un trou de cinquante centimètres de large. Il allait devoir se plier en deux et passer sous une barre métallique avant d'affronter les marches en métal oxydé. Il ne pourrait le faire avec grâce, pensa-t-il, en estimant sa taille et l'inconvénient de sa jambe artificielle. Le rayon de lumière infrarouge ne parvenait pas à éclairer le fond et il ne voulut pas se trahir en allumant sa torche. Il hésitait entre descendre en essayant de ne pas faire de bruit, ou simplement se lancer dans l'abîme en risquant le tout pour le tout afin de gagner du temps. Il inspira à fond, emplissant d'air sa poitrine, et balaya toute pensée de son esprit. À partir de cet instant il se déplacerait à l'instinct, poussé par sa haine de l'homme qui tenait Indiana en son pouvoir, guidé par l'expérience et la connaissance gravées par le sang et le feu dans la guerre, la réponse automatique que son instructeur de la *hell week* appelait la mémoire musculaire. Il exhala l'air retenu, ôta la sécurité de son revolver et donna deux petites tapes sur le dos de son compagnon.

Attila commença la descente.

Si le *navy seal* espérait attaquer par surprise, le bruit des griffes d'Attila qui résonnait dans les profondeurs du souterrain l'y fit renoncer. Il compta les pas du chien pour se faire une idée de la hauteur et, dès qu'il entendit Attila arriver en bas, il se baissa pour éviter l'obstacle de la barre et se laissa tomber dans le puits de l'escalier, sans se soucier du bruit qu'il faisait, revolver à la main. Il descendit trois marches, mais la quatrième céda avec fracas et sa prothèse s'incrusta dans le métal oxydé. En un éclair, il comprit que si ç'avait été sa jambe, le fil lui aurait complètement arraché la peau. Il tira pour se libérer, mais il était coincé et dut se servir d'une main pour décrocher le pied en fibre de carbone pris dans les débris de la marche. Il ne pouvait laisser sa prothèse, il en avait besoin. Il avait perdu quelques précieuses secondes et l'avantage de la surprise.

Il arriva en bas en quatre sauts et se baissa, faisant demi-tour sur lui-même pour examiner l'espace que couvrait la vision nocturne de ses lunettes, tenant le Glock à deux mains. Au premier coup d'œil il lui sembla qu'il se trouvait dans une enceinte plus petite que les autres étages, mais très vite il se rendit compte que le long des murs se trouvaient des bâches sombres : les divisions qu'il redoutait. Il n'eut pas le temps d'évaluer cet obstacle, car il vit clairement la silhouette d'Attila couchée à terre. Il l'appela d'une voix étouffée, ne comprenant pas ce qui lui était arrivé. Il pouvait avoir reçu une balle, qu'il n'avait pas entendue à cause de l'incident de la marche brisée, ou parce qu'on lui avait tiré dessus avec un silencieux. L'animal ne bougeait pas, il était couché sur le côté, la tête en arrière dans une position inhabituelle et les pattes raides. « Non ! s'exclama Miller. Non ! » Dominant l'envie de courir vers lui, il se baissa, inspectant le peu qu'il parvenait à voir autour de lui, cherchant son ennemi, qui était sûrement tout près.

Il se trouvait au pied de l'escalier, près de la grande cage en filet métallique de l'ascenseur, exposé de tous côtés ; il pouvait être attaqué de n'importe quel angle. Le scénario ne pouvait être pire : la partie centrale du refuge était un grand espace vide, mais le reste était divisé, un labyrinthe pour lui et une cachette parfaite pour le Loup. Au moins avait-il la certitude qu'Indiana était proche, Attila avait identifié son odeur. Il ne s'était pas trompé en supposant que Winehaven était le repaire du Loup et qu'il y retenait Indiana prisonnière. Comme sa lumière infrarouge, capable de détecter la chaleur d'un corps, ne lui révélait rien, il en déduisit que l'homme s'était abrité derrière la bâche de l'un des espaces. Sa seule protection était l'obscurité et ses vêtements noirs, à condition que l'autre n'ait pas, comme lui, des lunettes de vision nocturne. Il faisait une cible trop facile, il devait abandonner Attila pour le moment et se couvrir d'une manière ou d'une autre.

Il courut, baissé, vers la droite, parce que la position dans laquelle Attila était tombé laissait supposer qu'il avait reçu l'impact depuis la gauche, où se trouvait à coup sûr son ennemi. Il atteignit le premier paravent et, un genou à terre, le dos contre la bâche, il examina le champ de bataille. Inspecter les tentes une à une serait une énorme imprudence, cela lui prendrait du temps et il ne pouvait le faire en étant prêt à tirer, car le Loup l'attendait peut-être dans l'une d'elles, prêt à utiliser Indiana comme bouclier. Avec Attila, il aurait été sûr de lui, le chien l'aurait guidé grâce à son flair. Il avait envisagé bien des risques en planifiant l'attaque de Winehaven, mais pas de perdre son fidèle compagnon.

Pour la première fois il se repentit de sa décision d'affronter seul l'assassin. Pedro Alarcón l'avait plus d'une fois averti que l'arrogance ferait sa perte. Il attendit pendant d'interminables minutes, attentif au moindre son dans le calme redoutable du refuge. Il avait besoin de voir l'heure pour savoir combien il lui restait de temps avant minuit, mais il ne pouvait consulter sa montre, cachée par la manche du sweater, car les chiffres brilleraient tel un phare vert dans les ténèbres. Il décida d'aller jusqu'au mur du fond pour s'éloigner du Loup, qui devait se trouver près de l'escalier, où il avait tiré sur Attila, puis l'obliger à se montrer. Il était sûr de son tir, avec son Glock il pouvait atteindre une cible en mouvement à vingt mètres, malgré la faible visibilité de ses lunettes. Il avait toujours été un bon tireur, à l'œil sûr et au poignet ferme, et depuis qu'il s'était retiré de l'armée il s'entraînait avec rigueur dans un champ de tir, comme s'il avait deviné qu'un jour il en aurait de nouveau besoin.

Il se glissa, collé aux bâches, conscient qu'il avait peut-être fait le mauvais pari et que son ennemi pouvait se trouver derrière l'une d'elles et le tuer par-derrière, mais il n'avait pas de meilleure idée. Il s'avança aussi rapidement et silencieusement que le lui permettait sa jambe artificielle, tous ses sens en alerte, s'arrêtant tous les deux ou trois pas pour évaluer le danger. Il refusa de penser à Indiana et Attila, concentré sur l'action et sur son corps : il était trempé de la sueur de l'adrénaline, son visage le piquait à cause du cirage et des élastiques qui tenaient ses lunettes et sa lampe sur la tête, mais il avait les mains sèches. Il contrôlait parfaitement son arme.

Ryan Miller avait réussi à progresser de neuf mètres, lorsqu'il perçut au bout du souterrain le scintillement d'un éclat fulgurant qu'il ne parvint pas à identifier. Il remonta les lunettes sur son front, car elles intensifiaient la lumière, et essaya d'accomoder sa vision. Un instant plus tard il distingua ce que c'était et un cri rauque jaillit de son ventre. À distance, dans l'immense espace noir, il y avait un cercle de bougies dont les flammes vacillantes éclairaient un corps crucifié. Il était accroché à l'intersection d'un pilier et d'une poutre, la tête inclinée sur la poitrine. Il la reconnut à cause de ses cheveux dorés : c'était Indiana. Oubliant toute précaution, il courut vers elle.

Le *navy seal* ne sentit pas l'impact de la première balle dans sa poitrine et il fit encore plusieurs pas avant de tomber à genoux. La seconde l'atteignit à la tête.

Tu m'entends, Indiana ? C'est Gary Brunswick, ton Gary. Tu respires encore, regarde-moi. Je suis ici, à tes pieds, comme je l'ai été depuis que je t'ai vue pour la première fois l'année dernière. Même maintenant, en cette heure d'agonie, tu es si belle... Cette chemise de soie te va à ravir, légère, élégante, sensuelle. Keller te l'a offerte pour faire l'amour, moi je te l'ai mise pour que tu expies tes péchés.

Si tu lèves la tête tu pourras voir ton soldat. C'est cette masse sur le sol que je vise avec ma torche. Le chien est tombé plus loin, au pied de l'escalier, tu ne peux pas le voir d'ici ; la décharge électrique a été fatale pour sa taille, en une seconde le taser *est venu à bout de cet animal épouvantable. On distingue à peine le soldat, il est vêtu de noir. Tu le vois ? Peu importe, il ne peut plus s'immiscer dans notre amour. Ce fut un amour tragique, Indiana, mais ç'aurait pu être un amour merveilleux, si tu t'étais rendue. Au cours de cette semaine que nous avons passée ensemble, nous en sommes venus à nous connaître comme si nous avions été mariés longtemps. Tu as écouté toute mon histoire, je sais que tu me comprends : je devais venger le bébé que j'ai été, Anton Farkas, et l'enfant que j'ai été, Lee Galespi. C'était mon devoir, un devoir moral, inéluctable.*

Sais-tu que je n'ai pas eu de migraine depuis trois semaines ? On pourrait dire que tes traitements ont fini par donner des résultats, mais on ne peut écarter un autre facteur : je suis libéré du poids de la vengeance. J'ai porté cette responsabilité pendant de nombreuses années, imagine le tort que cela a causé à mon système nerveux. J'ai souffert de ces terribles migraines, que tu connais mieux que personne, depuis que j'ai commencé à préparer ma mission. Les exécutions produisaient sur moi un état d'exaltation extraordinaire, je me sentais léger, euphorique, comme si j'avais des ailes, mais quelques heures plus tard la migraine revenait et je croyais que j'allais mourir de douleur. Maintenant que j'ai enfin terminé, je crois que je suis guéri.

Je t'avoue que je n'attendais pas de visite si tôt ; Amanda est plus vive que je ne pensais. Je ne suis pas étonné que le soldat soit venu seul, il a cru qu'il pouvait me vaincre facilement et voulait se distinguer en sauvant sa dame en détresse. Quand ton ex-mari arrivera avec sa bande d'incapables, je serai loin. Ils continueront à chercher Anton Farkas, mais à un moment ou un autre Amanda se rendra compte que le Loup est Gary Brunswick. Elle est observatrice, elle a reconnu Carol Underwater sur une photo de moi à l'époque où j'étais Lee Galespi, je crois qu'elle va continuer à penser à ces photographies et finir par additionner deux plus deux pour comprendre que Carol Underwater est aussi Gary Brunswick, l'ami avec qui elle jouait aux échecs en ligne.

Je te répète ce que je t'ai dit hier, Indi, qu'une fois ma mission de justicier accomplie j'avais l'intention de te dire toute la vérité, de t'expliquer que ton amie Carol et ton plus fidèle client, Gary Brunswick, étaient la même personne, que mon nom de naissance est Anton Farkas, et que sous n'importe quelle identité, homme ou femme, Underwater, Farkas, Galespi ou Brunswick, je t'aurais aimée de la même façon, si tu l'avais permis. Je rêvais que nous partions au Costa Rica. C'est un pays hospitalier, chaud et pacifique, où nous aurions été heureux, nous aurions pu acheter un petit hôtel sur la plage et vivre du tourisme. Je t'ai offert plus d'amour que tous les hommes que tu as eus au cours de tes trente-trois années de vie. Ça alors ! Je viens de me rendre compte que tu as l'âge du Christ. Je n'avais pas pensé à cette coïncidence. Pourquoi m'as-tu rejeté, Indi ? Tu m'as fait souffrir, tu m'as humilié. Je voulais être l'homme de ta vie ; en échange, j'ai dû me résigner à être l'homme de ta mort.

Bientôt il sera minuit et ton calvaire prendra fin, Indi, à peine deux minutes. Ta mort doit être lente, mais comme nous ne pouvons attendre, nous sommes pressés, je vais t'aider à mourir, pourtant tu le sais, le sang me rend malade. Personne ne pourrait m'accuser d'être sanguinaire. Je voudrais t'épargner l'inconvénient de ces deux dernières minutes, mais la lune détermine l'heure exacte de ton exécution. Ce sera très rapide, une balle dans le cœur, pas question de te planter une lance dans le flanc, comme le faisaient les Romains avec les condamnés qui tardaient trop sur la croix…

Ryan Miller revint d'entre les morts avec les coups de langue d'Attila sur son visage. Le chien avait reçu la décharge du *taser* de plein fouet au moment où il posait la patte sur la dernière marche de l'escalier, au pied duquel Brunswick l'attendait. Il était resté deux minutes inconscient, deux autres complètement paralysé, et il lui avait fallu encore un moment pour se remettre péniblement sur ses pattes, secouer la confusion où l'avait plongé l'électricité et se souvenir de l'endroit où il se trouvait. Il avait alors répondu à son instinct premier : la loyauté. Ses lunettes étaient restées à terre, mais son odorat l'avait guidé jusqu'au corps prostré de son compagnon. Miller perçut les coups de tête par lesquels Attila tentait de le ranimer et il ouvrit les yeux, étourdi, mais avec le souvenir brûlant de la dernière chose qu'il avait vue avant de s'écrouler : Indiana crucifiée.

Cela faisait cinq ans, depuis qu'il était revenu de la guerre, que Miller n'avait pas eu besoin de recourir à l'extraordinaire détermination qui lui avait permis de devenir *navy seal.* Le muscle le plus puissant est le cœur, il l'avait appris au cours de la semaine infernale de son entraînement. Il n'avait pas peur, une grande clarté l'habitait. La blessure à la tête devait être superficielle, autrement il serait mort, pensa-t-il, mais celle de la poitrine était grave. Cette fois, un tourniquet ne servira à rien, pensa-t-il, je suis foutu. Il ferma son mental à la douleur et au sang qu'il perdait, secoua la faiblesse extrême qui l'invitait à se reposer, à s'abandonner comme il le faisait dans les bras d'Indiana après l'amour. « Attends un peu », dit-il à la mort en la poussant de côté. Aidé par le chien il se redressa sur ses coudes, cherchant son arme, qu'il ne put trouver ; il supposa qu'il l'avait lâchée en tombant, il n'avait pas le temps de la chercher. Il essuya le sang de ses yeux avec sa manche et, à une quinzaine de mètres, vit la scène du Golgotha, gravée sur sa rétine. Près de la croix se tenait un homme qu'il ne reconnut pas.

Pour la première fois, Ryan Miller fit à Attila un signe qu'il ne lui avait jamais indiqué sérieusement, mais qu'il avait parfois répété en jouant ou s'entraînant. La main sur le cou, il le serra fort et lui montra l'homme au loin. C'était l'ordre de tuer. Attila hésita un instant, partagé entre le désir de protéger son ami et l'obligation d'obéir à son ordre. Miller répéta le signal. Alors le chien bondit droit devant lui avec la rapidité et la rectitude d'une flèche.

Gary Brunswick entendit le galop et pressentit ce qui arrivait, il se retourna et tira sans viser, dans l'obscurité, sur le fauve qui était déjà en l'air, prêt à lui tomber dessus. La balle se perdit dans l'immensité du souterrain et les mâchoires du chien se refermèrent sur le bras qui portait l'arme. Dans un hurlement, Brunswick laissa tomber le revolver et essaya désespérément de se libérer, mais Attila l'écrasa de son poids sur le sol. Alors il lui lâcha le bras et tout de suite le mordit à la nuque, le traversant de ses canines en titane et le secouant jusqu'à le mettre en pièces. Gary Brunswick resta étendu, le cou déchiré à coups de dents, le sang jaillissant de la jugulaire en bouillons de plus en plus faibles.

Entre-temps Miller s'était traîné, en s'aidant de ses bras et de son unique jambe, car pour cela la prothèse ne servait pas à grand-chose, et il s'était approché d'Indiana avec une terrible lenteur, l'appelant, l'appelant, tandis que sa voix s'éteignait peu à peu. Il perdait connaissance pendant quelques secondes, et dès qu'il retrouvait ses esprits avançait un peu plus. Il savait qu'il laissait une traînée de sang sur le sol de ciment. Il fit le dernier mètre aidé par Attila, qui le tirait par les vêtements. Le pilier et la poutre étant en métal, le Loup n'avait pu clouer la femme sur la croix et il l'avait attachée avec des courroies aux poignets, bras tendus, suspendue à cinquante centimètres au-dessus du sol. Ryan Miller continua à l'appeler, « Indiana,

Indiana », sans obtenir de réponse. Il n'essaya pas de vérifier si elle était encore vivante.

Dans un effort surhumain, le *navy seal* réussit à se mettre à genoux, puis à se lever, appuyé contre le pilier, se soutenant sur sa jambe en fibre de carbone, car l'autre fléchissait. De nouveau il s'essuya les yeux avec sa manche, mais il comprit que ce n'était pas seulement le sang et la sueur qui lui troublaient la vue. Il dégaina son couteau, son Ka-bar, l'arme primitive que tout soldat porte toujours sur lui, et il entreprit de couper l'une des courroies qui attachaient Indiana. Il gardait le couteau aussi affilé qu'un poignard et savait l'utiliser, mais il lui fallut plus d'une minute pour trancher la lanière en cuir. Le corps inerte d'Indiana lui tomba dessus et il parvint à le soutenir, car elle pendait toujours par un poignet. D'un bras il la saisit par la taille, tout en s'attaquant à l'autre courroie. Enfin, avec ses dernières forces, il parvint à trancher le lien.

L'homme et la femme restèrent debout. De loin on les aurait dit enlacés, elle abandonnée à la langueur de l'amour, lui la serrant contre sa poitrine dans un geste aussi possessif que tendre, mais l'illusion n'aurait duré qu'un instant. Ryan Miller glissa lentement à terre, sans lâcher Indiana, parce que sa dernière pensée fut de la protéger d'une chute.

ÉPILOGUE

Samedi, 25 août 2012

Amanda Martín convoqua pour la dernière fois les participants de *Ripper* dans l'intention de clore le jeu et de leur dire adieu. Dans deux jours elle serait au MIT, entièrement occupée à reconquérir Bradley et, dans ses moments de loisir, à étudier ; elle n'aurait pas le temps de se consacrer à des jeux de rôle.

— Hier je suis allée avec Kabel déposer ma mère à l'aéroport. Elle est partie pour l'Afghanistan afin d'essayer de retrouver deux enfants dans un village, dit la maîtresse du jeu.

— Pourquoi ? demanda Esmeralda.

— Elle doit tenir une promesse qu'elle a faite à Ryan Miller. Elle ne connaît ni le nom des enfants ni celui du village, elle sait seulement qu'il se trouve pres de la frontière pakistanaise, mais elle sera aidée par un groupe de *navy seals* qui ont été les compagnons de Ryan.

— Alors elle les trouvera, assura le colonel Paddington, pour qui les *navy seals* étaient des demi-dieux.

— Ces enfants attendent Ryan Miller depuis six ans, dit Abatha.

— Comment le sais-tu ? Tu peux lire dans les pensées ? demanda Esmeralda.

— Je n'ai pas essayé. Je le sais parce que la maîtresse nous a raconté leur histoire. Vous n'avez pas de mémoire, répliqua la voyante.

— Ma mère rêve de Ryan presque toutes les nuits. Elle est plus amoureuse de lui maintenant que lorsqu'il était vivant, n'est-ce pas, Kabel ? dit Amanda.

— C'est vrai. Indiana n'est plus la même. Je crois qu'elle ne se remettra jamais de la mort d'Alan Keller, de Ryan Miller et de toute l'horreur qu'elle a vécue à Winehaven. Et moi je ne me pardonnerai jamais ce qui est arrivé, on aurait pu l'éviter, dit le grand-père.

— Moi non plus je ne me le pardonnerai pas. Si j'avais averti mon père un peu plus tôt, Ryan serait en vie. La police est arrivée dix minutes trop tard. Seulement dix minutes ! s'exclama Amanda.

— Le *navy seal* a réussi à sauver ta mère et il est mort en héros. Il a décidé de prendre des risques inutiles et n'a accepté l'aide de personne. Il voulait peut-être mourir, suggéra Sherlock Holmes.

— Non ! Ryan voulait vivre, il voulait épouser ma mère, il voulait retourner voir les enfants d'Afghanistan. Il n'avait aucune envie de mourir ! affirma Amanda.

— Que vas-tu faire du chien lorsque tu partiras au MIT ? lui demanda Esmeralda.

— Je vais rester avec lui, intervint le grand-père. Attila nous accepte, Sauvez-le-Thon et moi, mais lui aussi va avoir beaucoup de mal à se remettre. Il reste prostré pendant des heures, le regard fixé sur le mur, on le croirait embaumé.

— Il est en deuil lui aussi. L'esprit du soldat ne peut s'en aller, parce que Indiana et Attila le retiennent ici, ils doivent le laisser partir, affirma Abatha.

— Quand ma mère aura accompli sa promesse, peut-être que Ryan nous dira adieu et poursuivra son voyage, hasarda Amanda.

— Rejouerons-nous un jour à *Ripper* ? demanda Esmeralda.

— Nous pourrions nous réunir pendant les vacances d'hiver, proposa sir Edmond Paddington.

— À moins qu'avant ça nous ayons une affaire effrayante sur laquelle enquêter, ajouta Sherlock Holmes.

— En attendant, Kabel écrira notre histoire : le roman de *Ripper*, dit la maîtresse du jeu en guise d'adieu.

REMERCIEMENTS

Ce livre a vu le jour le 8 janvier 2012 parce que mon agent, Carmen Balcells, nous a suggéré, à Willie Gordon, mon mari, et à moi, d'écrire à quatre mains une histoire criminelle. Nous avons essayé, mais au bout de vingt-quatre heures il fut évident que le projet se terminerait par un divorce, si bien qu'il s'est consacré au sien – son sixième roman policier – et que je me suis enfermée pour écrire seule, comme d'habitude. Cependant, ce livre n'existerait pas sans Willie. Il m'a aidée pour la structure et le suspense, et m'a soutenue quand je faiblissais. Je suis également très reconnaissante envers d'autres collaborateurs :

Ana Cejas est la gentille sorcière qui m'a inspiré le personnage d'Indiana Jackson.

Robert Mitchell est le *navy seal* du livre, bien qu'il ait deux jambes et la conscience tranquille.

Sarah Kessler fut mon admirable enquêtrice.

Nicolas Frías, mon fils, a relu le texte pour corriger mes fréquentes erreurs de logique, que mes lecteurs attribuent au réalisme magique.

Andrea Frías, ma petite-fille, m'a initiée aux mystères de *Ripper*, le jeu de rôle.

Le docteur D. P. Lyle, expert en médecine légale, a répondu à mes questions sur les homicides, les armes, les drogues et les poisons sans m'accabler de mises en garde morales.

Lawrence Levy, psychologue, a contribué au développement du personnage le plus important : le méchant.

Le capitaine Sam Moore m'a instruite sur les eaux de San Francisco.

Lori, ma belle-fille, et Juliette, mon assistante, m'ont protégée du monde tandis que j'écrivais.

Cet ouvrage a été imprimé
par CPI BUSSIERE
à Saint-Amand-Montrond (Cher)
en mars 2015

Grasset s'engage pour
l'environnement en réduisant
l'empreinte carbone de ses livres.
Celle de cet exemplaire est de :
1,2 kg éq. CO_2
Rendez-vous sur
www.grasset-durable.fr

N° d'édition : 18780 – N° d'impression : 2014769
Dépôt légal : mars 2015
Imprimé en France